02 - VIP + VENUS -

03 - VIP + VENUS -

04 - GRAFFITI + SHERPA -

05 - VENUS + VIP -

06 - ETHNIC -

07 - ASPEN -

08 - ASPEN -

09 - GRAFFITI -
10 - VENUS + SHERPA -
11 - GRAFFITI + MERINO 100 % -
12 - DIVA -

13 - VIP + VENUS + CAN CAN -

14 - NEPAL -

15 - ETHNIC -

16 - ETHNIC -

17 - NEPAL -

18 - SHERPA + SHERPA PLUS -

19 - MERINO 100 % -

20 - MEXICO + DIANA -

21 - SCOTCH -

22 - MEXICO -

23 - MEXICO + TIBET -

24 A - COCKTAIL -
24 B - COCKTAIL -
24 C - COCKTAIL -

25 - GRAFFITI -

26 - TUNDRA -

27 - MERINO 100 % + TECNO SOFT PRINT -

28 - TUNDRA + TIBET -

29 - TUNDRA + INGENUA -

30 - GRAFFITI -
31 - NEPAL -

32 - TUNDRA -
33 - NEPAL -

34 - TUNDRA -

Punto de Media, Ganchillo y Horquilla

Ahora más fácil con katia

Lee las instrucciones

¡PRUÉBALO!

Consúltanos si tienes dudas

www.katia.es vídeos prácticos

En ellos lo verás más fácil

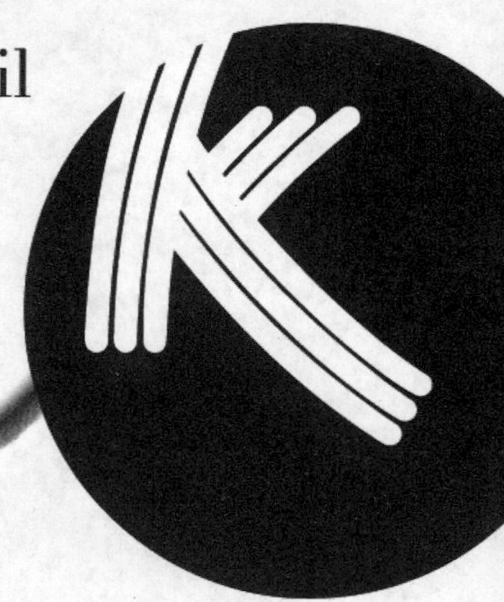

Knitting, Crochet and Hairpin lace are easy with katia

Read the instructions

IT'S WORTH A TRY!

Ask katia when you have any questions

Practical videos in **www.katia.es**

You will understand it even bette

Muy Importante / Very Important

PARA LEER CON FACILIDAD UNA EXPLICACIÓN DADA EN VARIAS TALLAS

Antes de comenzar a tejer, marque con un lápiz rojo las cifras correspondientes a la talla elegida y tenga en cuenta que en los casos en que figura una sola cifra es válida para todas las tallas. Es una manera fácil y clara para evitar confusiones.

Ver ejemplo.

TO EASILY READ INSTRUCTIONS WHEN MORE THAN ONE SIZE IS OFFERED

Before beginning to work, circle or highlight all the numbers or instructions pertaining to the size you are making. This will prevent any confusion with the other sizes offered in the same instructions.

See example.

MODELO 1 FIL KATIA

SCOTCH

pág. 6/7

ESPAÑOL

TALLAS: –a) 3 meses **–b)** 6 meses **–c)** 12 meses **–d)** 18 meses **–e)** 24 meses

MATERIALES
SCOTCH: col. 25: **–a)** y **–b)** 5 **–c)** 6 **–d)** 7 **–e)** 9 ovillos.
3 botones.

Agujas	Puntos empleados
Nº 3	- *P. bobo* - *P. jersey der.* - *P. fantasía* (ver explicación) - *Bordado a p. hilván*

P. Bobo 2x1:
1ª vta: por el derecho de la labor: trab. * 2 p. rev., 1 p. der. *, repetir de * a *.

MUESTRA DEL PUNTO
P. bobo, ag. nº 4
10x10 cm. = 16 p. y 26 vtas.

ESPALDA
Con ag. nº 5, **montar –a) 44 p. –b)** 48 p.
Trab. 4 vtas a *p. bobo* y continuar trab. a *p. jersey der.*
Sisas:
A **–a) 16 cm. –b)** 18 cm. de largo total, hacer en ambos lados cada 2 vtas: 4 veces 1 *menguado simple*. Quedan **–a) 36 p. –b)** 40 p.

ETHNIC / MAGIC / MEXICO / NEPAL / TUNDRA / VENUS / VIP

Esta calidad está diseñada para conseguir un nuevo y especial efecto de color.
Dada la longitud de su ciclo cromático debido al difuminado entre color y color el efecto que se obtendrá al tricotar dependerá siempre del ancho del tejido, ampliándose o reduciéndose de manera inversa al ancho que se trabaje.

En cada ovillo encontrará como mínimo un ciclo completo de color. Al empalmar entre ovillos puede ser que no continúe exactamente el ciclo. Esta particularidad le permitirá personalizar al máximo su prenda obteniendo un modelo único y exclusivo.

This quality yarn has been designed to achieve a new, special effect in terms of colour.
Thanks to the fading in and out of different colours, the effect obtained when knitting will depend on the width of the piece, with the variation in colour being greater or lesser inversely in proportion to the width of the piece being knitted.

In each ball of yarn, there will be a minimum of one complete colour cycle. The join detween one ball and the next may not coincide in colour. It is this feature that makes your garments individual, obtaining a unique, exclusive model.

EQUIVALENCIAS / *YARN EQUIVALENTS*

Hay artículos del catálogo que son equivalentes en cuanto a número de agujas y/o grosor del hilo, pueden usarse indistintamente siguiendo la misma explicación en la revista, es importante tejer previamente una muestra de 10 x 10 cm para adaptar el número de agujas a la muestra del punto de la prenda correspondiente y para averiguar si la tensión que da es de su agrado.

Estas equivalencias, son siempre orientativas, ya que dependiendo de la tensión de cada uno el punto podrá quedar más abierto o menos.

Los grupos se han hecho en base a: aproximación de grosor, aspecto del hilo y colorido similar.

The following chart shows yarns that are interchangeable, which allows you to use the same instructions in this book with various yarns of the same thickness and needle size. It is important to work a 4x4" swatch to make certain you using the correct size of needles to obtain the required stitch gauge, and to find out if the tension is what you desire for the selected garment.

The neddles listed below are only suggested; use whatever size needle is necessary for you to obtain the correct stitch gauge with you personal style of knitting.

The yarns are divided into groups according to the similarity of thickness, appearance, and coloring.

***NOTE:** All yarns in the same group do not always have the same yardage. Calculate required number of balls needed by comparing the yardage given in the original yarn to the yarn desired.*

GRUPO *GROUP*	Agujas aconsejadas *Suggested needle size*	Agujas 10 x 10 orientativas *Needles used for sample 2x2" swatch*	CALIDADES *NAME OF YARN*
(1)	2 – 2 1/2	2	BABETTE
		2	MI BEBE
(2)	2 – 2 1/2	2 1/2	MAKO-5
		2	PERLE
	2 1/2 – 3	2 1/2	BABY FANTAISIE
		2 1/2	LAINE NYLON
		2 1/2	CARICIA
		3	PEQUES
(3)	2 1/2 – 3	2 1/2	BABY FANTAISIE
		2 1/2	CARICIA
		3	PANAMA
		3	PEQUES
	3 – 3 1/2	3	MARATHON FIN
		3	LIDER
		3	PROMOFIN
		3	FAMA
		3	ANDES
(4)	3 – 3 1/2	3	BAMBOO
		3	CAPRI
		3	COSTA RICA
		3	MISSISSIPPI-3
		3	NILO
		3	SWING
		3 1/2	AUSTRAL
		3 1/2	MARATHON
		3 1/2	FRANCE TOP
		3 1/2	ANDES

GRUPO *GROUP*	Agujas aconsejadas *Suggested needle size*	Agujas 10 x 10 orientativas *Needles used for sample 2x2" swatch*	CALIDADES *NAME OF YARN*
(5)	3 – 3 1/2	3 1/2	BAMBOO
		3 1/2	CAPRI
		3 1/2	CREPPI
		3 1/2	ESPIGA
		3 1/2	NILO
		3 1/2	SURF
		3 1/2	COTTON COMFORT
	3 1/2 – 4	4	MISSISSIPPI
	4 – 4 1/2	4	DIANA
		4	MERINO 100%
		4	GIOVANE
(6)	3 – 3 1/2	3 1/2	CREPPI CHINE
		3 1/2	SURF PRINT
	4 1/2 – 5	4 1/2	TIBET
		4 1/2	TIROL-BASIC SPORT
(7)	3 1/2 – 4	4	MISSISSIPPI
	4 – 4 1/2	4	COTTON CLUB
		6	HIMALAYA
(8)	4 1/2 – 5	5	JET

ÍNDICE

Bases para aprender a tejer

INICIACIÓN AL PUNTO DE MEDIA 8

FORMAS DE EMPEZAR 8
Montado simple 8
Montado Tubular 8

BASES PARA EL PUNTO DE MEDIA 9
Punto derecho 9
Punto revés 9
Hebra o Baga 9
Punto sin hacer o Punto alargado 10
Dos puntos juntos derecho 10
Punto retorcido 10
Menguado simple 11
Menguado doble 11
Dos puntos trabajados en un mismo punto 12
Dejar puntos en espera 12
Vuelta o pasada 12
Punto de orillo 12

MUESTRA DEL PUNTO 13

PUNTOS BASICOS MÁS UTILIZADOS 13
Punto Jersey derecho 13
Punto jersey revés 13
Punto Bobo 13
Punto elástico 1x1 14
Punto elástico 2x2 14
Punto jacquard 14

Bases para aprender a realizar una prenda

AUMENTOS DISMINUCIONES Y/O MENGUADOS 15
Disminuciones al principio de la vta 15
Disminuciones en ambos lados de la misma vta. 15
Aumentos al principio de la vta. 16
Aumentos en ambos lados de la misma vta. 16

FORMAS DE CERRAR 17
Cerrado Simple 17
Cerrado en tubular 17

ACABADOS 18
Ojales redondos 18
Ojales horizontales 18
Recoger puntos 18

COSTURAS 19
Pespunte 19
Grafting 19
Punto de lado 19

ADORNOS 20
Flecos 20
Pompones 20

BORDADOS 21
Punto de Nudo 21
Punto Llano 21
Punto Bastillas 21
Punto de Cruz 21
Punto de Tallo 21
Punto Margarita 21
Punto de Cadeneta 21
Punto Jacquard bordado 21
Punto Festón 21

Ganchillo y Horquilla

INICIACIÓN AL GANCHILLO 22
Punto Cadeneta 23
Punto Enano 23
Punto Bajo 23
Punto Alto 24
Punto Alto Doble 25
Punto Alto Triple 25
Punto Conchas 25
Punto Bodoque 26
Punto Cangrejo 26
Punto Peluche 26
Como seguir un gráfico 27

INICIACIÓN AL PUNTO HORQUILLA 28
Explicaciones básicas 28
Unión de las tiras 29
Remate 30
Remate agrupado 30
Tira ondulada 30

INDEX

Learning the basic stitches

INTRODUCTION TO KNITTING 8

HOW TO BEGIN 8
Simple cast on 8
Tubular cast on 8

BASIC KNITTING STITCHES 9
Knit 9
Purl 9
Yarn over 9
Slip st 10
Knit two together 10
Knit into back loop 10
Single decrease 11
Double decrease 11
Two stitches worked in the same st 12
Slipping stitches to holder 12
Turn 12
Edge stitches 12

MUESTRA DEL PUNTO 13

USING THE BASIC STITCHES 13
Stockinette stitch 13
Reverse stockinette stitch 13
Garter stitch 13
1x1 ribbing 14
2x2 ribbing 14
Jacquard knitting 14

Learning how to use the stitches

INCREASING AND DECREASING 15
Decreasing at beginning of row 15
Decreasing at both edges on same row 15
Increasing at beginning of row 16
Increasing at both edges on same row 16

BINDING OFF 17
Simple bind off 17
Tubular bind off 17

BUTTONHOLES 18
Round buttonholes 18
Horizontal buttonholes 18
Picking up stitches 18

SEAMS 19
Blind stitch 19
Grafting 19
Sewing a flat seam 19

DECORATIONS 20
Fringe 20
Pompons 20

EMBROIDERY 21
French Knot 21
Satin Stitch 21
Basting Stitch 21
Cross Stitch 21
Stem Stitch 21
Lazy Daisy Stitch 21
Chain Stitch 21
Embroidered Jacquard 21
Buttonhole Stitch 21

Crochet and Hairpin lace

INTRODUCTION TO CROCHET 22
Chain st: (ch) 23
Slip st: (sl st) 23
Single crochet: (sc) 23
Double crochet: (dc) 24
Triple crochet: (trc) 25
Double/Triple crochet 25
Shell st 25
Bead st 26
Backwards crochet 26
Loop stitch 26
How to follow graph 27

HAIRPIN LACE 28
Basic instructions 28
Joining strips 29
Edging 30
Group edging 30
Undulating strip 30

Bases para aprender a tejer
Learning the basic stitches

INICIACIÓN AL PUNTO DE MEDIA / *INTRODUCTION TO KNITTING*

FORMAS DE EMPEZAR / *CASTING ON*

Montado Simple

Del ovillo sacar la cantidad de hilo correspondiente a 3 veces la medida del ancho que debe medir la prenda que vaya a tejer, hacer un nudo sobre la aguja como indica el dibujo, con ambas manos estirar de cada hilo para que quede una anilla alrededor de la aguja, ésta anilla será el primer punto.

Queda un hilo a cada lado de la aguja, el que sale del ovillo se sujeta con la mano derecha y el otro en la mano izquierda, con la mano izquierda formar una anilla y clavar la aguja en el centro.

Con la mano derecha coger el hilo y pasarlo por encima de la aguja, sin soltar la anilla formada con la mano izquierda

Con la mano izquierda, pasar la anilla por encima de la punta de la aguja, manteniendo el otro hilo sujeto con la mano derecha.

Estirar cada hilo con la mano correspondiente para ajustar el nuevo punto a la aguja. Repetir desde el segundo paso.

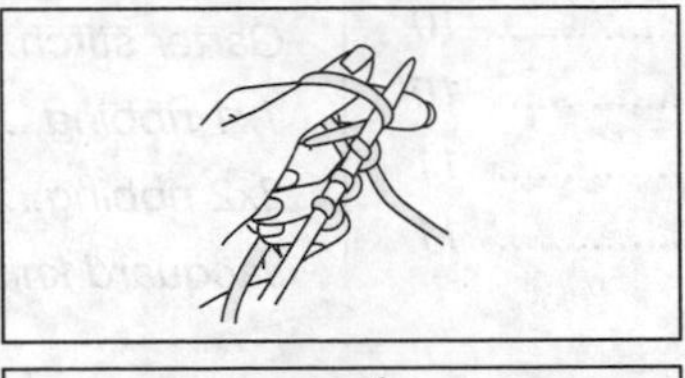

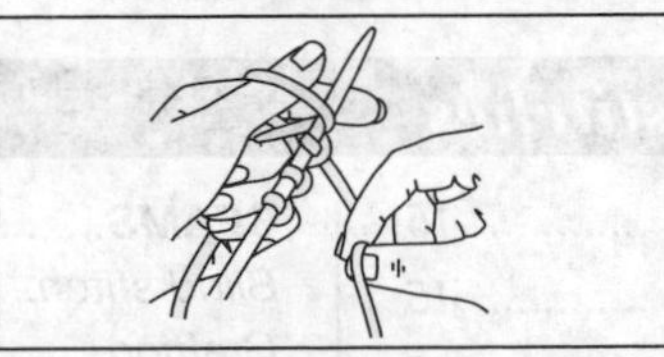

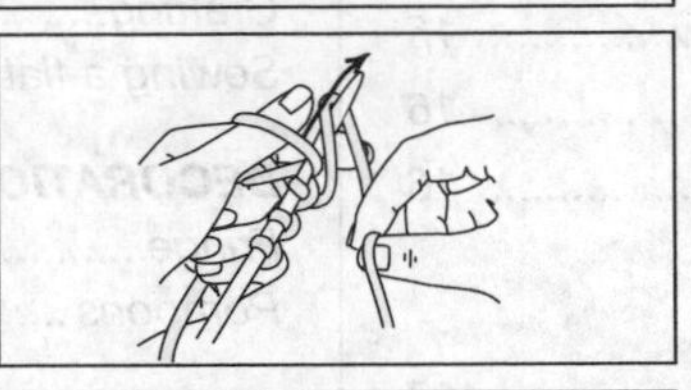

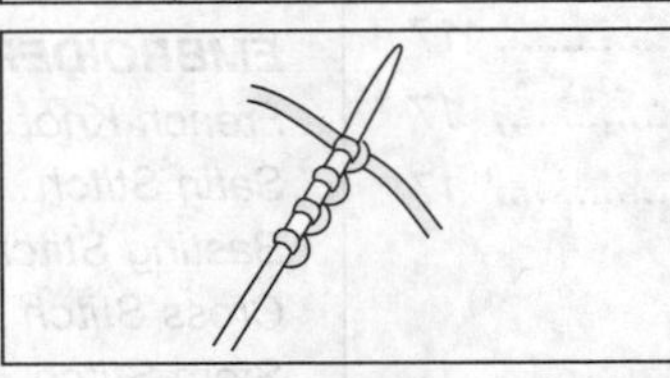

Simple cast on

Pull out a length of yarn 3 times the width of the piece you are going to make. Tie a slip knot, and place this knot on the needle to form the first stitch. Hold needle in the right hand.

The two strands coming from the slip knot will form an upside down V. With the loose end of the yarn toward you and the yarn coming from the ball away from you, separate the two strands with the thumb and first finger of your left hand, then gather the ends of the yarn with the remaining fingers of your left hand.

Insert the tip of the right hand needle under the yarn around the thumb.

Take needle over the yarn around the first finger and pull this strand of yarn through the loop on the needle

Drop yarn from thumb, then make another loop around thumb to tighten the stitch on the right hand needle. Repeat these 5 steps for the number of stitches required.

Montado Tubular

Con un hilo de distinto color, montar la mitad del número de puntos necesarios, más uno.

Con el hilo de tejer la prenda

1ª vta: * 1 p. derecho, 1 hebra *, repetir de * a *, terminar con 1 p. derecho.

2ª vta: * Poner el hilo delante de la labor, pasar a la ag. derecha 1 p. sin hacer clavando la ag. para tejer al revés (de derecha a izquierda), trabajar la hebra al derecho * repetir de * a *, terminar con pasar 1 p. al revés sin hacer.

3ª vta: * 1 p. derecho, poner el hilo delante de la labor, pasar 1 p. al revés sin hacer *, repetir de * a *, terminar con 1 p. derecho.

4ª vta: * 1p. rev sin hacer, poner el hilo detrás de la labor, 1 p. der. * terminat con 1 p. rev sin hacer.

Repetir 3ª y 4ª vtas 1 o 2 veces dependiendo del grueso del hilo, si el hilo es fino trabajar 2 v. más.

Al terminar, cortar la lana de distinto color y proseguir con el punto indicado.

Tubular Cast On

Using a contrasting color of yarn the same weight as your main yarn, cast on the designated number of stitches, plus one.

Row 1: *Using the main yarn, * K1, YO, *; rep from * to *, ending with K1.*

Row 2: *With yarn in front, slip 1st st, * with yarn in back, knit into the yarn over, with yarn in front, slip the next st, *; rep from * to *.*

Row 3: *With yarn in back, knit 1, with yarn in front, slip next st, *; rep from * to *, ending K1.*

Row 4: *With yarn in front, slip 1st st, * with yarn in back , knit next st; with yarn in front, slip next st, *; rep from * to *.*

Repeat rows 3 and 4 one or two times, depending on the weight of the yarn and the desired length of the edge.

Cut off the contrasting color, carefully unraveling it from the first row of stitches.

BASES PARA EL PUNTO DE MEDIA / HOW TO WORK THE STITCHES

Punto Derecho / *Knit Stitch*

Con el hilo detrás de la labor. Clavar la aguja derecha en el centro del primer punto de la ag. izquierda, pasando la ag. por delante del punto.

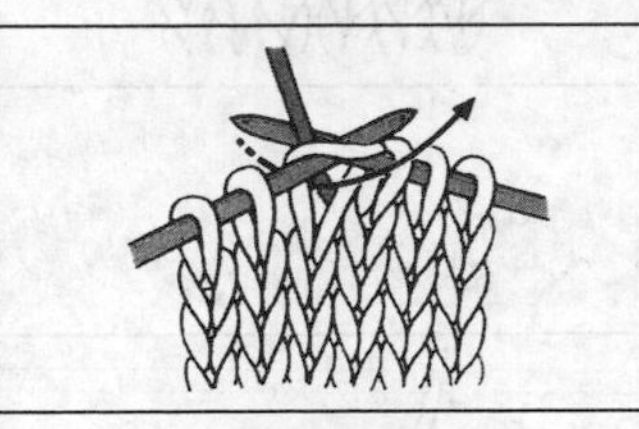

Holding yarn with the right hand, in back of the needles, slip point of right hand (RH) needle from front to back into the front of first stitch on left hand (LH)needle.

Con la mano derecha pasar el hilo por encima de la ag. derecha y sujetarlo para que no se suelte (queda un bucle sobre la ag.). Retirar la ag. derecha hacia atrás, haciendo pasar el bucle por el interior del punto de la ag. izquierda.

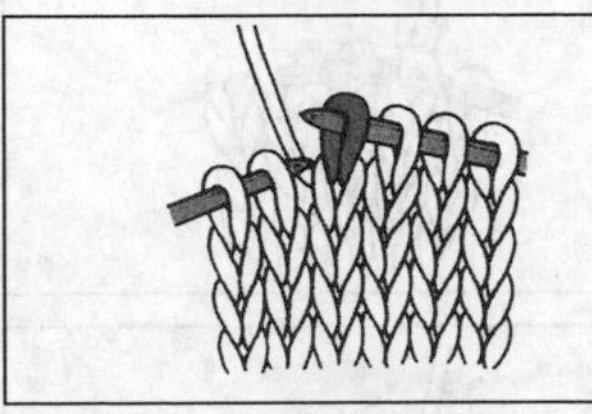

Bring yarn under and around RH needle (counter clockwise when looking at point of RH needle).

Una vez pasado el bucle soltar el punto de la aguja izquierda, queda formado un nuevo punto en la ag. derecha.

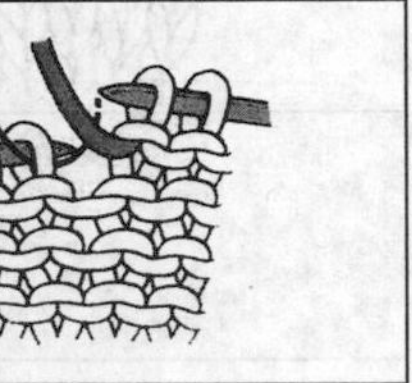

Keeping loop on RH needle, slip needle and loop to front, making 1 stitch on RH needle; drop used loop from LH needle.

Punto Revés / *Purl Stitch*

Con el hilo por delante de la labor. Clavar la aguja derecha en el centro del primer punto de la ag. izquierda, pasando la ag. por detrás del punto.

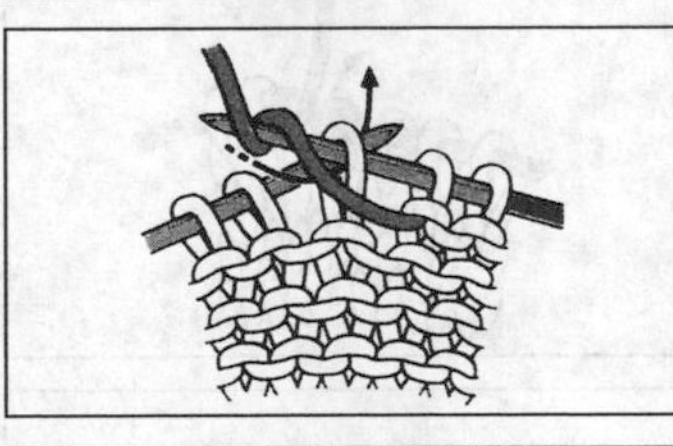

Holding yarn with the right hand, in front of needles, slip point of RH needle from back to front into the front of first stitch on LH needle

Con la mano derecha pasar el hilo por encima de la ag. derecha, mantenerlo hacia arriba y sujetarlo para que no se suelte (queda un bucle sobre la ag.). Retirar la ag. derecha hacia atrás, haciendo pasar el bucle por el interior del punto de la ag. izquierda.

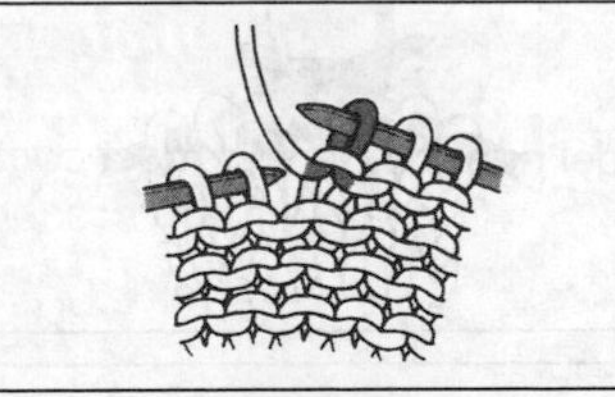

Bring yarn up, over and around RH needle (counter clockwise when looking at point of RH needle.

Una vez pasado el bucle soltar el punto de la aguja izquierda, queda formado un nuevo punto en la ag. derecha.

Keeping loop on RH needle, slip needle and loop to back, making 1 stitch on RH needle; drop used loop from LH needle.

Hebra o Baga / *Yarn Over*

Es añadir puntos para formar calados.

Yarn overs (YO), make an open hole, used to increase 1 stitch or to form openwork patterns.

Poner el hilo delante de la labor, pasarlo por encima de la aguja derecha.

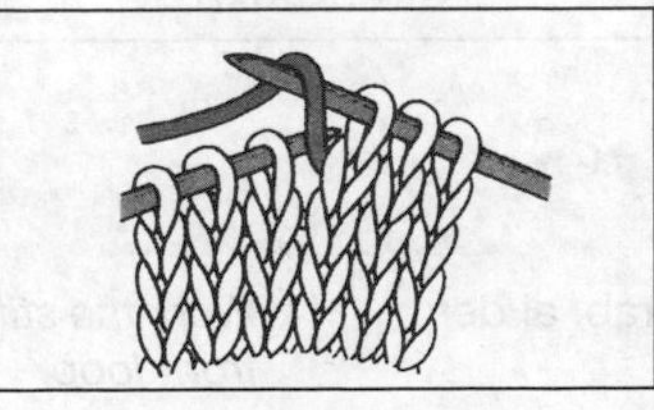

To make a YO between two knit stitches, bring yarn between needles, then over the RH needle. To make a YO between two purl stitches, take yarn over RH needle then between needles to front.

Trabajar el siguiente punto de la aguja izquierda. La hebra o baga queda como un punto más en la aguja, pero en la base de la hebra o baga queda formado un hueco (calado).

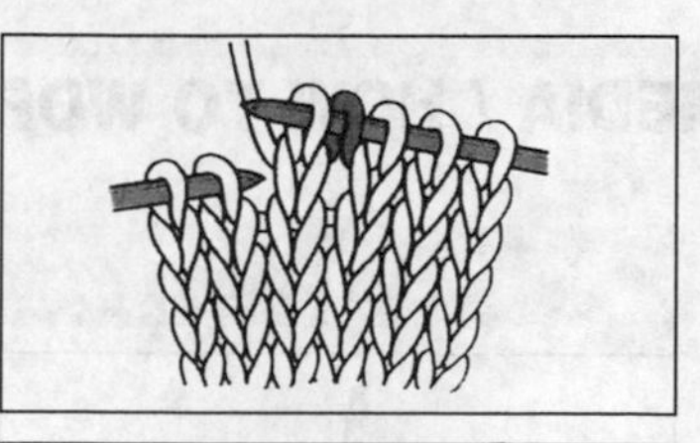

After working the next stitch on LH needle, the YO is a loop over the RH needle.

En la siguiente vta trabajar la hebra o baga igual que los otros puntos de la aguja, de esta forma se ha aumentado 1 p.

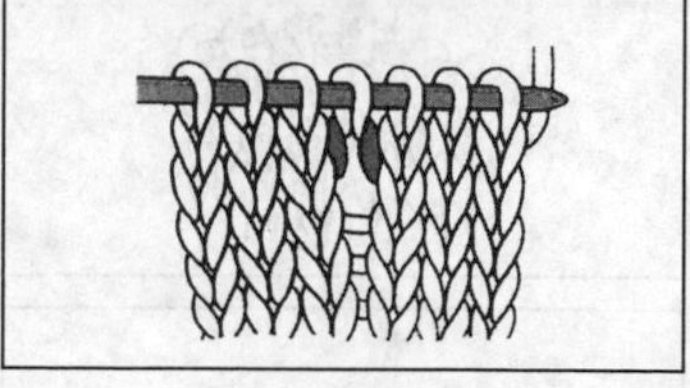

On the next row, purl or knit the YO, as indicated in the instructions. The YO will be an increased stitch, unless a stitch is decreased to maintain the same number of stitches.

Punto sin hacer o Punto Alargado

Slip Stitch

Poner el hilo por detrás de la labor, clavar la aguja derecha en el siguiente punto de derecha hacia izquierda (como si se fuera a tejer al revés). Pasar este punto sin tejer a la aguja derecha y continuar normal.

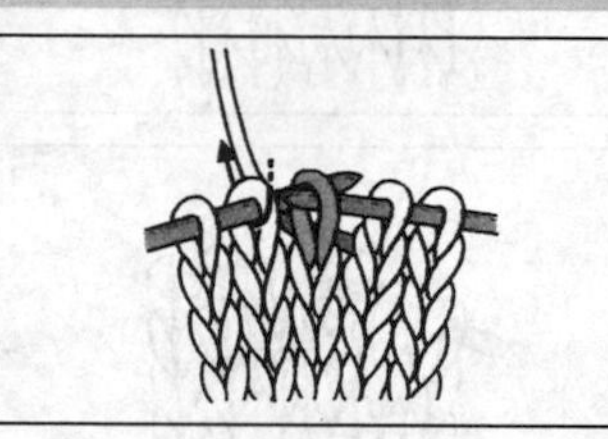

Holding LH needle and RH needle point to point, slip stitche from LH needle to RH. If instructions say to slip a stitch as if to knit it, hold both needle side by side and slip st to RH needle, as if you would be knitting it. (Slipped stitch will look twisted.)

Al no haber tejido este punto, queda más largo que los demás y por el revés queda una hebra de hilo. En la pasada del revés, tejer este punto al revés.

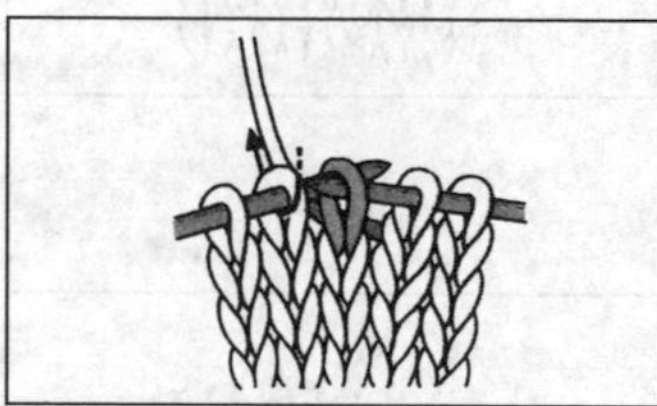

Since the slipped stitch was not worked, it will appear to be larger on the reverse side row.

Dos puntos juntos derecho

Knitting two stitches together

Clavar la aguja derecha en los 2 primeros p. de la ag. izquierda para trabajar al derecho (de izquierda a derecha).

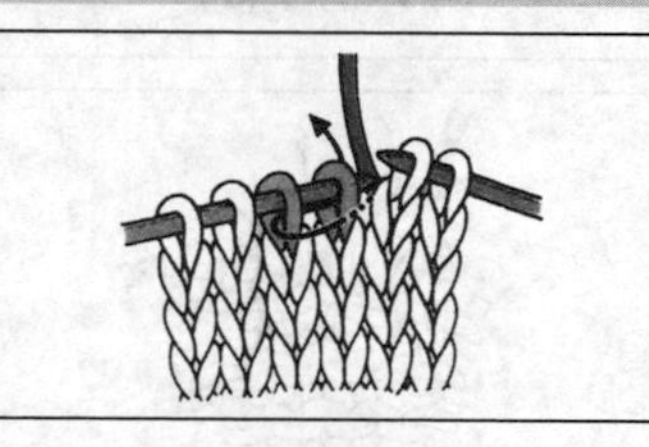

Going into the 2nd stitch on LH needle first, slip two stitches on RH needle instead on one stitch.

Poner hilo sobre la aguja derecha y pasar a través de los 2 p.

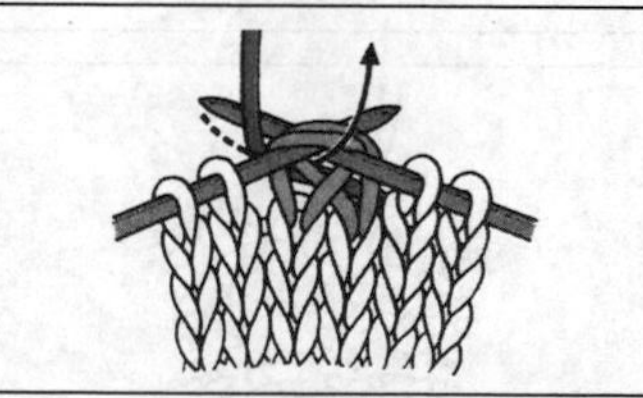

Work the two stitches together, as if they were one stitch.

Tener en cuenta que al trabajar 2 p. juntos derecho, quedará 1 p. menos en el número total de puntos

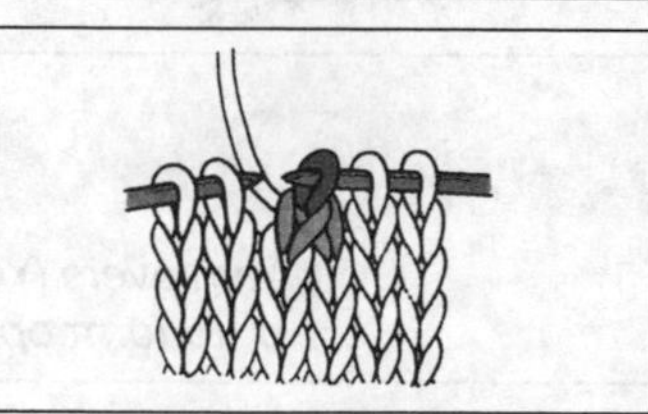

Working two stitches together will decrease 1 st in the total number of stitches.

Punto Retorcido

Twisting a stitch

Clavar la aguja por detrás del punto a tejer y trab. al der.

Work the stitch through the back loop instead of through the front loop.

Menguado simple

Simple decrease

Pasar 1 p. sin hacer clavando la ag. derecha como si se fuera a tejer al revés.

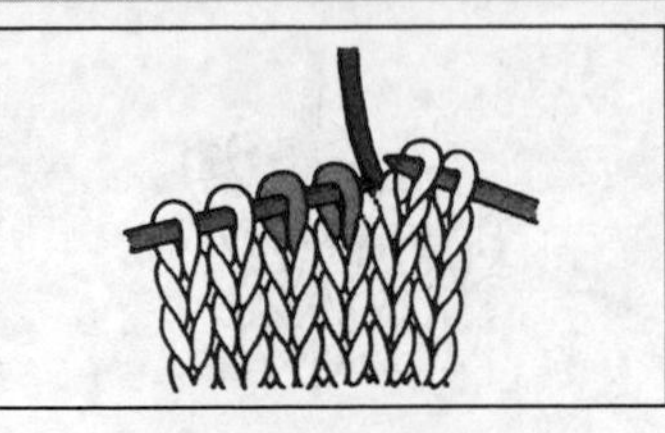

Slip 1 stitch from LH needle to RH needle as if to knit the stitch.

Trabajar el siguiente p. al derecho.

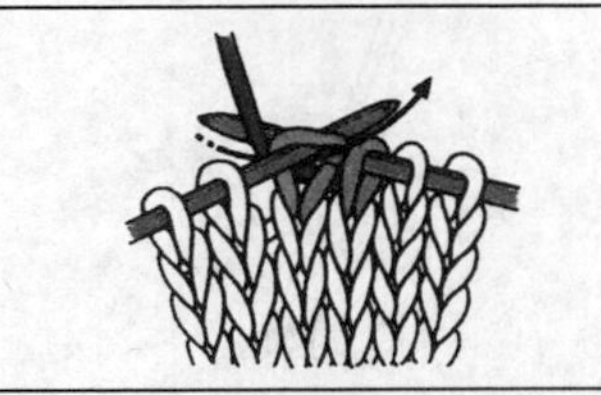

Knit the next stitch on LH needle.

Con la ag. izquierda tomar el p. sin hacer de la ag. derecha y pasarlo por encima del p. derecho (último p. de la ag. derecha).

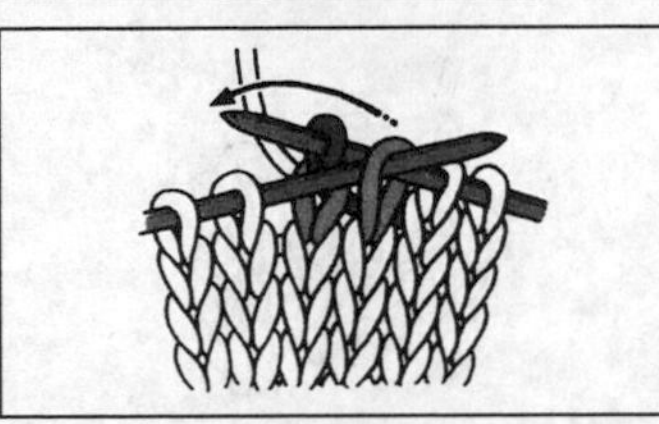

Use the tip of LH needle to pick up the slipped stitch and pass it over the knitted stitch and off the tip of the RH needle (= pass slipped stitch over = PSSO).

Tener en cuenta que quedará 1 p. menos en el número total de puntos.

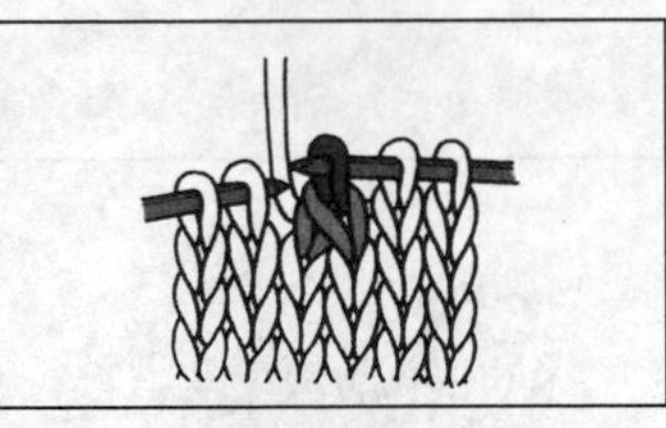

This will decrease 1 stitch in the total number of stitches.

Menguado Doble

Double decrease

Pasar 1 p. sin hacer clavando la ag. derecha como si se fuera a tejer al revés.

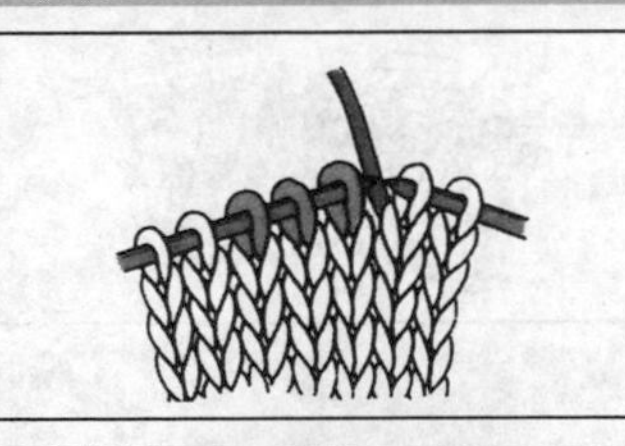

Slip 1 stitch from LH needle to RH needle, as if to purl it.

Trabajar los 2 siguientes puntos juntos al derecho.

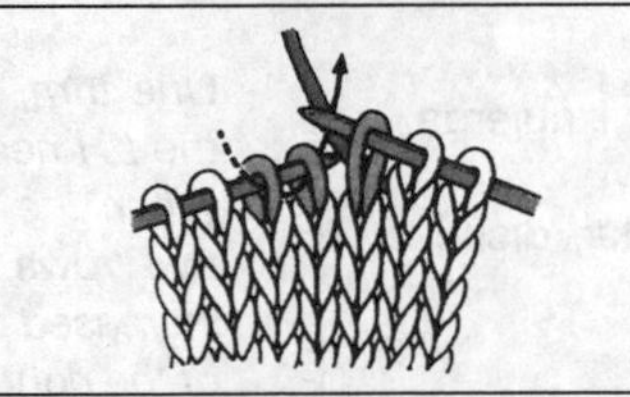

Knit 2 stitches together.

Con la ag. izquierda tomar el p. sin hacer de la ag. derecha y pasarlo por encima de los 2 p. juntos derecho (último p. de la ag. derecha).

Use the tip of LH needle to pick up the slipped stitch and pass it over the two knitted stitches and off the tip of the RH needle (= pass slipped stitch over = PSSO)

Tener en cuenta que quedarán 2 p. menos en el número total de puntos.

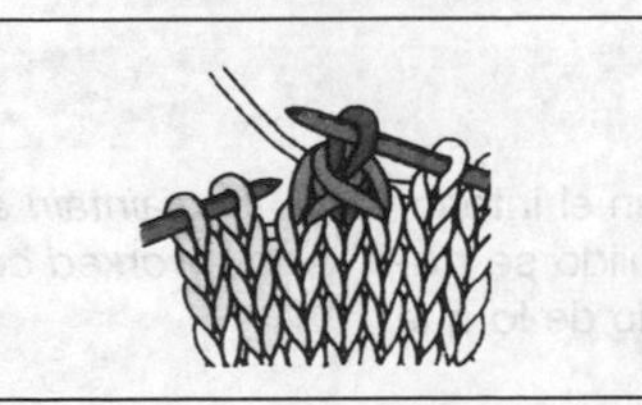

This results in two stitches decreased from the total number of stitches.

Dos puntos trabajados en un mismo punto

Two stitches worked in the same stitch

Hay distintas formas de trabajar 2 p. en un mismo p. Clavar la ag. en el p. que queda debajo del p. a tejer y trabajar al derecho.

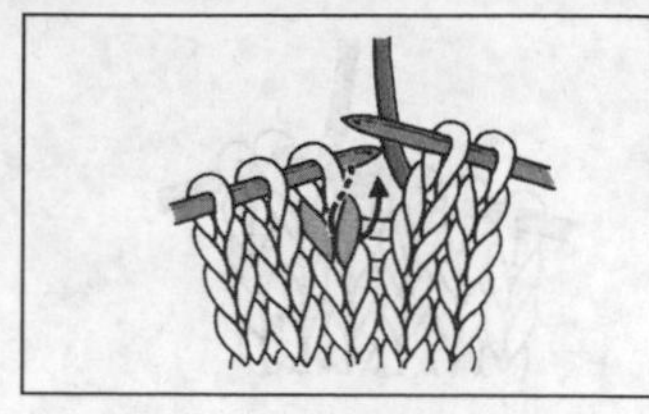

Work 1 stitch into the purl nub on the purl side of the first stitch on the LH needle.

Trabajar el p. de la aguja izquierda al derecho.

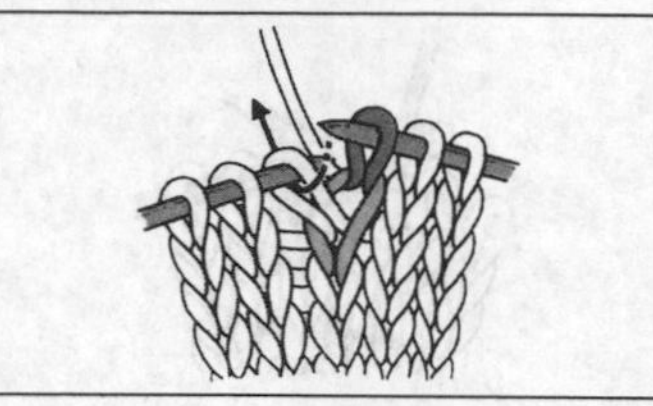

Work 1 stitch into the first stitch on the LH needle.

Tener en cuenta que quedará 1 p. más en el número total de puntos.
Hay otro sistema que es trabajar 1 p. derecho y sin soltarlo de la ag. izquierda clavar de nuevo la ag. derecha en el mismo p. pero por detrás y trabajar de nuevo al derecho.

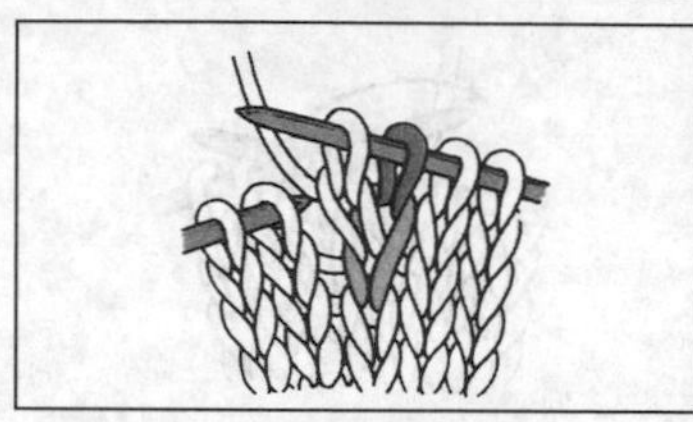

This will result in an increase of 1 stitch on the total number of stitches. Another way to increase is to knit (or purl) into the first stitch on the LH needle and without removing that stitch from the LH needle, knit (or purl) into the back loop of the same stitch, then remove the stitch from the LH needle.

Dejar puntos en espera

Putting stitches on a holder

Se utiliza mucho para trabajar trenzas. Trenzar a la izquierda: Pasar los p. de la ag. izquierda a una ag. auxiliar delante de la labor, después trabajar los p. que se indique para cada trenza, poner de nuevo los p. de la ag. auxiliar en la ag. izquierda y trabajar éstos p.

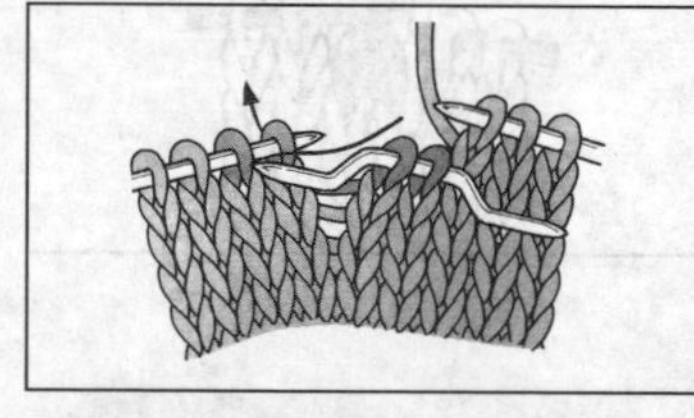

A long stitch holder can be used to store stitches to be used later. For cables, use a cable needle (cn) to transfer the stitches into a different place on the row. For a cable that turns to the left, slip the designated number of stitches to a cn, hold cn in front of work, work designated number of stitches, either slip sts from cn back to LH needle, or work stitches off the other end of the cn.

Trenzar a la derecha: Repetir el proceso anterior pero situar la aguja auxiliar detrás de la labor.

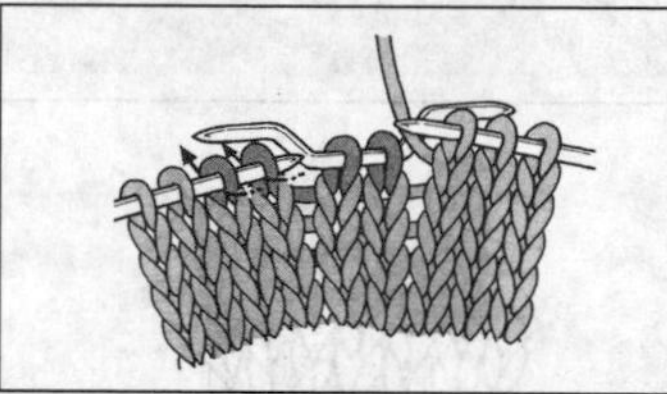

For a cable that turns to the right, hold the cable needle in back instead of front.

Vuelta o Pasada

Turn, or pass

Una vuelta o pasada, es tejer de derecha a izquierda todos los puntos de la aguja.
Cuando en la explicación indicamos aumentar, disminuir o menguar cada 2 vtas.
Se cuenta de la siguiente manera:
Vuelta en la que se aumenta, disminuye o mengua al inicio y final de la vta., derecho de la labor.
La siguiente vuelta, que es el revés de la labor, se cuenta cómo la primera vuelta.
La siguiente vuelta, que es el derecho de la labor, es la segunda vuelta y es dónde se vuelve a aumentar, disminuir o menguar.

One turn, (or pass) means to work all the stitches from the LH needle to the RH needle.
When the instructions say to increase or decrease every two rows, if only one stitch is involved, it is usually increased or decreased at the beginning and/or at the end of the right side row; then the wrong side row (second row) is worked before the next increase or decrease is made. Increasing and decreasing more than one stitch involves casting on or binding off, which is done only at the beginning of a row so the yarn is not left hanging away from the next stitches to be worked. Increasing every 4, 6, etc rows, means that entire rows are worked between each increase or decrease.

Punto Orillo

Edge Stitch

Es el punto de los extremos (es el que queda en el interior cuando se cose la prenda). Para que quede pulido se trabaja el primer punto de cada pasada al contrario de lo que se presenta.

To maintain a tighter edge, the first stitch of every row can be worked contrary to the adjoining stitch.

MUESTRA DEL PUNTO / *GAUGE*

Antes de empezar una prenda es muy importante hacer una muestra de 10 x 10 cm. en el mismo punto en el que se va a realizar la prenda y comprobar que se ajusta a la muestra indicada en la revista, sino no coincidirán las medidas con las de la revista. Si tienes un número menor de puntos y vueltas, deberás repetir la muestra con agujas más gruesas, si por el contrario tienes un número mayor de puntos y vueltas deberás usar agujas más finas. El número de agujas que figura en la revista es el número que utilizó la persona que realizó la prenda pero cada persona tiene un sistema de trabajo distinto. Lo importante no es el número de agujas que se utiliza sino que la muestra de 10 x 10 coincida exactamente con la de la revista, de esta manera nos aseguramos de que la prenda tenga las medidas indicadas en el patrón.

This is the most important information in any pattern. It insures that the finished garment will be the same size and shape as given in the instructions. The needle size given in the printed gauge is only a suggestion. Since no two people will knit exactly the same way, you should work up a 4x4" swatch using the designated yarn and pattern stitch. If you have too many stitches and rows in your swatch, try again with a smaller needle. With too less stitches and rows, work another swatch with a larger needle. It does not matter what size needle you use as long as you obtain the correct gauge. Sometimes you may have to work with two sizes of needles; one for the right side and the other for the wrong side. If you cannot obtain the correct gauge, some alterations in the instructions will have to be made.

PUNTOS BASICOS MÁS UTILIZADOS / *USING THE BASIC STITCHES*

NOTA IMPORTANTE

En la explicación o gráfico de cualquier punto, la 1ª vta siempre corresponde al derecho de la labor; de no ser así, ya se indica en el texto.
También es muy importante tener en cuenta que en los gráficos se muestra como deben trabajarse los p. vta. por vta., (osea, derecho de la labor y revés de la labor)., no tal como se ven en la foto.

IMPORTANT NOTE:

Graphs show only the right side of your work. Unless noted in the instructions, the first row will be worked from the right edge of the graph to the left edge; the second row is worked from the left edge of the graph to the right edge.
Symbols represent the stitch you will be working, not how the stitch will look on finished product. If only uneven numbered rows are shown on the graph, instructions will be given as how to work the reverse side rows.

Punto Jersey Derecho

1ª vta: al derecho
2ª vta: al revés

Stockinette Stitch

Row 1: *(right side) Knit*
Row 2: *(Wrong side) Purl*

Punto Jersey Revés

1ª vta: al revés
2ª vta: al derecho

Reverse Stockinette Stitch

Row 1: *(right side) Purl*
Row 2: *(wrong side) Knit*

Punto Bobo

Todos los p. y todas las vtas al derecho.

Garter Stitch

Knit every row.

INSTRUCCIONES INSTRUCTIONS

Punto Elástico 1x1

1ª vta: * 1 p. derecho, 1 p. revés *, repetir de * a *.
2ª vta y vtas siguientes: Trabajar los p. como se presenten (tejer al derecho los p. que se presentan al derecho y al revés los del revés).

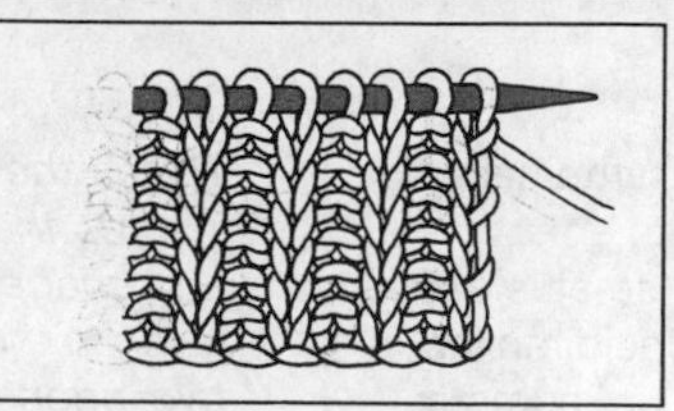

1x1 Ribbing

Row 1: *(right side) * K1, P1, *; rep from * to *.*
Row 2 and all following rows: *Work sts as they appear = knit the sts that look like a knit st and purl the sts that look like a purl st.*

Punto Elástico 2x2

1ª vta: * 2 p. derecho, 2 p. revés *, repetir de * a *.
2ª vta y vtas siguientes: Trabajar los p. como se presenten.

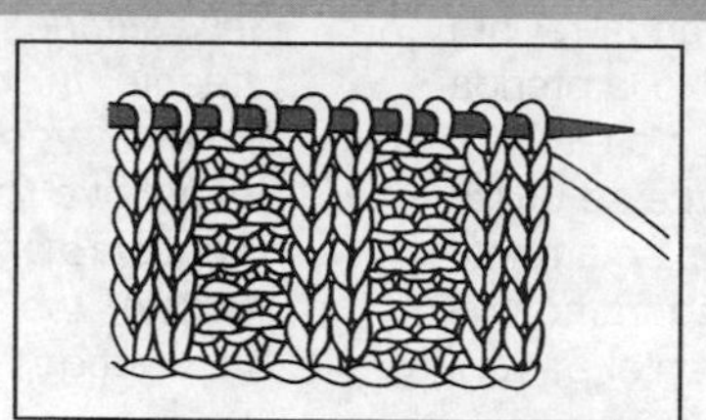

2x2 Ribbing

Row 1: *(right side) * K2, P2, *; rep from * to *.*
Row 2 and all following rows: *Work sts as they appear.*

Punto Jacquard

Se trabaja a punto jersey derecho pero cambiando de color para formar un dibujo que se representa en un gráfico. Cada cuadro del gráfico representa 1 p. y 1 vta.

Jacquard Stitch

Work all sts in Stockinette St, changing the color as indicated on the graph. Each square on the graph represents one stitch.

Con los dos hilos detrás de la labor trabajar el número de puntos indicados en un color, hasta completar los p. indicados en el gráfico.

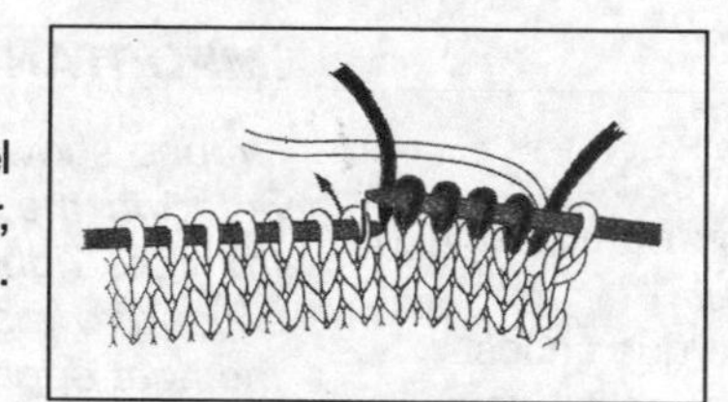

With the colors of yarn you are not using on the wrong side, use designated color to work the number of stitches indicated on the graph.

Tomar el hilo del otro color y continuar la labor, tener en cuenta que es muy importante cruzar los hilos cada vez que se cambia de color.

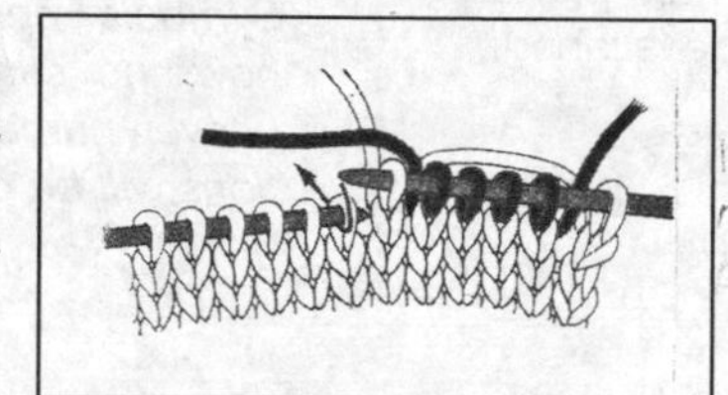

When changing from one color to another, make one twist of the two strands of yarn to prevent a hole where the colors change.

Las hebras quedan por detrás como se aprecia en este dibujo.

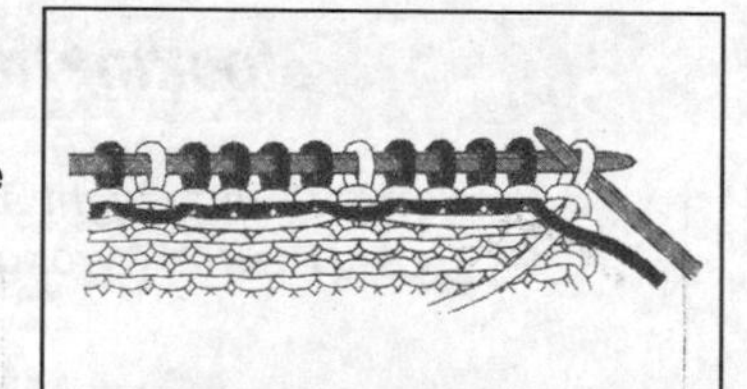

Keep all yarns you are not using on the wrong side of your work.

En los casos en que el dibujo es muy grande o los motivos muy separados, para evitar hebras muy largas por detrás de la labor tomar un pequeño ovillo para cada zona de color y trabajar a punto jersey derecho siguiendo el gráfico.

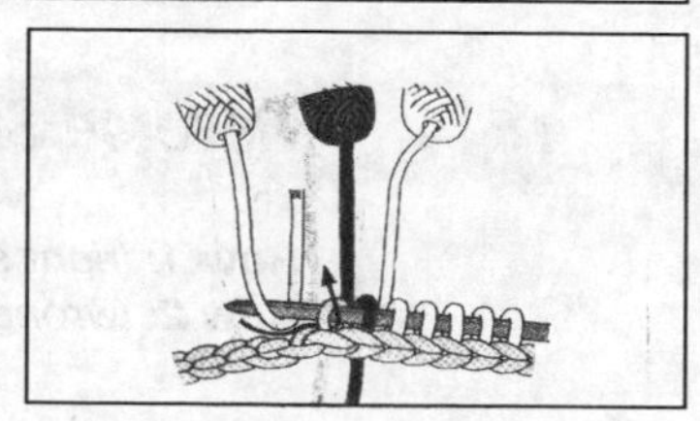

When you have more than two or three stitches between colors, twist yarns again to prevent long loops dangling on the reverse side.

Lo más importante es cruzar los hilos cada vez que se cambia de color, porque si los hilos no están entrelazados, tienden a separarse y forman agujeros en el tejido.

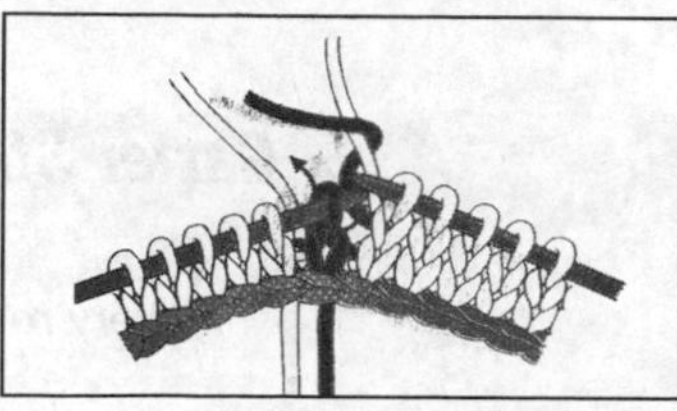

Make certain that the yarn not being used is not pulled too tight or your work will be distorted. After working several stitches, spread them out to so they lay flat and match the stitch gauge.

Bases para aprender a realizar una prenda
Learning how to use the stitches

En ésta segunda parte os damos las nociones básicas que se necesitan para poder realizar una prenda.

In this second part are the necessary basics for completing an entire garment.

AUMENTOS - DISMINUCIONES Y/O MENGUADOS / *INCREASING - DECREASING AND/OR BINDING OFF*

Disminuciones al principio de la vta / *Decreasing at the beginning of a row*

Cuando se cierran puntos para formar una sisa o un escote, se cierran al principio de la vta.

When forming an armhole or neckline shaping, binding off is done at the beginning of the row.

Pasar 1 p. sin hacer clavando la ag. derecha como si se fuera a tejer al revés. trabajar el siguiente p. al derecho y pasar el p. sin hacer por encima de este punto.

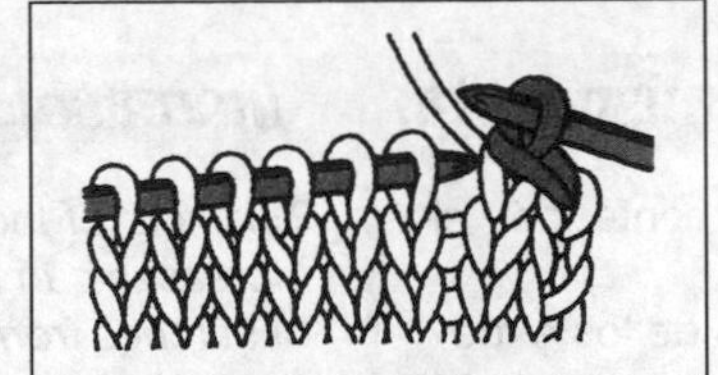

Slip 1 stitch to RH needle as if to purl it, knit next stitch on LH needle, with the tip of LH needle, pass the slipped st over the knitted stitch.

Tejer 1 p. al derecho y pasar el punto de la aguja derecha por encima de éste punto, repetir este paso hasta tener cerrados el número de puntos indicados, al principio de la siguiente vta, revés de la labor, cerrar los p. igual pero trabajados al revés.

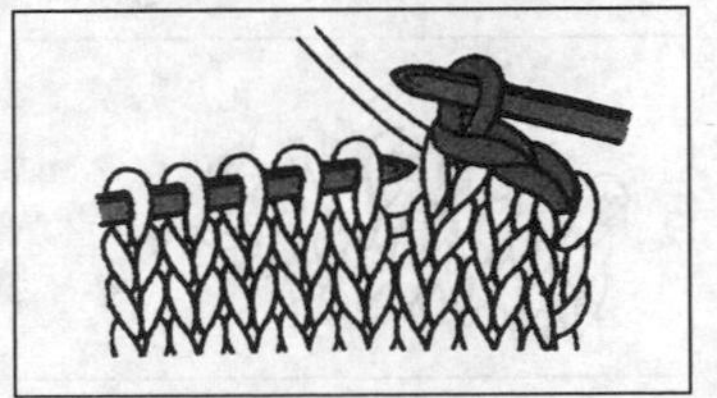

Knit 1 stitch, pass the second stitch on RH needle over the new stitch. Repeat for the required number of stitches to be bound off, making certain that the bound off stitches are the same tension as the row of stitches below. On the reverse side of Stockinette Stitch, purl all stitches.

Al empezar la siguiente vta. cerrar de nuevo los p. que indique la revista, de esta manera se consigue la forma redondeada que tienen sisas y escotes.

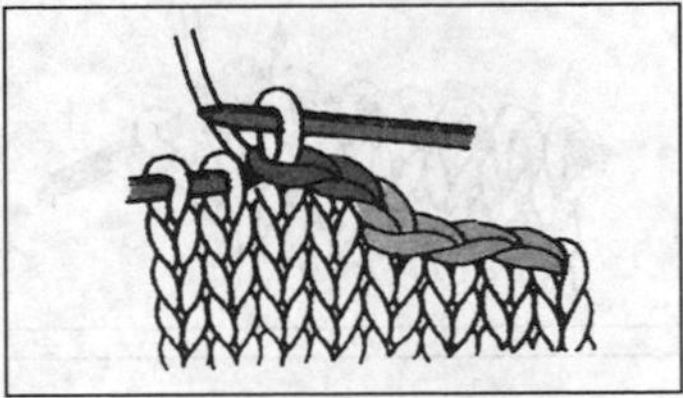

Follow the written instructions for the following rows until the shaping is completed.

Disminuciones en ambos lados de la misma vta. / *Decreasing at both ends of the same row*

Se usan para las sisas vistas y para hacer la manga renglan. Son las disminuciones en las que se ven los p. de la orilla inclinados, se trabajan normalmente por el derecho de la labor. Las disminuciones se hacen siempre a x puntos de los extremos. Ponemos un ejemplo a 3 p. de orillo.

Usually done on right side rows for Raglan sleeves. Decreases can be worked at the beginning of the row, or two or three stitches from the outside edge.

Al **Inicio** de la vta, siempre por el derecho de la labor, trab. 3 p. der. pasar 1 p. de la aguja izquierda sin hacer en la aguja der., trab. 1 p. al der., y pasar el p. sin hacer por encima de este p. al der.

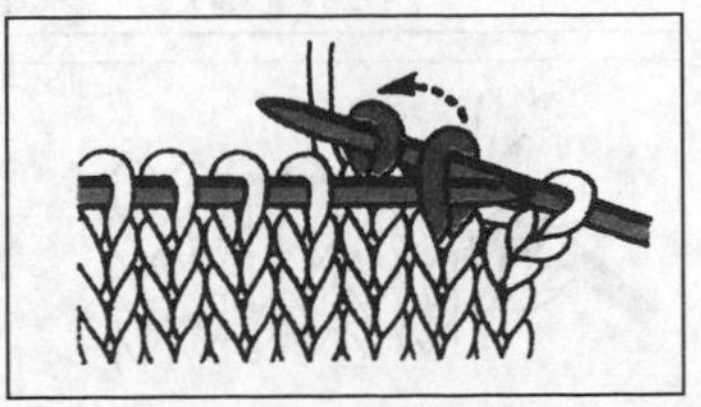

Unless otherwise noted, the decreasing is done on a right side row. At the beginning of a right side row, K3, slip 1 st, K1 st, PSSO.

Al **Final** de la vta., siempre por el derecho de la labor, (en las explicaciones se indica menguar a... y siguiendo el ejemplo a 3 p.), cuando faltan 5 p. para terminar la vta., trab. 2 p. juntos al der. y 3 p. al der.

To match the first decrease, at the end of a right side row, work to last 5 stitches, K 2 tog, K3.

Aumentos al principio de la vta. / *Increasing at the beginning of a row*

Es para aumentar más de 1 p.

When increasing more than one stitch.

Añadir puntos al inicio de la vta, como si se montaran, tantos como aumentos queramos. Realizar lo mismo al terminar la vuelta.

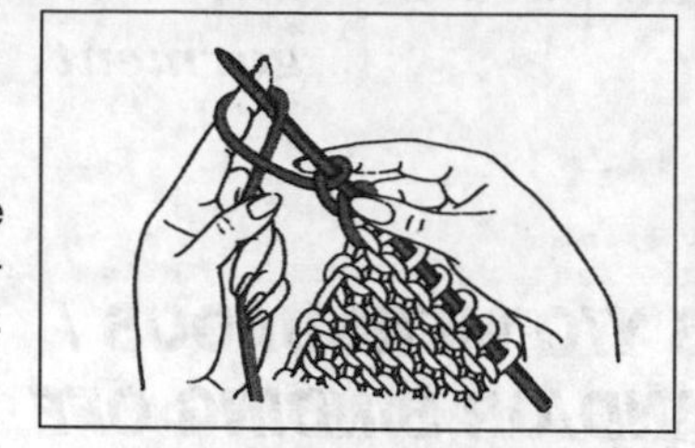

Before beginning the row, cast on the designated number of stitches. At the end of the row, cast on the designated number of stitches.

Trabajar estos p. al derecho o al revés según se requiera.

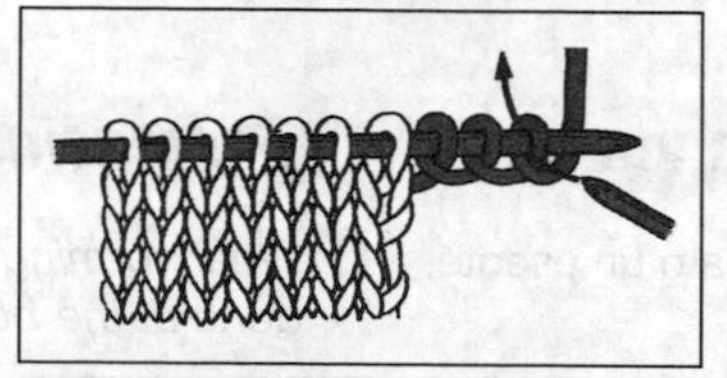

Knit or purl added stitches as given in the instructions.

Aumentos en ambos lados de la misma vta. / *Increasing at both edges of the same row*

Son los aumentos que se trabajan normalmente por el derecho de la labor.
Estos aumentos se hacen siempre a x puntos de los extremos. Ponemos un ejemplo a 3 p. de orillo.

This kind of Increasing is usually done on a right side row. Increases can be made at edge, or at a designated number of stitches from each edge. On this example, 3 stitches from the edge.

Al **Inicio** de la vta., siempre por el derecho de la labor. Trab. 3 p. al der. y después con la ag. derecha recoger el punto que queda entre el p. de la ag. derecha y el 1º p. de la ag. izquierda y ponerlo en la ag. izquierda.

At the beginning of a right side row K3, with the tip of the RH needle, pick up the strand of yarn between last worked st on RH needle and next st on LH needle, place this loop onto LH needle.

Trabajarlo al derecho pero clavando la ag. por detrás del p.

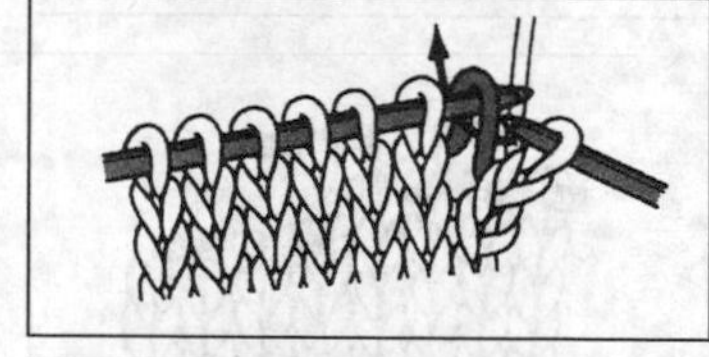

Knit into the back of this loop to twist the stitch.

De esta forma se evita que quede un agujero en la base del punto aumentado.

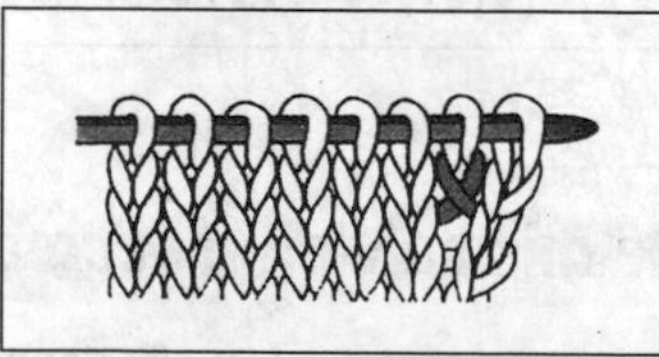

This increase makes a small hole between two stitches.

Al **Final** de la vta., siempre por el derecho de la labor, (en las explicaciones se indica aumentar a... y siguiendo el ejemplo a 3 p.), cuando faltan 3 p. para terminar la vta., con la ag. derecha recoger la baga horizontal que queda entre el ultimo p. de la ag. derecha y el primero de la ag, izquierda y ponerlo en la ag. izquierda.

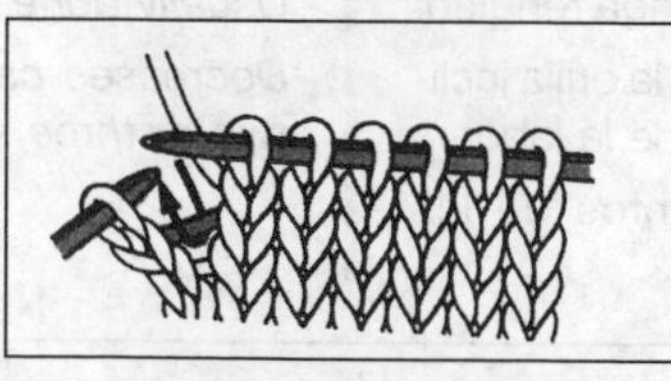

At the end of this same right side row, match the beginning increase by working to the last 3 stitches. With the tip of the RH needle, pick up the strand of yarn between last worked st on RH needle and next st on LH needle, place this loop onto LH needle.

Trabajarlo al derecho clavando la ag. por detrás del p. y al der. los 3 puntos que quedan.

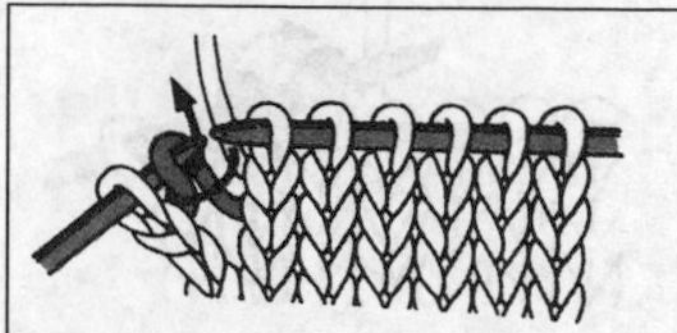

Knit into the back of this loop to twist the st, K3.

FORMAS DE CERRAR / *BINDING OFF*

Cerrado Simple / *Simple Bind Off*

Pasar el primer p. sin hacer y trabajar el siguiente al derecho.

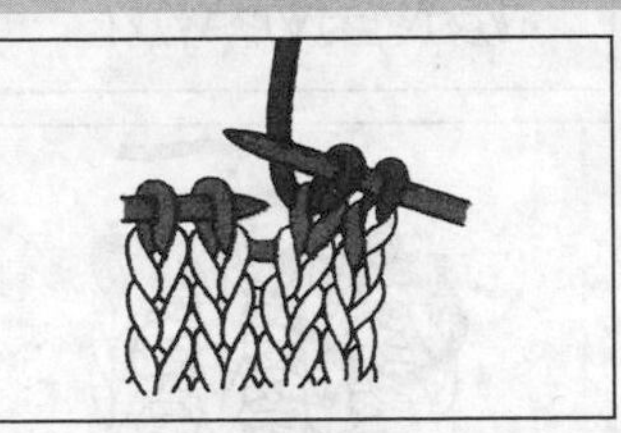

Slip 1 stitch to RH needle as if to purl it., knit next stitch on LH needle

Con la ag. izquierda tomar el p. sin hacer de la ag. derecha y pasarlo por encima del p. derecho.

Using tip of LH needle, pass the second stitch on RH needle over the new stitch.

Tejer otro p. al derecho, con la ag. izquierda tomar el 1° p. de la ag. derecha y pasar por el p. derecho, de esta forma en la ag. derecha sólo queda 1 p.

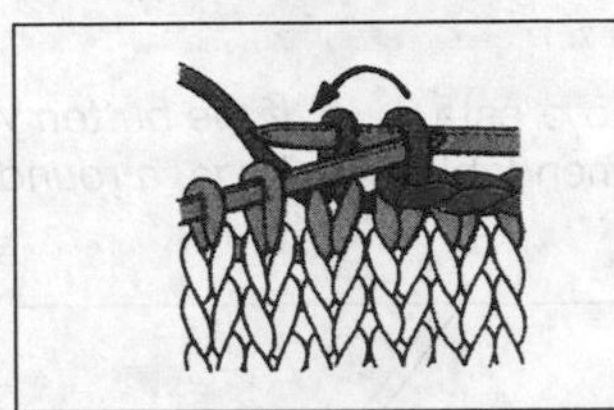

Knit next st on LH needle, pass the second stitch on RH needle over the new stitch. Repeat this process until no stitches remain on LH needle, and only one stitch is on RH needle.

Una vez cerrados todos los p. cortar el hilo, pasarlo por el último p. y tirar para que quede fijado y no se suelte.

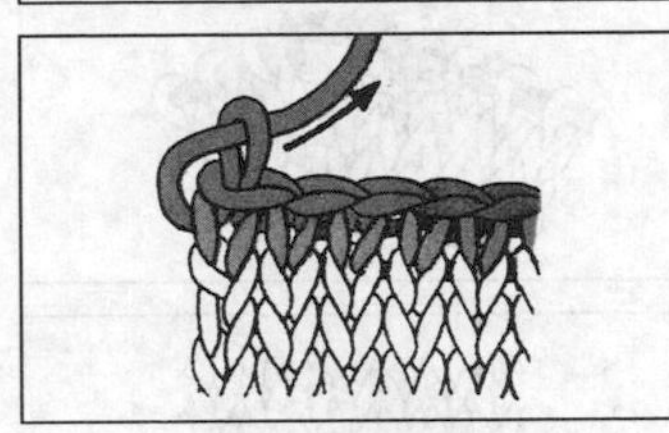

After all stitches have been bound off, cut yarn and pass end of yarn through the remaining stitch on the RH needle before slipping it off.

Cerrado Tubular / *Tubular Bind Off - (Finished Edge Bind Off)*

Se usa normalmente después de tejer el elástico, para conseguir un tipo de cerrado con más elasticidad.

Used when an elastic edge is needed.

Una vez terminada la labor, cortar el hilo dejando una hebra de aproximadamente el doble de la medida que vayamos a cerrar. Enhebrar una ag. lanera y clavar en los dos primeros puntos

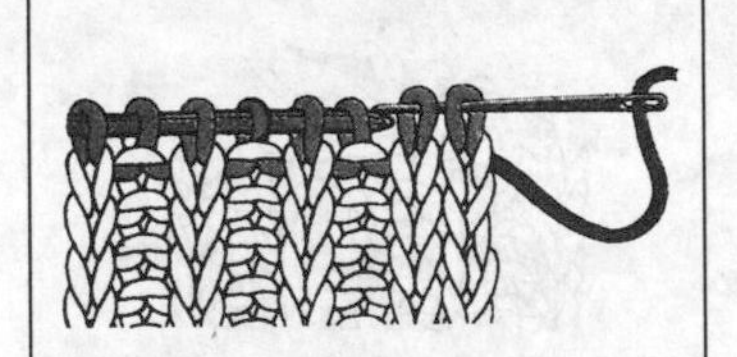

After completing the knitting, stitches remain on the needle. Leaving a length of yarn which equals twice the length of the edge you are finishing, cut yarn. Thread yarn onto a yarn needle and sew through the stitches.

Clavarla de nuevo en el primer p. y después en el tercero.

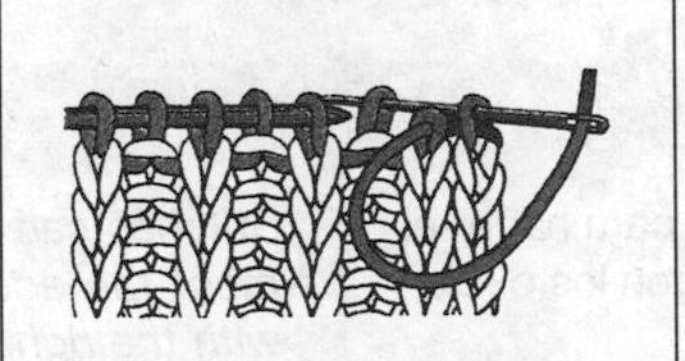

Insert needle through the first st, then through the third st.

Pasar del 2° p. al 4°.

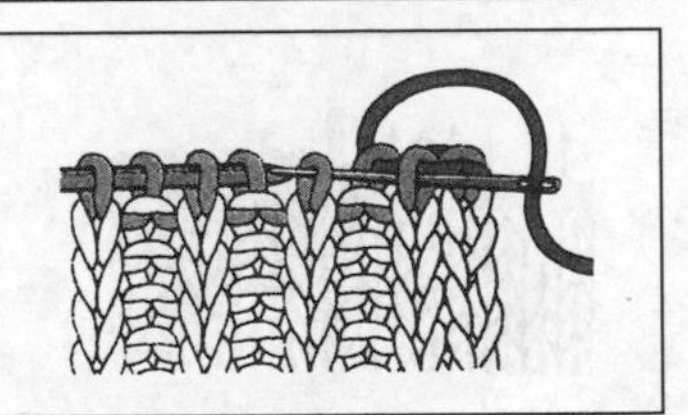

Go back to the second stitch, then into the fourth st.

A continuación del 3º al 5º y así sucesivamente.

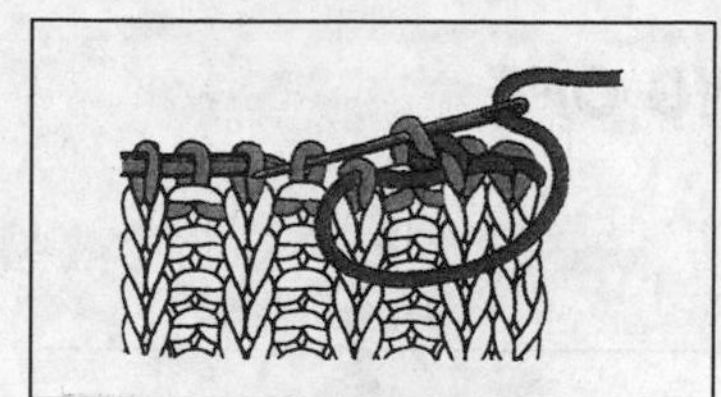

Go back to the third st, then into the fifth st.

Una vez llegado al último p. clavar la aguja de nuevo desde el penúltimo al último, rematar y cortar el hilo.

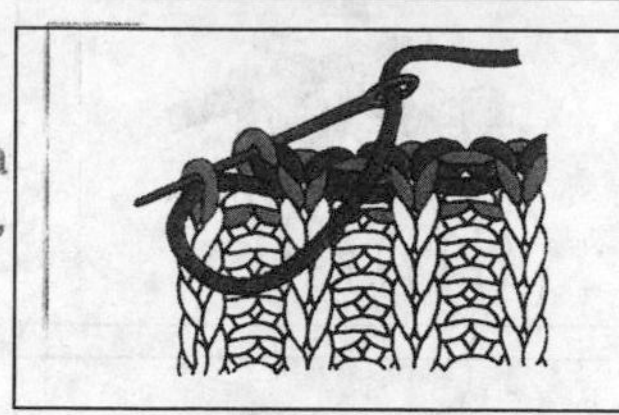

When all stitches have been worked, cut off remaining yarn.

ACABADOS / *BUTTONHOLES*

Ojales redondos / *Round Buttonholes*

Cuando el botón que queremos poner es pequeño o estamos trabajando una lana muy gruesa, es recomendable hacer un ojal pequeño.

If the button you are using is very small, or if the yarn is very large, a round buttonhole is recommended.

Añadir una hebra o baga y hacer dos puntos juntos al derecho.

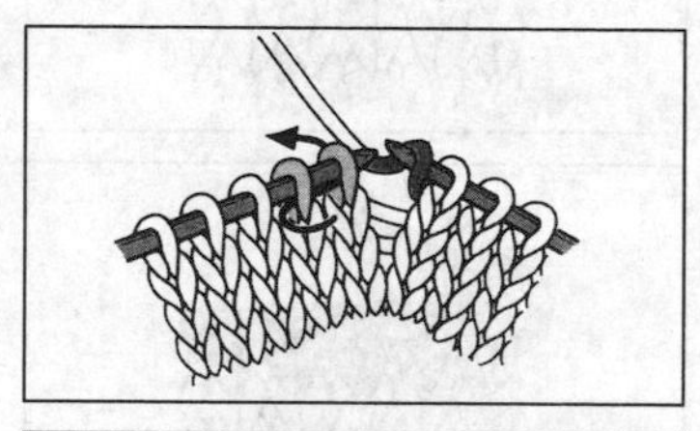

Use a YO (yarn over) and work 2 stitches together.

A partir de la siguiente vta trabajar los p. y la hebra o baga como corresponda.

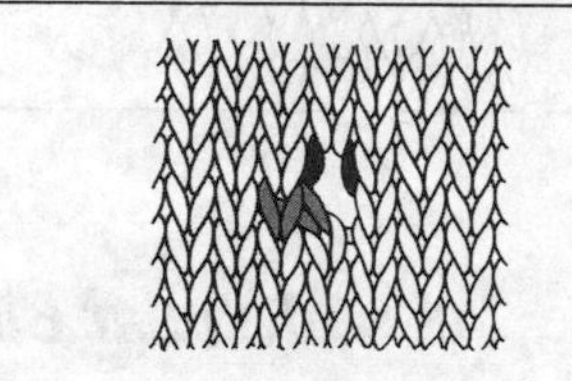

On the following row, work the YO to correspond with the adjoining stitches.

Ojales horizontales / *Horizontal Buttonholes*

Cerrar tantos p. como indique la revista (por ejemplo: ojal de 3 p.), en la siguiente vta montar en la ag. los mismos p. que se cerraron.

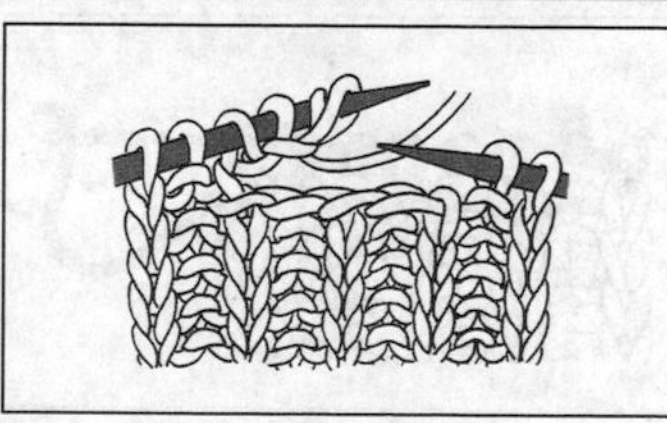

The designated number of stitches are bound off, and on the following row, the same number of stitches are cast on.

Recoger puntos / *Picking Up Stitches*

Una vez terminadas las piezas de una prenda para hacer el cuello o las tapetas de los delanteros, se recogen los p. clavando la aguja en la orilla.

Stitches can be picked up along the edge of a knitted garment too add a collar or front bands. This is usually done with the right side of garment facing you.

Cuando se recogen los p. en el mismo sentido que la labor, clavar la aguja en el centro de cada p. de la última vta. y tejer como corresponda.

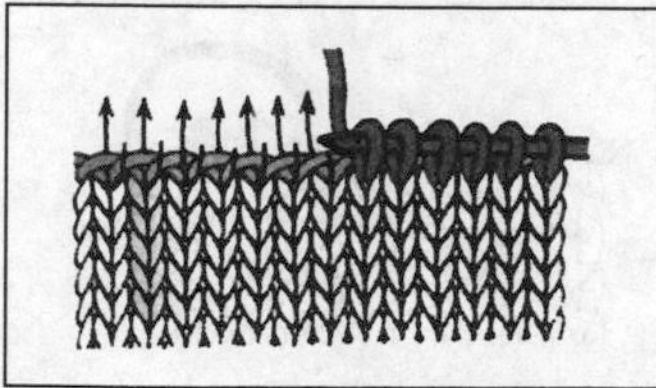

When picking up stitches along a bound off, or a cast on edge, insert needle into center of each stitch on the last row.

Cuando se recogen los p. en un lado de la labor, se debe tener en cuenta que un punto es más ancho que alto por lo tanto clavar la aguja en cada vta., pero en la siguiente, cuando se hace el punto que se solicita, aumentar o menguar puntos (repartidos) según sea necesario para que queden lo p. totales que nos dice la explicación del modelo.

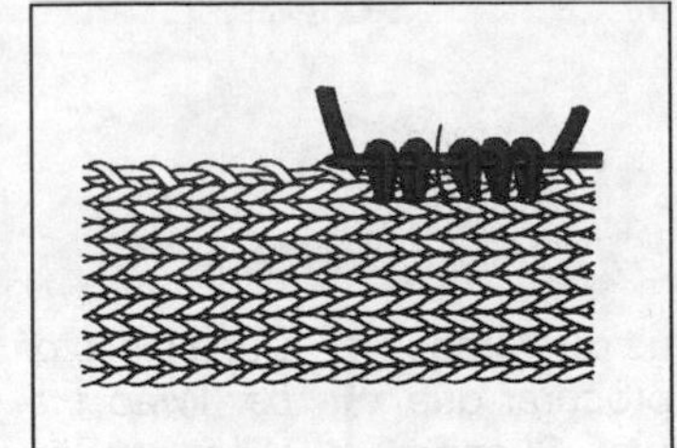

When picking up stitches along the ends of rows, going into every row would make the band longer then the edge. One stitch can be picked up in every row, then on the following row, decrease evenly to the number of stitches required. Or, pick up one stitch in each of 3 rows, then skip the 4th row. In either case, increase or decrease to the number of stitches used in the instructions.

COSTURAS / *SEAMS*

Pespunte / *Back Stitch*

Encarar las piezas derecho con derecho y coser siguiendo el contorno de las piezas

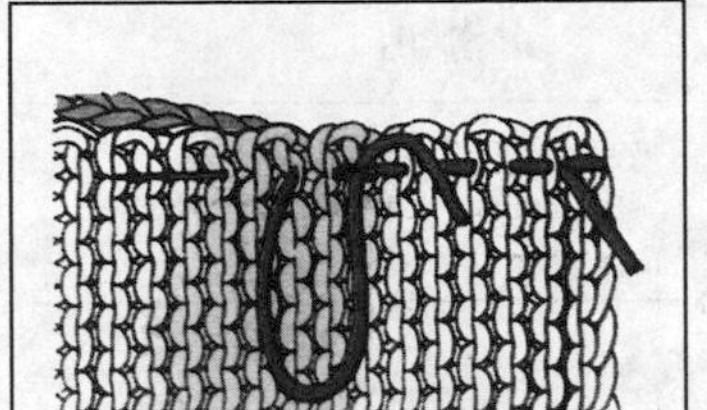

With right sides together, work a back stitch through the first row of stitches.

Grafting / *Grafting*

Cuando se termina una pieza, no se cierran los p., se dejan en espera. Enhebrar una ag., encarar las dos piezas y coser los puntos clavando la ag. en el centro de los p., alternando un punto de una pieza con la otra y siempre cogiendo el punto anterior para que quede bien unido e ir soltándolos de la aguja a medida que se van cosiendo. Como se muestra en la foto.

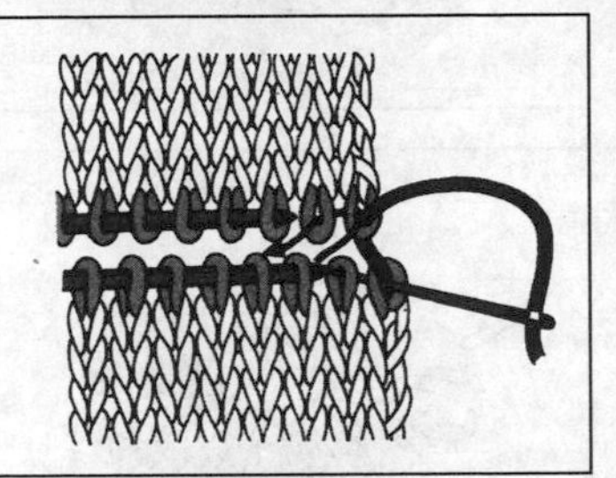

When stitches are not bound off, with the right side of each piece facing you, work back and forth from one piece to the other piece, picking up a whole stitch and maintaining the tension of the knitted stitches, as shown in photograph.

Estas costuras quedan planas e invisibles ya que el resultado es como una continuación del tejido.

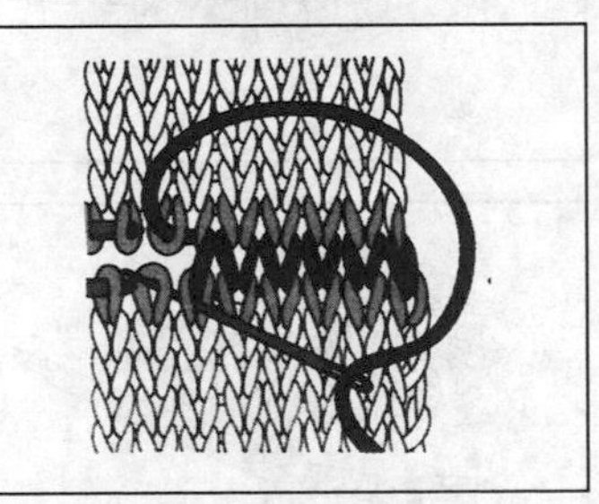

This seam is virtually invisible from the right side.

Punto de Lado / *Side Seams*

Para que las costuras queden planas y los puntos alineados, coser por el derecho clavando la aguja en cada punto de uno y otro lado.

With the right side of each piece facing you, work back and forth from one piece to the other, picking up the inside edge of the first row of stitches. If one piece has more rows than the other, go into the same stitch twice on the piece with less rows, rather than skip a stitch on the piece with the more rows. Keep the seam the same tension as the knitting.

ADORNOS / *DECORATIONS*

Flecos

Cortar un rectángulo de cartón de la medida que queramos el fleco. Enrollar el hilo alrededor del cartón (procurar que los hilos queden uno al lado del otro y no encima). Cuando el cartón esté lleno con las tijeras cortar los hilo por un lado.

Fringe

Cut a piece of cardboard half the width you want the fringe to be. Wrap the yarn in a single layer around the cardboard. When you have the correct number of pieces, or when the cardboard is full, cut the yarn along one edge of the cardboard

Agrupar los hilos necesarios para un fleco y doblar por la mitad. Clavar el ganchillo en la orilla del tejido, tomar los hilo por el lado doblado y hacerlo pasar hacia el revés de la labor, después anudar el fleco siguiendo el dibujo

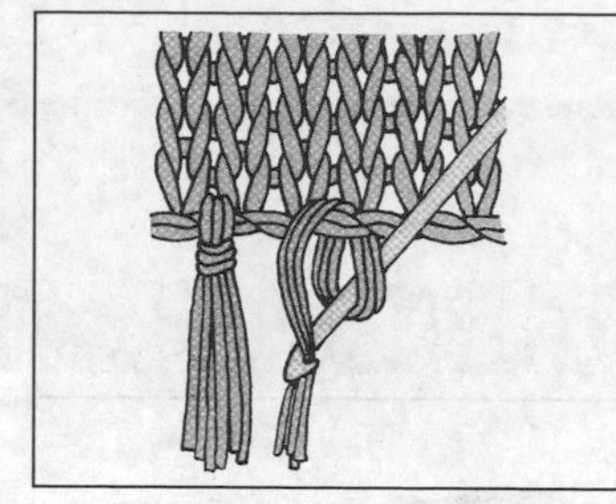

Count the number of strands needed for each group, fold in the center, and using a crochet hook, pull the entire group through the knitted piece, leaving the loop of strands on the hook. Wrap the strands around the hook and pull the loose ends through the loop on the hook. Remove hook and pull the group tight to fasten it to the knitted piece.

Pompones

Pompons

En cartón cortar dos círculos del tamaño que queramos el pompón y hacer un agujero en el centro

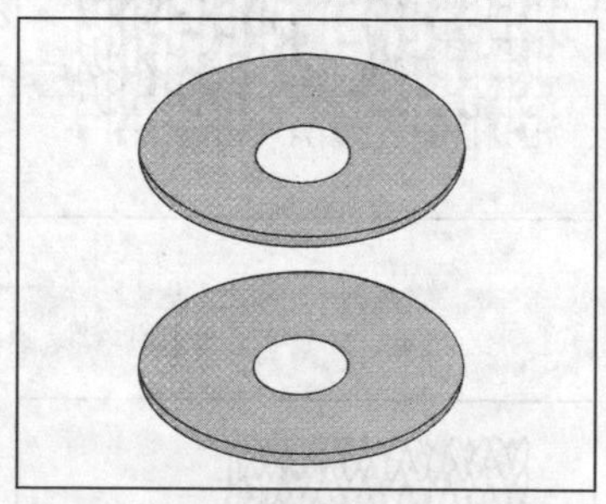

Use a pompon maker, or cut two circles of cardboard, the diameter of the finished pompon. Cut out a circle inside of each piece of cardboard.

Juntar los dos círculos y enrollar hilo alrededor de ellos hasta que estén completamente cubiertos

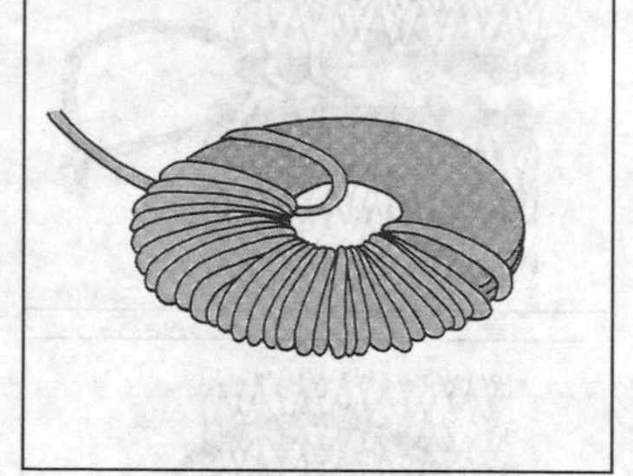

Holding the two pieces of cardboard together, wrap the yarn around the outside edges until you have covered the cardboard.

Poner las tijeras entre los círculos y cortar todos los hilos

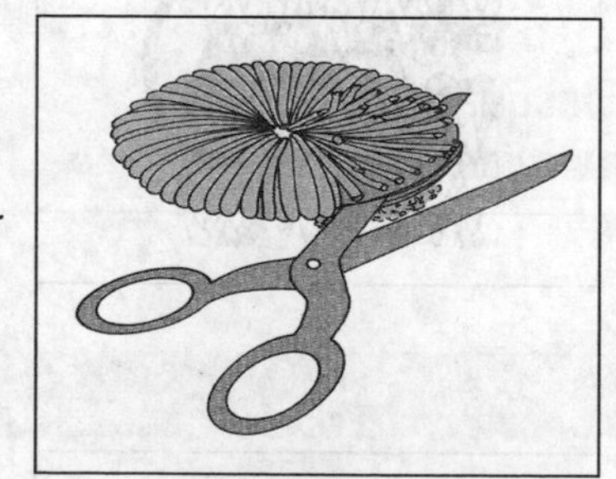

Cut the outside edge of all the strands.

Separar los círculos anudar por el centro y al sacar los círculos queda formado el pompón

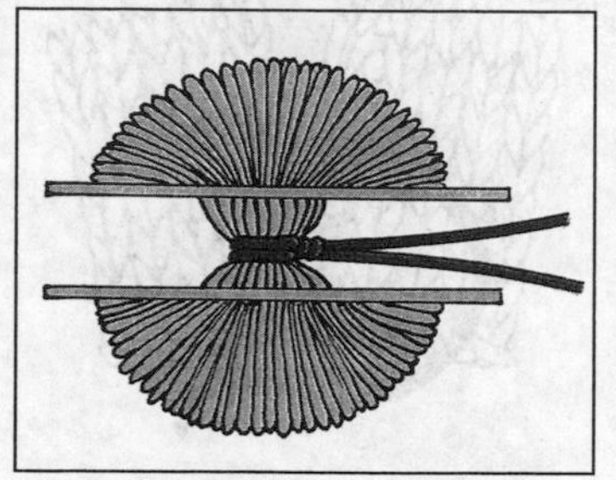

Separate the two pieces of cardboard so you can tie a strand of yarn between them around the center of the strands, forming a pompon. After fluffing the strands, cut off any long ends.

BORDADO / *EMBROIDERY*

Punto de Nudo
French Knot

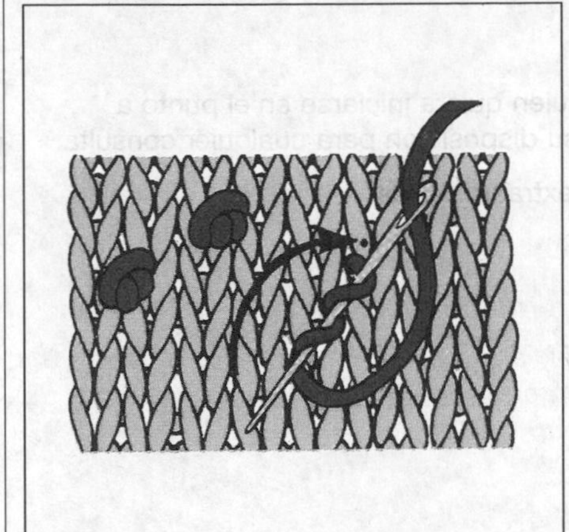

Punto de Tallo
Stem Stitch

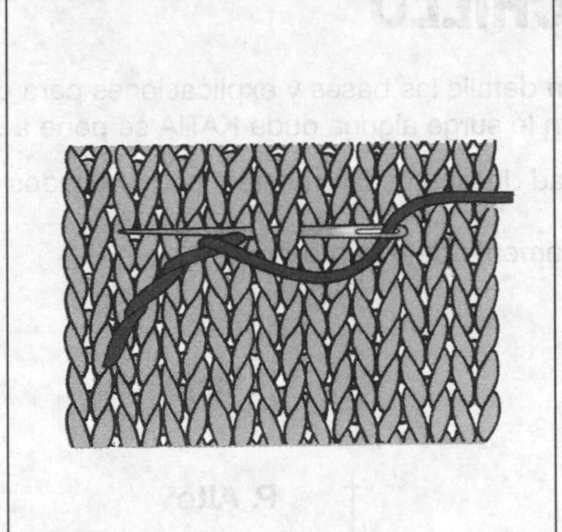

Punto Llano
Satin Stitch

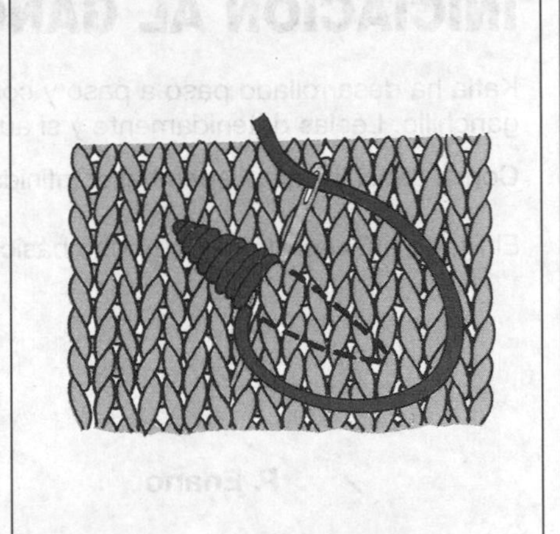

Punto Margarita
Lazy Daisy Stitch

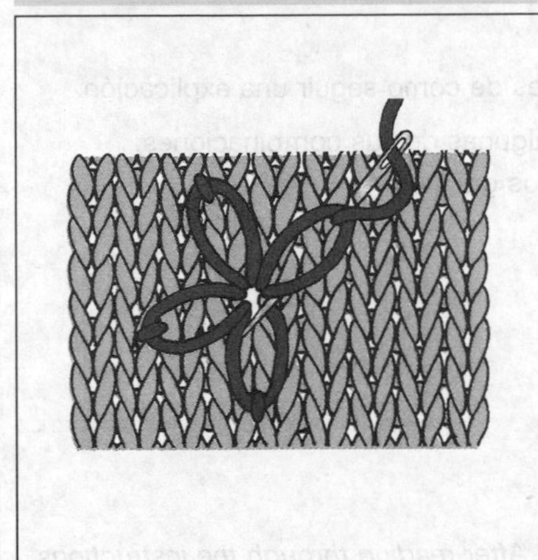

Punto Bastillas
Basting Stitch

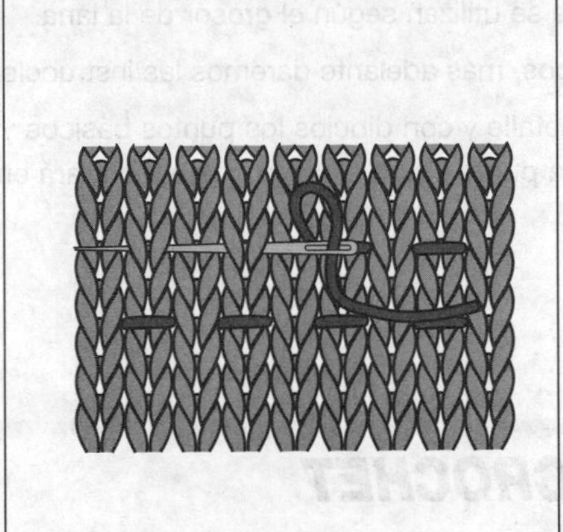

Punto de Cadeneta
Chain Stitch

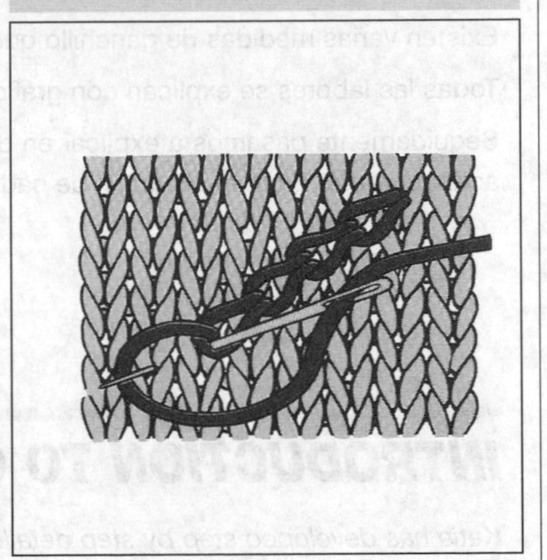

Punto de Cruz
Cross Stitch

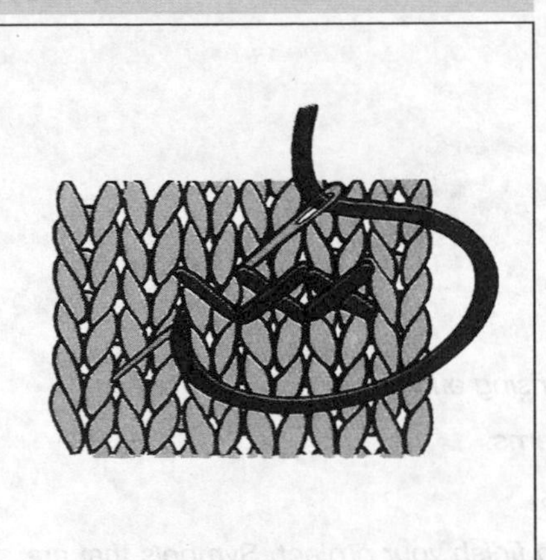

P. Jacquard bordado
Embroidered Jacquard

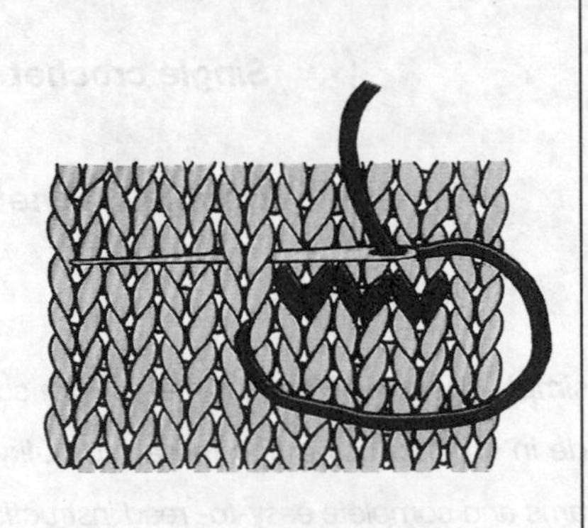

Punto Festón
Buttonhole Stitch

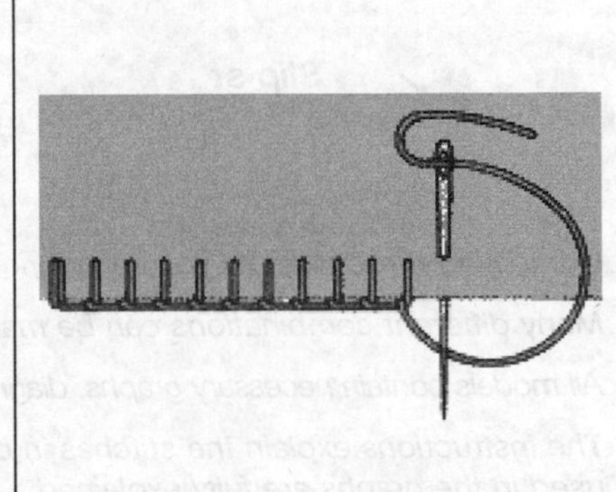

Ganchillo y Horquilla
Crochet and Hairpin lace

INICIACIÓN AL GANCHILLO

Katia ha desarrollado paso a paso y con detalle las bases y explicaciones para quien quiera iniciarse en el punto a ganchillo. Léelas detenidamente y si aun le surge alguna duda KATIA se pone a su disposición para cualquier consulta.

Con el ganchillo se pueden hacer infinidad de labores fácilmente y con resultados extraordinarios.

El Punto a Ganchillo se compone básicamente de 4 puntos:

o	**P. Cadeneta**	|	**P. Bajo**
⁄	**P. Enano**	†	**P. Alto**

Combinando estos puntos se pueden hacer toda clase de labores, desde las más simples a las más laboriosas, con efectos sorprendentes.

Existen varias medidas de ganchillo que se utilizan según el grosor de la lana.

Todas las labores se explican con gráficos, más adelante daremos las instrucciones de cómo seguir una explicación.

Seguidamente pasamos a explicar en detalle y con dibujos los puntos básicos y algunas de sus combinaciones, acabados etc. En la explicación de cada punto figura el signo que encontrará en los gráficos.

INTRODUCTION TO CROCHET

Katia has developed step by step detailed instructions for learning how to crochet. After reading through the instructions, if you have any questions they can be answered through the Katia website.

In crochet, you can make many items easily and with extraordinary results.

Crochet has four basic stitches:

o	***Chain st***	|	***Single crochet***
⁄	***Slip st***	†	***Double crochet***

Combining these stitches you can work simple or more difficult patterns with surprising effects.

Many different combinations can be made in crochet using fine thread to bulky yarns.

All models contain necessary graphs, diagrams and complete easy-to- read instructions

The instructions explain the stitches in detail, how they are combined, and how to finish your project. Symbols that are used in the graphs are fully explained.

PUNTOS BÁSICOS / *BASIC STITCHES*

o Punto cadeneta

o *Chain st: (ch)*

Es la base de inicio de todas las labores. Casi todas las labores empiezan con puntos de cadeneta. Si está usted entrando por primera vez en el mundo del ganchillo, le aconsejamos hacer las cadenetas de inicio con un ganchillo un nº más grueso que el que se va a utilizar para desarrollar el modelo. La primera vuelta de la labor resulta ser la más complicada por no tener base, para sujetar la labor será mejor que los puntos de cadeneta sean más flojos para clavar el ganchillo con mayor comodidad.

Chain st is the base for most stitches. Since every stitch must be fastened to another stitch, a chain is usually the first row in most designs, and must be made loosely so the row will not be distorted when the following row is added. Chains are also used to connect more complicated stitches in openwork patterns.

Sujetar el extremo del hilo entre los dedos pulgar e índice de la mano izquierda, pasar el hilo por encima del índice y entre el meñique y el anular.
Sujetar el ganchillo como si fuera un lápiz con los dedos pulgar e índice de la mano derecha

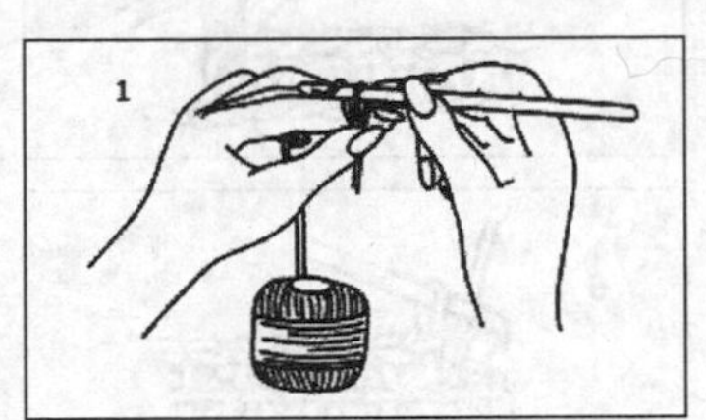

Hold hook in right hand, with end of yarn. Have strand of yarn come over first finger of left hand. Yarn can be wrapped around little finger of left hand to provide the correct tension.

Formar una anilla con el hilo, poner hilo sobre el ganchillo y sujetándolo con el gancho, tirar del ganchillo hacia atrás pasando el hilo a través de la anilla, se ha formado un punto de cadeneta

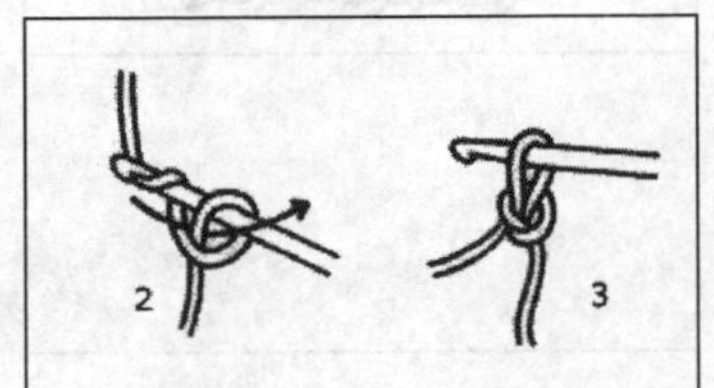

Make a reversed loop of yarn on hook, pick up strand of yarn with hook and pull through the crossed loop to form a slip stitch, as shown in figure 3.

Repetir siempre esta operación hasta tener el número de puntos de cadeneta necesarios. Casi todos los trabajos a ganchillo empiezan con una tira o un anillo a punto de cadeneta.

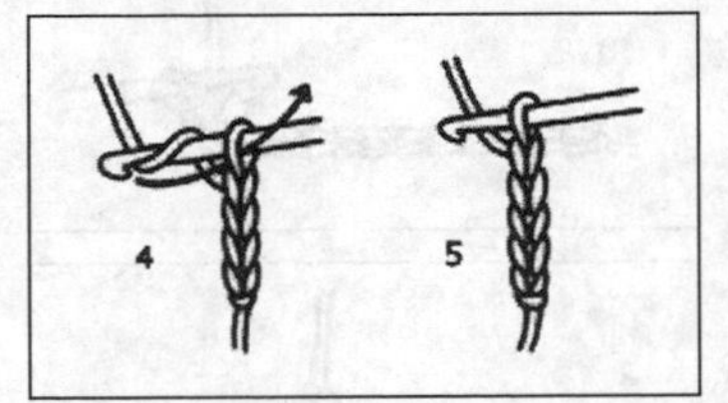

Wrap yarn over the hook and pull through the loop already on the hook to make 1 chain st. Repeat this process for each chain st, as shown in figure 5. NOTE: When counting number of chains made, do not count loop that is still on hook. Each ch is a complete st.

/ Punto Enano

/ *Slip st: (sl st)*

Clavar el ganchillo en el 2º p. de cadeneta a partir del ganchillo

Insert hook into 2nd ch from hook (or designated st).

Poner hilo en el ganchillo y pasar a través de las 2 anillas del ganchillo, se ha formado 1 p. enano.

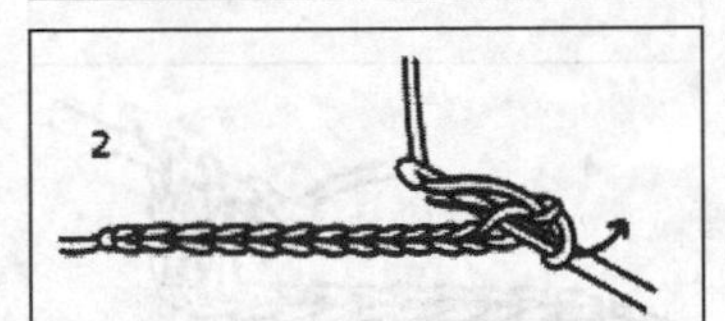

Wrap yarn over hook and draw through the two loops on hook = 1 sl st.

| Punto Bajo

| *Single crochet: (sc)*

Hacer una tira a punto de cadeneta, clavar el ganchillo en la 2ª cadeneta a partir del ganchillo.

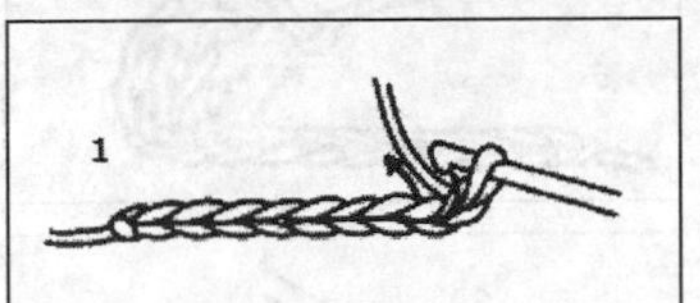

After making a chain of several sts, insert hook into 2nd ch from hook.

Poner hilo sobre el ganchillo y pasar a través del p. de cadeneta, quedan 2 anillas en el ganchillo, poner de nuevo hilo en el ganchillo y pasar a través de las 2 anillas.

Wrap yarn over hook and draw through one loop on hook = 2 loops remain on hook: yarn over hook again and draw through the two loops on hook.

Se ha formado un punto bajo, para hacer otro punto clavar el ganchillo en el siguiente p. de cadeneta y repetir la operación del 2° paso.

To make next sc, insert hook into next ch and repeat instruction #2.

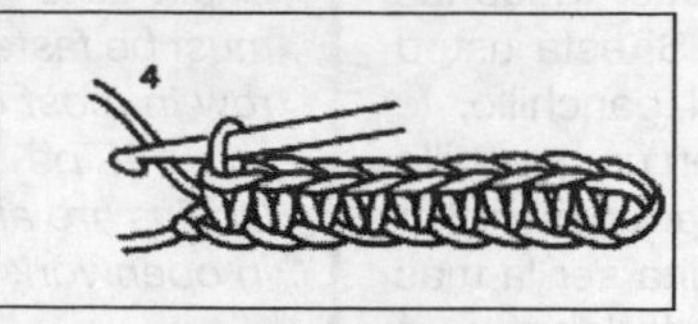

Trabajar 1 p. bajo en cada p. de cadeneta, al terminar todos los p. dar la vuelta a la labor, de manera que el tejido quede de nuevo a la izquierda.

To continue in single crochet, insert hook in each of the next chains, and after making last sc, ch 1 and turn work to begin next row.

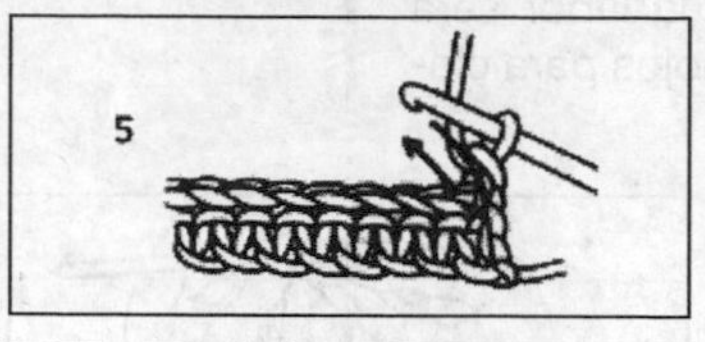

Empezar la siguiente v. con un punto de cadeneta y continuar trabajando 1 p. bajo sobre cada uno de los p. bajos de la vta anterior.

Insert hook underneath the two top loops of the last sc made and work figure 1, drawing yarn through two threads instead of 1. NOTE: If instructions call for working through front loops only or back loops only, insert hook only through the front loop or only through the back loop, then work figure 1.

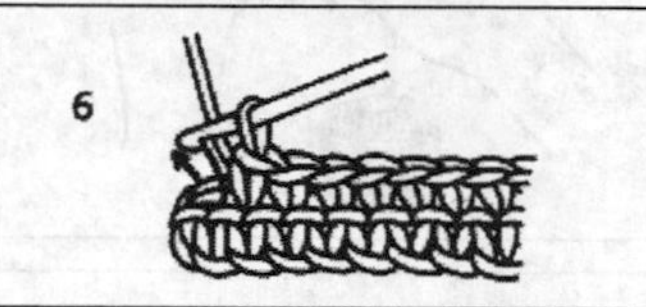

Trabajar el último p. sobre la cadeneta de inicio de la vta anterior.

Last stitch is worked through the ch 1 you made before turning to work this row.

Punto Alto

Double crochet: (dc)

Poner 1 vuelta de hilo en el ganchillo. Clavar el ganchillo en el 4° p. de cadeneta desde el ganchillo.

After working basic ch, wrap yarn over hook, then insert hook into 3rd complete ch from hook.

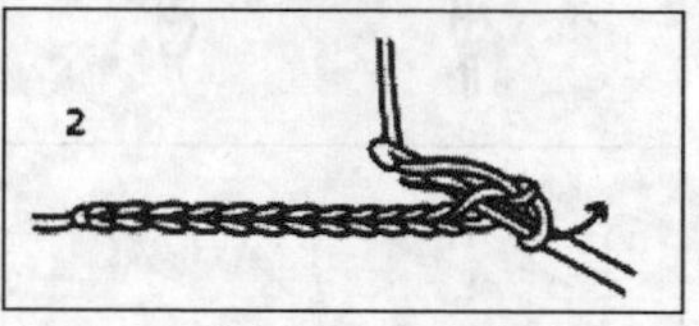

Poner hilo en el ganchillo y pasar a través de la primera anilla del ganchillo, quedan 3 anillas.

Wrap yarn over hook and draw through one loop = 3 loops remain on hook.

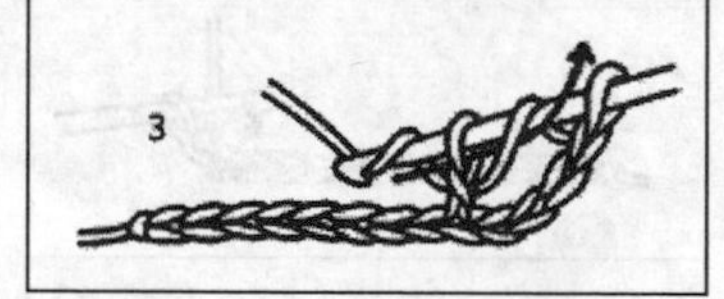

Poner de nuevo hilo y pasar a través de 2 anillas, quedan 2 anillas.

Wrap yarn over hook and draw through 2 loops = 2 loops remain on hook.

Poner de nuevo hilo y pasar a través de las 2 anillas que quedan en el ganchillo.

Wrap yarn over hook and draw through 2 loops.

Poner hilo en el ganchillo y clavar en el siguiente p. de cadeneta.

To continue in dc, wrap yarn over hook and insert hook into next ch, then repeat 2 through 4.

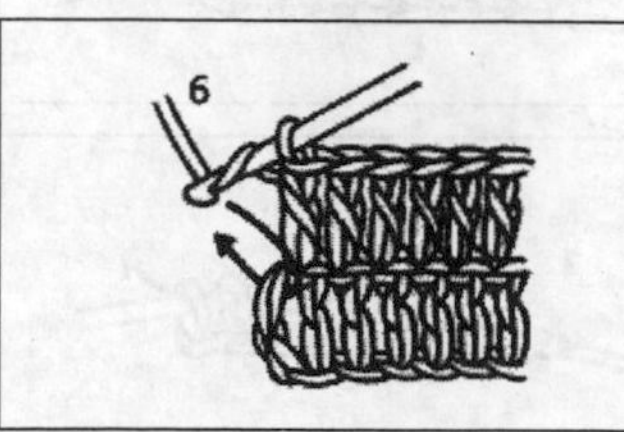

Una vez terminada la vuelta, dar la vuelta a la labor y empezar la vuelta siguiente con 3 p. de cadeneta.

Last dc is worked through the top st of turning ch, and to continue, ch 3, turn and insert hook into both top loops of last worked dc.

Punto Alto doble

Triple crochet: (trc)

Poner 2 vueltas de hilo alrededor del ganchillo , clavar el ganchillo en el 5º p. de cadeneta a partir del ganchillo.

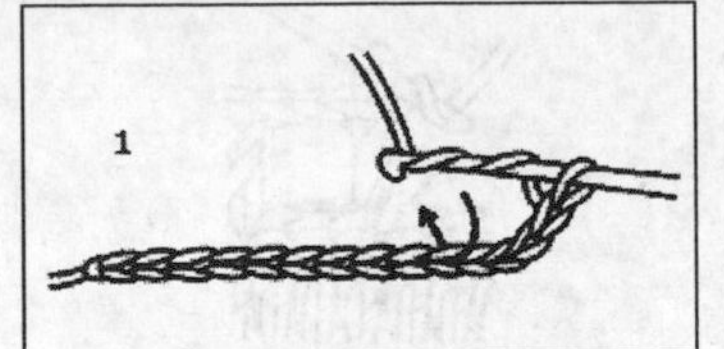

After making basic chain, wrap yarn over hook two times and insert hook in 4th complete ch from hook.

Poner hilo y pasar a través de la primera anilla del ganchillo, poner hilo y pasar a través de las primeras 2 anillas, quedan 3 anillas.

Wrap yarn over hook and draw through two loops = 3 loops remain on hook.

Poner hilo, pasar a través de 2 anillas, quedan 2 anillas.

Wrap yarn over hook and draw through 2 loops = 2 loops remain on hook.

Poner hilo y pasar a través de las 2 anillas que quedan en el ganchillo.

Wrap yarn over hook and draw through 2 loops.

Una vez terminada la vta, dar la vuelta a la labor y empezar la vta siguiente con 4 p. de cadeneta.

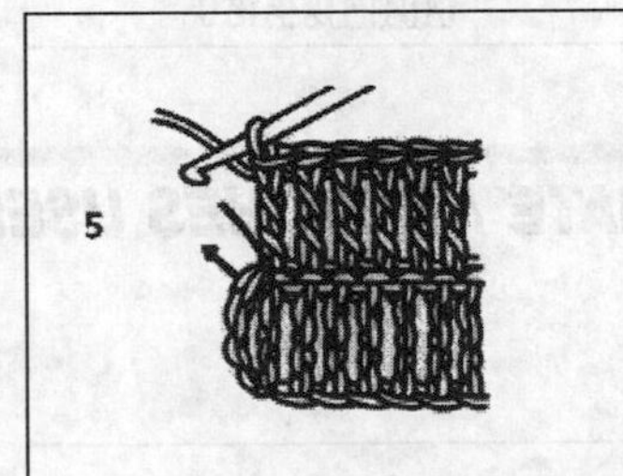

Last trc is worked through the top st of turning ch, and to continue, ch 4, turn and insert hook into both top loops of last worked trc.

Punto alto triple, cuádruple, quíntuple...

Double/triple crochet, quadruple crochet, quintuple crochet...

Trabajar igual que el punto alto doble pero para el punto alto triple poner 3 vueltas de hilo antes de empezar (ver 1º paso punto doble), 4 vueltas de hilo para el cuádruple etc., a continuación seguir todos los pasos del punto alto doble repitiendo el 4º paso hasta que sólo queda una anilla en el ganchillo.

Begin same as triple crochet wrapping yarn around hook 1 more time for each longer crochet and going through 2 loops 1 more time for each added wrap.

Punto Conchas

Shell st

El punto conchas es un punto que se utiliza con mucha frecuencia se trata de trabajar varios puntos altos o bien, distintos puntos de diferentes alturas para formar un abanico (bajo, alto, alto doble, alto y bajo) clavando el ganchillo en el mismo p. o en el mismo arco de base.

This stitch is frequently used for edging as well as in pattern stitches, where a multiple of stitches, (all the same stitch or a variety of single crochet, double crochet, triple crochet), are worked in the same base stitch or group of chain sts.

I N S T R U C C I O N E S

Punto Bodoque / *Bead st*

Tejer 5 p. altos clavando siempre el ganchillo en el mismo p. de base.

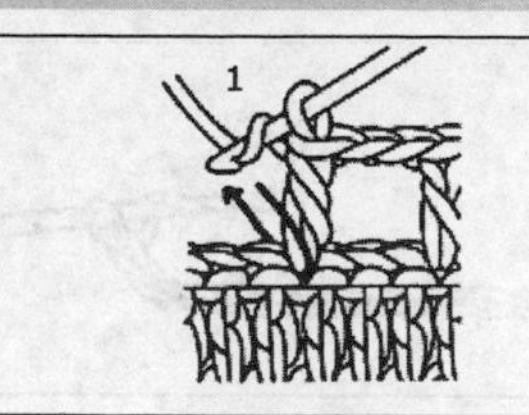

Work designated number (5) double crochet (or other st) in the same stitch.

Sacar el ganchillo de la anilla, clavarlo en el 1º p. alto que se había trabajado.

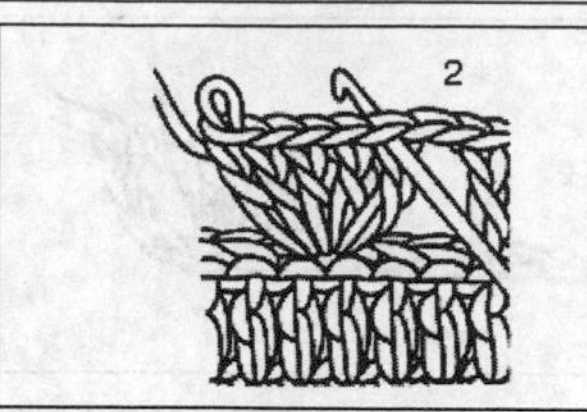

Slip hook out from last st and insert in or before first st of group and back into last worked st.

Introducir de nuevo el ganchillo en la anilla.

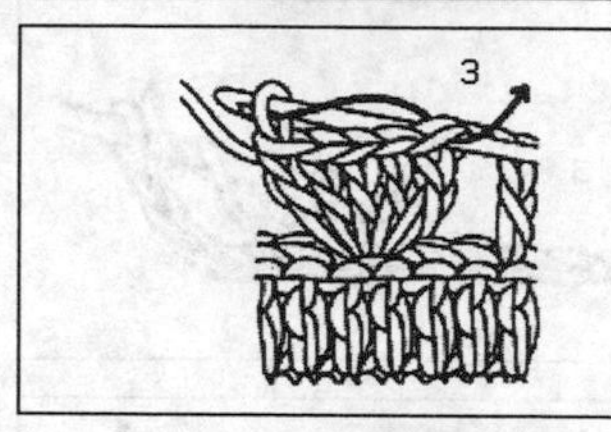

Pull last st to front.

Poner hilo en el ganchillo y pasar a través de la anilla y del punto.

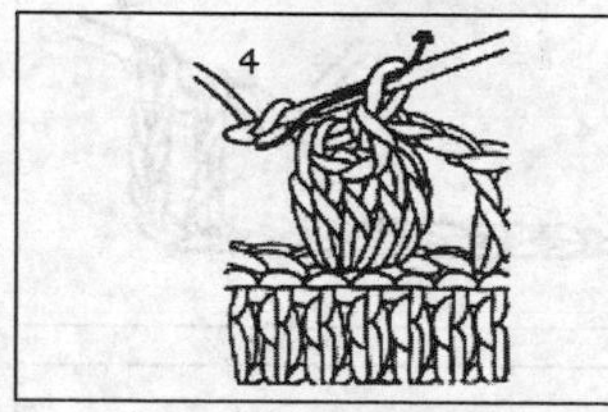

Yarn over hook and pull through lp on hook.

I N S T R U C T I O N S

PUNTOS DE ADORNO O DE REMATE / *STITCHES USED FOR EDGING OR FINISHING:*

Punto Cangrejo / *Backwards crochet*

Trabajar a punto bajo pero de izquierda a derecha.

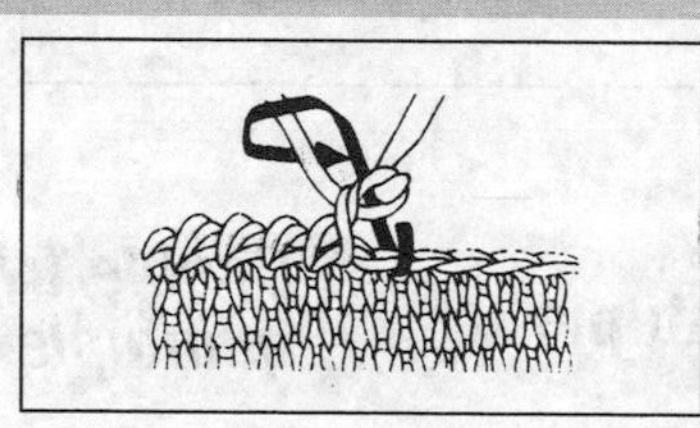

Work single crochet, moving from left to right.

Punto Peluche / *Loop stitch*

Antes de empezar recortar una tira de cartón del ancho que queramos que quede la anilla del punto peluche. Después trabajar a punto bajo, pero al poner hilo en el ganchillo pasarlo por encima de la tira de cartón así se forman unas anillas largas que no se estiran, porque cada una de ellas está fijada por un punto bajo, ver dibujos.

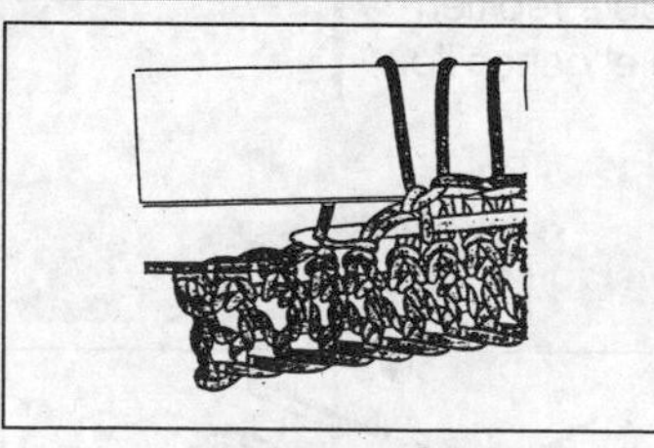

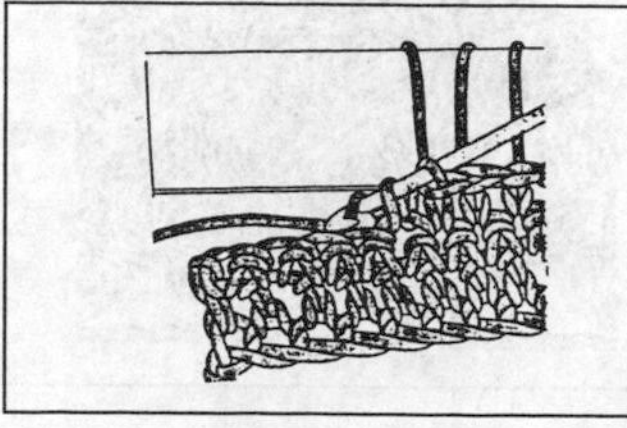

Before beginning to work this stitch, cut a piece of cardboard of designated size and shape. After working a row of single crochet or some base stitch, insert hook in designated st, wrap yarn around piece of cardboard, insert hook into loop on cardboard and work a single crochet. The cardboard insures that all loops will be the same length, and they should stay on the cardboard until the row is finished if the following row will be worked through the top edge of the loops. Otherwise, another row of single crochet is worked before beginning next row, so all loops fall to the same side.

COMO SEGUIR UN GRÁFICO DE GANCHILLO / *HOW TO FOLLOW A CROCHET GRAPH*

Básicamente hay dos formas de tejer: recto, se trabaja de derecha a izquierda y al final de cada vuelta se da la vuelta a la labor de forma que el ganchillo al empezar una vuelta siempre queda en el extremo derecho del tejido.
En el gráfico cada vuelta tiene un número los impares en el lado derecho y los pares en el izquierdo, corresponden al número de vta. por lo tanto a la hora de seguir el gráfico en las vueltas impares la dirección es de derecha a izquierda y en las pares al contrario, como indican las flechas del gráfico de ejemplo.

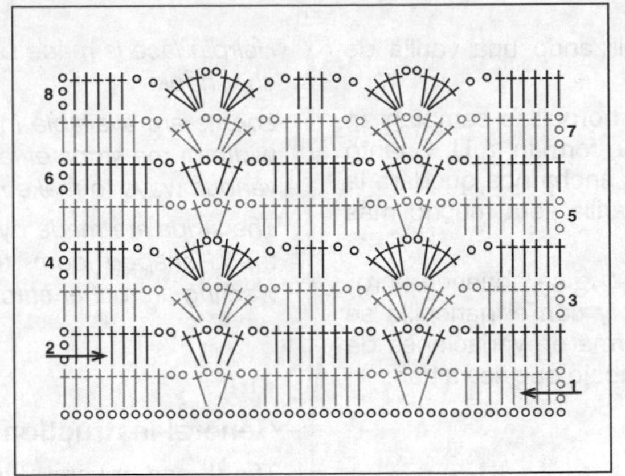

Graphs show the right side of finished work. Begin at lower edge and work Row 1 from right to left, as shown by arrow. At end of row, turn your crochet work, and work Row 2 from left to right, as shown by arrow.
Row numbers are shown at right and left edges of graphs, with odd numbered rows being the right side of your work and the even numbered rows being the wrong side of your work.

Para trabajar en redondo, se empieza con puntos de cadeneta que se cierran con un punto enano trabajado en el 1° p. de cadeneta para formar el anillo sobre el cual se realiza la vuelta siguiente. Para mantener el tejido en redondo, en necesario que cada vta cierre con 1 p. enano trabajado en el 1° p. de la vta. El principio de cada vta está siempre junto al número a la izquierda de éste. Las vtas se empiezan con puntos de cadeneta que están ya representados e el gráfico.

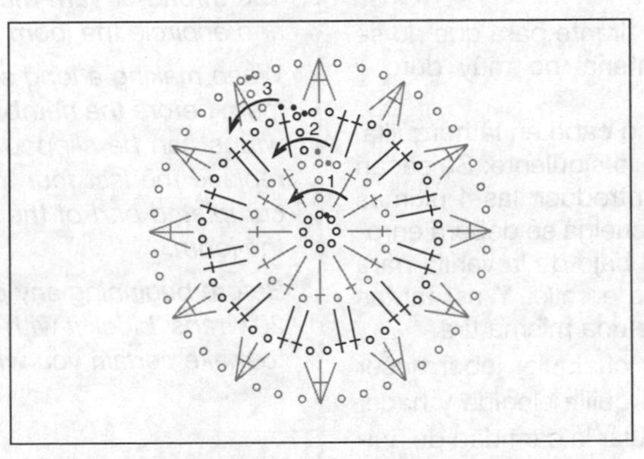

How to work back and forth in rounds: Begin at lower edge and work Row 1 from right to left, as shown by arrow. At end of row, join with a slip st to top of last ch on Row 1, then turn and work Row 2 from left to right, ending every row with a slip st in top of previous row before turning to work the next row of the graph.

En estos gráficos de ejemplo cada vuelta se ha representado en diferente color para poder observar con claridad los p. que corresponden a cada una de ellas, tener en cuenta que en todos los gráficos, las vtas siempre están numeradas por lo que es muy fácil saber donde empieza una vuelta (donde está el primer número) y sigue hasta encontrar el siguiente.
La representación gráfica de las muestras y puntos de ganchillo es muy importante no sólo porque es una representación de la realidad, puedes ver como debe quedar el punto y el tejido que estas haciendo, en forma de zig-zag,, de abanico etc., (es imposible saberlo siguiendo un texto escrito) sino que además te aporta una información básica que es en cada punto que trabajas donde debes clavar el ganchillo.

Consejos útiles

Explicación de las diferentes formas de clavar el ganchillo en los puntos para que la labor nos quede bien:

(1) Cuando se clava el ganchillo para hacer los diferentes puntos y pasadas se clava siempre el ganchillo por delante del punto, o sea que en el ganchillo nos deben quedar 2 anillas. Si sólo cogemos una nos quedará un agujero.

(2) Cuando se trabaja un punto encima de cadenetas, el ganchillo no se clava en medio de la cadeneta, sino cogiendo todo el punto de cadeneta, excepto en la 1ª vuelta del trabajo en sentido recto que siempre debe clavarse el ganchillo en el centro del punto de cadeneta de inicio.

(3) Cuando se trabaja en redondo, después de la 1ª pasada a p. de cadeneta, la siguiente se trabaja dentro de la redonda que hemos formado con la cadeneta y no en medio del punto de cadeneta.

On this graph, different colors are used to show more clearly the sequence of rows. Motif is worked beginning in the center, and the rows are marked and worked as shown by the arrows. Each row is finished by joining it to the beginning of the same row before beginning to work the following row.
A graph represents the shape and size of the crochet work, and shows the stitches to be worked in order to form the shape or design, such as a zig-zag, fan, shell, etc. A graph is a visual aid, which is easier to follow than written instructions which could be misunderstood.

How to use the crochet hook

(1) Always have the crochet hook in front of the loom when making the crochet stitch, and always fasten each wrap separately, not two at a time, so the tension will not be too tight

(2) On the first wrap only, the crochet hook is inserted into the center of the slip knot; on the following stitches the hook, is inserted under the front edge of the previous wrap.

(3) After the first wrap and crochet stitch, when turning the loom, take the crochet hook between the two prongs to the other side of the loom before working the next stitch.

INICIACIÓN AL PUNTO HORQUILLA / *INTRODUCTION TO HAIRPIN LACE*

El punto Horquilla se desarrolla utilizando una varilla de acero en forma de U y un ganchillo.

Las variaciones de medidas de las horquillas cambian en función del ancho de las varillas que forman la U. Cuanto más espacio hay entre varillas, más ancha nos quedará la tira y el trabajo del interior de la varilla será mucho más espectacular.

El trabajo resultante son unas tiras que se obtienen enrollando el hilo alrededor de la varilla y con el ganchillo se trabaja el centro de la misma en forma de variaciones de corazón. Es como se denomina el trabajo que se va haciendo en el interior de la varilla.

Consejos útiles

Es importante no trabajar con el hilo tirante para que no se ajusten las varillas. Son de un material no muy duro y entonces la tira no quedaría recta.

Cuando se hace una tira muy larga no cabe en la horquilla, para trabajar correctamente se hace lo siguiente: Se sacan las anillas de la varilla, volviendo a introducir las 4 últimas para proseguir el trabajo. La tira que cuelga se deberá enrollar y sujetar con un imperdible en el bajo de la varilla para que al ir girando, la labor no se nos enrolle. Y así tantas veces como sea necesario dentro de una misma tira.

Es imprescindible antes de empezar cualquier labor hacer una muestra con la medida de la horquilla elegida y hacer 20 anillas, planchar la muestra y calcular la cantidad de anillas que se necesitan para el largo deseado.

Hairpin lace is made by using a U shaped loom and a crochet hook.

Looms are available in different sizes which determine the width of the strips of lace before they are joined together in various ways to make more intricate patterns.

The strips are made by wrapping the thread or yarn around the U shaped loom, then the loops are held together by working a crochet stitch in the center of each wrap.

General instructions

The thread or yarn must be wrapped with an even tension, and encircle the loom in a straight line.

When making a long strip and the wraps cover most of the loom before the number of wraps are completed, the joined wraps can be slipped off the open end of the loom, then replace the last four loops before continuing to work. The completed part of the strip will hang from the lower end of the loom.

Before beginning any project, you should make a swatch of 20 wraps, block it with steam only, then measure the swatch to make certain you will be working to the correct gauge.

Con las manos hacer una anilla y cerrar con un nudo. Pasar la anilla por la varilla derecha de la horquilla, pasar el hilo por detrás de la varilla izquierda y dar la vuelta a la horquilla de derecha a izquierda.

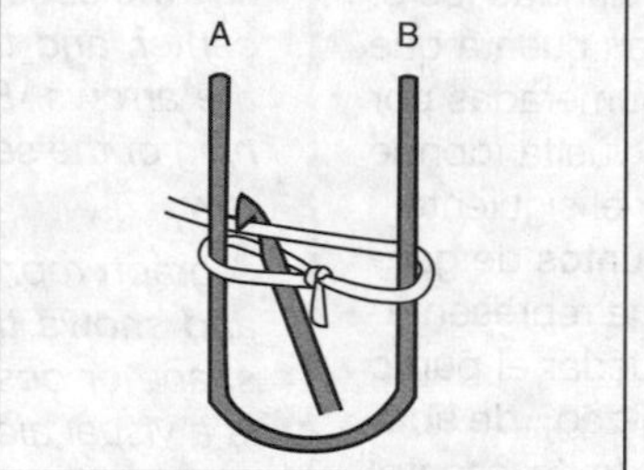

Make a slip knot and put it on one prong of the loom. Turn the loom counter clockwise to make the first wrap. Pick up the wrap with the hook and pull it through the slip knot.

Con la mano izquierda sujetar el hilo y la varilla izquierda entre los dedos pulgar e índice. Coger el ganchillo con la mano derecha, sujetar la varilla derecha entre los dedos mayor (dedo corazón) y anular, insertar el ganchillo dentro de la anilla y trabajar 1 p. bajo.

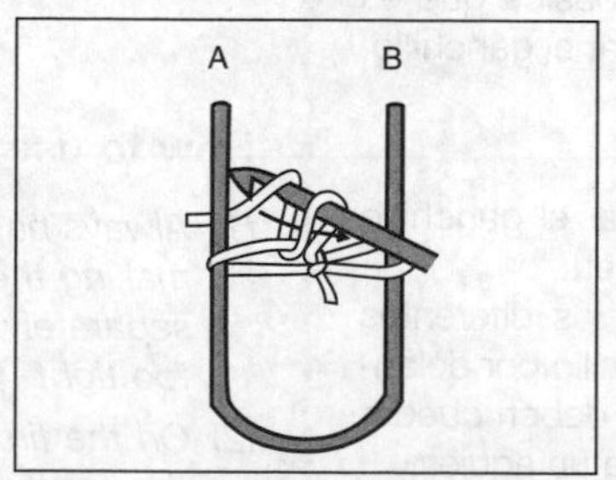

Pick up the same wrap with the hook and pull it through loop on hook = 1 single crochet.

Pasar la mano derecha con el ganchillo por encima de la varilla derecha y dar la vuelta a la horquilla de derecha a izquierda.

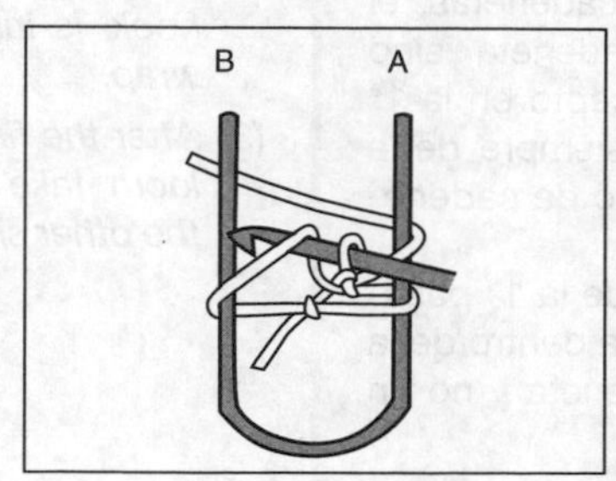

Without removing remaining loop on hook, take hook between the two prongs of the loom to the other side as you turn the loom counter clockwise to make another wrap. Hook will be in front of loom. Insert hook underneath the front side of previous wrap.

Insertar el ganchillo dentro de la anilla izquierda y hacer 1 p. bajo.

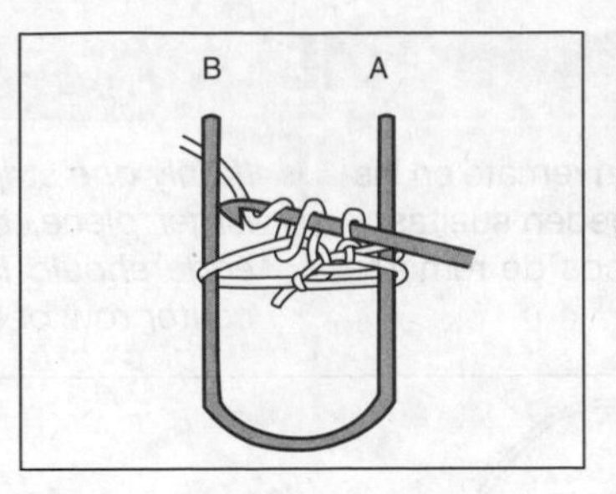

Pick up back side of current wrap and bring hook to front of work to make 1 single crochet.

Repetir los últimos 3 pasos en cada anilla pueden trabajarse 2 p. bajos, puntos altos o la combinación de los dos, depende de cada muestra. Estos puntos formados en el centro de la anilla forman el llamado corazón de cada tira.

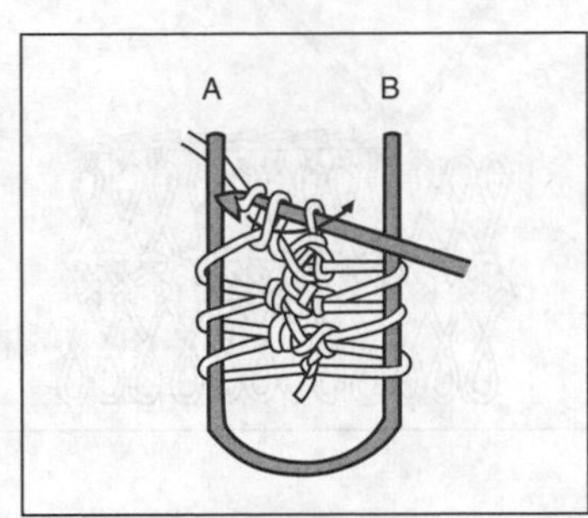

Repeat the last two steps for additional wraps. The joining stitch should be in the center of the loom, and this stitch could be two single crochet, a double crochet, or any combination of stitches given in the instructions for the model you are making. After the correct number of complete wraps and joining stitches have been made, fasten off and slip wraps from the loom.

Unión de las tiras

Joining strips

Una vez realizadas todas las tiras a la medida deseada, se unirán entre sí. Hay diferentes formas de hacer estas uniones, la básica:

After the designated number of strips have been made, they can be joined together in various ways.

Insertar en ganchillo en la anilla de una tira, trabajar 1 p. bajo, insertar el ganchillo en la anilla de la otra tira y hacer un punto bajo. Unir así todas las anillas de las dos tiras.
Otro tipo de unión sería agrupando varias anillas, forma una unión intercalada:

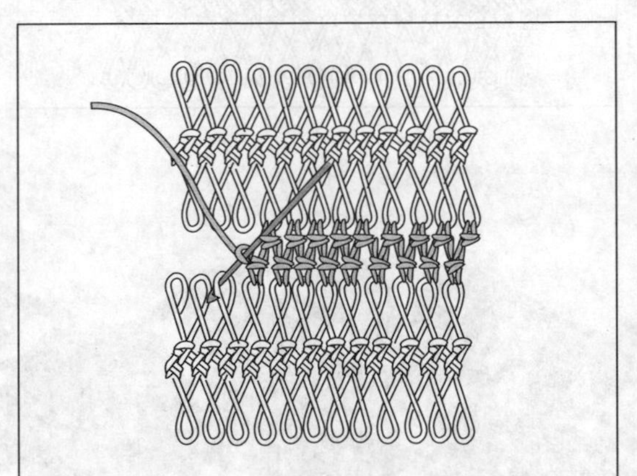

Basic joining: Lay strips side by side with the loops falling in the same direction. Insert hook into first loop on one strip, make 1 sc; insert hook into first loop on second strip, make 1 sc.
Alternating between the strips, join them together to the end of each strip.

Con el ganchillo agrupar 3 anillas de una tira y trabajar 1 p. bajo, hacer 2 p. de cadeneta, agrupar 3 anillas de otra tira y trabajar de nuevo 1 p.bajo, 2 p. de cadeneta.
Estas son dos formas básicas de unión de las tiras, se pueden hacer muchas variaciones combinándolas entre ellas.

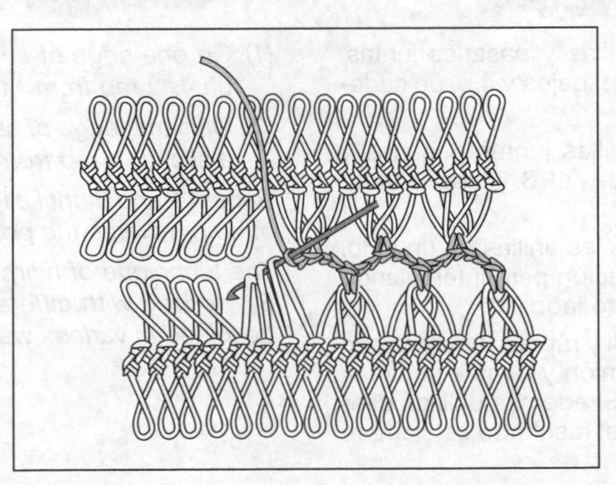

Another way to join the strips is to work the loops in groups of two or more. In this drawing three loops are grouped together and after joining them with 1 sc, ch 2 before joining the with second strip. Many variations can be made by using more loops and more chains between the groups. If the finished work is to remain flat, the joining row should be the same length as the center row of both strips.

Remate

Edging

Una vez unidas todas las tiras debe hacerse un remate en las de los extremos para evitas que las anillas queden sueltas. Al igual que en la unión, hay dos tipos básicos de remate: **recto.**

If only one strip is to be used, or after joining the strips on a larger piece, the open edges must be secured, and if the edge should lay flat, it should be the same length as the center row of the strips.

Insertar el ganchillo en una anilla y trabajar 1 p. bajo, repetir sucesivamente hasta terminar todas las anillas.

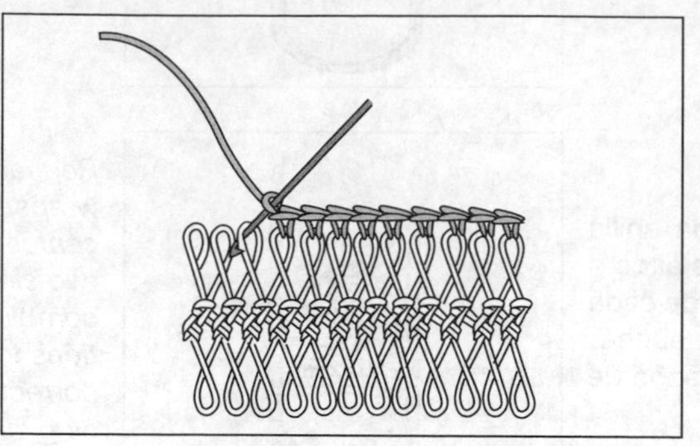

Basic edging: Lay the strip flat with all the loops falling in the same direction. Insert hook in first loop and work 1 sc, then repeat for each loop to end of strip.

Remate agrupado

Group edging

Agrupar 3 anillas trabajar 1 p. bajo, 5 p. de cadenetas, repetir hasta terminar las anillas, se pueden variar el número de anillas que se agrupan y el número de cadenetas entre ellas para obtener diferentes muestras. Se pueden obtener tiras en forma ondulada haciendo un remate ondulado en cada lado de una tira de forma que los grupos de anillas queden intercalados, ver fotografía.

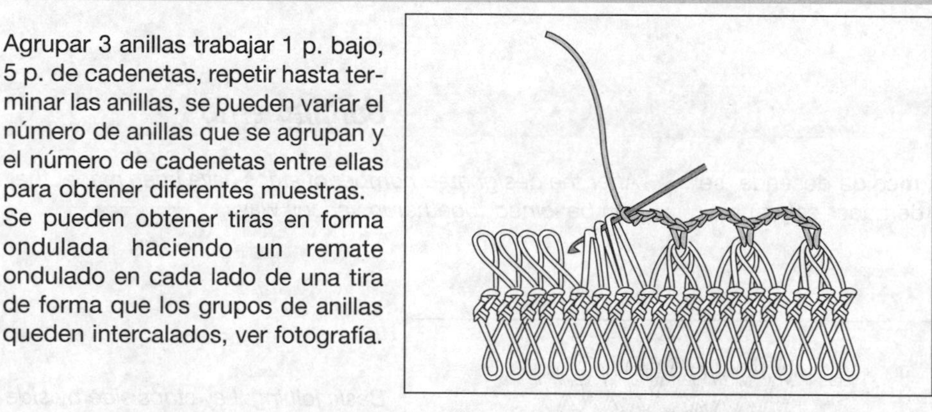

Lay the strip flat with all the loops falling in the same direction. Insert hook in first three loops; work 1 sc and ch 5. Repeat for each group of loops to end of strip. If the strip is to lay flat, the number of chains and the number of loops should be equal. Variations of this edging can be made by working a longer chain between the groups and adding a crochet edging to the chain stitches.

Tira ondulada

Undulating strip

(1) Agrupar con el ganchillo * 4 anillas y pasarlas juntas, dentro de estas 4 anillas hacer 3 p. bajos y 4 p. de cadeneta * , repetir de *a* 3 veces.

(2) Agrupar con el ganchillo * 4 anillas juntas pasarlas y hacer un punto enano* repetir de *a* 3 veces, acabar con 4 p. de cadeneta.

Repetir: (1) y (2) hasta recoger todas las anillas de un lado. En el otro lado hacer la misma operación pero intercalando los punto (1) y (2) con respecto al otro lado.

La técnica de la horquilla es muy fácil y rápida. Además con las mismas tiras sólo combinando unión y remate se crean un número sin fin de posibilidades. Si además utilizas diferentes hilos de fantasía en las tiras, el resultado es siempre espectacular.

*(1) On one edge of strip, * join 4 loops together with 3 sc, ch 4, *; rep from * to * 2 more times.*

*(2) On same edge of same strip, * join 4 loops together with a slip st, *; rep from * to * 2 more times; end with ch 4.*

Repeat 1 and 2 until all loops have been used. On other side of strip, reverse the position of 1 and 2.

The technique of hairpin lace is easy and works up rapidly. By working with different and unusual yarns, the strips can be joined in various ways, creating spectacular results.

MODELO 1

FIL KATIA

pág. 2

ESPAÑOL

TALLAS: –a) 38/40 **–b)** 42/44 **–c)** 46/48 **–d)** 50/52

MATERIALES
VENUS: col. 6800: **–a)** 10 **–b)** 11 **–c)** 12 **–d)** 13 ovillos.
VIP: col. 6800: **–a) –b), –c)** 3 **–d)** 4 ovillos.

Agujas	Puntos empleados
Nº 5	- *P. elástico 2x2* VENUS - *P. jersey der.* VENUS
Nº 7, nº 10	- *P. jersey der.* VIP

MUESTRA DEL PUNTO
P. jersey der., VENUS, ag. nº 5
10x10 cm. = 16 p. y 24 vtas.

ESPALDA
Con VENUS y ag. nº 5, **montar –a)** 76 p. **–b)** 84 p. **–c)** 90 p. **–d)** 98 p.
Trab. a *p. elástico 2x2*. Empezar con **–a), –b)** 2 p. der. **–c), –d)** 3 p. der. y terminar con **–a), –b)** 2 p. rev. **–c), –d)** 3 p. rev.
A 15 cm. de largo total, continuar trab. a *p. jersey der.*
Escote:
A 94 cm. de largo total, **cerrar** los **–a)** 20 p. **–b)** 24 p. **–c)** 26 p. **–d)** 30 p. centrales y continuar trab. cada lado por separado.
Después de 2 vtas, **cerrar** en el lado del escote: 1 vez 4 p.
Hombro:
A **–a)** 97 cm. **–b)** 98 cm. **–c)** 99 cm. **–d)** 100 cm. de largo total, **cerrar** los **–a)** 24 p. **–b)** 26 p. **–c)** 28 p. **–d)** 30 p. restantes del hombro.
Acabar el otro lado igual, pero **a la inversa.**

DELANTERO
Trab. como la espalda, excepto el escote.
Escote:
A 87 cm. de largo total, **cerrar** los **–a)** 16 p. **–b)** 20 p. **–c)** 22 p. **–d)** 26 p. centrales y continuar trab. cada lado por separado.
Cerrar cada 2 vtas en el lado del escote: 2 veces 2 p., 2 veces 1 p.
Hombro:
A **–a)** 97 cm. **–b)** 98 cm. **–c)** 99 cm. **–d)** 100 cm. de largo total, **cerrar** los **–a)** 24 p. **–b)** 26 p. **–c)** 28 p. **–d)** 30 p. restantes del hombro.
Acabar el otro lado igual, pero **a la inversa.**

MANGAS
Con ag. nº 5 y VENUS, **montar –a)** 34 p. **–b)** 38 p. **–c)** 42 p. **–d)** 44 p.
Trab. a *p. elástico 2x2*. Empezar con **–a), –b), –c)** 3 p. der. **–d)** 2 p. der. y terminar con **–a), –b), –c)** 3 p. rev. **–d)** 2 p. rev.
A 15 cm. de largo total, continuar trab. a *p. jersey der.* Trab. durante la 1ª vta: * 2 p. en 1 p. *, repetir durante toda la vta = **–a)** 68 p. **–b)** 76 p. **–c)** 84 p. **–d)** 88 p.
En la siguiente vta por el derecho de la labor, **aumentar –a)** 8 p. **–b)** 4 p. **–c), –d)** 0 p. repartidos = **–a)** 76 p. **–b)** 80 p. **–c)** 84 p. **–d)** 88 p.
Continuar trab. recto a *p. jersey der.*
A **–a)** 52 cm. **–b)** 53 cm. **–c)** 54 cm. **–d)** 55 cm. de largo total, **cerrar** los p.
Trab. la otra manga igual.

CONFECCIÓN Y REMATE
Hilvanar las piezas encaradas y planchar a vapor.
Cuello:
Con VIP y ag. nº 7, **recoger por el derecho de la labor** alrededor del escote delantero **–a)** 22 p. **–b)** 26 p. **–c)** 28 p. **–d)** 32 p. y alrededor del escote espalda **–a)** 18 p. **–b)** 20 p. **–c)** 22 p. **–d)** 24 p. = en total **–a)** 40 p. **–b)** 46 p. **–c)** 50 p. **–d)** 56 p.
Trab. a *p. jersey der.* **NOTA:** trab. la 1ª vta (= por el revés de la labor) al der. De esta manera, al girar el cuello hacia fuera queda el derecho de p. jersey der. por el derecho de la labor.
A 8 cm. de largo total, **cambiar** ag. nº 10 y **aumentar** 7 p. repartidos en una vta = **–a)** 47 p. **–b)** 53 p. **–c)** 57 p. **–d)** 63 p.
Continuar trab. a *p. jersey der.* y a 33 cm. de largo total, **cerrar** los p. muy flojos.
Todas las costuras de realizan a *p. de lado* (ver pág. p. básicos).
Coser hombros y la costura del cuello.
Aplicar las mangas (= con la mitad de la parte superior de la manga a la costura del hombro) y **coser** mangas y lados.
NOTA: la sisa mide **–a)** 24 cm. **–b)** 25 cm. **–c)** 26 cm. **–d)** 27,5 cm.

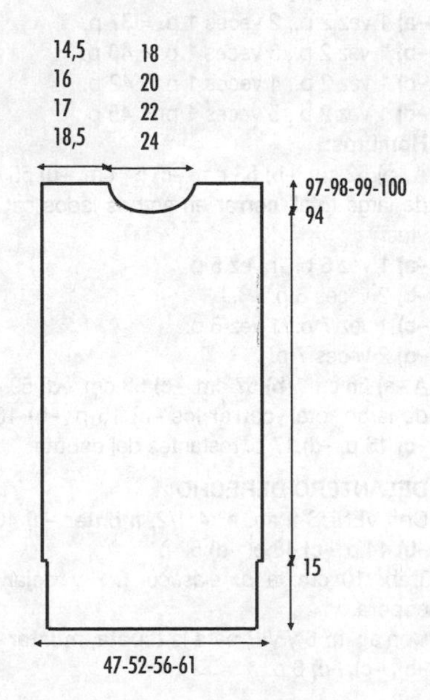

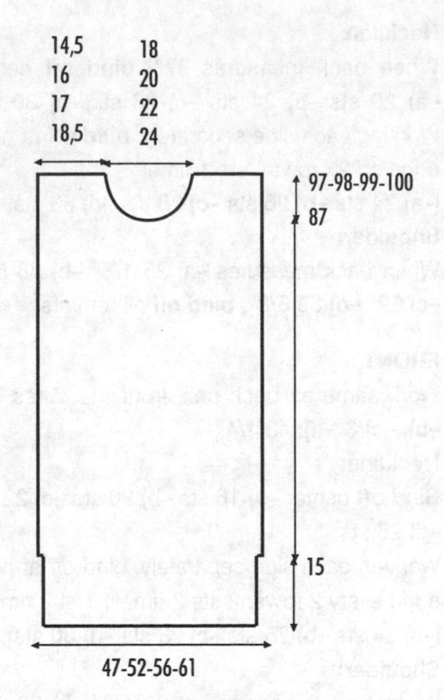

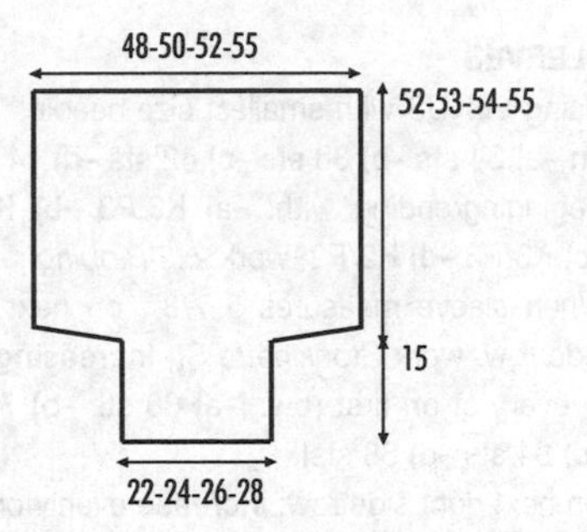

ENGLISH

SIZE: –a) 37" **–b)** 41" **–c)** 44 1/8" **–d)** 48": finished bust measurement

MATERIALS
VENUS: **–a)** 10 **–b)** 11 **–c)** 12 **–d)** 13 balls color no. 6800.
VIP: **–a), –b) & –c)** 3 **–d)** 4 balls color no. 6800.

NEEDLES
Size 7, 10 1/2, 15 (U.S.) /(5, 7 & 10 metric) **or size you need to use to obtain gauge listed below.**

STITCHES
See Basic Instructions for: *2x2 Ribbing, Stockinette St.*

GAUGE
Using VENUS with smallest size needles in *Stockinette St*: 16 sts and 24 rows = 4x4"

BACK
Using VENUS with smallest size needles, **cast on –a)** 76 sts **–b)** 84 sts **–c)** 90 sts **–d)** 98 sts.
Beginning/ending with: **–a)** K2/P2 **–b)** K2/P2 **–c)** K3/P3 **–d)** K3/P3, work *2x2 Ribbing*.
When back measures 5 7/8", work *Stockinette St.*

I N S T R U C C I O N E S

I N S T R U C T I O N S

Neckline:
When back measures 37", **bind off** center **–a)** 20 sts **–b)** 24 sts **–c)** 26 sts **–d)** 30 sts.
Working each side separately, **bind off** at neck edge on 2nd row: 4 sts 1 time:
[**–a)** 24 sts **–b)** 26 sts **–c)** 28 sts **–d)** 30 sts].
Shoulder:
When back measures **–a)** 38 1/8" **–b)** 38 5/8" **–c)** 39" **–d)** 39 3/8", **bind off** all rem sts.

FRONT
Work same as back until front measures **–a), –b), –c) & –d):** 43 1/4"
Neckline:
Bind off center **–a)** 16 sts **–b)** 20 sts **–c)** 22 sts **–d)** 26 sts.
Working each side separately, bind off at neck edge every 2 rows: 2 sts 2 times; 1 st 2 times:
[**–a)** 24 sts **–b)** 26 sts **–c)** 28 sts **–d)** 30 sts].
Shoulder:
When back measures **–a)** 38 1/8" **–b)** 38 5/8" **–c)** 39" **–d)** 39 3/8", **bind off** all rem sts.

SLEEVES
Using VENUS with smallest size needles, **cast on –a)** 34 sts **–b)** 38 sts **–c)** 42 sts **–d)** 44 sts.
Beginning/ending with: **–a)** K3/P3 **–b)** K3/P3 **–c)** K3/P3 **–d)** K2/P2, work *2x2 Ribbing.*
When sleeve measures 5 7/8", on next right side row, work *Stockinette St*, **increasing** 1 st in every st on first row: [**–a)** 68 sts **–b)** 76 sts **–c)** 84 sts **–d)** 88 sts].
On next right side row: **increase** evenly on this row: **–a)** 8 sts **–b)** 4 sts **–c)** 0 sts **–d)** 0 sts:
[**–a)** 76 sts **–b)** 80 sts **–c)** 84 sts **–d)** 88 sts.
Continue in *Stockinette St*, and when sleeve measures **–a)** 20 1/2" **–b)** 20 7/8" **–c)** 21 1/4" **–d)** 21 5/8", **bind off.**

FINISHING
Carefully block pieces on the wrong side, using steam only.
Sew right shoulder seam.
Collar: Using VIP with middle size needles, on right side of work, **pick up –a)** 22 sts **–b)** 26 sts **–c)** 28 sts **–d)** 32 sts around front neck edge; **pick up –a)** 18 sts **–b)** 20 sts **–c)** 22 sts **–d)** 24 sts around back neck edge: total of **–a)** 40 sts **–b)** 46 sts **–c)** 50 sts **–d)** 56 sts.
First row: (wrong side of front and back): Knit this row, then continue in *Stockinette St* so the knit side of collar will be outside when collar is turned.
When collar measures 3 1/8", change to largest size needles, and increasing 7 sts evenly on first row, work *Stockinette St* over **–a)** 47 sts **–b)** 53 sts **–c)** 57 sts **–d)** 63 sts.
When collar measures 13", **bind off** very loosely.
Sew other shoulder and edge of collar.
Matching center of sleeve with shoulder seam, **sew** in sleeves for **–a)** 9 1/2" **–b)** 9 7/8" **–c)** 10 1/4" **–d)** 10 7/8", then sew underarm seam and side seams.

MODELO 2
FIL KATIA

VIP / VENUS

(Ver página 3 Puntos Básicos)
(See page 3 Basic Stitches)
pág. 3

ESPAÑOL

TALLAS: –a) 38/40 **–b)** 42/44 **–c)** 46/48 **–d)** 50/52

MATERIALES
VENUS: col. 6801: **–a)** 6 **–b)** 7 **–c)** 8 **–d)** 8 ovillos.
VIP: col. 6801: **–a)** 4 **–b), –c), –d)** 5 ovillos.
5 botones

Agujas	Puntos empleados
Nº 4 1/2	- *P. elástico 1x1* VENUS
Nº 6	- *P. jersey der.* VIP - *P. bobo* VIP.

MUESTRA DEL PUNTO
P. elástico 1x1, VENUS, ag. nº 4 1/2
10x10 cm. = 20 p. y 18 vtas.
P. jersey der., VIP, ag. nº 6
10x10 cm. = 10 p. y 15 vtas.

ESPALDA
Con VENUS y ag. nº 4 1/2, **montar –a)** 90 p. **–b)** 100 p. **–c)** 108 p. **–d)** 118 p.
Trab. 10 cm. a *p. elástico 1x1.*
Cambiar ag. nº 6 y con VIP continuar trab. a *p. jersey der.* **NOTA:** trab. la 1ª vta: 2 p. juntos al der. durante toda la vta. Quedan **–a)** 45 p. **–b)** 50 p. **–c)** 54 p. **–d)** 59 p.
Sisas:
A 35 cm. de largo total, **cerrar** en ambos lados cada 2 vtas:
–a) 1 vez 2 p., 2 veces 1 p. = 37 p.
–b) 1 vez 2 p., 3 veces 1 p. = 40 p.
–c) 1 vez 2 p., 4 veces 1 p. = 42 p.
–d) 1 vez 2 p., 5 veces 1 p. = 45 p.
Hombros:
A **–a)** 52 cm. **–b)** 53 cm. **–c)** 54 cm. **–d)** 55 cm. de largo total, **cerrar** en ambos lados cada 2 vtas:
–a) 1 vez 6 p., 1 vez 5 p.
–b) 2 veces 6 p.
–c) 1 vez 7 p., 1 vez 6 p.
–d) 2 veces 7 p.
A **–a)** 56 cm. **–b)** 57 cm. **–c)** 58 cm. **–d)** 59 cm. de largo total, **cerrar** los **–a)** 15 p. **–b)** 16 p. **–c)** 16 p. **–d)** 17 p. restantes del **escote.**

DELANTERO DERECHO
Con VENUS y ag. nº 4 1/2, **montar –a)** 40 p. **–b)** 44 p. **–c)** 48 p. **–d)** 52 p.
Trab. 10 cm. a *p. elástico 1x1* y **dejar en espera.**
Con ag. nº 6 y VIP, para la **tapeta, montar –a), –b), –c), –d)** 6 p.
Trab. 4 vtas a *p. bobo,* en la siguiente vta (= por el derecho de la labor) trab. el ojal de la siguiente manera: trab. 3 p. der., 1 hebra, 2 p. juntos al der., 1 p. der. En la siguiente vta por el revés de la labor: trab. 2 p. der., 1 p. der. en la hebra de la vta anterior, 3 p. der.
Continuar trab. a *p. bobo* hasta 10 cm. de largo total.
En una vta por el derecho de la labor, trab. los 6 p. de la tapeta con VIP al der., trab. los **–a)** 40 p. **–b)** 44 p. **–c)** 48 p. **–d)** 52 p. dejados en espera con ag. nº 6 y VIP al der. de la siguiente manera: trab. 2 p. juntos durante toda la vta. Quedan en total **–a)** 26 p. **–b)** 28 p. **–c)** 30 p. **–d)** 32 p.
Continuar trab. a *p. jersey der.* con ag. nº 6 y VIP, excepto los 6 p. de la tapeta, que se trab. a *p. bobo* y hacer sobre los 6 p. de la tapeta cada 10,5 cm. 4 ojales más.
NOTA: para que la tapeta quede recta, trab. cada 8 vtas 1 vta menos sobre los 6 p. de la tapeta. (= dejar en una vta por el revés de la labor, los 6 últimos p. sin trabajar, girar la labor, trab. **–a)** 20 p. **–b)** 22 p. **–c)** 24 p. **–d)** 26 p. al der. y en la siguiente vta por el revés de la labor, trab. todos los p.)
Sisa:
A 35 cm. de largo total, **cerrar** en el extremo izquierdo cada 2 vtas:
–a) 1 vez 2 p., 2 veces 1 p.
–b) 1 vez 2 p., 3 veces 1 p.
–c) 1 vez 2 p., 4 veces 1 p.
–d) 1 vez 2 p., 5 veces 1 p.
Escote:
A 46 cm. de largo total, **cerrar** en el extremo derecho cada 2 vtas: 1 vez 6 p., 2 veces 2 p., 1 vez 1 p.
Hombro:
A **–a)** 52 cm. **–b)** 53 cm. **–c)** 54 cm. **–d)** 55 cm. de largo total, **cerrar** en el extremo izquierdo cada 2 vtas:
–a) 1 vez 6 p., 1 vez 5 p.
–b) 2 veces 6 p.
–c) 1 vez 7 p., 1 vez 6 p.
–d) 2 veces 7 p.

DELANTERO IZQUIERDO
Trab. como el delantero derecho, pero **a la inversa** y sin ojales.

MANGAS
Con ag. nº 4 1/2 y VENUS, **montar –a)** 40 p. **–b)** 44 p. **–c)** 48 p. **–d)** 52 p.
Trab. a *p. elástico 1x1.*
A 6 cm. de largo total, **aumentar** en ambos lados cada 4 vtas: 13 veces 1 p.
Quedan **–a)** 66 p. **–b)** 70 p. **–c)** 74 p. **–d)** 78 p.
Sisa:
A 44 cm. de largo total, **cerrar** en ambos lados cada 2 vtas:
–a) 3 veces 2 p., 9 veces 1 p., 3 veces 2 p.
–b) 3 veces 2 p., 10 veces 1 p., 3 veces 2 p.
–c) 3 veces 2 p., 11 veces 1 p., 3 veces 2 p.
–d) 3 veces 2 p., 12 veces 1 p., 3 veces 2 p.
A **–a)** 62 cm. **–b)** 63 cm. **–c)** 64 cm. **–d)** 65 cm. de largo total, **cerrar** los **–a)** 24 p. **–b)** 26 p. **–c)** 28 p. **–d)** 30 p. restantes.
Trab. la otra manga igual.

CONFECCIÓN Y REMATE

Hilvanar las piezas encaradas y planchar a vapor.

Todas las costuras de realizan a *p. de lado* (ver pág. p. básicos).

Coser hombros.

Cuello:

Con VENUS y ag. nº 4 1/2, **recoger** alrededor del escote, a partir del centro de una tapeta de un delantero hasta el centro de la tapeta del otro delantero: **–a)** 56 p. **–b), –c)** 58 p. **–d)** 60 p. Trab. a *p. bobo.*

A 4 cm. de largo total, **aumentar** 7 p. repartidos en una vta por el derecho de la labor = **–a)** 63 p. **–b), –c),** 65 p. **–d)** 67 p.

A 9 cm. de largo total, **aumentar** 6 p. repartidos en una vta por el derecho de la labor = **–a)** 69 p. **–b), –c)** 71 p. **–d)** 73 p.

A 13 cm. de largo total, **cerrar** los p. muy flojos.

Coser lados, inicio de las tapetas, mangas y botones.

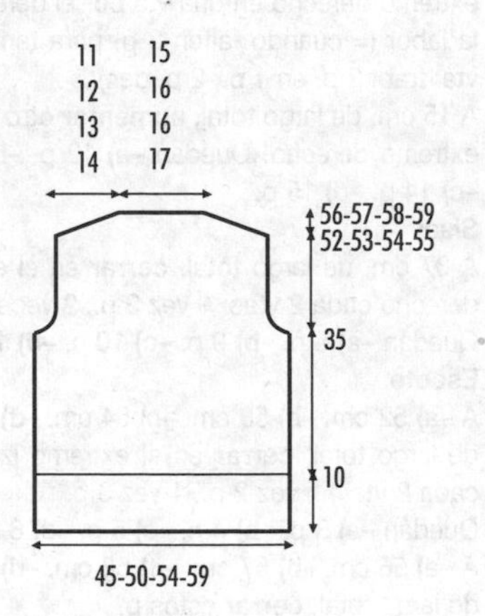

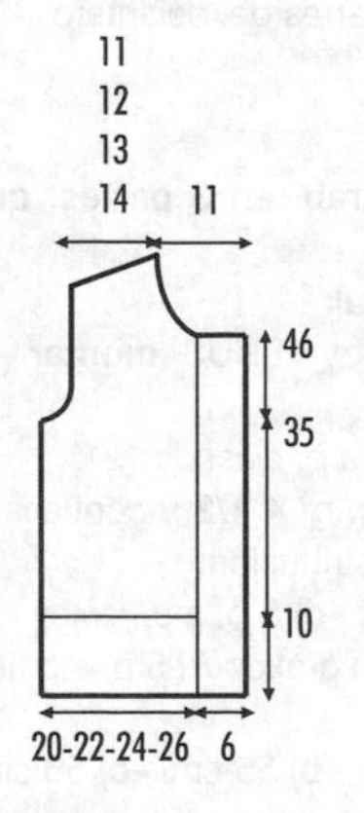

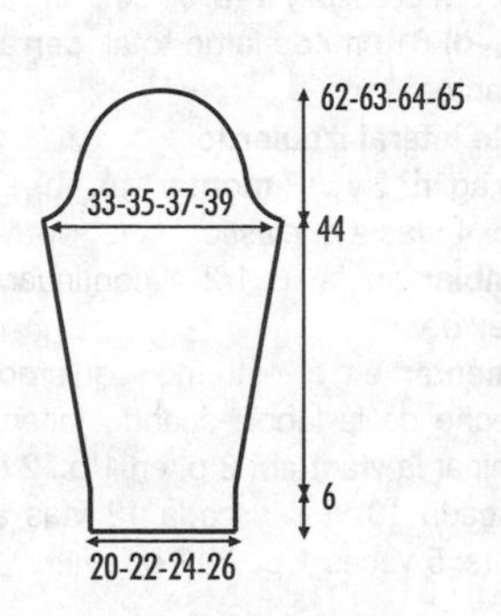

ENGLISH

SIZE: –a) 35 3/8" **–b)** 39 3/8" **–c)** 42 1/2" **–d)** 46 1/2": finished bust measurement.

MATERIALS

VENUS: **–a)** 6 **–b)** 7 **–c)** 8 **–d)** 8 balls color no. 6801.

VIP: **–a)** 4 **–b), –c) & –d)** 5 balls color no. 6801.

Five buttons.

NEEDLES

Size 6 & 9 (U.S.) /(4 1/2 & 6 metric) **or size you need to use to obtain gauge listed below.**

STITCHES

See Basic Instructions for: *1x1 Ribbing*, *Stockinette St*, *Garter St*.

GAUGE

Using VENUS with smaller size needles in *1x1 Ribbing*: 20 sts and 18 rows = 4x4"

Using VIP with larger size needles, in *Stockinette St*: 10 sts and 15 rows = 4x4"

BACK

Using VENUS with smaller size needles, **cast on –a)** 90 sts **–b)** 100 sts **–c)** 108 sts **–d)** 118 sts. Work *1x1 Ribbing* for 4".

On next right side row, using VIP with larger size needles, K 2 tog across entire row:

[**–a)** 45 sts **–b)** 50 sts **–c)** 54 sts **–d)** 59 sts].

Beginning with a purl row, work *Stockinette St*

Armholes:

When back measures 13 3/4", **bind off** at each edge every 2 rows:

–a) 2 sts 1 time; 1 st 2 times: [37 sts]

–b) 2 sts 1 time; 1 st 3 times: [40 sts]

–c) 2 sts 1 time; 1 st 4 times: [42 sts]

–d) 2 sts 1 time; 1 st 5 times: [45 sts].

Shoulders:

When back measures **–a)** 20 1/2" **–b)** 20 7/8" **–c)** 21 1/4" **–d)** 21 5/8", **bind off** at each edge every 2 rows:

–a) 6 sts 1 time; 5 sts 1 time: [15 sts]

–b) 6 sts 2 times: [16 sts]

–c) 7 sts 1 time: 6 sts 1 time [16 sts]

–d) 7 sts 2 times: [17 sts].

When back measures **–a)** 22" **–b)** 22 1/2" **–c)** 22 7/8" **–d)** 23 1/4", **bind off** all rem sts.

RIGHT FRONT

NOTE: Work buttonholes as follows: On a right side row, K3, YO, K 2 tog, K1.

Next row (wrong side) K2, knit into YO, K3.

Instructions: Using VENUS with smaller size needles, **cast on –a)** 40 sts **–b)** 44 sts **–c)** 48 sts **–d)** 52 sts.

Work *1x1 Ribbing* for 4"; **cut yarn** and slip sts to holder.

Front band: Using VIP with larger needles, **–a) –b) –c) & –d): cast on** 6 sts.

Work 4 rows *Garter St.* Continuing in *Garter St*, work 1st buttonhole as given above, then as work progresses, make 4 more buttonholes, each 4 1/4" apart

When front band measures 4", on next right side row, work front band sts, slip front sts from holder to smaller needle, then continuing using VIP with larger needles, knit 2 tog across all VENUS sts:

[**–a)** 26 sts **–b)** 28 sts **–c)** 30 sts **–d)** 32 sts].

Continue in *Stockinette St* on **–a)** 20 sts **–b)** 22 sts **–c)** 24 sts **–d)** 26 sts, work *Garter St* on front band sts, maintaining the same tension by working a short row after every 8 rows as follows: at the beginning of a right side row, K6 front band sts, turn, sl 1, K5; turn and work all sts on next 8 rows.

Armhole:

When front measures 13 3/4", **bind off** at armhole edge every 2 rows:

–a) 2 sts 1 time; 1 st 2 times: [22 sts]

–b) 2 sts 1 time; 1 st 3 times: [23 sts]

–c) 2 sts 1 time; 1 st 4 times: [24 sts]

–d) 2 sts 1 time; 1 st 5 times: [25 sts]

Neckline:

When front measures 18 1/4", **–a) –b) –c) & –d): bind off** at center front edge every 2 rows 6 sts 1 time; 2 sts 2 times; 1 st 1 time:

[**–a)** 11 sts **–b)** 12 sts **–c)** 13 sts **–d)** 14 sts].

Shoulder:

When front measures **–a)** 20 1/2" **–b)** 20 7/8" **–c)** 21 1/4" **–d)** 21 5/8", **bind off** at armhole edge every 2 rows:

–a) 6 sts 1 time; 5 sts 1 time

–b) 6 sts 2 times

–c) 7 sts 1 time; 6 sts 1 time

–d) 7 sts 2 times

LEFT FRONT

Omitting buttonholes, work same as right front, reversing all shaping.

SLEEVES

Using VENUS with smaller needles, **cast on –a)** 40 sts **–b)** 44 sts **–c)** 48 sts **–d)** 52 sts. Work *1x1 Ribbing* for 2 3/8".

Continue in *1x1 Ribbing*, increasing 1 st at each edge every 4 rows: 13 times.

[**–a)** 66 sts **–b)** 70 sts **–c)** 74 sts **–d)** 78 sts].

Armhole:

When sleeve measures 17 1/4", **bind off** at each edge every 2 rows:

–a) 2 sts 3 times; 1 st 9 times; 2 sts 3 times: [24 sts]

–b) 2 sts 3 times; 1 st 10 times; 2 sts 3 times: [26 sts]

–c) 2 sts 3 times; 1 st 11 times; 2 sts 3 times: [28 sts]

–d) 2 sts 3 times; 1 st 12 times; 2 sts 3 times: [30 sts]

When sleeve measures **–a)** 24 3/8" **–b)** 24 3/4" **–c)** 25 1/4" **–d)** 25 5/8", bind off all rem sts.

FINISHING

Carefully block pieces on the wrong side, using steam only.

Sew shoulder seams.

Collar: Using VENUS with smaller needles, **pick up –a)** 56 sts **–b)** 58 sts **–c)** 58 sts **–d)** 60 sts around neck edge from center of right front band to center of left front band.

Work *Garter St* for 1 5/8".

Increase 7 sts evenly on next row: [**–a)** 63 sts **–b)** 65 sts **–c)** 65 sts **–d)** 67 sts].

When collar measures 3 1/2", **increase** 6 sts evenly on next row: [**–a)** 69 sts **–b)** 71 sts **–c)** 71 sts **–d)** 73 sts.

When collar measures 5 1/8", **bind off** very loosely.

Sew side and sleeve seams.

Sew lower edge of front band to front,

Sew on buttons.

INSTRUCCIONES INSTRUCTIONS

MODELO 3

FIL KATIA

VIP / VENUS

(Ver página 3 Puntos Básicos)
(See page 3 Basic Stitches)

pág. 3

ESPAÑOL

TALLAS: –a) 38/40 **–b)** 42/44 **–c)** 46/48 **–d)** 50/52

MATERIALES

VIP: col. 6802: **–a)** 8 **–b)** 9 **–c)** 10 **–d)** 11 ovillos.
VENUS: col. 6802: **–a)** 5 **–b)** 6 **–c)** 6 **–d)** 7 ovillos

Agujas	Puntos empleados
Nº 4	- *P. elástico 1x1* (VENUS)
Nº 4 1/2	- *P. jersey rev.* (VENUS) - *P. trenza* (ver gráfico A)
Nº 6	- *P. elástico 1x1* (VIP)
Nº 6 1/2	- *P. jersey der.* (VIP)

MUESTRA DEL PUNTO

P. jersey rev., VENUS, ag. nº 4 1/2
10x10 cm. = 18 p. y 22 vtas.
P. jersey der., VIP, ag. nº 6 1/2
10x10 cm. = 11 p. y 14 vtas

ESPALDA

NOTA: se trab. en 3 partes, que se cosen después.

Parte central:
con ag. nº 4 y VENUS, **montar –a)** 36 p. **–b)** 40 p. **–c)** 44 p. **–d)** 50 p.
Trab. 6 vtas a *p. elástico 1x1.*
Cambiar ag. nº 4 1/2 y continuar trab. a *p. jersey rev.*
A **–a)** 56 cm. **–b)** 57 cm. **–c)** 58 cm. **–d)** 59 cm. de largo total, **cerrar** los p.

Parte lateral izquierdo:
Con ag. nº 6 y VIP, **montar –a)** 11 p. **–b)** 12 p. **–c)** 13 p. **–d)** 14 p.
Trab. 4 vtas a *p. elástico 1x1.*
Cambiar ag. nº 6 1/2 y continuar trab. a *p. jersey der.*
A 5 cm. de largo total, **menguar** 1 p. en el extremo izquierdo en una vta por el derecho de la labor (= cuando faltan 4 p. para terminar la vta: trab. 2 p. juntos al der., 2 p. der.). Quedan **–a)** 10 p. **–b)** 11 p. **–c)** 12 p. **–d)** 13 p.
A 10 cm. de largo total, **aumentar** 1 p. en el extremo izquierdo en una vta por el derecho de la labor (= cuando falten 3 p. para terminar la vta: trab. 2 p. en 1 p., 2 p. der.)
A 15 cm. de largo total, **aumentar** otro p. en el extremo izquierdo. Quedan **–a)** 12 p. **–b)** 13 p. **–c)** 14 p. **–d)** 15 p.

Sisa:
A 37 cm. de largo total, **cerrar** en el extremo izquierdo cada 2 vtas: 1 vez 2 p., 2 veces 1 p. Quedan **–a)** 8 p. **–b)** 9 p. **–c)** 10 p. **–d)** 11 p.
A **–a)** 56 cm. **–b)** 57 cm. **–c)** 58 cm. **–d)** 59 cm. de largo total, **cerrar** los p.

Parte lateral derecho:
Con ag. nº 6 y VIP, **montar –a)** 11 p. **–b)** 12 p. **–c)** 13 p. **–d)** 14 p.
Trab. 4 vtas a *p. elástico 1x1.*
Cambiar ag. nº 6 1/2 y continuar trab. a *p. jersey der.*
A 5 cm. de largo total, **menguar** 1 p. en el extremo derecho en una vta por el derecho de la labor (= al inicio de la vta: trab. 2 p. der., pasar 1 p. sin hacer a la aguja derecha, trab. 1 p. der. y pasar el p. sin hacer por encima de este p.) Quedan **–a)** 10 p. **–b)** 11 p. **–c)** 12 p. **–d)** 13 p.
A 10 cm. de largo total, **aumentar** 1 p. en el extremo derecho en una vta por el derecho de la labor (= al inicio la vta: trab. 2 p.der., trab. 2 p. en 1 p.).
A 15 cm. de largo total, **aumentar** otro p. en el extremo derecho. Quedan **–a)** 12 p. **–b)** 13 p. **–c)** 14 p. **–d)** 15 p.

Sisa:
A 37 cm. de largo total, **cerrar** en el extremo derecho cada 2 vtas: 1 vez 2 p., 2 veces 1 p. Quedan **–a)** 8 p. **–b)** 9 p. **–c)** 10 p. **–d)** 11 p.
A **–a)** 56 cm. **–b)** 57 cm. **–c)** 58 cm. **–d)** 59 cm. de largo total, **cerrar** los p.
Unir las 3 partes de la espalda.

DELANTERO

NOTA: se trab. en 3 partes, que se cosen después.

Parte central:
con ag. nº 4 y VENUS, **montar –a)** 42 p. **–b)** 48 p. **–c)** 52 p. **–d)** 58 p.
Trab. 6 vtas a *p. elástico 1x1.*
Cambiar ag. nº 4 1/2 y continuar trab. con la siguiente distribución:
–a) 11 p. a *p. jersey rev.*, 20 p. a *p. trenza* según gráfico A, 11 p. a *p. jersey rev.*
–b) 14 p. a *p. jersey rev.*, 20 p. a *p. trenza* según gráfico A, 14 p. a *p. jersey rev.*
–c) 16 p. a *p. jersey rev.*, 20 p. a *p. trenza* según gráfico A, 16 p. a *p. jersey rev.*
–d) 19 p. a *p. jersey rev.*, 20 p. a *p. trenza* según gráfico A, 19 p. a *p. jersey rev.*
A **–a)** 52 cm. **–b)** 53 cm. **–c)** 54 cm. **–d)** 55 cm. de largo total, **cerrar** los p.

Parte lateral izquierdo:
Con ag. nº 6 y VIP, **montar –a)** 11 p. **–b)** 12 p. **–c)** 13 p. **–d)** 14 p.
Trab. 4 vtas a *p. elástico 1x1.*
Cambiar ag. nº 6 1/2 y continuar trab. a *p. jersey der.*
A 5 cm. de largo total, **menguar** 1 p. en el extremo izquierdo en una vta por el derecho de la labor (= cuando faltan 4 p. para terminar la vta: trab. 2 p. juntos al der., 2 p. der.). Quedan **–a)** 10 p. **–b)** 11 p. **–c)** 12 p. **–d)** 13 p.
A 10 cm. de largo total, **aumentar** 1 p. en el extremo izquierdo en una vta por el derecho de la labor (= cuando falten 3 p. para terminar la vta: trab. 2 p. en 1 p., 2 p. der.)
A 15 cm. de largo total, **aumentar** otro p. en el extremo izquierdo. Quedan **–a)** 12 p. **–b)** 13 p. **–c)** 14 p. **–d)** 15 p.

Sisa:
A 37 cm. de largo total, **cerrar** en el extremo izquierdo cada 2 vtas: 1 vez 2 p., 2 veces 1 p. Quedan **–a)** 8 p. **–b)** 9 p. **–c)** 10 p. **–d)** 11 p.

Escote:
A **–a)** 52 cm. **–b)** 53 cm. **–c)** 54 cm. **–d)** 55 cm. de largo total, **cerrar** en el extremo derecho cada 2 vtas: 1 vez 2 p., 1 vez 3 p.
Quedan **–a)** 3 p. **–b)** 4 p. **–c)** 5 p. **–d)** 6 p.
A **–a)** 56 cm. **–b)** 57 cm. **–c)** 58 cm. **–d)** 59 cm. de largo total, **cerrar** estos p.

Parte lateral derecho:
Con ag. nº 6 y VIP, **montar –a)** 11 p. **–b)** 12 p. **–c)** 13 p. **–d)** 14 p.
Trab. 4 vtas a *p. elástico 1x1.*
Cambiar ag. nº 6 1/2 y continuar trab. a *p. jersey der.*
A 5 cm. de largo total, **menguar** 1 p. en el extremo derecho en una vta por el derecho de la labor (= cuando faltan 4 p. para terminar la vta: trab. 2 p. juntos al der., 2 p. der.). Quedan **–a)** 10 p. **–b)** 11 p. **–c)** 12 p. **–d)** 13 p.
A 10 cm. de largo total, **aumentar** 1 p. en el extremo derecho en una vta por el derecho de la labor (= cuando falten 3 p. para terminar la vta: trab. 2 p. en 1 p., 2 p. der.)
A 15 cm. de largo total, **aumentar** otro p. en el extremo derecho. Quedan **–a)** 12 p. **–b)** 13 p. **–c)** 14 p. **–d)** 15 p.

Sisa:
A 37 cm. de largo total, **cerrar** en el extremo derecho cada 2 vtas: 1 vez 2 p., 2 veces 1 p. Quedan **–a)** 8 p. **–b)** 9 p. **–c)** 10 p. **–d)** 11 p.

Escote:
A **–a)** 52 cm. **–b)** 53 cm. **–c)** 54 cm. **–d)** 55 cm. de largo total, **cerrar** en el extremo izquierdo cada 2 vtas: 1 vez 2 p., 1 vez 3 p.
Quedan **–a)** 3 p. **–b)** 4 p. **–c)** 5 p. **–d)** 6 p.
A **–a)** 56 cm. **–b)** 57 cm. **–c)** 58 cm. **–d)** 59 cm. de largo total, **cerrar** estos p.
Unir las 3 partes del delantero.

MANGAS

NOTA: se trab. en 3 partes, que se cosen después.

Parte central:
con ag. nº 4 y VENUS, **montar –a), –b), –c)** y **–d)** 30 p.
Trab. 6 vtas a *p. elástico 1x1.*
Cambiar ag. nº 4 1/2 y continuar trab. con la siguiente distribución:
–a), –b), –c), –d) 5 p. a *p. jersey rev.*, 20 p. a *p. trenza* según gráfico A, 5 p. a *p. jersey rev.*

Sisa:
A **–a)** 54 cm. **–b)** 55 cm. **–c)** 56 cm. **–d)** 57 cm. de largo total, **cerrar** en ambos lados cada 2 vtas: 3 veces 3 p. y a **–a)** 58 cm. **–b)** 59 cm. **–c)** 60 cm. **–d)** 61 cm. de largo total, **cerrar** los 12 p. restantes.

Parte lateral izquierdo:
Con ag. nº 6 y VIP, **montar –a), –b), –c), –d)** 7 p.
Trab. 4 vtas a *p. elástico 1x1.*
Cambiar ag. nº 6 1/2 y continuar trab. a *p. jersey der.*
Aumentar en el extremo izquierdo (= por el derecho de la labor: cuando falten 3 p. para terminar la vta: trab. 2 p. en 1 p., 2 p. der.):
–a) cada 10 vtas y cada 12 vtas alternativamente: 5 veces 1 p. = 12 p.

–b) cada 8 vtas: 7 veces 1 p. = 14 p.
–c) cada 6 vtas y cada 8 vtas alternativamente: 8 veces 1 p. = 15 p.
–d) cada 6 vtas: 9 veces 1 p. = 16 p.
Sisa:
A 51 cm. de largo total, **cerrar** en el extremo izquierdo cada 2 vtas:
–a) 1 vez 4 p., 1 vez 3 p., 2 veces 2 p., 1 vez 1 p.
–b) 1 vez 4 p., 1 vez 3 p., 3 veces 2 p., 1 vez 1 p.
–c) 1 vez 4 p., 1 vez 3 p., 3 veces 2 p., 2 veces 1 p.
–d) 1 vez 4 p., 1 vez 3 p., 3 veces 2 p., 3 veces 1 p.
Parte lateral derecho:
Con ag. nº 6 y VIP, **montar –a), –b), –c), –d)** 7 p. Trab. 4 vtas a *p. elástico 1x1.*
Cambiar ag. nº 6 1/2 y continuar trab. a *p. jersey der.*
Aumentar en el extremo derecho (= por el derecho de la labor: al inicio de la vta: trab. 2 p. der., trab. 2 p. en 1 p.):
–a) cada 10 vtas y cada 12 vtas alternativamente: 5 veces 1 p. = 12 p.
–b) cada 8 vtas: 7 veces 1 p. = 14 p.
–c) cada 6 vtas y cada 8 vtas alternativamente: 8 veces 1 p. = 15 p.
–d) cada 6 vtas: 9 veces 1 p. = 16 p.
Sisa:
A 51 cm. de largo total, **cerrar** en el extremo derecho cada 2 vtas:
–a) 1 vez 4 p., 1 vez 3 p., 2 veces 2 p., 1 vez 1 p.
–b) 1 vez 4 p., 1 vez 3 p., 3 veces 2 p., 1 vez 1 p.
–c) 1 vez 4 p., 1 vez 3 p., 3 veces 2 p., 2 veces 1 p.
–d) 1 vez 4 p., 1 vez 3 p., 3 veces 2 p., 3 veces 1 p.
Unir las 3 partes de la manga.
Trab. la otra manga igual.

CONFECCIÓN Y REMATE
Coser hombros. (= **–a)** 3 p. **–b)** 4 p. **–c)** 5 p. **–d)** 6 p. para cada hombro).
Cuello:
Con ag. nº 6 1/2 y VIP, **montar –a)** 34 p. **–b)** 38 p. **–c)** 40 p. **–d)** 44 p.
Trab. 6 vtas a *p. jersey der.*
Continuar trab. a *p. jersey der.* y **aumentar** en ambos lados cada 4 vtas: 8 veces 1 p. = **–a)** 50 p. **–b)** 54 p. **–c)** 56 p. **–d)** 60 p.
A 27 cm. de largo total, trab. 4 vtas a *p. elástico 1x1* y **cerrar** los p. muy flojos.
Trab. otra pieza igual.
Coser los laterales del cuello
Coser lados, mangas y cuello alrededor del escote.

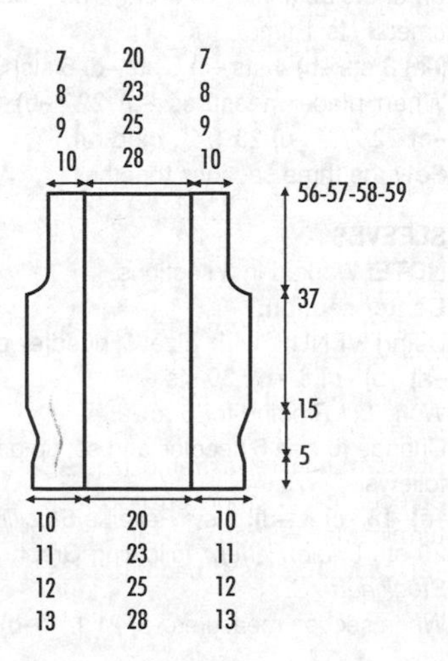

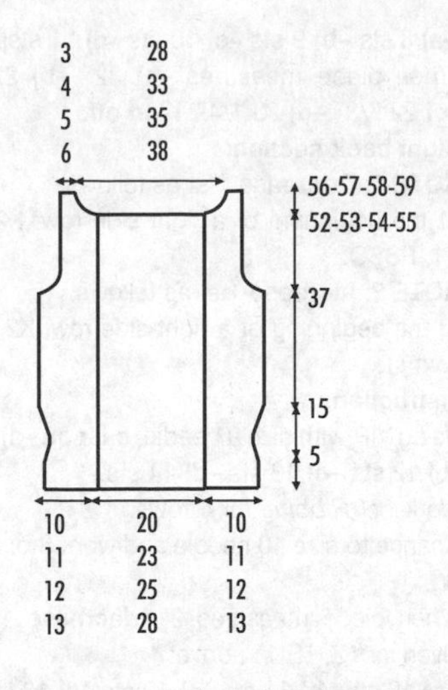

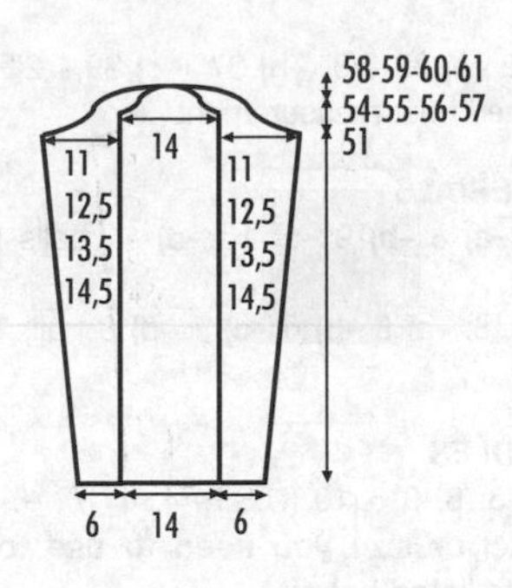

Gráfico A

En todas las vtas pares, trab. los p. como se presenten.

R Repetir
□ 1 p. der.
– 1 p. rev.

- poner 3 p. en una aguja auxiliar detrás de la labor, trab. 3 p. der. y trab. los 3 p. de la aguja auxiliar al der.
- poner 3 p. en una aguja auxiliar delante de la labor, trab. 3 p. der. y trab. los 3 p. de la aguja auxiliar al der.
- poner 1 p. en una aguja auxiliar detrás de la labor, trab. 3 p. der. y trab. el p. de la aguja auxiliar al rev.
- poner 3 p. en una aguja auxiliar delante de la labor, trab. 1 p. rev. y trab. los 3 p. de la aguja auxiliar al der.

Graph A

NOTE: On alternate rows, work sts as they appear.

R Repeat
□ Knit
– Purl

- Slip 3 sts to cable needle, hold in back, K3; K3 from cable needle.
- Slip 3 sts to cable needle, hold in front; K3; K3 from cable needle.
- Slip 1 st to cable needle, hold in back; K3; P1 from cable needle.
- Slip 3 sts to cable needle, hold in front; P1; K3 from cable needle.

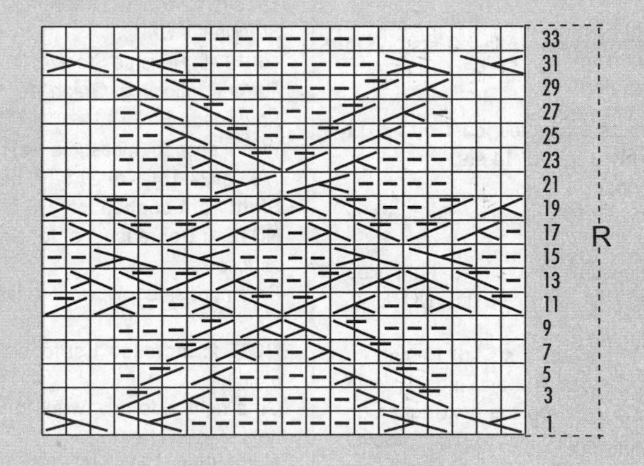

INSTRUCCIONES INSTRUCTIONS

ENGLISH

SIZE: –a) 33 5/8" **–b)** 37" **–c)** 39 1/2" **–d)** 44": finished bust measurement

MATERIALS

VIP: **–a)** 8 **–b)** 9 **–c)** 10 **–d)** 11 balls blue no. 6802.

VENUS: **–a)** 5 **–b)** 6 **–c)** 7 **–d)** 8 balls blue no. 6802

NEEDLES

Size 5, 6, 9 & 10 (U.S.) /(4, 4 1/2, 6 & 6 1/2 metric) **or size you need to use to obtain gauge listed below.**

STITCHES

See Basic Instructions for: *1x1 Ribbing*, *Reverse Stockinette St*, *Stockinette St*.

Cable Pattern: See Graph A.

NOTE 1: Decrease 1 st as follows:
At the beginning of a right side row, K2, sl 1, K1, PSSO.

NOTE 2: Increase 1 st as follows:
At the beginning of a right side row, K2, inc in next st.

GAUGE

Using VENUS with size 4 1/2 needle in *Reverse Stockinette St*:18 sts and 22 rows = 4x4".

Using VIP with size 6 1/2 needle in *Stockinette St*: 11 sts and 14 rows = 4x4"

BACK

(Made in 3 sections.)

Center section:

Using VENUS with size 5 needles, **cast on –a)** 36 sts **–b)** 40 sts **–c)** 44 st **–d)** 50 sts.
Work *1x1 Ribbing* for 6 rows.
Change to size 6 needles and continue in *Reverse Stockinette St*.
When section measures **–a)** 22" **–b)** 22 1/2" **–c)** 22 7/8" **–d)** 23 1/4", **bind off.**

Left back section:

NOTE 1: Decrease 1 st for side seam shaping as follows:
On a right side row, work to last 4 sts, K 2 tog, K2.

NOTE 2: Increase 1 st for side seam shaping as follows:
On a right side row, work to last 3 sts; inc in next st, K2.

Instructions:

Using VIP with size 9 needles, **cast on –a)** 11 sts **–b)** 12 sts **–c)** 13 sts **–d)** 14 sts.
Work *1x1 Ribbing* for 4 rows.
Change to size 10 needles and work *Stockinette St*.
When piece measures 2",on next right side row, **decrease** 1 st as given in "NOTE 1" above:
[**–a)** 10 sts **–b)** 11 sts **–c)** 12 sts **–d)** 13 sts].
When piece measures 4", and again when piece measures 5 7/8", on the next right side row, **increase** 1 st as given in "NOTE 2" above:
[**–a)** 12 sts **–b)** 13 sts **–c)** 14 sts **–d)** 15 sts].

Armhole:

When piece measures 14 1/2", **–a) –b) –c) & –d): bind off** at the beginning of wrong side rows: 2 sts 1 time; 1 st 2 times:
[**–a)** 8 sts **–b)** 9 sts **–c)** 10 sts **–d)** 11 sts].
When piece measures **–a)** 22" **–b)** 22 1/2" **–c)** 22 7/8" **–d)** 23 1/4", **bind off.**

Right back section:

NOTE 1: Decrease 1 st as follows:
At the beginning of a right side row, K2, sl 1, K1, PSSO.

NOTE 2: Increase 1 st as follows:
At the beginning of a right side row, K2, inc in next st.

Instructions:

Using VIP with size 9 needle, **cast on –a)** 11 sts **–b)** 12 sts **–c)** 13 sts **–d)** 14 sts.
Work *1x1 Ribbing* for 4 rows.
Change to size 10 needle and work *Stockinette St*.
When piece measures 2", **decrease** 1 st as given in "NOTE 1" above:
[**–a)** 10 sts **–b)** 11 sts **–c)** 12 sts **–d)** 13 sts].
When piece measures 4", and again when piece measures 5 7/8", **increase** 1 st as given in "NOTE 2" above:
[**–a)** 12 sts **–b)** 13 sts **–c)** 14 sts **–d)** 15 sts].

Armhole:

When piece measures 14 1/2", **–a) –b) –c) & –d): bind off** at the beginning of right side rows: 2 sts 1 time; 1 st 2 times:
[**–a)** 8 sts **–b)** 9 sts **–c)** 10 sts **–d)** 11 sts].
When piece measures **–a)** 22" **–b)** 22 1/2" **–c)** 22 7/8" **–d)** 23 1/4", **bind off.**
Sew the three sections together.

FRONT

Made in 3 sections.)

Center section:

Using VENUS with size 5 needles, **cast on –a)** 42 sts **–b)** 48 sts **–c)** 52 st **–d)** 58 sts.
Work *1x1 Ribbing* for 6 rows.
Change to size 6 needles and set up pattern as follows:
–a) 11 sts *Reverse Stockinette St*; 20 sts *Cable Pattern* following Graph A, 11 sts *Reverse Stockinette St*.
–b) 14 sts *Reverse Stockinette St*; 20 sts *Cable Pattern* following Graph A, 14 sts *Reverse Stockinette St*.
–c) 16 sts *Reverse Stockinette St*; 20 sts *Cable Pattern* following Graph A, 16 sts *Reverse Stockinette St*.
–d) 19 sts *Reverse Stockinette St*; 20 sts *Cable Pattern* following Graph A, 19 sts *Reverse Stockinette St*.
When section measures **–a)** 20 1/2" **–b)** 20 7/8"**–c)** 21 1/4" **–d)** 21 5/8", **bind off.**

Right front section:

NOTE 1: Decrease 1 st for side seam shaping as follows:
On a right side row, work to last 4 sts, K 2 tog, K2.

NOTE 2: Increase 1 st for side seam shaping as follows:
On a right side row, work to last 3 sts; inc in next st, K2.

Instructions: Using VIP with size 9 needles, **cast on –a)** 11 sts **–b)** 12 sts **–c)** 13 sts **–d)** 14 sts.
Work *1x1 Ribbing* for 4 rows.
Change to size 10 needles and work *Stockinette St*.
When piece measures 2", **decrease** 1 st as given in "NOTE 1" above:
[**–a)** 10 sts **–b)** 11 sts **–c)** 12 sts **–d)** 13 sts].
When piece measures 4", and again when piece measures 5 7/8", **increase** 1 st as given in "NOTE 2" above:
[**–a)** 12 sts **–b)** 13 sts **–c)** 14 sts **–d)** 15 sts].

Armhole:

When piece measures 14 1/2", **–a) –b) –c) & –d): bind off** at the beginning of wrong side rows: 2 sts 1 time; 1 st 2 times:
[**–a)** 8 sts **–b)** 9 sts **–c)** 10 sts **–d)** 11 sts].

Neckline:

When piece measures **–a)** 20 1/2" **–b)** 20 7/8" **–c)** 21 1/4" **–d)** 21 5/8", **–a) –b) –c) & –d): bind off** at the beginning of right side rows:2 sts 1 time; 3 sts 1 time:
[**–a)** 3 sts **–b)** 4 sts **–c)** 5 sts **–d)** 6 sts].
When piece measures **–a)** 22" **–b)** 22 1/2" **–c)** 22 7/8" **–d)** 23 1/4", **bind off** all sts.

Left front section:

NOTE 1: Decrease 1 st for side seam shaping as follows:
At the beginning of a right side row, K2, sl 1, K1, PSSO.

NOTE 2: Increase 1 st for side seam shaping as follows:
At the beginning of a right side row, K2, inc in next st.

Instructions:

Using VIP with size 9 needle, **cast on –a)** 11 sts **–b)** 12 sts **–c)** 13 sts **–d)** 14 sts.
Work *1x1 Ribbing* for 4 rows.
Change to size 10 needle and work *Stockinette St*.
When piece measures 2", **decrease** 1 st as given in "NOTE 1" above:
[**–a)** 10 sts **–b)** 11 sts **–c)** 12 sts **–d)** 13 sts].
When piece measures 4", and again when piece measures 5 7/8", **increase** 1 st as given in "NOTE 2" above:
[**–a)** 12 sts **–b)** 13 sts **–c)** 14 sts **–d)** 15 sts].

Armhole:

When piece measures 14 1/2", **–a) –b) –c) & –d): bind off** at the beginning of right side rows: 2 sts 1 time; 1 st 2 times:
[**–a)** 8 sts **–b)** 9 sts **–c)** 10 sts **–d)** 11 sts].

Neckline:

When piece measures **–a)** 20 1/2" **–b)** 20 7/8" **–c)** 21 1/4" **–d)** 21 5/8", **–a) –b) –c) & –d): bind off** at the beginning of wrong side rows: 2 sts 1 time; 3 sts 1 time:
[**–a)** 3 sts **–b)** 4 sts **–c)** 5 sts **–d)** 6 sts].
When piece measures **–a)** 22" **–b)** 22 1/2" **–c)** 22 7/8" **–d)** 23 1/4", **bind off.**
Sew the three sections together.

SLEEVES

NOTE: Worked in 3 sections.

Center section:

Using VENUS with size 5 needle, **cast on –a) –b) –c) & –d):** 30 sts.
Work *1x1 Ribbing* for 6 rows.
Change to size 6 needles and set up pattern as follows:
–a) –b) –c) & –d): 5 sts *Reverse Stockinette St*; 20 sts *Cable Pattern* following Graph A, 5 sts *Stockinette St*.
When section measures **–a)** 21 1/4" **–b)** 21 5/8"

–c) 22" **–d)** 22 1/2", **–a) –b) –c) & –d): bind off** at each edge every 2 rows: 3 sts 3 times; and when section measures **–a)** 22 7/8" **–b)** 23 1/4" **–c)** 23 5/8" **–d)** 24", **bind off** remaining 12 sts.

Left edge section:

NOTE: Increase 1 st for side seam shaping as follows:

On a right side row, work to last 3 sts; inc in next st, K2.

Instructions: Using VIP with size 9 needles, **cast on –a) –b) –c) & –d):** 7 sts.

Work *1x1 Ribbing* for 4 rows.

Change to size 10 needle and work *Stockinette St,* increasing 1 st at the end of right side rows as given in "NOTE" above:

–a) alternately every 10 and 12 rows: 5 times: [12 sts]

–b) every 8 rows: 7 times: [14 sts]

–c) alternately every 6 and 8 rows: 8 times: [15 sts]

–d) every 6 rows: 9 times: [16 sts].

Armhole:

When section measures 20 1/8", **bind off** at the beginning of wrong side rows:

–a) 4 sts 1 time; 3 sts 1 time; 2 sts 2 times; 1 st 1 time

–b) 4 sts 1 time; 3 sts 1 time; 2 sts 3 times; 1 st 1 time

–c) 4 sts 1 time; 3 sts 1 time; 2 sts 3 times; 1 st 2 times

–d) 4 sts 1 time; 3 sts 1 time; 2 sts 3 times; 1 st 3 times.

Left edge section:

NOTE 1: increase 1 st for side seam shaping as follows:

On a right side row, work to last 3 sts; inc in next st, K2.

Instructions: Using VIP with size 9 needle, **cast on –a) –b) –c) & –d):** 7 sts.

Work *1x1 Ribbing* for 4 rows.

Change to size 10 needle and work *Stockinette St*, increasing at the end of right side rows as given in "NOTE 1" above:

–a) alternately even 10 and 12 rows: 5 times: [12 sts]

–b) every 8 rows: 7 times: [14 sts]

–c) alternately every 6 and 8 rows: 8 times: [15 sts]

–d) every 6 rows: 9 times: [16 sts].

Armhole:

When piece measures 20 1/8", bind off at the beginning of wrong side rows:

–a) 4 sts 1 time; 3 sts 1 time; 2 sts 2 times; 1 st 1 time

–b) 4 sts 1 time; 3 sts 1 time; 2 sts 3 times; 1 st 1 time

–c) 4 sts 1 time; 3 sts 1 time; 2 sts 3 times; 1 st 2 times

–d) 4 sts 1 time; 3 sts 1 time; 2 sts 3 times; 1 st 3 times.

Right edge section:

NOTE 1: increase 1 st for side seam shaping as follows:

At the beginning of a right side row, K2, inc in next st.

Instructions:

Using VIP with size 9 needle, **cast on –a) –b) –c) & –d):** 7 sts.

Work *1x1 Ribbing* for 4 rows.

Change to size 10 needle and work *Stockinette St*, increasing at the beginning of right side rows as given in "NOTE 1" above:

–a) alternately even 10 and 12 rows: 5 times: [12 sts]

–b) every 8 rows: 7 times: [14 sts]

–c) alternately every 6 and 8 rows: 8 times: [15 sts]

–d) every 6 rows: 9 times: [16 sts].

Armhole:

When piece measures 20 1/8", bind off at the beginning of right side rows:

–a) 4 sts 1 time; 3 sts 1 time; 2 sts 2 times; 1 st 1 time

–b) 4 sts 1 time; 3 sts 1 time; 2 sts 3 times; 1 st 1 time

–c) 4 sts 1 time; 3 sts 1 time; 2 sts 3 times; 1 st 2 times

–d) 4 sts 1 time; 3 sts 1 time; 2 sts 3 times; 1 st 3 times.

Sew the three sections together,

FINISHING

Sew shoulder seams over **–a)** 3 sts **–b)** 4 sts **–c)** 5 sts **–d)** 6 sts.

Collar:

(Make two identical pieces.)

Using VIP with size 10 needle, **cast on –a)** 34 sts **–b)** 38 sts **–c)** 40 sts **–d)** 44 sts.

Work *Stockinette St* for 6 rows.

Increase 1 st at each edge every 4 rows: 8 times:

[**–a)** 50 sts **–b)** 54 sts **–c)** 56 sts **–d)** 60 sts].

When piece measures 10 5/8", work 4 rows *1x1 Ribbing*; **bind off** loosely.

Sew side edges of collar, then **sew** collar around neck edge.

Sew side and sleeve seams.

GRAFFITI / SHERPA

pág. 3

ESPAÑOL

TALLAS: –a) 38/40 **–b)** 42/44 **–c)** 46/48 **–d)** 50/52

MATERIALES

GRAFFITI: col. lila 6010: **–a)** 5 **–b** 6 **–c)** 6 **–d)** 7 ovillos.

Col. rosa 6009, col. gris 6006: **–a), –b), –c), –d)** 1 ovillo de cada color.

SHERPA: col. lila 64: **–a)** 5 **–b)** 6 **–c)** 6 **–d)** 6 ovillos.

Agujas	Puntos empleados
Nº 5	- *P. elástico 2x2* - *P. jersey der.*

MUESTRA DEL PUNTO

P. jersey der., SHERPA, ag. nº 5

10x10 cm. = 14 p. y 20 vtas.

P. jersey der., GRAFFITI, ag. nº 5

10x10 cm. = 14 p. y 20 vtas.

ESPALDA

Con SHERPA col. lila 64, **montar –a)** 62 p. **–b)** 68 p. **–c)** 74 p. **–d)** 82 p.

Trab. a *p. elástico 2x2.* Empezar con **–a), –c), –d)** 3 p. der. **–b)** 2 p. der. y terminar con **–a), –c), –d)** 3 p. rev. **–b)** 2 p. rev.

A 6 cm. de largo total, continuar trab. a *p. jersey der.*

Sisas:

A 40 cm. de largo total, **cerrar** en ambos lados cada 2 vtas:

–a) 2 veces 2 p., 1 vez 1 p. = 52 p.

–b) 2 veces 2 p., 1 vez 1 p. = 58 p.

–c) 2 veces 2 p., 2 veces 1 p. = 62 p.

–d) 2 veces 2 p., 3 veces 1 p. = 68 p.

Hombros y escote:

Se forman al mismo tiempo:

A **–a)** 56 cm. **–b)** 57 cm. **–c)** 58 cm. **–d)** 59 cm. de largo total, para los **hombros, cerrar** en ambos lados cada 2 vtas:

–a) 1 vez 8 p., 1 vez 7 p.

–b) 1 vez 9 p., 1 vez 8 p.

–c) 2 veces 9 p.

–d) 2 veces 10 p.

Y a los mismos **–a)** 56 cm. **–b)** 57 cm. **–c)** 58 cm. **–d)** 59 cm. de largo total, para **el escote, cerrar** los **–a)** 14 p. **–b)** 16 p. **–c)** 18 p. **–d)** 20 p. centrales y continuar trab. cada lado por separado.

Después de 2 vtas **cerrar** en el lado del escote: 1 vez 4 p.

Acabar el otro lado igual, pero a **la inversa.**

DELANTERO

Con SHERPA col. lila 64, **montar –a)** 62 p. **–b)** 68 p. **–c)** 74 p. **–d)** 82 p.

Trab. a *p. elástico 2x2.* Empezar con **–a), –c), –d)** 3 p. der. **–b)** 2 p. der. y terminar con **–a), –c), –d)** 3 p. rev. **–b)** 2 p. rev.

A 6 cm. de largo total, continuar trab. a *p. jersey der.* con la siguiente distribución:

NOTA: cruzar los hilos por detrás de la labor para evitar que queden agujeros.

–a) 17 p. con GRAFFITI col. gris 6006, 5 p. con SHERPA col. lila 64, 17 p. con GRAFFITI col. rosa 6009, 5 p. con SHERPA col. lila 64, 16 p. con GRAFFITI col. lila 6010, trab. los últimos 2 p. juntos al der. con GRAFFITI col. lila 6010. Quedan 61 p.

–b) 19 p. con GRAFFITI col. gris 6006, 5 p. con SHERPA col. lila 64, 19 p. con GRAFFITI col. rosa 6009, 5 p. con SHERPA col. lila 64, 18 p. con GRAFFITI col. lila 6010, trab. los últimos 2 p. juntos al der. con GRAFFITI col. lila 6010. Quedan 67 p.

–c) 21 p. con GRAFFITI col. gris 6006, 5 p. con SHERPA col. lila 64, 21 p. con GRAFFITI col.

rosa 6009, 5 p. con SHERPA col. lila 64, 20 p. con GRAFFITI col. lila 6010, trab. los últimos 2 p. juntos al der. con GRAFFITI col. lila 6010. Quedan 73 p.
–d) 24 p. con GRAFFITI col. gris 6006, 5 p. con SHERPA col. lila 64, 24 p. con GRAFFITI col. rosa 6009, 5 p. con SHERPA col. lila 64, 22 p. con GRAFFITI col. lila 6010, trab. los últimos 2 p. juntos al der. con GRAFFITI col. lila 6010. Quedan 81 p.
A 20 cm. de largo total, trab. durante 6 vtas a *p. jersey der.* sobre todos los p. con SHERPA col. lila 64.
Continuar trab. con la siguiente distribución a *p. jersey der.:*
–a) 17 p. con GRAFFITI col. lila 6010, 5 p. con SHERPA col. lila 64, 17 p. con GRAFFITI col. gris 6006, 5 p. con SHERPA col. lila 64, 17 p. con GRAFFITI col. rosa 6009.
–b) 19 p. con GRAFFITI col. lila 6010, 5 p. con SHERPA col. lila 64, 19 p. con GRAFFITI col. gris 6006, 5 p. con SHERPA col. lila 64, 19 p. con GRAFFITI col. rosa 6009.
–c) 21 p. con GRAFFITI col. lila 6010, 5 p. con SHERPA col. lila 64, 21 p. con GRAFFITI col. gris 6006, 5 p. con SHERPA col. lila 64, 21 p. con GRAFFITI col. rosa 6009.
–d) 24 p. con GRAFFITI col. lila 6010, 5 p. con SHERPA col. lila 64, 24 p. con GRAFFITI col. gris 6006, 5 p. con SHERPA col. lila 64, 23 p. con GRAFFITI col. rosa 6009.

Escote:
A 33 cm. de largo total, poner el p. central **en espera** en una aguja auxiliar y trab. cada lado por separado.
Menguar cada 4 vtas en el lado del escote:
–a) 10 veces 1 p.
–b) 11 veces 1 p.
–c) 12 veces 1 p.
–d) 13 veces 1 p.
de la siguiente manera:
Por el derecho de la labor:
En el lado izquierdo del escote (= al inicio de la vta): trab. 1 p. der., 2 p. juntos al der.
En el lado derecho del escote (= cuando falten 3 p. para el final de la vta): pasar 1 p. sin hacer a la aguja derecha, trab. 1 p. der. y pasar el p. sin hacer por encima, trab. 1 p. der.
A 37 cm. de largo total, trab. durante 6 vtas a *p. jersey der.* sobre todos los p. con SHERPA col. lila 64.
Continuar trab. a *p. jersey der.* con la siguiente distribución:
En el lado derecho del escote:
–a) 17 p. con GRAFFITI col. gris 6006, 5 p. con SHERPA col. lila 64, los p. que quedan hasta el escote con GRAFFITI col. rosa 6009.
–b) 19 p. con GRAFFITI col. gris 6006, 5 p. con SHERPA col. lila 64, los p. que quedan hasta el escote con GRAFFITI col. rosa 6009.
–c) 21 p. con GRAFFITI col. gris 6006, 5 p. con SHERPA col. lila 64, los p. que quedan hasta el escote con GRAFFITI col. rosa 6009.
–d) 24 p. con GRAFFITI col. gris 6006, 5 p. con SHERPA col. lila 64, los p. que quedan hasta el escote con GRAFFITI col. rosa 6009.
En el lado izquierdo del escote:
–a) trab. los p. con GRAFFITI col. rosa 6009 desde el escote hasta la línea vertical SHERPA, 5 p. con SHERPA col. lila 64, 17 p. con GRAFFITI col. lila 6010.
–b) trab. los p. con GRAFFITI col. rosa 6009 desde el escote hasta la línea vertical SHERPA, 5 p. con SHERPA col. lila 64, 19 p. con GRAFFITI col. lila 6010.
–c) trab. los p. con GRAFFITI col. rosa 6009 desde el escote hasta la línea vertical SHERPA, 5 p. con SHERPA col. lila 64, 21 p. con GRAFFITI col. lila 6010.
–d) trab. los p. con GRAFFITI col. rosa 6009 desde el escote hasta la línea vertical SHERPA, 5 p. con SHERPA col. lila 64, 23 p. con GRAFFITI col. lila 6010.

Sisas:
A 40 cm. de largo total, **cerrar** en ambos lados cada 2 vtas:
–a) 2 veces 2 p., 1 vez 1 p.
–b) 2 veces 2 p., 1 vez 1 p.
–c) 2 veces 2 p., 2 veces 1 p.
–d) 2 veces 2 p., 3 veces 1 p.

Hombros:
A **–a)** 56 cm. **–b)** 57 cm. **–c)** 58 cm. **–d)** 59 cm. de largo total, para los **hombros, cerrar** en ambos lados cada 2 vtas:
–a) 1 vez 8 p., 1 vez 7 p.
–b) 1 vez 9 p., 1 vez 8 p.
–c) 2 veces 9 p.
–d) 2 veces 10 p.

MANGAS
Con GRAFFITI col. lila 6010, **montar –a)** 28 p. **–b)** 30 p. **–c)** 34 p. **–d)** 36 p.
Trab. 6 cm. a *p. elástico 2x2.* Empezar con **–a), –d)** 2 p. der. **–b), –c)** 3 p. der. y terminar con **–a), –d)** 2 p. rev. **–b), –c)** 3 p. rev.
Continuar trab. a *p. jersey der.*
A 9 cm. de largo total, **aumentar** en ambos lados (= a 2 p. desde cada lado) cada 6 vtas: 11 veces 1 p.
Quedan **–a)** 50 p. **–b)** 52 p. **–c)** 56 p. **–d)** 58 p.

Sisa:
A 46 cm. de largo total, **cerrar** en ambos lados cada 2 vtas:
–a) 2 veces 2 p., 3 veces 1 p., 4 veces 2 p., 1 vez 4 p.
–b) 2 veces 2 p., 4 veces 1 p., 4 veces 2 p., 1 vez 4 p.
–c) 2 veces 2 p., 5 veces 1 p., 4 veces 2 p., 1 vez 4 p.
–d) 2 veces 2 p., 6 veces 1 p., 4 veces 2 p., 1 vez 4 p.
A **–a)** 57 cm. **–b)** 58 cm. **–c)** 59 cm. **–d)** 60 cm. de largo total, **cerrar** los **–a)** 12 p. **–b)** 12 p. **–c)** 14 p. **–d)** 14 p. restantes.
Trab. la otra manga igual.

CONFECCIÓN Y REMATE
Coser el hombro derecho.
Con SHERPA col. lila 64, **recoger** por el lado derecho del escote del delantero **–a)** 52 p. **–b)** 54 p. **–c)** 56 p. **–d)** 58 p.; poner el p. central del delantero de la aguja auxiliar en la aguja de tejer y **marcar** este p.; **recoger** por el lado izquierdo del escote del delantero **–a)** 52 p. **–b)** 54 p. **–c)** 56 p. **–d)** 58 p.; **recoger** alrededor del escote de la espalda **–a)** 29 p. **–b)** 31 p. **–c)** 33 p. **–d)** 35 p. = en total **–a)** 134 p. **–b)** 140 p. **–c)** 146 p. **–d)** 152 p.
Trab. a *p. elástico 2x2.* Empezar con **–a), –c)** 3 p. der. **–b), –d)** 2 p. der. y terminar con **–a), –c)** 3 p. rev. **–b), –d)** 2 p. rev.
NOTA: para formar el pico: menguar (= trab. 2 p. juntos al rev.) en todas las vtas **antes** y **después** del p. central marcado.
A 4 cm. de largo total, **cerrar** los p. haciendo también el menguado antes y después del p. central.
Coser el otro hombro.
Aplicar mangas (= con el centro de la parte superior de la manga a la costura del hombro) y **coser** mangas y lados.

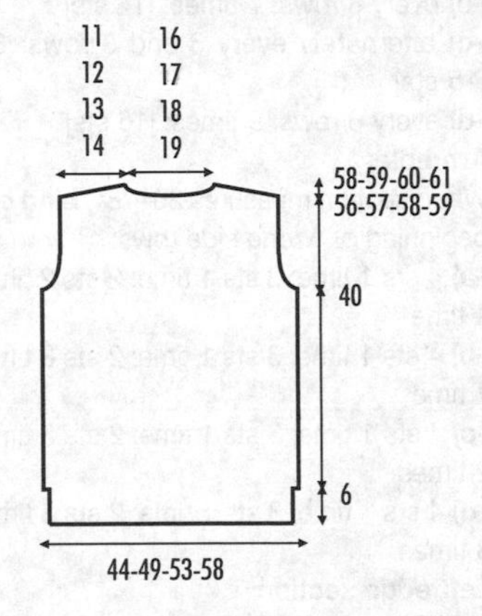

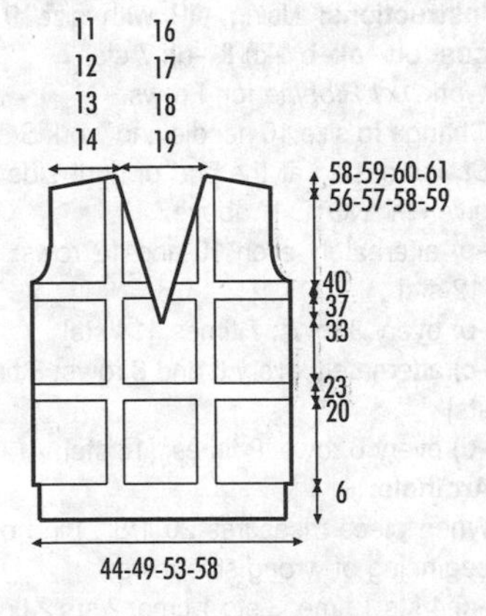

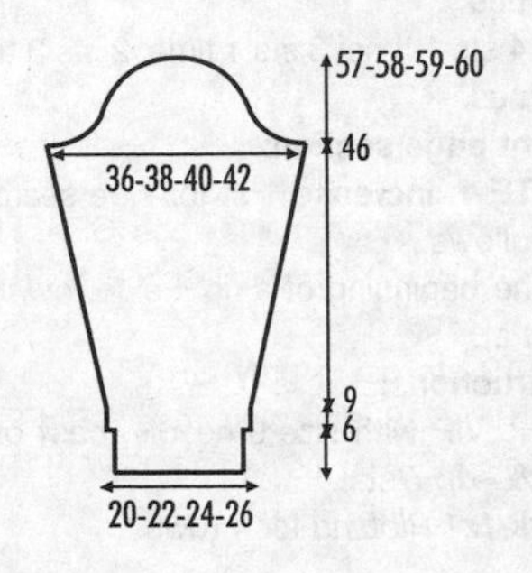

ENGLISH

SIZE: –a) 34 5/8" **–b)** 38 5/8" **–c)** 41 3/4" **–d)** 45 5/8": finished bust measurement

MATERIALS
GRAFFITI: **–a)** 5 **–b)** 6 **–c)** 6 **–d)** 7 balls lilac no. 6010.
–a) –b) –c) & –d): 1 ball each of rose no. 6009 and grey no. 6006.
SHERPA: **–a)** 5 **–b)** 6 **–c)** 6 **–d)** 6 balls lilac no. 64.

NEEDLES
Size 7 (U.S.) /(5 metric) **or size you need to use to obtain gauge listed below.**

STITCHES
See Basic Instructions for: *2x2 Ribbing*, *Stockinette St*.

GAUGE
Using SHERPA in *Stockinette St*: 14 sts and 20 rows = 4x4"
Using GRAFFITI in *Stockinette St*: 14 sts and 20 rows = 4x4"

BACK
Using SHERPA, **cast on –a)** 62 sts **–b)** 68 sts **–c)** 74 sts **–d)** 82 sts.
Beginning/ending with **–a)** K3/P3 **–b)** K2/P2 **–c)** K3/P3 **–d)** K3/P3, work *2x2 Ribbing* for 2 3/8"; then work *Stockinette St*.
Armholes:
When back measures 15 3/4", **bind off** at each edge every 2 rows
–a) 2 sts 2 times; 1 st 1 time: [52 sts]
–b) 2 sts 2 times; 1 st 1 time: [58 sts]
–c) 2 sts 2 times; 1 st 2 times: [62 sts]
–d) 2 sts 2 times; 1 st 3 times: [68 sts]
Neckline and Shoulders:
Worked at the same time when back measures **–a)** 22" **–b)** 22 1/2" **–c)** 22 7/8" **–d)** 23 1/4".
For neckline: bind off center **–a)** 14 sts **–b)** 16 sts **–c)** 18 sts **–d)** 20 sts. Working each side separately, **–a) –b) –c) & –d): bind off** at neck edge on second row: 4 sts 1 time.
For shoulders: bind off at armhole edge every 2 rows:
–a) 8 sts 1 time; 7 sts 1 time
–b) 9 sts 1 time; 8 sts 1 time
–c) 9 sts 2 times
–d) 10 sts 2 times

FRONT
NOTE: To prevent holes when changing colors, cross yarns on the wrong side.
Instructions: Using SHERPA, **cast on –a)** 62 sts **–b)** 68 sts **–c)** 74 sts **–d)** 82 sts.
Beginning/ending with **–a)** K3/P3 **–b)** K2/P2 **–c)** K3/P3 **–d)** K3/P3, work *2x2 Ribbing* for 2 3/8"; then work *Stockinette St* as follows:
–a) 17 sts using grey GRAFFITI; 5 sts using SHERPA; 17 sts using rose GRAFFITI; 5 sts using SHERPA; using lilac GRAFFITI, knit 16 sts, K 2 tog: [61 sts]
–b) 19 sts using grey GRAFFITI; 5 sts using SHERPA; 19 sts using rose GRAFFITI; 5 sts using SHERPA; using lilac GRAFFITI, knit 18 sts, K 2 tog: [67 sts]
–c) 21 sts using grey GRAFFITI; 5 sts using SHERPA; 21 sts using rose GRAFFITI; 5 sts using SHERPA; using lilac GRAFFITI, knit 20 sts, K 2 tog: [73 sts]
–d) 24 sts using grey GRAFFITI; 5 sts using SHERPA; 24 sts using rose GRAFFITI; 5 sts using SHERPA; using lilac GRAFFITI, knit 22 sts, K 2 tog: [81 sts]
When front measures 7 7/8", using SHERPA, work all sts in *Stockinette St* for 6 rows.
Change colors as follows:
–a) 17 sts **–b)** 19 sts **–c)** 21 sts **–d)** 24 sts using lilac GRAFFITI; **–a) –b) –c) & –d):** 5 sts using SHERPA; **–a)** 17 sts **–b)** 19 sts **–c)** 21 sts **–d)** 24 sts using grey GRAFFITI; **–a) –b) –c) & –d):** 5 sts using SHERPA; **–a)** 17 sts **–b)** 19 sts **–c)** 21 sts **–d)** 23 sts using rose GRAFFITI
Neckline:
NOTE: decrease for neckline as follows:
At the beginning of a right side row, K1, K 2 tog.
At the end of a right side row: work to last 3 sts, sl 1, K1, PSSO.
When front measures 13", slip center st to holder and work each side separately, **decreasing** 1 st at neck edge as given in 'NOTE" above, every 4 rows:
–a) 10 times
–b) 11 times
–c) 12 times
–d) 13 times.
AND AT THE SAME TIME:
When front measures 14 1/2", using SHERPA, work all sts in *Stockinette St* for 6 rows.
Change colors as follows:
For **left half** of front: **–a)** 17 sts **–b)** 19 sts **–c)** 21 sts **–d)** 24 sts using grey GRAFFITI; **–a) –b) –c) & –d):** 5 sts using SHERPA; use rose GRAFFITI on stitches remaining at neck edge.
For **right half** of front: **–a) –b) –c) & –d):** using rose GRAFFITI on stitches remaining at neck edge, 5 sts using SHERPA; **–a)** 17 sts **–b)** 19 sts **–c)** 21 sts **–d)** 24 sts using lilac GRAFFITI.
AND AT THE SAME TIME:
Armholes:
When front measures 15 3/4", **bind off** at armhole edge every 2 rows
–a) 2 sts 2 times; 1 st 1 time: [52 sts]
–b) 2 sts 2 times; 1 st 1 time: [58 sts]
–c) 2 sts 2 times; 1 st 2 times: [62 sts]
–d) 2 sts 2 times; 1 st 3 times: [68 sts]
Shoulders::
When front measures **–a)** 22" **–b)** 22 1/2" **–c)** 22 7/8" **–d)** 23 1/4", bind off at armhole edge every 2 rows:
–a) 8 sts 1 time; 7 sts 1 time
–b) 9 sts 1 time; 8 sts 1 time
–c) 9 sts 2 times
–d) 10 sts 2 times

SLEEVES
Using lilac GRAFFITI, **cast on –a)** 28 sts **–b)** 30 sts **–c)** 34 sts **–d)** 36 sts.
Beginning/ending with: **–a)** K2/P2 **–b)** K3/P3 **–c)** K3/P3 **–d)** K2/P2, work *2x2 Ribbing* for 2 3/8", then work *Stockinette St*.
When sleeve measures 3 1/2", **increase** 1 st in 2nd st from each edge every 6 rows: 11 times: [**–a)** 50 sts **–b)** 52 sts **–c)** 56 sts **–d)** 58 sts].
Armhole:
When sleeve measures 18 1/4", bind off at each edge every 2 rows;
–a) 2 sts 2 time; 1 st 3 times; 2 sts 4 times; 4 sts 1 time: [12 sts]
–b) 2 sts 2 time; 1 st 4 times; 2 sts 4 times; 4 sts 1 time: [12 sts]
–c) 2 sts 2 time; 1 st 5 times; 2 sts 4 times; 4 sts 1 time: [14 sts]
–d) 2 sts 2 time; 1 st 6 times; 2 sts 4 times; 4 sts 1 time: [14 sts]
When sleeve measures **–a)** 22 1/2" **–b)** 22 7/8" **–c)** 23 1/4" **–d)** 23 5/8", bind off all rem sts.

FINISHING
Sew left shoulder seam.
Using SHERPA, **pick up –a)** 52 sts **–b)** 54 sts **–c)** 56 sts **–d)** 58 sts along left front neck edge; **pick up** center st from holder and mark this st; **pick up –a)** 52 sts **–b)** 54 sts **–c)** 56 sts **–d)** 58 sts along right front neck edge; **pick up –a)** 29 sts **–b)** 31 sts **–c)** 33 sts **–d)** 35 sts around back neck edge: total of **–a)** 134 sts **–b)** 140 sts **–c)** 146 sts **–d)** 152 sts.
Next row: (wrong side), beginning with **–a)** K1 **–b)** P1 **–c)** K1 **–d)** P1; work *2x2 Ribbing* to two sts before marked center st, P 2 tog, purl marked st; P 2 tog, beginning with **–a)** P2 **–b)** K2 **–c)** P2 **–d)** K2 continue in *2x2 Ribbing*, ending with **–a)** P2 **–b)** P2 **–c)** P2 **–d)** P2
Row 1: (right side) Work in established *2x2 Ribbing* pattern to two sts before marked st, P 2 tog, knit marked st, P 2 tog, work established *2x2 Ribbing* to end of row.
Row 2: (wrong side) Work in established *2x2 Ribbing* pattern to two sts before marked st, P 2 tog, purl marked st, P 2 tog, work established *2x2 Ribbing* to end of row.
When neck band measures 1 5/8", **decreasing** at center front as before, **bind off** all sts., **Sew** other shoulder seam.
Matching center of sleeve with shoulder seam, **sew** in top of sleeve, then sew underarm and side seams.

FIL KATIA

VENUS / VIP

(Ver página 3 Puntos Básicos)
(See page 3 Basic Stitches)

pág. 3

ESPAÑOL

TALLAS: –a) 38/40 **–b)** 42/44 **–c)** 46/48 **–d)** 50/52

MATERIALES
VENUS: col. 6801: **–a)** 9 **–b)** 10 **–c)** 11 **–d)** 12 ovillos.
VIP: col. 6801: **–a) –b), –c), –d)** 3 ovillos.
1 botón.

INSTRUCCIONES

Agujas	Puntos empleados
Nº 4	- *P. elástico 1x1* VENUS
Nº 4 1/2	- *P. jersey der.* VENUS
Nº 6	- *P. elástico 1x1* VIP
Nº 6 1/2	- *P. elástico 1x1* VIP
Aguja de ganchillo	
Nº 3	- *P. de cadeneta* - *P. bajo*

MUESTRA DEL PUNTO
P. jersey der., VENUS, ag. nº 4 1/2
10x10 cm. = 17 p. y 26 vtas.
P. elástico 1x1, VIP, ag. nº 6
10x10 cm. = 12 p. y 18 vtas

ESPALDA
Con VENUS y ag. nº 4, **montar –a)** 78 p. **–b)** 88 p. **–c)** 94 p. **–d)** 102 p.
Trab. 6 vtas a *p. elástico 1x1*.
Cambiar ag. nº 4 1/2 y con VENUS continuar trab. a *p. jersey der.*
Menguar en ambos lados cada 6 vtas: 3 veces 1 p. de la siguiente manera:
Por el derecho de la labor:
En el extremo derecho (= inicio de la vta): trab. 3 p. der., 2 p. juntos al der.
En el extremo izquierdo (= cuando falten 5 p. para terminar la vta): trab. 2 p. juntos al der., 3 p. der.
Quedan **–a)** 72 p. **–b)** 82 p. **–c)** 88 p. **–d)** 96 p.
A 16 cm. de largo total, **aumentar** en ambos lados cada 6 vtas: 4 veces 1 p. de la siguiente manera:
Por el derecho de la labor:
En el extremo derecho (= inicio de la vta): trab. 3 p. der., trab. 2 p. en 1 p.
En el extremo izquierdo (= cuando falten 4 p. para terminar la vta): trab. 2 p. en 1 p., 3 p. der.
Quedan **–a)** 80 p. **–b)** 90 p. **–c)** 96 p. **–d)** 104 p.
Sisas:
A 36 cm. de largo total, **cerrar** en ambos lados cada 2 vtas:
–a) 1 vez 3 p., 1 vez 2 p., 2 veces 1 p. = 66 p.
–b) 1 vez 3 p., 2 veces 2 p., 2 veces 1 p. = 72 p.
–c) 1 vez 3 p., 2 veces 2 p., 2 veces 1 p. = 78 p.
–d) 1 vez 3 p., 3 veces 2 p., 2 veces 1 p. = 82 p.
Hombros y escote:
Se forman al mismo tiempo.
A **–a)** 56 cm. **–b)** 57 cm. **–c)** 58 cm. **–d)** 59 cm. de largo total, **cerrar** para **los hombros** en ambos lados cada 2 vtas:
–a) 3 veces 7 p.
–b) 2 veces 8 p., 1 vez 7 p.
–c) 1 vez 9 p., 2 veces 8 p.
–d) 2 veces 9 p., 1 vez 8 p.
A los mismos –a) 56 cm. **–b)** 57 cm. **–c)** 58 cm. **–d)** 59 cm. de largo total, para **el escote, cerrar** los **–a)** 6 p. **–b)** 8 p. **–c)** 10 p. **–d)** 12 p. centrales y continuar trab. cada lado por separado.
Cerrar cada 2 vtas en el lado del escote: 1 vez 5 p., 1 vez 4 p.
Acabar el otro lado igual, pero **a la inversa.**

DELANTERO DERECHO
Con VENUS y ag. nº 4 1/2, **montar –a)** 6 p. **–b)** 10 p. **–c)** 14 p. **–d)** 18 p.
Trab. a *p. jersey der.*
Aumentar en el extremo derecho (= al inicio de una vta por el derecho de la labor): cada 2 vtas: 2 veces 6 p., 1 vez 5 p., 2 veces 3 p., 2 veces 2 p., 1 vez 1 p.; cada 4 vtas: 4 veces 1 p.; cada 6 vtas: 2 veces 1 p.
Al mismo tiempo, menguar en el extremo izquierdo cada 6 vtas: 3 veces 1 p. de la siguiente manera:
Por el derecho de la labor:
En el extremo izquierdo (= cuando falten 5 p. para terminar la vta): trab. 2 p. juntos al der., 3 p. der.
A 16 cm. de largo total, **aumentar** en el extremo izquierdo cada 6 vtas: 4 veces 1 p. de la siguiente manera:
Por el derecho de la labor:
En el extremo izquierdo (= cuando falten 4 p. para terminar la vta): trab. 2 p. en 1 p., 3 p. der.
A 23 cm. de largo total, **montar** al inicio de una vta por el derecho de la labor: 1 vez 5 p. y empezar a trabajar el **escote** de la siguiente manera:
Cerrar cada 4 vtas en el extremo derecho:
–a), –b) 18 veces 1 p.
–c) 20 veces 1 p.
–d) 21 veces 1 p.
Al mismo tiempo, a 33 cm. de largo total, para la **sisa, cerrar** en el extremo izquierdo cada 2 vtas:
–a) 1 vez 3 p., 1 vez 2 p., 2 veces 1 p.
–b) 1 vez 3 p., 2 veces 2 p., 2 veces 1 p.
–c) 1 vez 3 p., 2 veces 2 p., 2 veces 1 p.
–d) 1 vez 3 p., 3 veces 2 p., 2 veces 1 p.
Hombro:
A **–a)** 53 cm. **–b)** 54 cm. **–c)** 55 cm. **–d)** 56 cm. de largo total, **cerrar** en el extremo izquierdo cada 2 vtas:
–a) 3 veces 7 p.
–b) 2 veces 8 p., 1 vez 7 p.
–c) 1 vez 9 p., 2 veces 8 p.
–d) 2 veces 9 p., 1 vez 8 p.
Con ag. nº 4 y VENUS, **recoger** de la parte redonda (= desde los 5 p. aumentados hasta el lateral) **–a)** 68 p. **–b)** 72 p. **–c)** 76 p. **–d)** 80 p.
Trab. 6 vtas a *p. elástico 1x1* y **cerrar** los p.

DELANTERO IZQUIERDO
Trab. como el delantero derecho, pero a **la inversa.**

MANGAS
Con ag. nº 6 y VIP, **montar –a)** 26 p. **–b)** 28 p. **–c)** 30 p. **–d)** 34 p.
Trab. a *p. elástico 1x1.*
A 8 cm. de largo total, **cambiar** ag. nº 4 1/2 y con la calidad VENUS continuar trab. a *p. jersey der.* **Aumentar –a)** 14 p. **–b), –c), –d)** 16 p. repartidos en la 1ª vta = **–a)** 40 p. **–b)** 44 p. **–c)** 46 p. **–d)** 50 p.
Aumentar en ambos lados:
–a) cada 10 vtas y cada 12 vtas alternativamente: 11 veces 1 p. = 62 p.
–b) cada 10 vtas y cada 12 vtas alternativamente: 11 veces 1 p. = 66 p.
–c) cada 10 vtas: 12 veces 1 p. = 70 p.
–d) cada 10 vtas: 12 veces 1 p. = 74 p.
Sisa:
A 61 cm. de largo total, **cerrar** en ambos lados cada 2 vtas:
–a) 1 vez 5 p., 1 vez 3 p., 5 veces 2 p., 1 vez 3 p., 1 vez 4 p.
–b) 1 vez 5 p., 1 vez 3 p., 6 veces 2 p., 1 vez 3 p., 1 vez 4 p.
–c) 1 vez 5 p., 1 vez 3 p., 7 veces 2 p., 1 vez 3 p., 1 vez 4 p.
–d) 1 vez 5 p., 1 vez 3 p., 8 veces 2 p., 1 vez 3 p., 1 vez 4 p.
A **–a)** 69 cm. **–b)** 70 cm. **–c)** 71 cm. **–d)** 72 cm. de largo total, **cerrar** los **–a), –b), –c), –d)** 12 p. restantes.
Trab. la otra manga igual.

CONFECCIÓN Y REMATE
Cuello:
Con VIP y ag. nº 6, **montar –a)** 114 p. **–b)** 118 p. **–c)** 122 p. **–d)** 126 p.
Trab. a *p. elástico 1x1* y **cerrar** en ambos lados cada 2 vtas: 16 veces 1 p.
Al mismo tiempo, después de haber trabajado 4 vtas, **aumentar** sobre los 16 p. centrales 8 veces 1 p.
A 11 cm. de largo total, **cambiar** ag. nº 6 1/2 y continuar trab. a *p. elástico 1x1* con VIP.
A 22 cm. de largo total, **cerrar** los **–a)** 90 p. **–b)** 94 p. **–c)** 98 p. **–d)** 102 p. muy flojos.
Coser hombros.
Coser el cuello alrededor del escote, con el centro del cuello en medio del escote de la espalda y los extremos del cuello al inicio del escote de los delanteros.
Coser lados y mangas.
Con la aguja de ganchillo nº 3 y VENUS, para la presilla, trab. 9 *p. de cadeneta*, girar y trab. 8 *p. bajos* sobre los *p. de cadeneta*. **Cortar** el hilo.
Coser esta presilla al inicio del escote del delantero derecho.
Coser el botón al delantero izquierdo, a la altura del inicio del escote y a 10 cm. desde el extremo del escote.

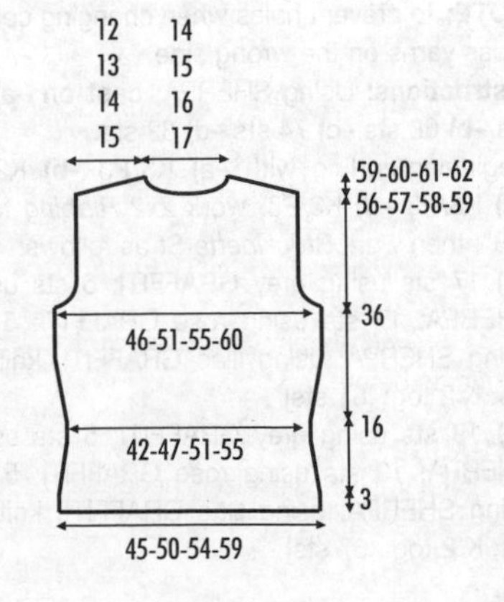

INSTRUCTIONS

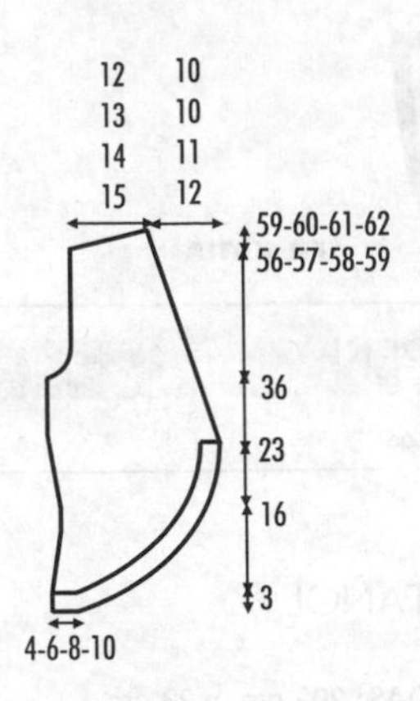

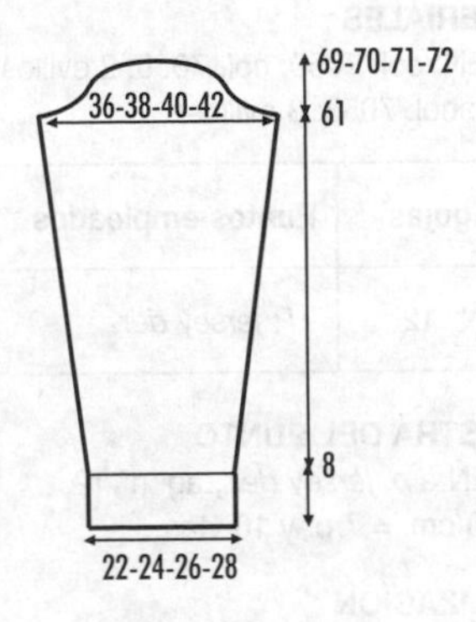

ENGLISH

SIZE: -a) 36 1/4" **-b)** 40 1/8" **-c)** 43 1/4" **-d)** 47 1/4": finished bust measurement.

MATERIALS

VENUS: **-a)** 9 **-b)** 10 **-c)** 11 **-d)** 12 balls color no. 6801.

VIP: **-a) -b) -c) & -d):** 3 balls color no. 6801.

One button.

KNITTING NEEDLES

Size 5, 6, 9 & 10 (U.S.) /(4, 4 1/2, 6 6 1/2 metric) **or size you need to use to obtain gauge listed below.**

CROCHET HOOK

Size D (U.S.) /(3 metric)

STITCHES

See Basic Instructions for: *1x1 Ribbing*, *Stockinette St*, *Crochet Chain*, *Single Crochet*.

NOTE 1: Decrease 1 st for shaping as follows:

At the beginning of right side rows, K3, K 2 tog.

At the end of right side rows, work to last 5 sts; K 2 tog, K3

NOTE 2: Increase 1 st for shaping as follows:

At the beginning of right side rows: K3, knit into the front loop and then into the back loop of next st.

At the end of right side rows: work to last 4 sts; inc as before, K3.

GAUGE

Using VENUS with size 6 needles in *Stockinette St*: 17 sts and 26 rows = 4x4"

Using VIP with size 9 needles in *1x1 Ribbing*, 12 sts and 18 rows = 4x4"

BACK

Using VENUS with size 5 needles, **cast on -a)** 78 sts **-b)** 88 sts **-c)** 94 sts **-d)** 102 sts.

Work *1x1 Ribbing* for 6 rows.

Change to size 6 needles and work *Stockinette St*, **decreasing** 1 st at each edge as given in "NOTE 1" above, every 6 rows: 3 times:

[**-a)** 72 sts **-b)** 82 sts **-c)** 88 sts **-d)** 96 sts].

When back measures 6 1/4", **increase** 1 t at each edge as given in "NOTE 2" above, every 6 rows: 4 times:

[**-a)** 80 sts **-b)** 90 sts **-c)** 96 sts **-d)** 104 sts].

Armholes:

When back measures 11 3/4", **bind off** at each edge every 2 rows:

-a) 3 sts 1 time; 2 sts 1 time; 1 st 2 times: [66 sts]

-b) 3 sts 1 time; 2 sts 2 times; 1 st 2 times: [72 sts]

-c) 3 sts 1 time; 2 sts 2 times; 1 st 2 times: [78 sts]

-d) 3 sts 1 time; 2 sts 3 times; 1 st 2 times: [82 sts].

Neckline and Shoulders:

Worked at the same time when back measures **-a)** 22" **-b)** 22 1/2" **-c)** 22 7/8" **-d)** 22 7/8".

For **neckline: Bind off** center **-a)** 6 sts **-b)** 8 sts **-c)** 10 sts **-d)** 12 sts.

Working each side separately, **-a) -b) -c) & -d): bind off** at neck edge every 2 rows: 5 sts 1 time; 4 sts 1 time.

For **shoulders: Bind off** at armhole edge every 2 rows:

-a) 3 sts 7 times

-b) 8 sts 2 time; 7 sts 1 time

-c) 9 sts 1 time; 8 sts 2 times

-d) 9 sts 12 times; 8 sts 1 time.

RIGHT FRONT

Using VENUS with size 5 needles, **cast on -a)** 6 sts **-b)** 10 sts **-c)** 14 sts **-d)** 18 sts.

Decreasing as given below, work *Stockinette St*, **-a) -b) -c) & -d): casting on** before beginning right side rows: every 2 rows: 6 sts 2 times; 5 sts 1 time; 3 sts 2 times; 2 sts 2 time; 1 st 1 time; every 4 rows: 1 st 4 times; every 6 rows: 1 st 2 times.

AND AT THE SAME TIME: decrease 1 st at armhole edge as given in "NOTE 1" above, every 6 rows: 3 times.

When front measures 6 1/4", **increase** 1 st at armhole edge as given in "NOTE 2" above, every 6 rows: 4 times.

When front measures 9", before beginning the next right side row, **-a) -b) -c) & -d): cast on** 5 sts, then begin **decreasing** 1 st every 4 rows at center front edge for neckline:

-a) & -b) 18 times

-c) 20 times

-d) 21 times.

AND AT THE SAME TIME:

Armhole:

When front measures 13", **bind off** at armhole edge every 2 rows:

-a) 3 sts 1 time; 2 sts 1 time; 1 st 2 times

-b) 3 sts 1 time; 2 sts 2 times; 1 st 2 times

-c) 3 sts 1 time; 2 sts 2 times; 1 st 2 times

-d) 3 sts 1 time; 2 sts 3 times; 1 st 2 times

Shoulder:

When front measures **-a)** 20 7/8" **-b)** 21 1/4" **-c)** 21 5/8" **-d)** 22", **bind off** at armhole edge every 2 rows:

-a) 3 sts 7 times

-b) 8 sts 2 time; 7 sts 1 time

-c) 9 sts 1 time; 8 sts 2 times

-d) 9 sts 12 times; 8 sts 1 time.

No sts remain.

Using VENUS with size 5 needle, **pick up -a)** 68 sts **-b)** 72 sts **-c)** 76 sts **-d)** 80 sts front beginning of side seam to the 5 sts that were cast on before neckline shaping.

Work 6 rows *1x1 Ribbing*; **bind off.**

LEFT FRONT

Work same as right front, reversing all shaping.

SLEEVES

Using VIP with size 9 needles, **cast on -a)** 26 sts **-b)** 28 sts **-c)** 30 sts **-d)** 34 sts.

Work *1x1 Ribbing* for 3 1/8".

Using VENUS, change to size 6 needles and work *Stockinette St*, **increasing -a)** 14 sts **-b), -c) & -d)** 16 sts evenly on first row to **-a)** 40 sts **-b)** 44 sts **-c)** 46 sts **-d)** 50 sts.

Continue to **increase** 1 st at each edge:

-a) alternately every 10 and 12 rows: 11 times: [62 sts]

-b) alternately ever 10 and 12 rows: 11 times: [66 sts]

-c) every 10 rows: 12 times: [70 sts]

-d) every 10 rows: 12 times: [74 sts].

Armhole:

When sleeve measures 24", **bind off** at each edge every 2 rows:

-a) 5 sts 1 time; 3 sts 1 time; 2 sts 5 times; 3 sts 1 time; 4 sts 1 time: [12 sts]

-b) 5 sts 1 time; 3 sts 1 time; 2 sts 6 times; 3 sts 1 time; 4 sts 1 time: [12 sts]

-c) 5 sts 1 time; 3 sts 1 time; 2 sts 7 times; 3 sts 1 time; 4 sts 1 time: [12 sts]

-d) 5 sts 1 time; 3 sts 1 time; 2 sts 8 times; 3 sts 1 time; 4 sts 1 time: [12 sts]

When sleeve measures **-a)** 27 1/8" **-b)** 27 1/2" **-c)** 28" **-d)** 28 3/8" bind off all rem sts.

FINISHING

Collar:

Using VIP with size 9 needles, **cast on -a)** 114 sts **-b)** 118 sts **-c)** 122 sts **-d)** 126 sts.

Increasing as given below, work *1x1 Ribbing*, **-a) -b) -c) & -d): decreasing** 1 st at each edge every 2 rows: 16 times.

AND AT THE SAME TIME: on the 5th row, over the center 16 sts, **increase** 1 st 8 times.

When collar measures 4 3/8", change tp size 10 needle and continue in *1x1 Ribbing*.

When collar measures 8 5/8", **bind off** very loosely, rem **-a)** 90 sts **-b)** 94 sts **-c)** 98 sts **-d)** 102 sts.

Sew shoulder seams.

Matching center of collar with center of back neckline, and matching edges of collar to the beginning of neckline shaping, **sew** collar around neck edge.

Sew side and sleeve seams.

For button loop, using VENUS with crochet hook, ch 9, sc in 2nd ch from hook and in each rem ch: [8 sc].

Leaving a 10" tail for sewing, sew button loop to right front, at beginning of neckline shaping.

Sew button to left front, 4" from beginning of neckline shaping, as shown in photograph.

MODELO 6

FIL KATIA

ETHNIC
(Ver página 3 Puntos Básicos)
(See page 3 Basic Stitches)

pág. 4

ESPAÑOL

MEDIDA: 200 cm. x 45 cm. (sin flecos)

MATERIALES
ETHNIC: col. 6501: 4 ovillos.
9 metros de cinta de terciopelo col. beige de 0,5 cm. ancho.

Agujas	Puntos empleados
Nº 12	- *P. fantasía* (ver gráfico A)

MUESTRA DEL PUNTO
P. fantasía, ag. nº 12
10x10 cm. = 13 p. y 6 vtas.

REALIZACIÓN
Montar 34 p.
Trab. a *p. fantasía* según gráfico A.
A 200 cm. de largo total, trab. por el derecho de la labor, la 1ª vta del gráfico A y después **cerrar** los p.
Flecos:
Ver pág. p. básicos.
Cortar de la calidad ETHNIC 66 hilos de 40 cm. largo. Cada fleco de la calidad ETHNIC consta de 3 hilos. Doblar 3 hilos por la mitad y anudar como flecos en los extremos de la bufanda = 11 flecos en cada extremo, 1 fleco en cada lado del extremo y 9 flecos con una distancia entre ellos de 3,5 cm.
Cortar de la cinta de terciopelo col. beige, 24 tiras de 30 cm. de largo. Cada fleco de la cinta consta de 1 tira. Doblar 1 tira por la mitad y colocar como flecos en los extremos de la bufanda = 12 flecos en cada extremo, 1 fleco en cada lado del extremo y 10 flecos en medio de los flecos de la calidad ETHNIC.

ENGLISH

SIZE: 17 3/4" x 79 3/4"

MATERIALS
ETHNIC: 4 balls color no. 6501.
9 3/4 yards beige velvet ribbon, 3/8" wide.

NEEDLES
Size 17 (U.S.) /(12 metric) **or size you need to use to obtain gauge listed below.**

STITCHES
Pattern St: See Graph A

GAUGE
In *Pattern St*: 13 sts and 6 rows = 4x4"

INSTRUCTIONS
Cast on: 64 sts.
Work *Pattern St* following Graph A.
When shawl measures 79 3/4", on next right side row, work Row 1, then bind off.

FINISHING
Fringe: (see Basic Instructions).
Cut 66 strands of ETHNIC, each 15 3/4" long.
Use 3 strands for each group.
Insert 11 groups in each end of shawl, one at each edge and 9 groups, each 1 1/2" apart.
Cut ribbon into 24 pieces, each 11 3/4" long.
Use 1 strand for each group.
Insert 2 strand between each of the 10 strands of ETHNIC, and 1 strand at each outside edge of the 11 groups.

Gráfico A

R Repetir
\+ p. bobo
− p. rev.
V trab. 3 p. en 1 p. (= 1 p. der., 1 p. rev., 1 p. der.)
≡ trab. 3 p. juntos al rev.
W trab. 1 p. der. y añadir 2 hebras a la aguja derecha.
S trab. 1 p. rev. y soltar las 2 hebras

Graph A

R Repeat
\+ Garter St
− Purl
V (K1, P1, K1) in designated st.
≡ Purl 3 together
W K1, YO twice.
S P1, drop both YOs from needle

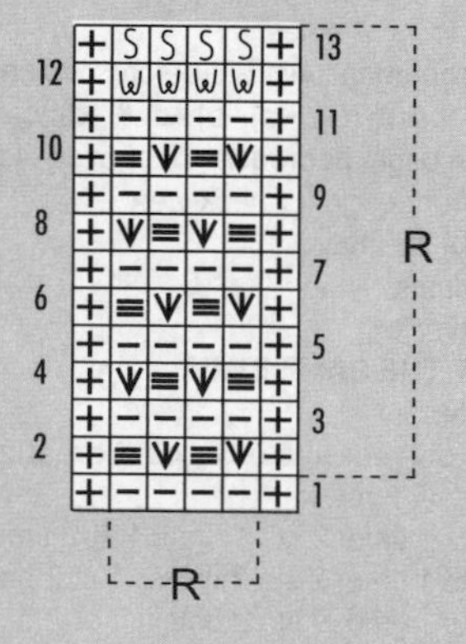

MODELO 7

FIL KATIA

ASPEN

pág. 4

ESPAÑOL

MEDIDAS: 202 cm. x 23 cm.

MATERIALES
ASPEN: col. 7050; col. 7056: 2 ovillos de cada color; col. 7053: 3 ovillos.

Agujas	Puntos empleados
Nº 12	- *P. jersey der.*

MUESTRA DEL PUNTO
ASPEN a *p. jersey der.*, ag. nº 12.
10x10 cm. = 7 p. y 10 vtas.

REALIZACIÓN
En col. 7053 **montar** 16 p.
Trab. a *p. jersey der.* con la siguiente distribución:
Col. 7053 trab. 18 cm.
Col. 7050 trab. 19 cm.
Col. 7056 trab. 30 cm.
Col. 7053 trab. 15 cm.
Col. 7050 trab. 15 cm.
Col. 7053 trab. 15 cm.
Col. 7056 trab. 15 cm.
Col. 7050 trab. 30 cm.
Col. 7053 trab. 30 cm.
Col. 7056 trab. 15 cm. y **cerrar.**

CONFECCIÓN Y REMATE
Flecos: Cortar 12 hilos de 40 cm. de largo de cada color = 36 hilos.
Hacer 12 flecos de 3 hilos cada fleco, cogiendo 1 hilo de cada color, doblar por la mitad (ver pág. p. básicos) y poner 6 flecos en cada extremo de la bufanda. (= 1 fleco en el primer p., 1 fleco en el 4º p., 1 fleco en el 7º p., 1 fleco en el 10º p. 1 fleco en el 13º p., 1 fleco en el último p).

ENGLISH

SIZE: 9" x 80 1/2"

MATERIALS
ASPEN: 3 balls color no. 7053. 2 balls each of colors no. 7050, and 7056.

NEEDLES
Size 17 (U.S.) /(metric) **or size you need to use to obtain gauge listed below.**

STITCHES
See Basic Instructions for: *Stockinette St.*

GAUGE
In *Stockinette St*: 7 sts and 10 rows = 4x4"

INSTRUCTIONS
Using color no. 7053, **cast on** 16 sts.
Work *Stockinette St* as follows:
Color 7053: 7 1/8"
Color 7050: 7 1/2"
Color 7056: 11 3/4"
Color 7053: 5 7/8"
Color 7050: 5 7/8"
Color 7053: 5 7/8"
Color 7056: 5 7/8"
Color 7050: 11 3/4"
Color 7053: 11 3/4"
Color 7056: 5 7/8": **bind off.**

FINISHING
Fringe: (see Basic Instructions).
Cut 12 strands of each color, each 15 3/4" long.
Use 1 strand of each color for each group.
Insert 6 groups in each end of shawl as follows: Insert one strand in 1st st, 4th st; 7th st; 10th st; 13th st; last st.

FIL KATIA

ASPEN

pág. 5

ESPAÑOL

TALLAS: –a) 38/40 **–b)** 42/44 **–c)** 46/48 **–d)** 50/52

MATERIALES
ASPEN: col. 7054: **–a)** 10 **–b** 11 **–c)** 12 **–d)** 13 ovillos.
1 botón col. negro con un diámetro de 4 cm.

Agujas	Puntos empleados
Nº 12	- *P. jersey der.* - *Aumentos* (ver explicación)

Aumentos: por el derecho de la labor:
En el extremo derecho (= inicio de la vta): trab. 2 p. der., trab. 1 p. der. en el siguiente p. y sin soltar de la aguja izquierda, insertar la aguja derecha por detrás en el p. y trab. otro p. der. en el mismo p.
En el extremo izquierdo (= cuando falten 3 p. para terminar la vta): trab. 1 p. der. y sin soltar de la aguja izquierda, insertar la aguja derecha por detrás en el p. y trab. otro p. der. en el mismo p., trab. 2 p. der.

MUESTRA DEL PUNTO
P. jersey der., ag. nº 12
10x10 cm. = 6 p. y 10 vtas.

REALIZACIÓN
Se trab. en una pieza, empezando con la manga.
Montar –a) 22 p. **–b)** 24 p. **–c)** 26 p. **–d)** 28 p.
Trab. a *p. jersey der.*
A 10 cm. de largo total, **aumentar** en ambos lados cada 4 vtas y cada 6 vtas alternativamente: 5 veces 1 p. Quedan **–a)** 32 p. **–b)** 34 p. **–c)** 36 p. **–d)** 38 p.
A 44 cm. de largo total, **montar** al inicio de la vta por el derecho de la labor **–a), –b), –c), –d)** 22 p. y trab. los siguientes **–a)** 32 p. **–b)** 34 p. **–c)** 36 p. **–d)** 38 p. al der.
Con otro ovillo, **montar** en la aguja que no tiene puntos **–a), –b), –c), –d)** 22 p. y trab. estos 22 p. al der. **Cortar** el hilo del montaje de los 22 p.
Continuar trab. a *p. jersey der.* con todos los p. = **–a)** 76 p. **–b)** 78 p. **–c)** 80 p. **–d)** 82 p.
A **–a)** 70 cm. **–b)** 72 cm. **–c)** 74 cm. **–d)** 76 cm. de largo total, al inicio de una vta por el revés de la labor, **cerrar** los primeros **–a)** 38 p. **–b)** 39 p. **–c)** 40 p. **–d)** 41 p. y continuar trab. con los **–a)** 38 p. **–b)** 39 p. **–c)** 40 p. **–d)** 41 p. restantes a *p. jersey der.*
A **–a)** 170 cm. **–b)** 174 cm. **–c)** 178 cm. **–d)** 182 cm. de largo **total**, **cerrar** los p.

CONFECCIÓN Y REMATE
Todas las costuras se realizan a *p. de lado* (ver pág. p. básicos).
Doblar la manga por la mitad y **coser** la manga.
A continuación, **coser** el lado izquierdo de la prenda. (= queda la manga formada y el lado izquierdo del delantero).
Coser el botón en medio de la parte superior de la manga, a 3 cm. desde la parte superior y abrochar a la medida deseada, usando un calado que forma la misma lana.

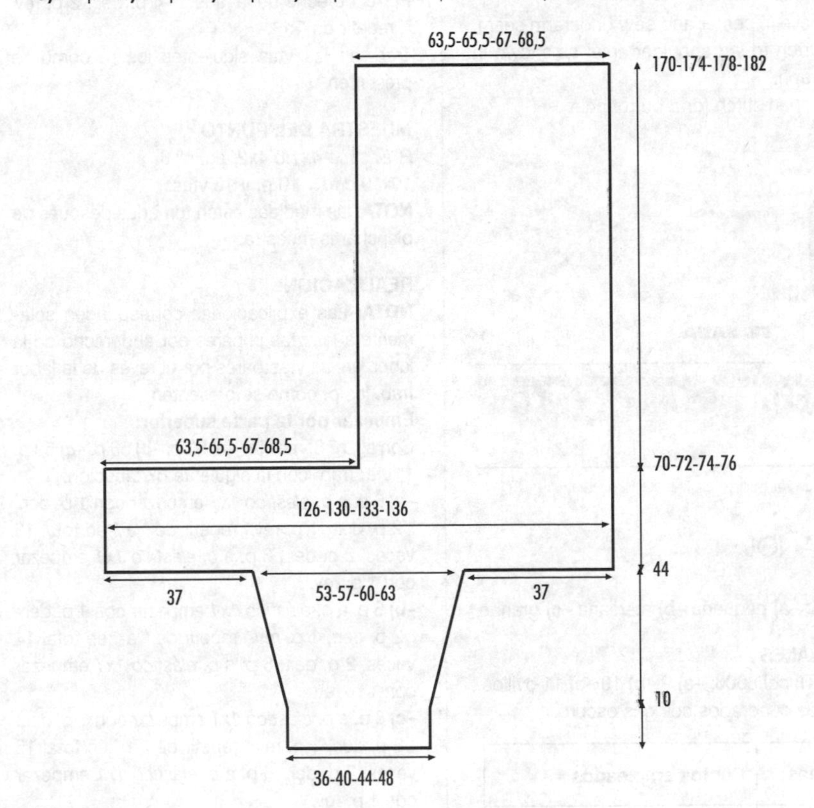

ENGLISH

SIZE: –a) small **–b)** medium **–c)** large **–d)** X large

MATERIALS
ASPEN: **–a)** 10 **–b)** 12 **–c)** 13 balls color no. 7054.
One 1 5/8" button.

NEEDLES
Size 17 (U.S.) /(12 metric) **or size you need to use to obtain gauge listed below.**

STITCHES
See Basic Instructions for: *Stockinette St.*
NOTE: Increase 1 st for shaping as follows:
At the beginning of right side rows: K2, knit into the front loop and then into the back loop of next st.
At the end of right side rows: work to last 3 sts; inc as before, K2.

GAUGE
In *Stockinette St*: 6 sts and 10 rows = 4x4"

INSTRUCTIONS
Worked on one piece, beginning with the sleeve.
Cast on –a) 22 sts **–b)** 24 sts **–c)** 26 sts **–d)** 28 sts.
When piece measures 4", **increase** 1 st at each edge as given in "NOTE" above, alternately every 4 and 6 rows: 5 times:
[**–a)** 32 sts **–b)** 34 sts **–c)** 36 sts **–d)** 38 sts].

INSTRUCCIONES

When piece measures 17 1/4", before working next right side row, **cast on –a) –b) –c) & –d):** 22 sts, then knit the 22 sts and **–a)** 32 sts **–b)** 34 sts **–c)** 36 sts **–d)** 38 sts:
[**–a)** 54 sts **–b)** 56 sts **–c)** 58 sts **–d)** 60 sts.
Using another color of waste yarn with empty needle, **–a) –b) –c) & –d): cast on** 22 sts, knit these sts for a total of **–a)** 76 sts **–b)** 78 sts **–c)** 80 sts **–d)** 82 sts. **Cut** waste yarn.
When piece measures **–a)** 27 1/2" **–b)** 28 3/8" **–c)** 29 1/2" **–d)** 29 7/8", at the beginning of the next wrong side row, **bind off –a)** 38 sts **–b)** 39 sts **–c)** 40 sts **–d)** 41 sts.
Continue in *Stockinette St* on remaining **–a)** 38 sts **–b)** 38 sts **–c)** 40 sts **–d)** 41 sts.
When entire piece measures **–a)** 66 3/4" **–b)** 68 1/2" **–c)** 70" **–d)** 71 5/8", **bind off.**

FINISHING

Cut off waste yarn and slip loose sts to needle.
Graft these sts to other cast on sts for side seam.
Fold sleeve in center and **sew** underarm seam.
Sew button to left shoulder area, as shown in photograph.
Use an open stitch for a buttonhole.

MODELO 9

FIL KATIA

GRAFFITI

pág. 6

ESPAÑOL

TALLAS: –a) pequeña **–b)** mediana **–c)** grande

MATERIALES

GRAFFITI: col.6006: **–a)** 9 **–b)** 10 **–c)** 11 ovillos.
4 botones cuadrados col. gris oscuro.

Agujas	Puntos empleados
Nº 5 1/2	- *P. elástico 1x1 semi-tubular* (ver explicación)
Nº. 6	- *trenza A, trenza B* (ver explicación) - *P. elástico 4x1, P. elástico 4x2* (ver explicación)

P. elástico 1x1 semi-tubular:
1ª vta: por el derecho de la labor: * 1 p. der., 1 p. rev. *, repetir de * a *.
2ª vta: por el revés de la labor: pasar los p. que se presenten al rev. sin hacer a la aguja derecha y trab. al der. los p. que se presenten al der.
Repetir estas 2 vtas.

Trenza A:
1ª vta: por el derecho de la labor: poner 2 p. en una aguja auxiliar detrás de la labor, trab. 2 p. der. y los 2 p. de la aguja auxiliar al der.
2ª, 4ª, 6ª vta: trab. 4 p. rev.
3ª, 5ª vta: trab. 4 p. der.
Repetir estas 6 vtas.

Trenza B:
1ª vta: por el derecho de la labor: poner 2 p. en una aguja auxiliar delante de la labor, trab. 2 p. der. y los 2 p. de la aguja auxiliar al der.
2ª, 4ª, 6ª vta: trab. 4 p. rev.
3ª, 5ª vta: trab. 4 p. der.
Repetir estas 6 vtas.

P. elástico 4x1:
Por el derecho de la labor: * 4 p. der., 1 p. rev. *, repetir de * a *.
Trab. en las vtas siguientes los p. como se presenten.

P. elástico 4x2:
Por el derecho de la labor: * 4 p. der., 2 p. rev. *, repetir de * a *.
Trab. en las vtas siguientes los p. como se presenten.

MUESTRA DEL PUNTO

P. elástico 4x1 ó 4x2, ag. nº 6
10x10 cm. = 10 p. y 16 vtas.
NOTA: las medidas están tomadas después de planchar la muestra.

REALIZACIÓN

NOTA: Las explicaciones corresponden solamente a las vtas impares por el derecho de la labor, en las vtas pares por el revés de la labor trab. los p. como se presenten.
Empezar por la parte superior:
Con ag. nº 6, **montar –a)** 53 p. **–b)** 56 p. **–c)** 59 p.
1ª vta: trab. con la siguiente distribución:
–a) 6 p. a *p. elástico 1x1* empezar con 1 p. der., * 2 p. der., 1 p. rev.* repetir de * a * en total 13 veces, 2 p. der., 6 p. a *p. elástico 1x1* empezar con 1 p. rev.
–b) 6 p. a *p. elástico 1x1* empezar con 1 p. der., * 2 p. der., 1 p. rev.* repetir de * a * en total 14 veces, 2 p. der., 6 p. a *p. elástico 1x1* empezar con 1 p. rev.
–c) 6 p. a *p. elástico 1x1* empezar con 1 p. der., * 2 p. der., 1 p. rev.* repetir de * a * en total 15 veces, 2 p. der., 6 p. a *p. elástico 1x1* empezar con 1 p. rev.
Continuar trab. los 6 p. de cada extremo a *p. elástico 1x1 semi-tubular* de la siguiente maniera:
En las vtas por el derecho de la labor:
al inicio de la vta,: pasar sin hacer el primer p. al rev. a la aguja derecha, trab. 1 p. rev., 1 p. der., 1 p. rev., 1 p. der., 1 p. rev.
al final de la vta (= cuando falten 6 p. para terminar la vta): trab. 1 p. rev., 1 p. der., 1 p. rev., 1 p. der., 1 p. rev. y pasar el último p. sin hacer al rev. a la aguja derecha.
En las vtas por el revés de la labor:
Al inicio de la vta: trab. 1 p. rev., 1 p. der., pasar 1 p. sin hacer al rev. a la aguja derecha, 1 p. der., pasar 1 p. sin hacer al rev. a la aguja derecha, 1 p. der.
Al final de la vta (= cuando falten 6 p. para terminar la vta): 1 p. der., pasar 1 p. sin hacer al rev. a la aguja derecha, 1 p. der., pasar 1 p. sin hacer al rev. a la aguja derecha, 1 p. der., trab. 1 p. rev.
NOTA: para evitar que los extremos queden demasiado tirantes, trab. cada 10 vtas el *p. elástico 1x1* normal sobre los 6 p. de cada extremo.
3ª vta: Excepto en los 6 p. a *p. elástico 1x1 semi-tubular* de cada extremo, **aumentar** 1 p. en cada p. der.
Quedan **–a)** 81 p. **–b)** 86 p. **–c)** 91 p.
NOTA: en la siguiente vta por el revés de la labor, **–b) menguar** 1 p. **–c) aumentar** 3 p.
Quedan **–a)** 81 p. **–b)** 85 p. **–c)** 94 p.
5ª vta: trab. con la siguiente distribución:
–a) 6 p. a *p. elástico 1x1 semi-tubular,* 4 p. a *p. trenza A,* 1 p. rev., 4 p. der., 1 p. rev., 4 p. a *p. trenza A,* 1 p. rev., **aumentar** 1 p. en la hebra que une el último p. con el siguiente p. de la aguja izquierda, trab. 4 p. der. y **marcar** estos 4 p., **aumentar** 1 p. en la hebra que une el último p. con el siguiente p. de la aguja izquierda, * 1 p. rev., 4 p. der. *, repetir de * a * en total 6 veces, 1 p. rev., **aumentar** 1 p. en la hebra que une el último p. con el siguiente p. de la aguja izquierda, trab. 4 p. der. y **marcar** estos 4 p., **aumentar** 1 p. en la hebra que une el último p. con el siguiente p. de la aguja izquierda, 1 p. rev., 4 p. a *p. trenza B,* 1 p. rev., 4 p. der., 1 p. rev., 4 p. a *p. trenza B,* hacer 1 **ojal** sobre los 6 p. a *p. elástico 1x1 semi-tubular* de la siguiente manera: trab. 2 p., añadir 2 hebras, trab. 2 p. juntos, trab. 2 p. (en la siguiente vta por el revés de la labor, trab. 1 p. en 1 hebra y soltar la otra hebra).
–b) 6 p. a *p. elástico 1x1 semi-tubular,* 2 p. rev., 4 p. a *p. trenza A,* 1 p. rev., 4 p. der., 1 p. rev., 4 p. a *p. trenza A,* 1 p. rev., **aumentar** 1 p. en la hebra que une el último p. con el siguiente p. de la aguja izquierda, trab. 4 p. der. y **marcar** estos 4 p., **aumentar** 1 p. en la hebra que une el último p. con el siguiente p. de la aguja izquierda, * 1 p. rev., 4 p. der. *, repetir de * a * en total 6 veces, 1 p. rev., **aumentar** 1 p. en la hebra que une el último p. con el siguiente p. de la aguja izquierda, trab. 4 p. der. y **marcar** estos 4 p., **aumentar** 1 p. en la hebra que une el último p. con el siguiente p. de la aguja izquierda, 1 p. rev., 4 p. a *p. trenza B,* 1 p. rev., 4 p. der., 1 p. rev., 4 p. a *p. trenza B,* 2 p. rev., hacer 1 **ojal** sobre los 6 p. a *p. elástico 1x1 semi-tubular* de la siguiente manera: trab. 2 p., añadir 2 hebras, trab. 2 p. juntos, trab. 2 p. (en la siguiente vta por el revés de la labor, trab. 1 p. en 1 hebra y soltar la otra hebra).
–c) 6 p. a *p. elástico 1x1 semi-tubular,* 4 p. a *p. trenza A,* 2 p. rev., 4 p. der., 2 p. rev., 4 p. a *p. trenza A,* 2 p. rev., **aumentar** 1 p. en la hebra que une el último p. con el siguiente p. de la aguja izquierda, trab. 4 p. der. y **marcar** estos 4 p., **aumentar** 1 p. en la hebra que une el último p. con el siguiente p. de la aguja izquierda, * 2 p. rev., 4 p. der. *, repetir de * a * en total 6 veces, 2 p. rev., **aumentar** 1 p. en la hebra que une el último p. con el siguiente p. de la aguja izquierda, trab. 4 p. der. y **marcar** estos 4 p., **aumentar** 1 p. en la hebra que une el último p. con el siguiente p. de la aguja

izquierda, 2 p. rev., 4 p. a *p. trenza B,* 2 p. rev., 4 p. der., 2 p. rev., 4 p. a *p. trenza B,* hacer 1 **ojal** sobre los 6 p. a *p. elástico 1x1 semi-tubular* de la siguiente manera: trab. 2 p., añadir 2 hebras, trab. 2 p. juntos, trab. 2 p. (en la siguiente vta por el revés de la labor, trab. 1 p. en 1 hebra y soltar la otra hebra).
Hacer cada 9 cm. 1 ojal más = en total 4 ojales. Continuar trab. con esta distribución y **aumentar** 25 veces en cada vta por el derecho de la labor 1 p. antes y 1 p. después de los 4 p. marcados (= corresponden a los hombros) y después **aumentar** 10 veces cada 4 vtas. **NOTA:** los aumentos antes del primer hombro corresponden al delantero, los aumentos después del primer hombro corresponden a la espalda. Los aumentos antes del segundo hombro corresponden a la espalda y los aumentos después del segundo hombro corresponden al delantero. Trab. los p. aumentados al der. hasta que hay suficientes p. para formar el p. correspondiente, teniendo en cuenta que los p. aumentados de los delantero se trabajarán a *p. trenza* con **–a), –b)** 1 p. rev., 4 p. der. **–c)** 2 p. rev., 4 p. der. entre las trenzas. Los p. aumentados en la espalda se trabajarán a **–a), –b)** *p. elástico 4x1* **–c)** *p. elástico 4x2.*
A **–a)** 65 cm. **–b)** 66 cm. **–c)** 67 cm. de largo total, **cerrar** los **–a)** 221 p. **–b)** 225 p. **–c)** 234 p. de la siguiente manera: * trab. 2 p. juntos, poner el p. resultante otra vez en la aguja izquierda *, repetir de * a *.

Cuello:
Con ag. nº 5 1/2, **montar –a)** 81 p. **–b)** 85 p. **–c)** 89 p.
Trab. a *p. elástico 1x1 semi-tubular.*
A 14 cm. de largo total, **cerrar** los p.

CONFECCIÓN Y REMATE
Planchar el poncho con vapor.
Coser el cuello, poniendo los extremos del cuello a la mitad de cada tapeta de los delanteros.
Coser los botones enfrente de los ojales.

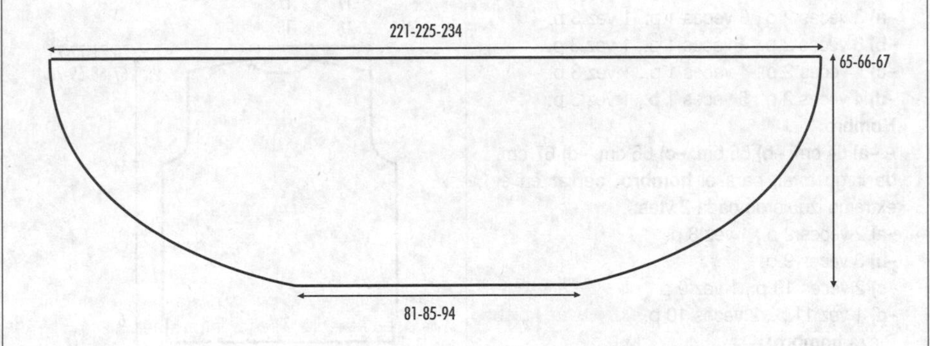

ENGLISH

SIZE: –a) small **–b)** medium **–c)** large

MATERIALS
GRAFFITI: **–a)** 9 **–b)** 10 **–c)** 11 balls color no. 6006
Four buttons.

NEEDLES
Size 8 & 9 (U.S.) /(5 1/2 & 6 metric) **or size you need to use to obtain gauge listed below.**

STITCHES
Front Band sts: Worked over 6 sts at the beginning and at the end of every row.
NOTE: Beginning on the 5th row, work buttonhole at the end of a right side row every 3 1/2 as follows: work to last 6 sts: P1, K1; yarn over twice, P 2 tog, work last 2 sts in existing pattern; on reverse side row, P1, K1, sl 1 st, knit into 1 YO and drop extra loop from needle, sl 1 st, K1
Row 1: (right side) (K1, P1) 3 times; work to last 6 sts: (P1, K1) 3 times.
Rows 2, 4, 6, 8 & 10: (wrong side) P1, (K1, slip 1 st) twice, K1, work to last 6 sts: (K1, sl 1) twice, K1, P1.
Rows 3, 5, 7 & 9: Slip 1 st as if to purl it, P1, (K1, P1) twice: work to last 6 sts: (P1, K1) twice, K1, slip 1 st as if to knit it.
Repeat these 10 rows
Cable Pattern A:
Row 1: (right side) Slip 2 sts to cn, hold in back; K2; K2 from cn.
Rows 2, 4 & 6: Purl
Rows 3 & 5: Knit
Repeat these 6 rows.
Cable Pattern B:
Row 1: (right side) Slip 2 sts to cn, hold in front; K2; K2 from cn.
Rows 2, 4 & 6: Purl
Rows 3 & 5: Knit
Repeat these 6 rows.

GAUGE
Using larger needle in *4x1 Ribbing:* 10 sts and 16 rows = 4x4" after blocking with steam only.,

INSTRUCTIONS
Begin at upper edge:
With larger needles, **cast on: –a)** 53 sts **–b)** 56 sts **–c)** 59 sts
Row 1: Set up pattern as follows:
–a) Beginning with K1, work 6 *Front Band* sts; * K2, P1, *; rep from * to * 12 more times; K2, beginning with P1, work 6 *Front Band* sts.
–b) Beginning with K1, work 6 *Front Band* sts; * K2, P1, *; rep from * to * 13 more times; K2, beginning with P1, work 6 *Front Band* sts.
–c) Beginning with K1, work 6 *Front Band* sts; * K2, P1, *; rep from * to * 14 more times; K2, beginning with P1, work 6 *Front Band* sts.
Row 2 and all reverse side rows: Except for the *Front Band* sts, work sts as they appear.
Row 3: Wok 6 *Front Band* sts; * (knit into the front loop and then into the back loop of the next st) twice, P1, *; rep from * to * to last 8 sts, (knit into the front loop and then into the back loop of the next st) twice, work 6 *Front Band* sts: **–a)** 81 sts **–b)** 86 sts **–c)** 91 sts].
Row 4: Anywhere in the center section, **–a)** do not increase or decrease [81 sts] **–b)** decrease 1 st; 85 sts] **–c)** increase 3 sts: [94 sts].
Row 5: Set up pattern and increase as follows: to **increase** 1 st: knit into the strand of yarn between last worked st on RH needle and next st on LH needle.
–a) 6 *Front Band* sts; 4 sts *Cable Pattern A,* P1, K4, P1, 4 sts *Cable Pattern A;* P1, **increase** 1 st; K4, then mark these last 4 sts with a safety pin; **increase** 1 st; * P1, K4, *; rep from * to * 5 more times; P1, **increase** 1 st; K4, then mark these last 4 sts with a safety pin; **increase** 1 st; P1, 4 sts *Cable Pattern B;* P1, K4, P1, 4 sts *Cable Pattern B;* work first buttonhole in the 6 *Front Band* sts: [85 sts].
–b) 6 *Front Band* sts; P2, 4 sts *Cable Pattern A,* P1, K4, P1, 4 sts *Cable Pattern A;* P1, **increase** 1 st; K4, then mark these last 4 sts with a safety pin; **increase** 1 st; * P1, K4, *; rep from * to * 5 more times; P1, **increase** 1 st; K4, then mark these last 4 sts with a safety pin; **increase** 1 st; P1, 4 sts *Cable Pattern B;* P1, K4, P1, 4 sts *Cable Pattern B;* P2, work first buttonhole in the 6 *Front Band* sts: [.
–c) 6 *Front Band* sts; 4 sts *Cable Pattern A,* P2, K4, P2, 4 sts *Cable Pattern A;* P2, **increase** 1 st; K4, then mark these last 4 sts with a safety pin; **increase** 1 st; * P2, K4, *; rep from * to * 5 more times; P2, **increase** 1 st; K4, then mark these last 4 sts with a safety pin; **increase** 1 st; P2, 4 sts *Cable Pattern B;* P2, K4, P2, 4 sts *Cable Pattern B;* work first buttonhole in the 6 *Front Band* sts.
NOTE: The four marked stitches separate the back from the fronts. All increasing is done before and after each edge of these 4 sts, and the increased stitches should be worked into the existing pattern of **–a) & –b)** 1 purl st, 4 knit sts **–c)** 2 purl sts, 4 knit sts.
Increase on right side rows as follows: every 2 rows: 24 more times: every 4 rows: 10 times. [**–a)** 221 sts **–b)** 225 sts **–c)** 243 sts].
When cape measures **–a)** 25 5/8" **–b)** 26" **–c)** 26 3/8", bind off all sts in the following manner: * K 2 tog, put resulting st back onto LH needle, *; rep from * to *
Collar:
Using smaller needles, cast on **–a)** 81 sts **–b)** 85 sts **–c)** 89 sts.
Work same as *Front Band* sts, continuing with 1x1 Ribbing pattern over the center sts.

FINISHING
Carefully block on the wrong side, using steam only.
Beginning and ending in the center of each front band, **sew** collar around neck edge.
Sew buttons opposite buttonholes.

MODELO 10

FIL KATIA

VENUS / SHERPA

(Ver página 3 Puntos Básicos)
(See page 3 Basic Stitches)

pág. 6

ESPAÑOL

TALLAS: –a) 40 –b) 44 –c) 48 –d) 52

MATERIALES

VENUS: col. 6803: **–a)** 11 **–b)** 12 **–c)** 13 **–d)** 15 ovillos.

SHERPA: col. gris oscuro 49: **–a), –b), –c), –d)** 1 ovillo.

1 cremallera col. gris oscuro de 70 cm. largo.

Agujas	Puntos empleados
Nº 4	- *P. elástico 1x1*
Nº 4 1/2	- *P. jersey der.*

MUESTRA DEL PUNTO

P. jersey der., VENUS, ag. nº 4 1/2

10x10 cm. = 17 p. y 24 vtas.

ESPALDA

Con VENUS y ag. nº 4, **montar –a)** 98 p. **–b)** 106 p. **–c)** 116 p. **–d)** 124 p.

Trab. a *p. elástico 1x1*.

A 6 cm. de largo total, **cambiar** ag. nº 4 1/2 y continuar trab. a *p. jersey der.*

Sisas:

A 44 cm. de largo total, **cerrar** en ambos lados cada 2 vtas:

–a) 1 vez 4 p., 1 vez 3 p., 1 vez 2 p., 1 vez 1 p. = 78 p.

–b) 1 vez 4 p., 1 vez 3 p., 2 veces 2 p., 1 vez 1 p. = 82 p.

–c) 1 vez 4 p., 2 veces 3 p., 1 vez 2 p., 2 veces 1 p. = 88 p.

–d) 1 vez 4 p., 2 veces 3 p., 2 veces 2 p., 1 vez 1 p. = 94 p.

Hombros y escote:

Se forman al mismo tiempo.

A **–a)** 67 cm. **–b)** 68 cm. **–c)** 69 cm. **–d)** 70 cm. de largo total, para los **hombros, cerrar** en ambos lados cada 2 vtas:

–a) 2 veces 9 p., 1 vez 8 p.

–b) 3 veces 9 p.

–c) 2 veces 10 p., 1 vez 9 p.

–d) 1 vez 11 p., 2 veces 10 p.

A los mismos **–a)** 67 cm. **–b)** 68 cm. **–c)** 69 cm. **–d)** 70 cm. de largo total, para el **escote, cerrar** los **–a)** 6 p. **–b)** 8 p. **–c)** 10 p. **–d)** 12 p. centrales y continuar trab. cada lado por separado.

Cerrar cada 2 vtas en el lado del escote: 2 veces 5 p.

Acabar el otro lado igual, pero a **la inversa.**

DELANTERO DERECHO

Con VENUS y ag. nº 4, **montar –a)** 48 p. **–b)** 52 p. **–c)** 58 p. **–d)** 62 p.

Trab. a *p. elástico 1x1*.

A 6 cm. de largo total, **cambiar** ag. nº 4 1/2 y continuar trab. a *p. jersey der.*, excepto los 3 p. en el extremo derecho. Trab. estos 3 p. a lo largo del delantero a *p. elástico 1x1*.

Sisa:

A 44 cm. de largo total, **cerrar** en el extremo izquierdo cada 2 vtas:

–a) 1 vez 4 p., 1 vez 3 p., 1 vez 2 p., 1 vez 1 p. = 38 p.

–b) 1 vez 4 p., 1 vez 3 p., 2 veces 2 p., 1 vez 1 p. = 40 p.

–c) 1 vez 4 p., 2 veces 3 p., 1 vez 2 p., 2 veces 1 p. = 44 p.

–d) 1 vez 4 p., 2 veces 3 p., 2 veces 2 p., 1 vez 1 p. = 47 p.

Escote:

A **–a), –b), –c), –d)** 62 cm. de largo total, **cerrar** en el extremo derecho al inicio de cada vta por el derecho de la labor:

–a) 3 veces 2 p., 3 veces 1 p., 1 vez 3 p.

–b) 3 veces 2 p., 4 veces 1 p., 1 vez 3 p.

–c) 4 veces 2 p., 4 veces 1 p., 1 vez 3 p.

–d) 4 veces 2 p., 5 veces 1 p., 1 vez 3 p.

Hombro:

A **–a)** 64 cm. **–b)** 65 cm. **–c)** 66 cm. **–d)** 67 cm. de largo total, para el **hombro, cerrar** en el extremo izquierdo cada 2 vtas:

–a) 2 veces 9 p., 1 vez 8 p.

–b) 3 veces 9 p.

–c) 2 veces 10 p., 1 vez 9 p.

–d) 1 vez 11 p., 2 veces 10 p.

Pieza hombro:

Con ag. nº 4 y SHERPA, **montar** 13 p.

Trab. **–a)** 31 vtas **–b)** 33 vtas **–c)** 35 vtas **–d)** 37 vtas a *p. elástico 1x1*. **Cerrar** al inicio de la siguiente vta (= por el revés de la labor): 1 vez 7 p. y al inicio de la siguiente vta (= por el derecho de la labor) **cerrar** los 6 p. restantes.

Coser esta pieza al hombro. De esta manera se obtiene el mismo largo que la espalda.

DELANTERO IZQUIERDO

Trab. como el delantero derecho, pero **a la inversa.**

MANGAS

Con VENUS y ag. nº 4, **montar –a)** 50 p. **–b)** 52 p. **–c)** 56 p. **–d)** 60 p.

Trab. 6 cm. a *p. elástico 1x1*.

Cambiar ag. nº 4 1/2 y continuar trab. a *p. jersey der.*

Aumentar en ambos lados cada 8 vtas y cada 10 vtas alternativamente: 10 veces 1 p.

Quedan **–a)** 70 p. **–b)** 72 p. **–c)** 76 p. **–d)** 80 p.

Sisa:

A 51 cm. de largo total, **cerrar** en ambos lados cada 2 vtas:

–a) 1 vez 4 p., 1 vez 3 p., 3 veces 2 p., 2 veces 1 p., 3 veces 2 p., 1 vez 3 p., 1 vez 4 p.

–b) 1 vez 4 p., 1 vez 3 p., 3 veces 2 p., 3 veces 1 p., 3 veces 2 p., 1 vez 3 p., 1 vez 4 p.

–c) 1 vez 4 p., 1 vez 3 p., 3 veces 2 p., 3 veces 1 p., 4 veces 2 p., 1 vez 3 p., 1 vez 4 p.

–d) 1 vez 4 p., 1 vez 3 p., 3 veces 2 p., 3 veces 1 p., 5 veces 2 p., 1 vez 3 p., 1 vez 4 p.

A **–a)** 62 cm. **–b)** 63 cm. **–c)** 64 cm. **–d)** 65 cm. de largo total, **cerrar** los **–a), –b), –c), –d)** 14 p. restantes.

Trab. la otra manga igual.

CONFECCIÓN Y REMATE

Cuello:

Con SHERPA y ag. nº 4, **montar –a)** 97 p. **–b)** 107 p. **–c)** 117 p. **–d)** 127 p.

Trab. 2 vtas a *p. elástico 1x1*, empezar y terminar con 1 p. der.

Cambiar la calidad a VENUS y continuar trab. a *p. elástico 1x1*.

A 8 cm. de largo total, **cerrar** los p.

Coser hombros y cuello alrededor del escote (= con las 2 vtas SHERPA en la parte superior del cuello).

Coser lados, mangas y cremallera.

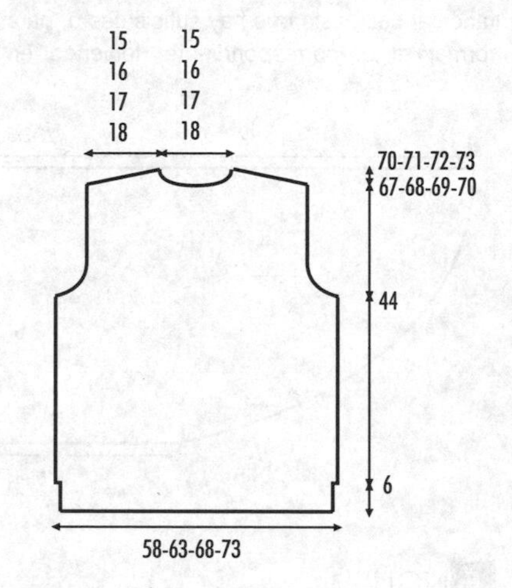

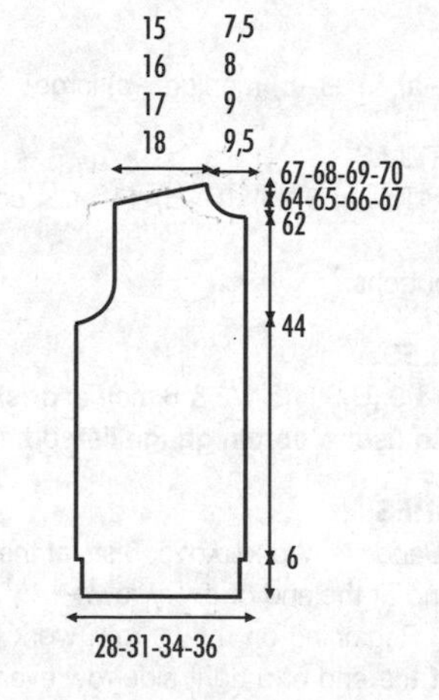

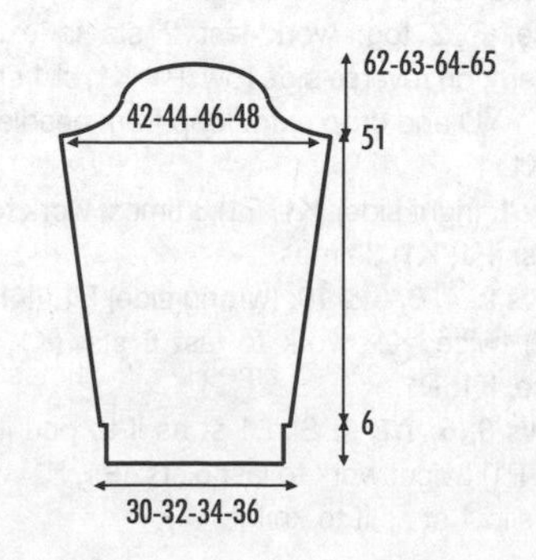

ENGLISH

SIZE: –a) 45 5/8" **–b)** 49 5/8" **–c)** 53 1/2" **–d)** 57 1/2": finished chest measurement.

MATERIALS
VENUS: **–a)** 11 **–b)** 12 **–c)** 13 **–d)** 15 balls color no. 6803.
SHERPA: **–a) –b) –c) & –d):** 1 ball dark grey no. 49.
One 27 1/2" Zipper.

NEEDLES
Size 5 & 7 (U.S.) /(4 & 4 1/2 metric) **or size you need to use to obtain gauge listed below.**

STITCHES
See Basic Instructions for: *1x1 Ribbing*, *Stockinette St.*

GAUGE
Using VENUS with larger needles in *Stockinette St*: 17 sts and 24 rows = 4x4"

BACK
Using VENUS with smaller needles, **cast on –a)** 98 sts **–b)** 106 sts **–c)** 116 sts **–d)** 124 sts.
Work *1x1 Ribbing* for 2 3/8".
Change to larger needles and work *Stockinette St.*
Armholes:
When back measures 17 1/4", **bind off** at each edge every 2 rows:
a) 4 sts 1 time; 3 sts 1 time; 2 sts 1 time; 1 st 1 time: [78 sts].
b) 4 sts 1 time; 3 sts 1 time; 2 sts 2 times; 1 st 1 time: [82 sts].
c) 4 sts 1 time; 3 sts 2 times; 2 sts 1 time; 1 st 2 times: [88 sts].
d) 4 sts 1 time; 3 sts 2 times; 2 sts 2 times; 1 st 1 time: [94 sts].
Shoulders and neckline:
Worked at the same time when back measures **–a)** 26 3/8" **–b)** 26 3/4" **–c)** 27 1/8" **–d)** 27 1/2".
For neckline: **bind off** center **–a)** 6 sts **–b)** 8 sts **–c)** 10 sts **–d)** 12 sts.
Working each side separately, **bind off** at neck edge every 2 rows: 5 sts 2 times.
For shoulders: **bind off** at armhole edge every 2 rows:
–a) 9 sts 2 times; 8 sts 1 time
–b) 9 sts 3 times
–c) 10 sts 2 times; 9 sts 1 time
–d) 11 sts 1 time; 10 sts 2 times.

RIGHT FRONT
Using VENUS with smaller needles, **cast on –a)** 48 sts **–b)** 52 sts **–c)** 58 sts **–d)** 62 sts.
Work *1x1 Ribbing* for 2 3/8".
Change to larger needles and work *Stockinette St.*
Armhole:
When front measures 17 1/4", bind off at armhole edge every 2 rows:
a) 4 sts 1 time; 3 sts 1 time; 2 sts 1 time; 1 st 1 time: [38 sts].
b) 4 sts 1 time; 3 sts 1 time; 2 sts 2 times; 1 st 1 time: [40 sts].
c) 4 sts 1 time; 3 sts 2 times; 2 sts 1 time; 1 st 2 times: [44 sts].
d) 4 sts 1 time; 3 sts 2 times; 2 sts 2 times; 1 st 1 time: [47 sts].
Neckline:
When front measures **–a) –b) –c) & –d):** 24 3/8", bind off at center front edge every 2 rows:
–a) 2 sts 3 times; 1 st 3 times; 3 sts 1 time.
–b) 2 sts 3 times; 1 st 4 times; 3 sts 1 time.
–c) 2 sts 4 times; 1 st 4 times; 3 sts 1 time.
–d) 2 sts 4 times; 1 st 5 times; 3 sts 1 time.
AND AT THE SAME TIME:
Shoulders:
When front measures **–a)** 25 1/4" **–b)** 25 5/8" **–c)** 26" **–d)** 26 3/8", bind off at armhole edge every 2 rows:
–a) 9 sts 2 times; 8 sts 1 time
–b) 9 sts 3 times
–c) 10 sts 2 times; 9 sts 1 time
–d) 11 sts 1 time; 10 sts 2 times.
Shoulder insert:
Using SHERPA with smaller needle, **–a) –b) –c) & –d): cast on** 13 sts.
Work *1x1 Ribbing* for **–a)** 31 rows **–b)** 33 rows **–c)** 35 rows **–d)** 37 rows.
At the beginning of next right side row, **bind off** 7 sts; work to end of row.
Next row (wrong side) **bind off** remaining 6 sts.
Sew insert to shoulder edge, with flat edge at armhole, and shorter edge (first bind off) at shoulder seam.

LEFT FRONT
Work same as right front, reversing all shaping, including shoulder insert.

SLEEVES
Using VENUS with smaller needles, **cast on –a)** 50 sts **–b)** 52 sts **–c)** 56 sts **–d)** 60 sts.
Work *1x1 Ribbing* for 2 3/8".
Change to larger needles and work *Stockinette St*, **–a) –b) –c) & –d): increasing** 1 st at each edge alternately every 8 and 10 rows: 10 times: [a) 70 sts **–b)** 72 sts **–c)** 76 sts **–d)** 80 sts].
Armhole:
When sleeve measures20 1/8", bind off at each edge every 2 rows:
–a) 4 sts 1 time; 3 sts 1 time; 2 sts 3 times; 1 st 2 times; 2 sts 3 times; 3 sts 1 time; 4 sts 1 time: [14 sts]
–b) 4 sts 1 time; 3 sts 1 time; 2 sts 3 times; 1 st 3 times; 2 sts 3 times; 3 sts 1 time; 4 sts 1 time: [14 sts]
–c) 4 sts 1 time; 3 sts 1 time; 2 sts 3 times; 1 st 3 times; 2 sts 4 times; 3 sts 1 time; 4 sts 1 time: [14 sts]
–d) 4 sts 1 time; 3 sts 1 time; 2 sts 3 times; 1 st 3 times; 2 sts 5 times; 3 sts 1 time; 4 sts 1 time: [14 sts]
When sleeve measures **–a)** 24 3/8" **–b)** 24 3/4" **–c)** 25 1/4" **–d)** 25 5/8", bind off all rem sts.

FINISHING
Collar:
Using SHERPA with smaller needles, **cast on –a)** 97 sts **–b)** 107 sts **–c)** 117 sts **–d)** 127 sts.
Beginning and ending with K1, work *1x1 Ribbing* for 2 rows.
Change to VENUS and continue in established ribbing pattern.
When collar measures 3 1/8"; **bind off.**
Sew back shoulder seams to front inserts.
Sew collar around neck edge.
Sew in Zipper.
Sew side and sleeve seams.

MODELO 11

FIL KATIA

GRAFFITI / MERINO 100 %

pág. 6

ESPAÑOL

TALLAS: –a) 38/40 **–b)** 42/44 **–c)** 46/48 **–d)** 50/52

MATERIALES
GRAFFITI: col. 6006: **–a)** 11 **–b)** 13 **–c)** 14 **–d)** 16 ovillos.
MERINO 100 %: col. 26: **–a), –b), –c), –d)** 1 ovillo.

Agujas	Puntos empleados
Nº 6	- *P. elástico 1x1* - *P. Bobo* - *P. jersey der.* - *Menguados y aumentos* (ver explicación) - *Bordado* (ver gráfico A)

Menguados: por el derecho de la labor:
En el extremo derecho (= inicio de la vta): trab. 3 p. der., pasar 1 p. sin hacer a la aguja derecha, trab. 1 p. der. y pasar el p. sin hacer por encima.
En el extremo izquierdo (= cuando falten 5 p. para terminar la vta): trab. 2 p. juntos al der., 3 p. der.
Aumentos: por el derecho de la labor:
En el extremo derecho (= inicio de la vta): trab. 3 p. der., trab. 1 p. der. en la hebra que une el último p. de la aguja derecha con el siguiente p. en la aguja izquierda.
En el extremo izquierdo (= cuando falten 3 p. para terminar la vta): trab. 1 p. der. en la hebra que une el último p. de la aguja derecha con el siguiente p. en la aguja izquierda, trab. 3 p. der.

MUESTRA DEL PUNTO
P. jersey der., ag. nº 6
10x10 cm. = 12 p. y 17 vtas.
P. bobo, ag. nº 6
10x10 cm. = 12 p. y 24 vtas

ESPALDA
Con ag. nº 6 y GRAFFITI, **montar** en *tubular* (ver pág. p. básicos) **–a)** 29 p. **–b)** 32 p. **–c)** 34 p. **–d)** 37 p. para obtener **–a)** 58 p. **–b)** 64 p. **–c)** 68 p. **–d)** 74 p.
Trab. 1 cm. a *p. elástico 1x1* y continuar trab. a *p. bobo.*
A 11 cm. de largo total, continuar trab. a *p. jersey der.* y **menguar** en ambos lados cada 6 vtas: 4 veces 1 p. = **–a)** 50 p. **–b)** 56 p. **–c)** 60 p. **–d)** 66 p.

INSTRUCCIONES

A 22 cm. de largo total, **aumentar** en ambos lados cada 6 vtas: 3 veces 1 p. = **-a)** 56 p. **-b)** 62 p. **-c)** 66 p. **-d)** 72 p.
Sisas:
A 41 cm. de largo total, **menguar** en ambos lados:
-a) cada 4 vtas: 2 veces 1 p.; cada 2 vtas: 13 veces 1 p.
-b) cada 2 vtas: 18 veces 1 p.
-c) cada 2 vtas: 19 veces 1 p.
-d) cada 2 vtas: 22 veces 1 p.
A **-a)** 62 cm. **-b)** 63 cm. **-c)** 64 cm. **-d)** 67 cm. de largo total, **cerrar** los **-a), -b)** 26 p. **-c), -d)** 28 p. restantes del escote.

DELANTERO
Trab. como la espalda, excepto el escote.
Escote:
A **-a)** 60 cm. **-b)** 61 cm. **-c)** 62 cm. **-d)** 65 cm. de largo total, **cerrar** los **-a), -b)** 18 p. **-c), -d)** 20 p. centrales y continuar trab. cada lado por separado.
Cerrar cada 2 vtas en el lado del escote: 2 veces 2 p.
Acabar el otro lado igual, pero **a la inversa.**

MANGAS
Con ag. nº 6 y GRAFFITI, **montar** en *tubular* (ver pág. p. básicos) **-a)** 18 p. **-b)** 19 p. **-c)** 20 p. **-d)** 21 p. para obtener **-a)** 36 p. **-b)** 38 p. **-c)** 40 p. **-d)** 42 p.
Trab. 1 cm. a *p. elástico 1x1* y continuar trab. a *p. bobo.*
Menguar en ambos lados cada 6 vtas: 3 veces 1 p. = **-a)** 30 p. **-b)** 32 p. **-c)** 34 p. **-d)** 36 p.
A 11 cm. de largo total, continuar trab. a *p. jersey der.*
A 18 cm. de largo total, **aumentar** en ambos lados:
-a) cada 6 vtas y cada 8 vtas alternativamente: 5 veces 1 p. = 40 p.
-b) cada 4 vtas y cada 6 vtas alternativamente: 7 veces 1 p. = 46 p.
-c) cada 4 vtas y cada 6 vtas alternativamente: 7 veces 1 p. = 48 p.
-d) cada 4 vtas: 9 veces 1 p. = 54 p.
Sisa:
A 44 cm. de largo total, continuar trab. a *p. bobo* y **menguar** en ambos lados:
-a) cada 4 vtas: 2 veces 1 p.; cada 2 vtas: 13 veces 1 p.
-b) cada 2 vtas: 18 veces 1 p.
-c) cada 2 vtas: 19 veces 1 p.
-d) cada 2 vtas: 22 veces 1 p.
A **-a)** 65 cm. **-b)** 66 cm. **-c)** 67 cm. **-d)** 70 cm. de largo total, **cerrar** los **-a), -b), -c), -d)** 10 p. restantes.
Trab. la otra manga igual.

CONFECCIÓN Y REMATE
Con 1 hilo MERINO 100 % col. 26, **bordar** sobre el delantero los motivos según gráfico A.
NOTA: en el gráfico están representadas las vtas que ocupan los motivos a partir del *p. bobo* del bajo y desde el lateral derecho del delantero. Planchar las piezas y **coser** 3 de las 4 sisas.
Con ag. 6 y GRAFFITI, **recoger** alrededor del escote y sobre las mangas **-a)** 60 p. **-b)** 64 p. **-c)** 68 p. **-d)** 72 p.
Trab. a *p. bobo.*
A 10 cm. de largo total, **aumentar** 4 p. repartidos en una vta = **-a)** 64 p. **-b)** 68 p. **-c)** 72 p. **-d)** 76 p.
A 20 cm. de largo total, **aumentar** 4 p. repartidos en una vta = **-a)** 68 p. **-b)** 72 p. **-c)** 76 p. **-d)** 80 p.
A 24 cm. de largo total, **cerrar** los p. en *tubular* (ver pág. p. básicos).
Coser la última sisa, cuello, lados y mangas.

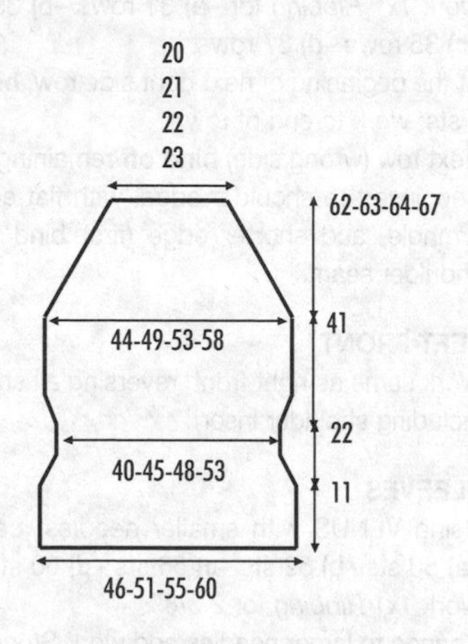

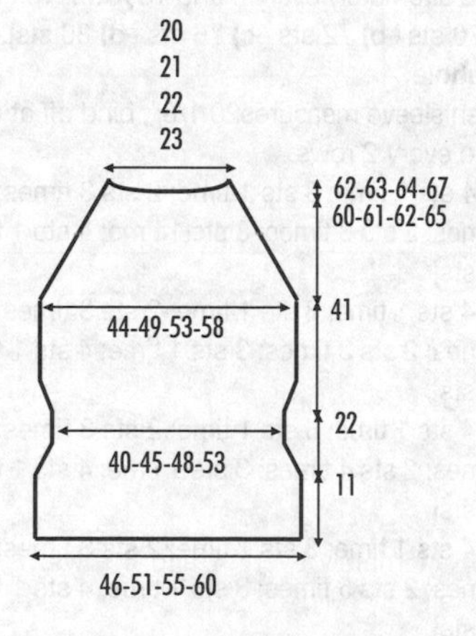

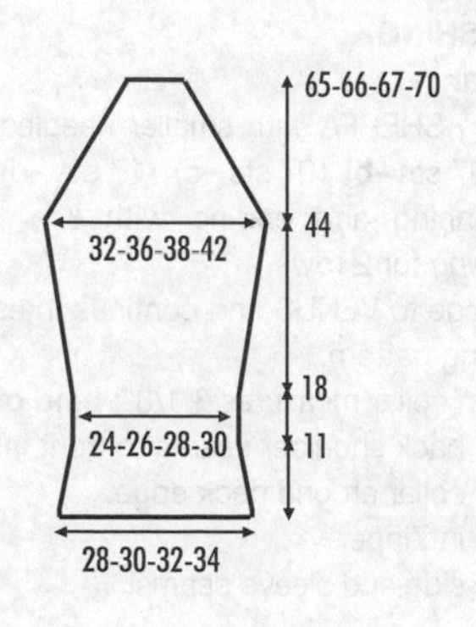

ENGLISH

SIZE: -a) 34 5/8" **-b)** 38 5/8" **-c)** 41 3/4" **-d)** 45 5/8": finished bust measurement

MATERIALS
GRAFFITI: **-a)** 11 **-b)** 13 **-c)** 14 **-d)** 16 balls color no. 6006.
MERINO 100%: **-a) -b) -c) & -d):** 1 ball fuchsia no. 26.

NEEDLES
Size 9 (U.S.) /(6 metric) **or size you need to use to obtain gauge listed below.**

STITCHES
See Basic Instructions for: *Tubular Cast On,1x1 Ribbing, Garter St, Stockinette St, Embroidered Duplicate St, Embroidered Back St.*
NOTE 1: Decrease 1 st for shaping as follows:
At the beginning of right side rows, K3, sl 1, K1, PSSO.
At the end of right side rows, work to last 5 sts; K 2 tog, K3
NOTE 2: Increase 1 st for shaping as follows:
At beginning of right side rows: K3, with tip of LH needle pick up strand of yarn between last worked st on RH needle and next st on LH needle, knit into back lp to inc 1 st.
At the end of right side rows: work to last 3 sts; inc as before, K3.

GAUGE
Using GRAFFITI in *Stockinette St*: 12 sts and 17 rows = 4x4"
Using GRAFFITI in *Garter St*, 12 sts and 24 rows = 4x4"

BACK
Using GRAFFITI In ***Tubular Cast On***, begin with **-a)** 29 sts **-b)** 32 sts **-c)** 34 sts **-d)** 37 sts to make **-a)** 58 sts **-b)** 64 sts **-c)** 68 sts **-d)** 74 sts.
Work *1x1 Ribbing* for 3/8", then work *Garter St*.
When back measures 4 3/8", work *Stockinette St*, **decreasing** 1 st at each edge as given in "NOTE 1" above, every 6 rows: 4 times:
[**-a)** 50 sts **-b)** 56 sts **-c)** 60 sts **-d)** 66 sts].
When back measures 8 5/8", **increase** 1 st at each edge as given in "NOTE 2" above, every 6 rows: 3 times:
[**-a)** 56 sts **-b)** 62 sts **-c)** 66 sts **-d)** 72 sts].
Armholes:
When back measures 16 1/8", **bind off** 1 st at each edge:
-a) every 4 rows: 2 times; every 2 rows: 13 times: [26 sts]
-b) every 2 rows: 18 times: [26 sts]
-c) every 2 rows: 19 times: [28 sts]
-d) every 2 rows: 22 times: [28 sts]
When back measures **-a)** 24 3/8" **-b)** 24 3/4" **-c)** 25 1/4" **-d)** 26 3/8", **bind off** all rem sts.

FRONT
Work same as back until front measures **-a)** 23 5/8" **-b)** 24" **-c)** 24 3/8" **-d)** 25 5/8".
Neckline:
Bind off center **-a)** 18 sts **-b)** 18 sts **-c)** 20 sts **-d)** 20 sts.

Gráfico A

- ☐ p. jersey der. de base GRAFFITI
- – p. de pespunte bordado con MERINO 100 %
- • p. de cadeneta bordado con MERINO 100 %

Graph A

- ☐ GRAFFITI background
- – Embroidered Back St using MERINO 100%
- • Embroidered Duplicate St using MERINO 100%

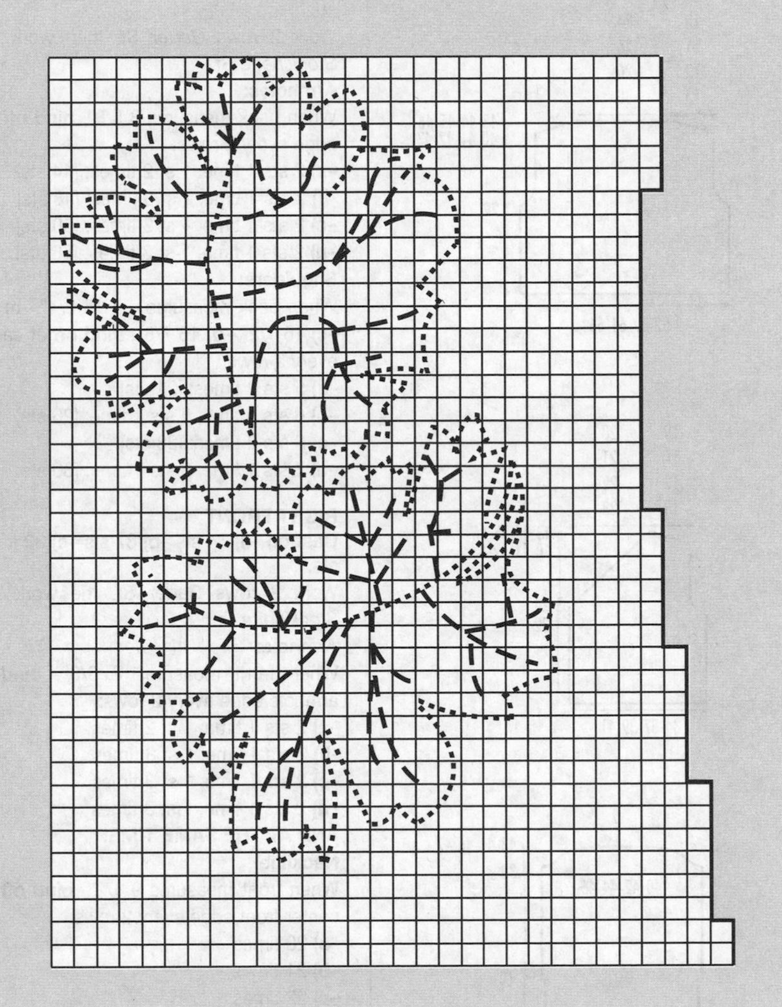

Working each side separately, **–a) –b) –c) & –d):** bind off at neck edge every 2 rows: 2 sts 2 times.

SLEEVES

Using GRAFFITI, In ***Tubular Cast On***, begin with **–a)** 18 sts **–b)** 19 sts **–c)** 20 sts **–d)** 21 sts to make **–a)** 36 sts **–b)** 38 sts **–c)** 40 sts **–d)** 42 sts.

Work *1x1 Ribbing* for 3/8", then work *Garter St*, **decreasing –a) –b) –c) & –d):** 1 st at each edge every 6 rows: 3 times:

[**–a)** 30 sts **–b)** 32 sts **–c)** 34 sts **–d)** 36 sts].

When sleeve measures 4 3/8", work *Stockinette St.*

When sleeve measures 7 1/8", **increase** 1 st at each edge:

–a) alternately every 6 and 8 rows: 5 times: [40 sts]

–b) alternately every 4 and 6 rows: 7 times: [46 sts]

–c) alternately every 4 and 6 rows: 7 times: [48 sts]

–d) every 4 rows: 9 times: [54 sts].

Armhole:

When sleeve measures 17 1/4", work *Garter St*, **binding off** 1 st at each edge:

–a) every 4 rows: 2 times; every 2 rows: 12 times: [10 sts]

–b) every 2 rows: 18 times: [10 sts]

–c) every 2 rows: 19 times: [10 sts]

–d) every 2 rows: 22 times: [10 sts]

When sleeve measures **–a)** 25 5/8" **–b)** 26" **–c)** 26 3/8" **–d)** 27 1/2", **bind off** all rem sts.

FINISHING

Using MERINO 100%, following Graph A, work embroidery, with lower edge of graph showing stitches just above rows of *Garter St*, and right edge of graph representing right edge of front.

Carefully block pieces on the wrong side, using steam only.

Sew 3 of the 4 Raglan shoulder seams.

Using GRAFFITI, **pick up –a)** 60 sts **–b)** 64 sts **–c)** 68 sts **–d)** 72 sts around entire neck edge.

Work *Garter St* for 4", then **increase** 4 sts evenly on next row: [**–a)** 64 sts **–b)** 68 sts **–c)** 72 sts **–d)** 76 sts.

When collar measures 7 7/8", **increase** 4 sts evenly on next row: [**–a)** 68 sts **–b)** 72 sts **–c)** 76 sts **–d)** 80 sts.

When collar measures 9 1/2", use Finished Edge **Bind Off** (see Basic Instructions).

Sew other shoulder, side and sleeve seams.

MODELO 12 FIL KATIA

DIVA

pág. 6

ESPAÑOL

TALLAS: –a) 38/40 **–b)** 42/44 **–c)** 46/48 **–d)** 50/52

MATERIALES

DIVA: col. 6104: **–a)** 13 **–b)** 14 **–c)** 16 **–d)** 17 ovillos.

4 botones

Agujas	Puntos empleados
Nº 8	- *P. elástico 1x1* - *P. bobo* - *P. jersey rev.*

MUESTRA DEL PUNTO

P. jersey rev., ag. nº 8

10x10 cm. = 10 p. y 14 vtas.

ESPALDA

Montar –a) 52 p. **–b)** 58 p. **–c)** 60 p. **–d)** 66 p.

Trab. 2 vtas a *p. bobo* y continuar trab. a *p. jersey rev.*

Sisas:

A 22 cm. de largo total, **cerrar** en ambos lados cada 2 vtas:

–a) 1 vez 2 p., 2 veces 1 p. = 44 p.

–b) 1 vez 2 p., 3 veces 1 p. = 48 p.

–c) 1 vez 2 p., 3 veces 1 p. = 50 p.

–d) 1 vez 2 p., 3 veces 1 p. = 56 p.

Hombros:

A **–a)** 40 cm. **–b)** 41 cm. **–c)** 42 cm. **–d)** 43 cm. de largo total, **cerrar** en ambos lados cada 2 vtas:

–a) 2 veces 5 p.

–b) 1 vez 6 p., 1 vez 5 p.

–c) 2 veces 6 p.

–d) 1 vez 7 p., 1 vez 6 p.

I N S T R U C C I O N E S

A **–a)** 43 cm. **–b)** 44 cm. **–c)** 45 cm. **–d)** 46 cm. de largo total, **cerrar** los **–a)** 24 p. **–b)** 26 p. **–c)** 28 p. **–d)** 30 p. restantes del **escote.**

DELANTERO DERECHO
Montar –a) 34 p. **–b)** 37 p. **–c)** 39 p. **–d)** 41 p.
Trab. 2 vtas a *p. bobo* y continuar trab. a *p. jersey rev.*
Sisa:
A 22 cm. de largo total, **cerrar** en el extremo izquierdo cada 2 vtas:
–a) 1 vez 2 p., 2 veces 1 p.
–b) 1 vez 2 p., 3 veces 1 p.
–c) 1 vez 2 p., 3 veces 1 p.
–d) 1 vez 2 p., 3 veces 1 p.
Escote:
A 24 cm. de largo total, **cerrar** en el extremo derecho en cada vta:
–a) 20 veces 1 p.
–b) 21 veces 1 p.
–c) 22 veces 1 p.
–d) 23 veces 1 p.
Hombro:
A **–a)** 40 cm. **–b)** 41 cm. **–c)** 42 cm. **–d)** 43 cm. de largo total, **cerrar** en el extremo izquierdo cada 2 vtas:
–a) 2 veces 5 p.
–b) 1 vez 6 p., 1 vez 5 p.
–c) 2 veces 6 p.
–d) 1 vez 7 p., 1 vez 6 p.

DELANTERO IZQUIERDO
Trab. como el delantero derecho, pero **a la inversa.**

MANGAS
Montar –a) 38 p. **–b)** 40 p. **–c)** 42 p. **–d)** 44 p.
Trab. 2 vtas a *p. bobo* y continuar trab. a *p. jersey rev.*
A 10 cm. de largo total, **aumentar** en ambos lados 1 vez 1 p. = **–a)** 40 p. **–b)** 42 p. **–c)** 44 p. **–d)** 46 p.
Sisa:
A 38 cm. de largo total, **cerrar** en ambos lados cada 2 vtas:
–a) 1 vez 2 p., 1 vez 1 p.
–b) 1 vez 2 p., 2 veces 1 p.
–c) 1 vez 2 p., 3 veces 1 p.
–d) 1 vez 2 p., 4 veces 1 p.
A **–a)** 43 cm. **–b)** 44 cm. **–c)** 45 cm. **–d)** 46 cm. de largo total, **cerrar** los **–a), –b), –c), –d)** 34 p. restantes.
Trab. la otra manga igual.

CONFECCIÓN Y REMATE
Coser hombros.
Cuello:
Recoger del escote de un delantero **–a)** 35 p. **–b)** 37 p. **–c)** 39 p. **–d)** 41 p.; alrededor del escote de la espalda **–a)** 19 p. **–b)** 21 p. **–c)** 21 p. **–d)** 23 p.; alrededor del escote del otro delantero **–a)** 35 p. **–b)** 37 p. **–c)** 39 p. **–d)** 41 p. = en total **–a)** 89 p. **–b)** 95 p. **–c)** 99 p. **–d)** 105 p.
Trab. 2 vtas a *p. elástico 1x1.* Empezar y terminar con 1 p. der.
En la siguiente vta por el derecho de la labor, **aumentar** 6 p. repartidos = **–a)** 95 p. **–b)** 101 p. **–c)** 105 p. **–d)** 111 p.
A 20 cm. de largo total, **cerrar** los p.
Coser lados y mangas.

Coser los 4 botones en la tapeta del delantero derecho, uniendo ambos delanteros. **NOTA:** coser los 2 primeros botones a 6 cm. desde el bajo, un botón a 2 cm. desde el extremo de la tapeta y con una distancia hasta el otro botón de 10 cm. Coser los otros 2 botones a 18 cm. desde el bajo.

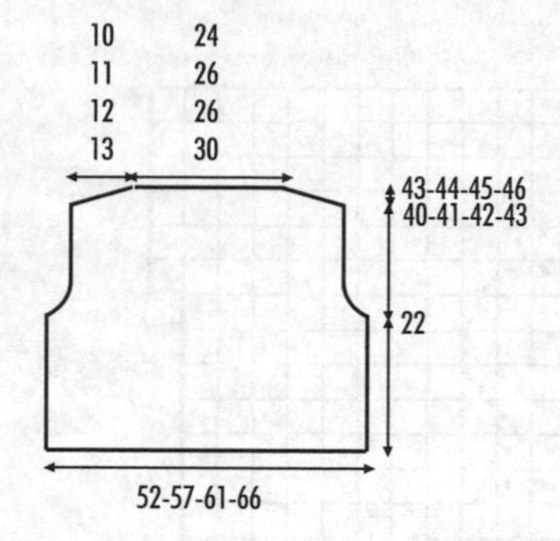

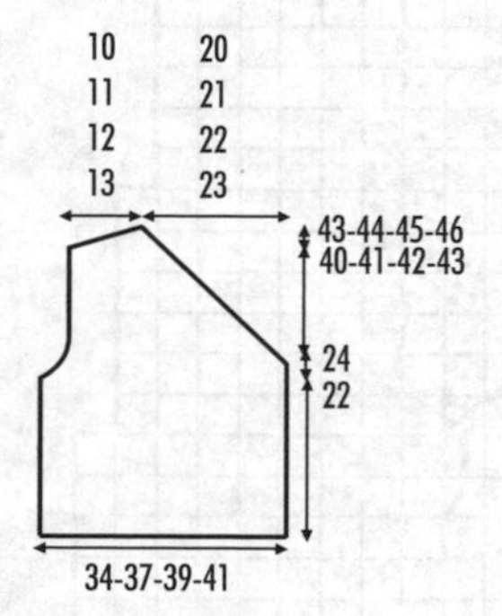

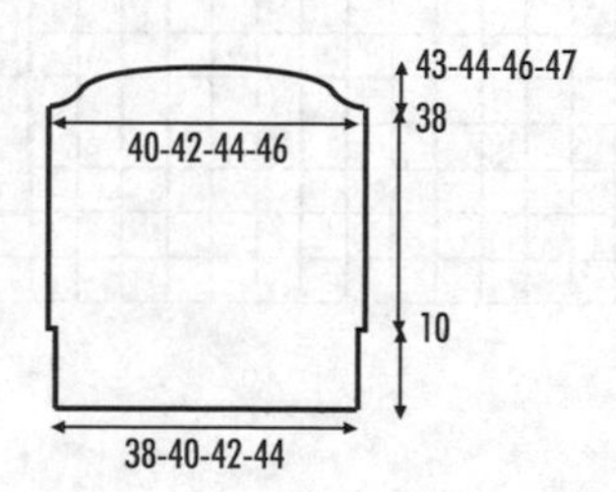

ENGLISH

SIZE: –a) 41" **–b)** 44 7/8" **–c)** 48" **–d)** 52": finished bust measurement.

MATERIALS
DIVA: **–a)** 13 **–b)** 14 **–c)** 16 **–d)** 17 balls color no. 6104.
Four buttons

NEEDLES
Size 11 (U.S.) /(8 metric) **or size you need to use to obtain gauge listed below.**

STITCHES
See Basic Instructions for: *1x1 Ribbing*, *Garter St*, *Reverse Stockinette St.*

GAUGE
In *Reverse Stockinette St*: 10 sts and 14 rows = 4x4"

BACK
Cast on –a) 52 sts **–b)** 58 sts **–c)** 60 sts **–d)** 66 sts.
Work 2 rows *Garter St*, then work *Reverse Stockinette St.*
Armholes:
When back measures 8 5/8", **bind off** at each edge every 2 rows:
-a) 2 sts 1 time; 1 st 2 times: [44 sts]
-b) 2 sts 1 time; 1 st 3 times: [48 sts]
–c) 2 sts 1 time; 1 st 3 times: [50 sts]
–d) 2 sts 1 time; 1 st 3 times: [56 sts].
Shoulders:
When back measures **–a)** 15 3/4" **–b)** 16 1/8" **–c)** 16 1/2" **–d)** 16 7/8", **bind off** at each edge every 2 rows:
–a) 5 sts 2 times: [24 sts]
–b) 6 sts 1 time; 5 sts 1 time: [26 sts]
–c) 6 sts 2 times: [28 sts]
–d) 7 sts 1 time; 6 sts 1 time: [30 sts.

RIGHT FRONT
Cast on –a) 34 sts **–b)** 37 sts **–c)** 39 sts **–d)** 41 sts.
Work 2 rows *Garter St*, the work *Reverse Stockinette St.*
Armhole:
When front measures 8 5/8", **bind off** at armhole edge every 2 rows:
–a) 2 sts 1 time; 1 st 2 times
-b) 2 sts 1 time; 1 st 3 times
–c) 2 sts 1 time; 1 st 3 times
–d) 2 sts 1 time; 1 st 3 times
AND AT THE SAME TIME:
Neckline:
When front measures 9 1/2", **bind off** 1 st at center front edge every 2 rows:
–a) 20 times
–b) 21 times
–c) 22 times
–d) 23 times
AND AT THE SAME TIME:
Shoulders:
When front measures **–a)** 15 3/4" **–b)** 16 1/8" **–c)** 16 1/2" **–d)** 16 7/8", **bind off** at each edge every 2 rows:
–a) 5 sts 2 times
–b) 6 sts 1 time; 5 sts 1 time
–c) 6 sts 2 times
–d) 7 sts 1 time; 6 sts 1 time.

LEFT FRONT
Work same as right front, reversing all shaping.

SLEEVES
Cast on –a) 38 sts **–b)** 40 sts **–c)** 42 sts **–d)** 44 sts.
Work 2 rows *Garter St*; then work *Reverse Stockinette St.*
When sleeve measures 4", **increase** 1 st at each edge: 1 time:
[**–a)** 40 sts **–b)** 42 sts **–c)** 44 sts **–d)** 46 sts.

I N S T R U C T I O N S

Armhole:
When sleeve measures 15", **bind off** at each edge every 2 rows:
a) 2 sts 1 time; 1 st 1 times
-b) 2 sts 1 time; 1 st 2 times
–c) 2 sts 1 time; 1 st 3 times
–d) 2 sts 1 time; 1 st 4 times.
When sleeve measures **–a)** 16 7/8" **-b)** 17 1/4" **–c)** 17 3/4" **–d)** 18 1/4", **bind off** rem **–a) -b) –c) & -d):** 34 sts.

FINISHING
Sew shoulder seams.
Collar:
Pick up –a) 35 sts **–b)** 37 sts **–c)** 39 sts **–d)** 41 sts along right front neck edge; **–a)** 19 sts **–b)** 21 sts **–c)** 21 sts **–d)** 23 sts around back neck edge; **–a)** 35 sts **–b)** 37 sts **–c)** 39 sts **–d)** 41 sts along left front neck edge:
[**–a)** 89 sts **–b)** 95 sts **–c)** 99 sts **–d)** 105 sts].
Beginning and ending with K1, work *1x1 Ribbing* for 1 row.
Next row: (right side), maintaining *1x1 Ribbing* pattern, **increase** 6 sts evenly:
[**–a)** 95 sts **–b)** 101 sts **–c)** 105 sts **–d)** 111 sts]
When collar measures 7 7/8", **bind off.**
Sew side and sleeve seams.
Sewing buttons on right front, joining the left and right fronts together, **sew** 2 buttons at 2 3/8" from lower edge and 3/4" from center front edge. **Sew** other 2 buttons, 4 3/4" above other buttons, as shown in photograph.

VIP / VENUS CAN-CAN

(Ver página 3 Puntos Básicos)
(See page 3 Basic Stitches)

pág. 7

ESPAÑOL

TALLAS: –a) 38/40 **–b)** 42/44 **–c)** 46/48 **–d)** 50/52

MATERIALES
VIP: col. 6800: **–a)** 10 **–b)** 11 **–c)** 13 **–d)** 14 ovillos.
VENUS: col. 6800: **–a), –b), –c), –d)** 2 ovillos.
CAN-CAN: col. 5913: **–a), –b), –c), –d)** 2 ovillos.
12 botones plateados.

Agujas	Puntos empleados
Nº 4	- *P. elástico 2x2* VENUS
Nº 6	- *P. elástico 1x1* VIP - *P. elástico 1x1* CAN-CAN
Nº 6 1/2	- *P. jersey der.* VIP

MUESTRA DEL PUNTO
P. jersey der., VIP, ag. nº 6 1/2
10x10 cm. = 11 p. y 14 vtas.
P. elástico 2x2, VENUS, ag. nº 4
10x10 cm. = 24 p. y 22 vtas.

ESPALDA
Con VIP y ag. nº 6, **montar –a)** 44 p. **–b)** 50 p. **–c)** 54 p. **–d)** 60 p.
Trab. 4 vtas a *p. elástico 1x1.*
Cambiar ag. nº 6 1/2 y continuar trab. a *p. jersey der.* con VIP.
A 7 cm. de largo total, **menguar** en ambos lados (= a 2 p. desde cada lado): 1 vez 1 p. Quedan **–a)** 42 p. **–b)** 48 p. **–c)** 52 p. **–d)** 58 p.
A 16 cm. de largo total, **aumentar** en ambos lados (= a 2 p. desde cada lado): 1 vez 1 p. y a 23 cm. de largo total, **aumentar** otra vez en ambos lados 1 vez 1 p. Quedan **–a)** 46 p. **–b)** 52 p. **–c)** 56 p. **–d)** 62 p.
Sisas:
A 35 cm. de largo total, **cerrar** en ambos lados cada 2 vtas:
–a) 1 vez 2 p., 2 veces 1 p. = 38 p.
–b) 1 vez 2 p., 3 veces 1 p. = 42 p.
–c) 1 vez 2 p., 3 veces 1 p. = 46 p.
–d) 1 vez 2 p., 4 veces 1 p. = 50 p.
Hombros y escote:
Se forman al mismo tiempo.
A **–a)** 54 cm. **–b)** 55 cm. **–c)** 56 cm. **–d)** 57 cm. de largo total, para los **hombros, cerrar** en ambos lados cada 2 vtas:
–a) 2 veces 6 p.
–b) 1 vez 7 p., 1 vez 6 p.
–c) 2 veces 7 p.
–d) 1 vez 8 p., 1 vez 7 p.
A los mismos **–a)** 54 cm. **–b)** 55 cm. **–c)** 56 cm. **–d)** 57 cm. de largo total, para el **escote, cerrar** los **–a)** 6 p. **–b)** 8 p. **–c)** 10 p. **–d)** 12 p. centrales y continuar trab. cada lado por separado.
Después de 2 vtas **cerrar** en el lado del escote: 1 vez 4 p.
Acabar el otro lado igual, pero a **la inversa.**

DELANTERO DERECHO
NOTA: consta de 2 piezas que se trabajan por separado y se cosen después.
Con VIP y ag. nº 6, **montar –a)** 19 p. **–b)** 22 p. **–c)** 24 p. **–d)** 27 p.
Trab. 4 vtas a *p. elástico 1x1.*
Cambiar ag. nº 6 1/2 y continuar trab. a *p. jersey der.* con VIP.
A 7 cm. de largo total, **menguar** en el extremo izquierdo (= a 2 p. desde el extremo): 1 vez 1 p. Quedan **–a)** 18 p. **–b)** 21 p. **–c)** 23 p. **–d)** 26 p.
A 16 cm. de largo total, **aumentar** en el extremo izquierdo (= a 2 p. desde el extremo): 1 vez 1 p. y a 23 cm. de largo total, **aumentar** otra vez en el extremo izquierdo 1 vez 1 p. Quedan **–a)** 20 p. **–b)** 23 p. **–c)** 25 p. **–d)** 28 p.
Sisa:
A 35 cm. de largo total, **cerrar** en el extremo izquierdo cada 2 vtas:
–a) 1 vez 2 p., 2 veces 1 p. = 16 p.
–b) 1 vez 2 p., 3 veces 1 p. = 18 p.
–c) 1 vez 2 p., 3 veces 1 p. = 20 p.
–d) 1 vez 2 p., 4 veces 1 p. = 22 p.
Escote:
A 46 cm. de largo total, **cerrar** en el extremo derecho cada 4 vtas:
–a) 4 veces 1 p.
–b) 5 veces 1 p.
–c) 6 veces 1 p.
–d) 7 veces 1 p.
Hombro:
A **–a)** 54 cm. **–b)** 55 cm. **–c)** 56 cm. **–d)** 57 cm. de largo total, **cerrar** en el extremo izquierdo cada 2 vtas:
–a) 2 veces 6 p.
–b) 1 vez 7 p., 1 vez 6 p.
–c) 2 veces 7 p.
–d) 1 vez 8 p., 1 vez 7 p.
Con VENUS y ag. nº 4, **montar –a), –b), –c)** y **–d)** 24 p.
Trab. a *p. elástico 2x2.* Empezar y terminar con 3 p. der.
A 3 cm. de largo total, hacer 1 ojal de la siguiente manera: Al inicio de una vta por el derecho de la labor, trab.: 3 p. der., 2 p. juntos al rev., 1 hebra.
Al final de la siguiente vta por el revés de la labor, cuando falten 5 p. para terminar la vta, trab.: 1 p. der. en la hebra de la vta anterior, 1 p. der., 3 p. rev.
Hacer de este manera 4 ojales más, cada 10 cm.
A 46 cm. de largo total, **cerrar** los p.
Coser esta pieza a la pieza trabajado con VIP.

DELANTERO IZQUIERDO
Trab. como el delantero derecho, pero **a la inversa.**
Trab. la pieza en VENUS sin ojales.

MANGAS
Con VENUS y ag. nº 4, **montar –a)** 48 p. **–b)** 52 p. **–c)** 56 p. **–d)** 60 p.
Trab. 8 cm. a *p. elástico 2x2.* En la última vta por el revés de la labor, trab.: * 2 p. juntos al der., 2 p. juntos al rev.*, repetir de * a *. Quedan **–a)** 24 p. **–b)** 26 p. **–c)** 28 p. **–d)** 30 p.
Cambiar ag. nº 6 1/2 y continuar trab. a *p. jersey der.* con la calidad VIP.
Aumentar en ambos lados cada 8 vtas: 6 veces 1 p.
Quedan **–a)** 36 p. **–b)** 38 p. **–c)** 40 p. **–d)** 42 p.
Sisa:
A 51 cm. de largo total, **cerrar** en ambos lados cada 2 vtas:
–a) 1 vez 4 p., 2 veces 3 p., 1 vez 4 p. = 8 p.
–b) 1 vez 4 p., 2 veces 3 p., 1 vez 4 p., 1 vez 1 p. = 8 p.
–c) 1 vez 5 p., 3 veces 3 p., 2 veces 1 p. = 8 p.
–d) 1 vez 5 p., 3 veces 3 p., 1 vez 2 p., 1 vez 1 p. = 8 p.
A **–a)** 58 cm. **–b)** 59 cm. **–c)** 60 cm. **–d)** 61 cm. de largo total, **cerrar** los **–a), –b), –c), –d)** 8 p. restantes.
Trab. la otra manga igual.

CONFECCIÓN Y REMATE
Cuello:
Con CAN-CAN y ag. nº 6, **montar –a)** 81 p. **–b)** 87 p. **–c)** 93 p. **–d)** 99 p.
Trab. 4 vtas a *p. elástico 1x1*, empezar y terminar con 1 p. der.

A continuación, **aumentar** 10 p. de la siguiente manera:
Trab. **-a)** 30 p. **-b)** 34 p. **-c)** 36 p. **-d)** 38 p. a *p. elástico 1x1,* * trab. 2 p. der. en 1 p., trab. 1 p. rev. *, repetir de * a * 9 veces más, trab. **-a)** 31 p. **-b)** 33 p. **-c)** 37 p. **-d)** 41 p. a *p. elástico 1x1.* Quedan **-a)** 91 p. **-b)** 97 p. **-c)** 103 p. **-d)** 109 p.
Continuar trab. a *p. elástico 1x1.*
A 17 cm. de largo total, **cerrar** los p.
Coser hombros y cuello alrededor del escote (= con los extremos del cuello sobre 5 cm. de cada tapeta VENUS.

Tiras de adorno:
Con ag. nº 4 y VENUS, **montar** 12 p. Trab. a *p. elástico 2x2.* Empezar y terminar con 3 p. der.
A 15 cm. de largo total, **cerrar** los p.
Hacer otra tira igual.
Coser las tiras de la siguiente manera: coser un extremo de la tira a 7,5 cm. desde la costura lateral y a 10 cm. desde el bajo a la espalda y coser el otro extremo de la tira al delantero, a 7,5 cm. desde la costura lateral y a 10 cm. desde el bajo.
Coser el botón encima del extremo de la tira al delantero.
Coser 5 botones en la tapeta VENUS del delantero izquierdo, enfrente de los ojales del delantero derecho.
Coser los otros 5 botones encima de la pieza VENUS del delantero derecho, a la misma altura que los botones del delantero izquierdo (ver foto).
Coser lados y mangas.

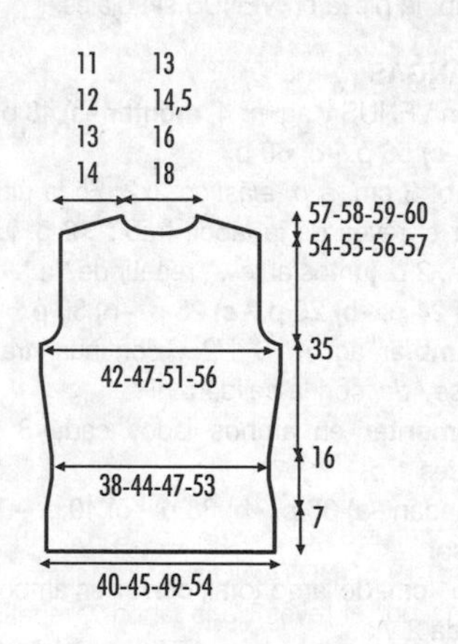

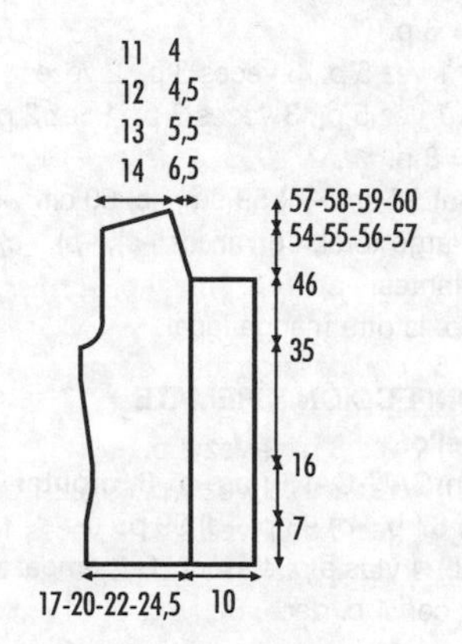

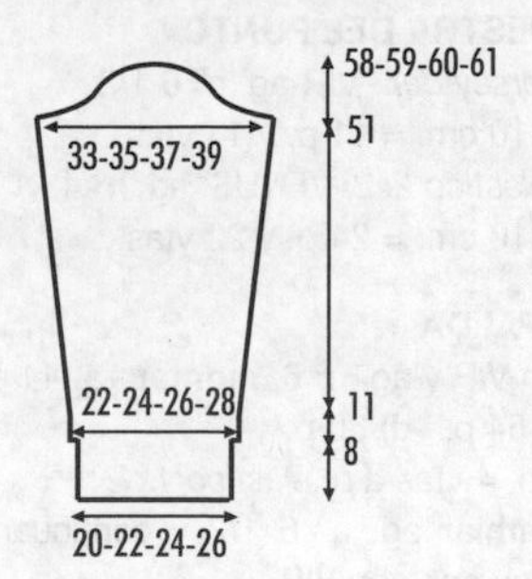

ENGLISH

SIZE: -a) 33" **-b)** 37" **-c)** 40 1/8" **-d)** 44 1/8": finished bust measurement.

MATERIALS
VIP: **-a)** 10 **-b)** 11 **-c)** 13 **-d)** 14 balls beige no. 6800.
VENUS: **-a) -b) -c) & -d):** 2 balls beige no. 6800.
CAN-CAN: **-a) -b) -c) & -d):** 2 balls chestnut no. 5913.
Twelve buttons.

NEEDLES
Size 5, 9 & 10 (U.S.) /(4, 6 & 6 1/2 metric) **or size you need to use to obtain gauge listed below.**

STITCHES
See Basic Instructions for: *1x1 Ribbing*, *2x2 Ribbing*, *Stockinette St*.
NOTE 1: Decrease 1 st as follows:
At the beginning of a right side row, K2, sl 1, K1, PSSO.
At the end of a right side row: work to last 4 sts, K 2 tog, K2.
NOTE 2: Increase 1 st as follows:
At the beginning of a right side row, K2, inc in next st.
At the end of a right side row, work to last 3 sts, inc in next st; K2.

GAUGE
Using VIP with size 9 needles in *Stockinette St*, 11 sts and 14 rows = 4x4"
Using VENUS with size 5 needle in *2x2 Ribbing*: 24 sts and 22 rows = 4x4"

BACK
Using VIP with size 9 needles, **cast on -a)** 44 sts **-b)** 50 sts **-c)** 54 sts **-d)** 60 sts.
Work *1x1 Ribbing* for 4 rows.
Change to size 10 needles and work *Stockinette St*.
When back measures 2 3/4", **-a) -b) -c) & -d): decrease** 1 st at each edge as given in "NOTE 1' above:
[-a) 42 sts **-b)** 48 sts **-c)** 52 sts **-d)** 58 sts].
When back measures 6 1/4", and again at 9", **increase** 1 st at each edge as given in "NOTE 2" above:
[-a) 46 sts **-b)** 52 sts **-c)** 56 sts **-d)** 62 sts].

Armholes:
When back measures 13 3/4", **bind off** at each edge every 2 rows:
-a) 2 sts 1 time; 1 st 2 times: [38 sts]
-b) 2 sts 1 time; 1 st 3 times: [42 sts]
-c) 2 sts 1 time; 1 st 3 times: [46 sts]
-d) 2 sts 1 time; 1 st 4 times: [50 sts]

Neckline and shoulders:
Worked at the same time when back measures **-a)** 21 1/4" **-b)** 21 5/8" **-c)** 22" **-d)** 22 1/2".
For neckline: bind off center **-a)** 6 sts **-b)** 8 sts **-c)** 10 sts **-d)** 12 sts. Working each side separately, **-a) -b) -c) & -d):** bind off on 2nd row: 4 sts 1 time.
For shoulders: bind off at armhole edge every 2 rows:
-a) 6 sts 2 times
-b) 7 sts 1 time; 6 sts 1 time
-c) 7 sts 2 times
-d) 8 sts 1 time; 7 sts 1 time.

RIGHT FRONT
(Made in 2 separate pieces, then sewn together.

Side piece:
Using VIP with size 9 needle, **cast on -a)** 19 sts **-b)** 22 sts **-c)** 24 sts **-d)** 27 sts.
Work *1x1 Ribbing* for 4 rows.
Change to size 10 needle and work *Stockinette St*.
When front measures 2 3/4", **-a) -b) -c) & -d): decrease** 1 st at armhole edge as given in "NOTE 1' above:
[-a) 18 sts **-b)** 21 sts **-c)** 23 sts **-d)** 26 sts].
When front measures 6 1/4", and again at 9", **increase** 1 st at each edge as given in "NOTE 2" above:
[-a) 20 sts **-b)** 23 sts **-c)** 25 sts **-d)** 28 sts].

Armholes:
When back measures 13 3/4", **bind off** at each edge every 2 rows:
-a) 2 sts 1 time; 1 st 2 times: [16 sts]
-b) 2 sts 1 time; 1 st 3 times: [18 sts]
-c) 2 sts 1 time; 1 st 3 times: [20 sts]
-d) 2 sts 1 time; 1 st 4 times: [22 sts]

Neckline:
When front measures 18 1/4", **bind off** at center front edge every 2 rows:
-a) 1 st 4 times: [12 sts]
-b) 1 st 5 times: [13 sts]
-c) 1 st 6 times: [14 sts]
-d) 1 st 7 times: [15 sts]

Shoulder:
When front measures **-a)** 21 1/4" **-b)** 21 5/8" **-c)** 22" **-d)** 22 1/2", **bind off** at armhole edge every 2 rows:
-a) 6 sts 2 times
-b) 7 sts 1 time; 6 sts 1 time
-c) 7 sts 2 times
-d) 8 sts 1 time; 7 sts 1 time.

Center piece:
Using VENUS with size 5 needle, **cast on -a) -b) -c) & -d):** 24 sts.
-a) -b) -c) & -d): Beginning and ending with: K3, work *2x2 Ribbing*.
When piece measures 1 1/4", make two buttonholes as follows:
At the beginning of a right side row, K3, P 2 tog, YO, work in established ribbing pattern to last

5 sts; YO, P 2 tog, K3. On reverse side row, knit into each YO.
As work progresses, make 4 more sets of buttonholed, each 4" apart.
When piece measures 18 1/4", **bind off.**
Sew pieces together.

LEFT FRONT
Work same as right front, reversing all shaping and omitting buttonholes on center section.

SLEEVES
Using VENUS with size 5 needles, **cast on –a)** 48 sts **–b)** 52 sts **–c)** 56 sts **–d)** 60 sts.
Work *2x2 Ribbing* for 3 1/8", ending with a right side row.
Next row: (wrong side) * K 2 tog, P 2 tog, *; rep from * to *:
[**–a)** 24 sts **–b)** 26 sts **–c)** 28 sts **–d)** 30 sts.
Using VIP, change to size 10 needle and work *Stockinette St*, **–a) –b) –c) & –d): increasing** 1 st at each edge every 8 rows: 6 times:
[**–a)** 36 sts **–b)** 38 sts **–c)** 40 sts **–d)** 42 sts].
Armhole:
When sleeve measures 20 1/8", **bind off** at each edge every 2 rows:
–a) 4 sts 1 time; 3 sts 2 times; 4 sts 1 time: [8 sts]
–b) 4 sts 1 time; 3 sts 2 times; 4 sts 1 time; 1 st 1 time: [8 sts]
–c) 5 sts 1 time; 3 sts 3 times; 1 st 2 times: [8 sts]
–d) 5 sts 1 time; 3 sts 3 times; 2 sts 1 time; 1 st 1 time: [8 sts].
When sleeve measures **–a)** 22 7/8" **–b)** 23 1/4" **–c)** 23 5/8" **–d)** 24", **bind off** all rem sts.

FINISHING
Collar:
Using CAN-CAN with size 9 needles, cast on **–a)** 81 sts **–b)** 87 sts **–c)** 93 sts **–d)** 99 sts.
Beginning and ending with K1, work *1x1 Ribbing* for 4 rows.
Increase 10 sts as follows:
Work first **–a)** 30 sts **–b)** 34 sts **–c)** 36 sts **–d)** 38 sts in existing ribbing pattern, **–a) –b) –c) & –d):** * work 2 knit sts in next st, P1, *; rep from * to * 9 more times; work **–a)** 31 sts **–b)** 35 sts **–c)** 37 sts **–d)** 39 sts in existing ribbing pattern:
[**–a)** 91 sts **–b)** 97 sts **–c)** 103 sts **–d)** 108 sts.
Continue in *1x1 Ribbing* over all sts.
When collar measures 6 3/4"; **bind off.**
Sew shoulder seams.
Beginning and ending at 2" from center front edge, **sew** collar around neck edge, as shown in photograph.
Sew side seams.
Side bands:
(Make 2)
Using VENUS with size 5 needles, **cast on** 12 sts. Beginning and ending with K3, work *2x2 Ribbing* for 5 7/8"; **bind off.**
Sew one end of each band to each front, 3" from side seam and 4" from lower edge. **Sew** other end of each band to back, 3" from side seam and 4" from lower edge.
Sew one button to front end of each band.
Sew remaining buttons to left front, opposite buttonholes.

FIL KATIA

NEPAL

(Ver página 3 Puntos Básicos)
(See page 3 Basic Stitches)

pág. 8

ESPAÑOL

TALLAS: –a) 38/40 **–b)** 42/44 **–c)** 46/48 **–d)** 50/52

MATERIALES
NEPAL: col. 5008: **–a)** 8 **–b)** 8 **–c)** 9 **–d)** 10 ovillos.
3 botones col. marrón.

Agujas	Puntos empleados
Nº 5 1/2	- *P. elástico 1x1* - *P. jersey der.* - *P. jersey rev.*

MUESTRA DEL PUNTO
P. jersey der., ag. nº 5 1/2
10x10 cm. = 11 p. y 18 vtas.

ESPALDA
Montar –a) 57 p. **–b)** 63 p. **–c)** 67 p. **–d)** 73 p.
Trab. 4 vtas a *p. elástico 1x1* y continuar trab. a *p. jersey der.*
A 30 cm. de largo total, **cerrar** en ambos lados cada 10 vtas: 3 veces 1 p. = **–a)** 51 p. **–b)** 57 p. **–c)** 61 p. **–d)** 67 p.
Sisas:
A 60 cm. de largo total, **cerrar** en ambos lados cada 2 vtas:
–a) 1 vez 3 p., 1 vez 2 p. = 41 p.
–b) 1 vez 3 p., 1 vez 2 p., 1 vez 1 p. = 45 p.
–c) 1 vez 3 p., 1 vez 2 p., 2 veces 1 p. = 47 p.
–d) 1 vez 3 p., 1 vez 2 p., 3 veces 1 p. = 51 p.
Hombros:
A **–a)** 78 cm. **–b)** 79 cm. **–c)** 80 cm. **–d)** 81 cm. de largo total, **cerrar** en ambos lados cada 2 vtas:
–a) 1 vez 6 p., 1 vez 5 p.
–b) 2 veces 6 p.
–c) 1 vez 7 p., 1 vez 6 p.
–d) 2 veces 7 p.
A **–a)** 81 cm. **–b)** 82 cm. **–c)** 83 cm. **–d)** 84 cm. de largo total, **cerrar** los**–a)** 19 p.**–b)** 21 p. **–c)** 21 p. **–d)** 23 p. restantes del **escote.**

DELANTERO DERECHO
Montar –a) 34 p. **–b)** 36 p. **–c)** 40 p. **–d)** 42 p.
Trab. 4 vtas a *p. elástico 1x1* y continuar trab.: Los 6 primeros p. a *p. elástico 1x1* y los **–a)** 28 p. **–b)** 30 p. **–c)** 34 p. **–d)** 36 p. restantes a *p. jersey der.*
Ojales:
Hacer el primer ojal después de 22 vtas (= desde el comienzo del *p. jersey der.)* de la siguiente manera: En el extremo derecho (= inicio de la vta), trab. 4 p. a *p. elástico 1x1*, 1 hebra, 2 p. juntos al rev. Trab. en la siguiente vta (= por el revés de la labor) 1 p. rev. en la hebra de la vta anterior.
Trab. los otros 2 ojales cada 16 vtas en una vta por el derecho de la labor.
A 30 cm. de largo total, **cerrar** en el extremo izquierdo cada 10 vtas: 3 veces 1 p.
Solapa escote:
A 42 cm. de largo total, trab. al inicio de una vta por el derecho de la labor:
Los 6 primeros p. al rev. y los p. restantes al der. Trab. en la vta siguiente (= por el revés de la labor) los últimos 6 p. al der.
A partir de ahora, trab. 1 p. más a *p. jersey rev.* al lado de los primeros p. a *p. jersey rev.*:
–a), –b) cada 6 vtas y cada 8 vtas alternativamente: 9 veces 1 p.
–c), –d) cada 6 vtas: 11 veces 1 p.
AL MISMO TIEMPO, aumentar (= trab. 2 p. en el primer p.) en el extremo derecho:
–a) cada 10 vtas: 5 veces 1 p.
–b), –c), –d) cada 12 vtas: 5 veces 1 p.
AL MISMO TIEMPO, para la **sisa:**
A 60 cm. de largo total, **cerrar** en el extremo izquierdo cada 2 vtas:
–a) 1 vez 3 p., 1 vez 2 p.
–b) 1 vez 3 p., 1 vez 2 p., 1 vez 1 p.
–c) 1 vez 3 p., 1 vez 2 p., 2 veces 1 p.
–d) 1 vez 3 p., 1 vez 2 p., 3 veces 1 p.
Hombro:
A **–a)** 78 cm. **–b)** 79 cm. **–c)** 80 cm. **–d)** 81 cm. de largo total, **cerrar** en el extremo izquierdo cada 2 vtas:
–a) 1 vez 6 p., 1 vez 5 p.
–b) 2 veces 6 p.
–c) 1 vez 7 p., 1 vez 6 p.
–d) 2 veces 7 p.
A **–a)** 81 cm. **–b)** 82 cm. **–c)** 83 cm. **–d)** 84 cm. de largo total, **cerrar** los **–a)** 20 p. **–b)** 20 p. **–c)** 22 p. **–d)** 22 p. restantes de la **solapa.**

DELANTERO IZQUIERDO
Trab. como el delantero derecho, pero **a la inversa** y sin ojales.
A **–a)** 81 cm. **–b)** 82 cm. **–c)** 83 cm. **–d)** 84 cm. de largo total, trab. sobre los **–a)** 20 p. **–b)** 20 p. **–c)** 22 p. **–d)** 22 p. restantes de la **solapa** de la siguiente manera:
Empezar en una vta por el revés de la labor:
* trab. 2 vtas a *p. jersey rev.* sobre todos los p. de la solapa = **–a), –b)** 20 p. **–c), –d)** 22 p., trab. 2 vtas a *p. jersey rev.* sobre **–a), –b)** 17 p. **–c), –d)** 19 p. (**NOTA:**NO trab. los últimos 3 p. de la vta por el revés de la labor) *, repetir de * a * durante **–a)** 17 cm. **–b)** 19 cm. **–c)** 19 cm. **–d)** 20 cm. **Cerrar** los p.

MANGAS
Montar–a) 26 p. **–b)** 28 p. **–c)** 30 p. **–d)** 32 p.
Trab. 4 vtas a *p. elástico 1x1* y continuar trab. a *p. jersey der.*
Aumentar en ambos lados cada 12 vtas y cada 14 vtas: 6 veces 1 p.
Quedan **–a)** 38 p. **–b)** 40 p. **–c)** 42 p. **–d)** 44 p.
Sisa:
A 55 cm. de largo total, **cerrar** en ambos lados cada 2 vtas:
–a) 1 vez 3 p., 1 vez 2 p.
–b) 1 vez 3 p., 1 vez 2 p., 1 vez 1 p.
–c) 1 vez 3 p., 1 vez 2 p., 2 veces 1 p.
–d) 1 vez 3 p., 1 vez 2 p., 3 veces 1 p.
A **–a)** 59 cm. **–b)** 60 cm. **–c)** 61 cm. **–d)** 62 cm.

de largo total, **cerrar** los **–a), –b), –c), –d)** 28 p. restantes.
Trab. la otra manga igual.

CONFECCIÓN Y REMATE
Coser hombros, la tira del cuello del delantero izquierdo al escote de la espalda, lados, mangas y botones.

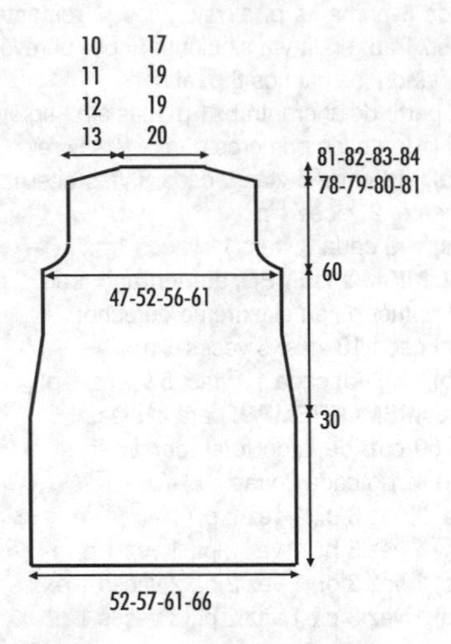

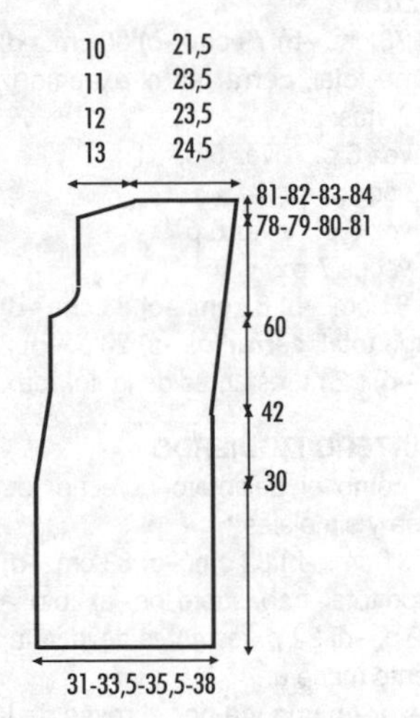

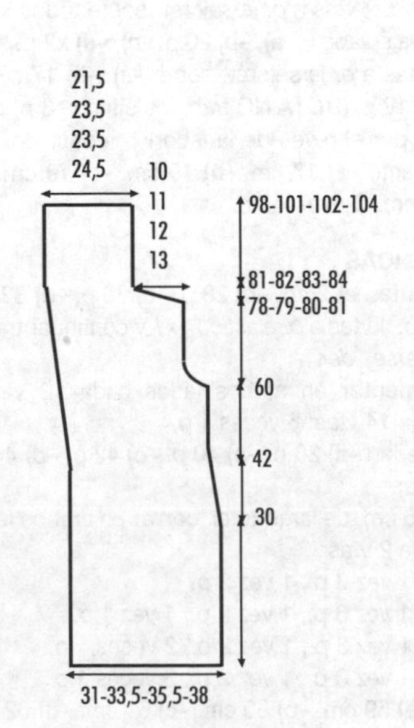

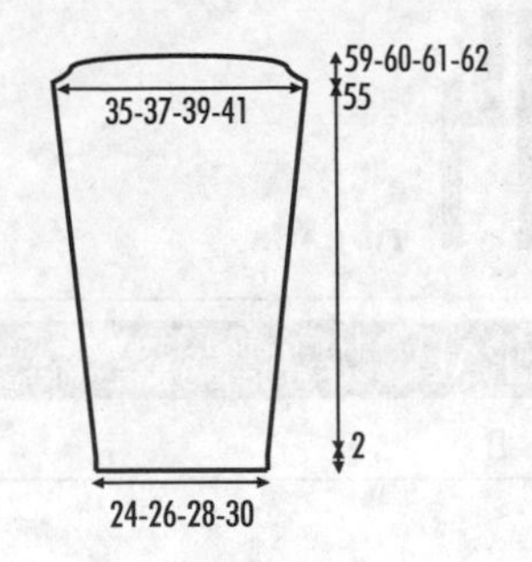

ENGLISH

SIZE: –a) 37" **–b)** 41" **–c)** 44 1/8" **–d)** 48"; finished bust measurement.

MATERIALS
NEPAL: **–a)** 8 **–b)** 8 **–c)** 9 **–d)** 10 balls color no. 5008
Three buttons.

NEEDLES
Size 8 (U.S.) /(5 1/2 metric) **or size you need to use to obtain gauge listed below.**

STITCHES
See Basic Instructions for: *1x1 Ribbing*, *Stockinette St*, *Reverse Stockinette St*.

GAUGE
In *Stockinette St*: 11 sts and 18 rows = 4x4"

BACK
Cast on –a) 57 sts **–b)** 63 sts **–c)** 67 sts **–d)** 73 sts.
Work *1x1 Ribbing* for 4 rows, then work *Stockinette St*.
When back measures 11 3/4", **decrease** 1 st at each edge every 10 rows: 3 times:
[**–a)** 51 sts **–b)** 57 sts **–c)** 61 sts **–d)** 67 sts].
Armholes:
When back measures 23 5/8", **bind off** at each edge every 2 rows:
–a) 3 sts 1 time; 2 sts 1 time: [41 sts]
–b) 3 sts 1 time; 2 sts 1 time; 1 st 1 time: [45 sts]
–c) 3 sts 1 time; 2 sts 1 time; 1 st 2 times: [47 sts]
–d) 3 sts 1 time; 2 sts 1 time; 1 st 3 times: [51 sts].
Shoulders:
When back measures **–a)** 30 3/4" **–b)** 31 3/8" **–c)** 31 1/2" **–d)** 31 7/8", **bind off** at each edge every 2 rows:
–a) 6 sts 1 time; 5 sts 1 time: [19 sts]
–b) 6 sts 2 times: [21 sts]
–c) 7 sts 1 time; 6 sts 1 time: [21 sts]
–d) 7 sts 2 times: [23 sts.
When back measures **–a)** 31 7/8" **–b)** 32 1/4" **–c)** 32 5/8" **–d)** 33", **bind off** all rem sts.

RIGHT FRONT
Cast on –a) 34 sts **–b)** 36 sts **–c)** 40 sts **–d)** 42 sts.
Work *1x1 Ribbing* for 4 rows; then work as follows:
Beginning with K1, work 6 sts *1x1 Ribbing* for front band; work remaining **–a)** 28 sts **–b)** 30 sts **–c)** 34 sts **–d)** 36 sts in *Stockinette St*.
When front measures 8 5/8" from beginning of *Stockinette St*, work first buttonhole as follows: at the beginning of next right side row, work 4 sts *1x1 Ribbing*, YO, P 2 tog. On reverse side row, purl into the YO. As work progresses, make two more buttonholes, each 16 rows apart.
When front measures 11 3/4", **decrease** 1 st at armhole edge every 10 rows: 3 times.
AND AT THE SAME TIME:
Lapel:
When front measures 16 1/2", at the beginning of the next right side row, P6; knit to end of row. Next row: (wrong side), purl to last 6 sts, K6.
As work progresses, on a right side row, change 1 more stitch from *Stockinette St* to *Reverse Stockinette St*;
–a) & –b) alternately every 6 and 8 rows: 9 times
–c) & –d) every 6 rows: 11 times.
AND AT THE SAME TIME:
Increase 1 st at the beginning of right side rows:
–a) every 10 rows: 5 times
–b), –c) & –d) every 12 rows: 5 times.
AND AT THE SAME TIME:
Armhole:
When front measures 23 5/8" **bind off** at armhole edge every 2 rows:
–a) 3 sts 1 time; 2 sts 1 time]
–b) 3 sts 1 time; 2 sts 1 time; 1st 1 time
–c) 3 sts 1 time; 2 sts 1 time; 1 st 2 times
–d) 3 sts 1 time; 2 sts 1 time; 1 st 3 times
Shoulders:
When back measures **–a)** 30 3/4" **–b)** 31 3/8" **–c)** 31 1/2" **–d)** 31 7/8", **bind off** at each edge every 2 rows:
–a) 6 sts 1 time; 5 sts 1 time
–b) 6 sts 2 times
–c) 7 sts 1 time; 6 sts 1 time
–d) 7 sts 2 times
When front measures **–a)** 31 7/8" **–b)** 32 1/4" **–c)** 32 5/8" **–d)** 33", bind off rem **–a)** 20 sts **–b)** 20 sts **–c)** 22 sts **–d)** 22 sts.

LEFT FRONT
Omitting buttonholes, work same as right front, reversing all shaping and adding the following:
When front measures **–a)** 31 7/8" **–b)** 32 1/4" **–c)** 32 5/8" **–d)** 33", begin collar by working short rows over the rem **–a)** 20 sts **–b)** 20 sts **–c)** 22 sts **–d)** 22 sts as follows: continuing in *Reverse Stockinette St* and beginning with a wrong side row, (knit row of *Reverse Stockinette St*) work all sts for 2 rows; next row: * **–a) & –b)** K17 **–c) & –d)** K19, **–a) –b) –c) & –d):** turn; sl 1, **–a) & –b)** P16 **–c) & –d)** P18; turn, **–a) –b) –c) & –d):** work 2 rows over all sts, *; rep from * to * until shorter edge of collar measures **–a)** 6 3/4" **–b)** 7 1/8" **–c)** 7 1/2" **–d)** 7 7/8". **Bind off.**

SLEEVES
Cast on –a) 26 sts **–b)** 28 sts **–c)** 30 sts **–d)** 32 sts.
Work *1x1 Ribbing* for 4 rows; then work *Stockinette St*, increasing 1 st at each edge alternately every 12 and 14 rows: 6 times:
[**–a)** 38 sts **–b)** 40 sts **–c)** 42 sts **–d)** 44 sts].

Armhole:
When sleeve measures 21 5/8", **bind off** at each edge every 2 rows:
-a) 3 sts 1 time; 2 sts 1 time: [28 sts]
-b) 3 sts 1 time; 2 sts 1 time; 1 st 1 time: [28 sts]
-c) 3 sts 1 time; 2 sts 1 time; 1 st 2 times: [28 sts]
-d) 3 sts 1 time; 2 sts 1 time; 1 st 3 times: [28 sts]
When sleeve measures **-a)** 23 1/4" **-b)** 19 3/4" **-c)** 24" **-d)** 24 3/8", **bind off** all rem sts.

FINISHING
Sew shoulder seams.
Sew shorter edge of collar around neck edge.
Sew side and sleeve seams. **Sew** on buttons.

MODELO 15

FIL KATIA

ETHNIC (Ver página 3 Puntos Básicos) (See page 3 Basic Stitches)

pág. 9

ESPAÑOL

TALLAS: -a) 38-40 **-b)** 42-44 **-c)** 46-48 **-d)** 50-52

MATERIALES
ETHNIC: col. 6502: **-a)** 6 **-b)** 7 **-c)** 7 **-d)** 8 ovillos.
6 botones redondos col. marrón.

Agujas	Puntos empleados
Nº 10	- *Pjersey der.* - *P. elástico 2x2.* - *Menguados* (ver explicación) - *bolsillos* (ver gráfico A)

***Menguados*:** Derecho de la labor (= inicio de vta) trab. 2 p. der., pasar un p. sin hacer a la ag. derecha, trab. 1 p. der. y pasar el p. sin hacer por encima de este p. al der. Extremo izquierdo (= cuando falten 4 p. para terminar la vta) trab. 2 p. juntos der., 2 p. der.

MUESTRA DEL PUNTO
ETHNIC a *p. jersey der.*, ag. nº 10.
10x10 cm. = 8 p. y 12 vtas.
ETHNIC a *p. elástico 2x2*, ag. nº 10.
10x10 cm. = 9 p. y 12 vtas.

ESPALDA
Montar -a) 35 **-b)** 38 **-c)** 41 **-d)** 46 p.
Trab. 7 cm. a *p. elástico 2x2* empezando y terminando el elástico por: empezar con **-a), -b), -c), -d)** 3 p. der. y terminar con **-a)** 2 p. der. **-b)** 3 p. rev. **-c)** 2 p. rev. **-d)** 3 p. rev.
Continuar trab. a *p. jersey der.*
Sisas: A 42 cm. de largo total, **cerrar** en ambos lados 1 vez 1 p. y continuar **menguando** en ambos lados cada 2 vtas: 3 veces 1 p. = **-a)** 27 **-b)** 30 **-c)** 33 **-d)** 38 p.
A **-a)** 63 cm. **-b)** 64 cm. **-c)** 65 cm. **-d)** 66 cm. de largo total, **cerrar.**

DELANTERO
Trab. igual que la espalda, excepto el escote.
Escote: A **-a)** 55 cm. **-b)** 56 cm. **-c)** 57 cm. **-d)** 58 cm. de largo total, **cerrar** los **-a)** 7 **-b)** 8 **-c)** 9 **-d)** 10 p. centrales y continuar trab. cada lado por separado **cerrando** en el lado del escote cada 2 vtas: **-a), -b), -c), -d)** 4 veces 1 p.
Hombro: A **-a)** 63 cm. **-b)** 64 cm. **-c)** 65 cm. **-d)** 66 cm. de largo total, **cerrar** los **-a)** 6 **-b)** 7 **-c)** 8 **-d)** 10 p. restantes.
Acabar el otro lado igual pero a la inversa.

MANGAS
Montar -a) 27 **-b)** 28 **-c)** 29 **-d)** 31 p.
Trab. 2 vtas a *p. elástico 2x2* empezando y terminando el elástico por: **-a), -d)** empezar con 3 p. der. y terminar con 2 p. der. **-b)** empezar con 2 p. der., y terminar con 2 p. rev. **-c)** empezar con 3 p. der., y terminar con 2 p. rev.
Continuar trab. a *p. jersey der.*
A 5 cm. de largo total, **cerrar** en ambos lados cada 2 vtas: 2 veces 1 p. y continuar **menguando** en ambos lados cada 2 vtas: 6 veces 1 p.
A 20 cm. de largo total, **cerrar** los **-a)** 11 **-b)** 12 **-c)** 13 **-d)** 15 p. restantes.
Hacer la otra manga igual.
Manguitos:
Montar -a) 18 **-b)** 19 **-c)** 20 **-d)** 22 p.
Trab. 2 vtas a *p. elástico 2x2* empezando y terminando el elástico por: **-a), -d)** 2 p. der. **-b)** empezar con 3 p. der. y terminar con 2 p. der. **-c)** empezar con 2 p. der. y terminar con 2 p. rev.
Continuar trab. a *p. jersey der.*
A 20 cm. de largo total, **aumentar** en ambos lados cada 6 vtas: 4 veces 1 p. = **-a)** 26 **-b)** 27 **-c)** 28 **-d)** 30 p. **cerrar.**
Hacer otro manguito igual.

CONFECCIÓN Y REMATE
Bolsillos: Montar 12 p. trab. 15 cm. a *p. elástico 2x2* empezando y terminando el elástico con 3 p. der. **cerrar.**
Hacer otro bolsillo igual.
Coser los bolsillos en el delantero (ver gráfico A)
Coser un hombro.
Cuello: Recoger -a) 38 **-b)** 40 **-c)** 42 **-d)** 44 p. alrededor del escote trab. 24 cm. a *p. elástico 2x2* empezando y terminando el elástico por: **-a), -c)** 2 p. der. **-b), -d)** empezar con 2 p. der. y terminar con 2 p. rev. **Cerrar.**
Coser 3 botones en cada manguito, repartidos en la parte superior (= parte más ancha del manguito) ver fotografía.
Coser el otro hombro, cuello, lados y mangas.

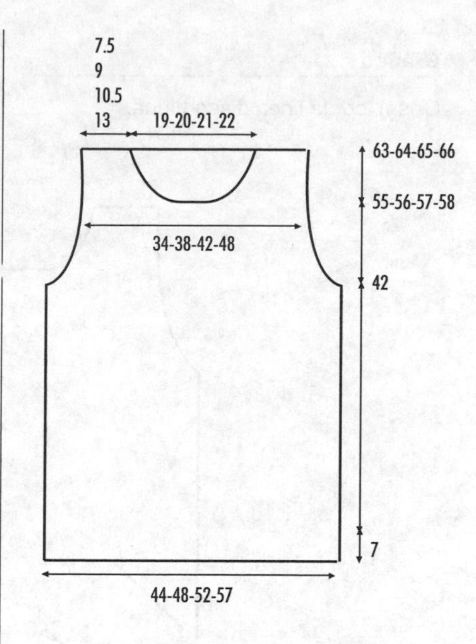

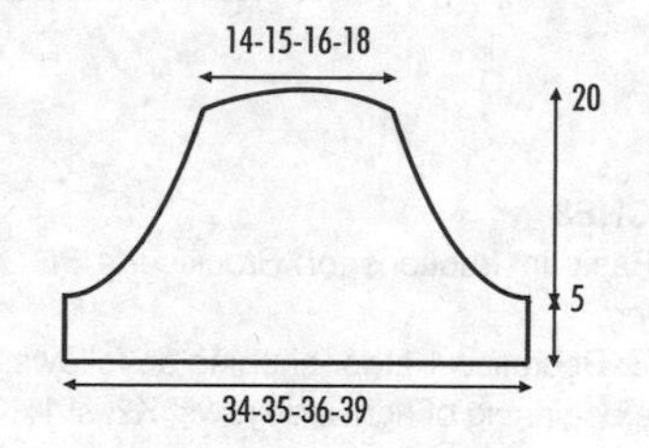

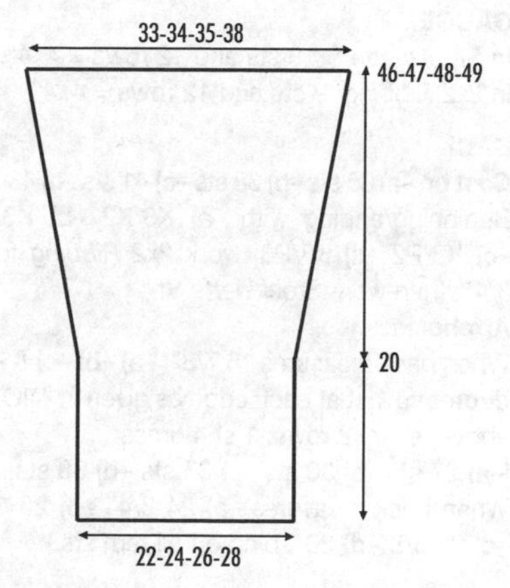

ENGLISH

SIZE: -a) 34 5/8" **-b)** 37 3/4" **-c)** 41" **-d)** 44 7/8": finished bust measurement

MATERIALS
ETHNIC: **-a)** 6 **-b)** 7 **-c)** 7 **-d)** 8 balls color no. 6502.
Six buttons.

NEEDLES
Size 15 (U.S.) /(10 metric) **or size you need to use to obtain gauge listed below.**

Gráfico A

Coser por la línea discontinua.

Graph A

Sew along the dotted line.

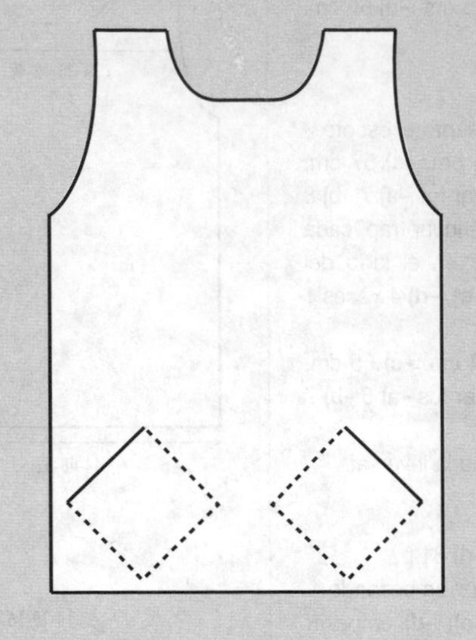

STITCHES
See Basic Instructions for: *Stockinette St*, *2x2 Ribbing.*
NOTE: Decrease 1 st for shaping as follows:
At the beginning of right side rows, K2, sl 1, K1, PSSO.
At the end of right side rows, work to last 4 sts; K 2 tog, K2.

GAUGE
In *Stockinette St:* 8 sts and 12 rows = 4x4".
In *2x2 Ribbing:* 9 sts and 12 rows = 4x4".

BACK
Cast on –a) 35 sts **–b)** 38 sts **–c)** 41 sts **–d)** 46 sts.
Beginning/ending with **–a)** K3/K2 **–b)** K3/P3 **–c)** K3/P2 **–d)** K3/P3, work *2x2 Ribbing* for 2 3/4", then work *Stockinette St*.
Armholes:
When back measures 16 7/8", **–a) –b) –c) & –d): decrease** 1 st at each edge as given in "NOTE" above, every 2 rows: 1 st 4 times:
[**–a)** 27 sts **–b)** 30 sts **–c)** 33 sts **–d)** 38 sts].
When back measures **–a)** 24 3/4" **–b)** 25 1/4" **–c)** 25 5/8" **–d)** 26", bind off all rem sts.

FRONT
Work same as back until front measures **–a)** 21 5/8" **–b)** 22" **–c)** 22 1/2" **–d)** 22 7/8".
Neckline:
Bind off center **–a)** 7 sts **–b)** 8 sts **–c)** 9 sts **–d)** 10 sts.
Working each side separately, **–a) –b) –c) & –d):** bind off at neck edge every 2 rows: 1 st 4 times:
[**–a)** 6 sts **–b)** 7 sts **–c)** 8 sts **–d)** 10 sts.
Shoulders:
When front measures **–a)** 24 3/4" **–b)** 25 1/4" **–c)** 25 5/8" **–d)** 26", bind off at armhole edge, all rem sts.

SLEEVES
(make 2)
Cast on –a) 27 sts **–b)** 28 sts **–c)** 29 sts **–d)** 31 sts.
Beginning/ending with **–a)** K3/K2 **–b)** K2/P2 **–c)** K3/P2 **–d)** K3/K2, work 2 rows *2x2 Ribbing.*
When sleeve measures 2", **decrease** 1 st at each edge as given in "NOTE" above, every 2 rows: 8 times:
–a) 11 sts **–b)** 12 sts **–c)** 13 sts **–d)** 15 sts.

MITTS
(make 2)
Cast on –a) 18 sts **–b)** 19 sts **–c)** 20 sts **–d)** 22 sts.
Beginning/ending with **–a)** K2/K2 **–b)** K3/K2 **–c)** K2/P2 **–d)** K2/K2, work *2x2 Ribbing* for 2 rows; then work *Stockinette St.*
When piece measures 7 7/8", **–a) –b) –c) & –d): increase** 1 st at each edge every 6 rows: 4 times:
[**–a)** 26 sts **–b)** 27 sts **–c)** 28 sts **–d)** 30 sts.
Bind off.

FINISHING
Pockets: (one size)
Cast on: 12 sts.
Beginning and ending with K3, work *2x2 Ribbing.*
When pocket measures 5 7/8", **bind off.**
Sew pocket to front as shown on Graph.
Sew right shoulder seam.
Collar: pick up –a) 38 sts **–b)** 40 sts **–c)** 42 sts **–d)** 44 sts around neck edge.
Beginning/ending with **–a)** K2/K2 **–b)** K2/P2 **–c)** K2/K2 **–d)** K2/P2, work *2x2 Ribbing* for 9 1/2"; **bind off.**
Sew edges of collar, other shoulder, side and sleeve seams.
Sew three buttons (equally spaced) to top edge of each mitt, as shown in photograph.

MODELO **16** FIL KATIA

ETHNIC

(Ver página 3 Puntos Básicos)
(See page 3 Basic Stitches)

pág. 10

ESPAÑOL

TALLAS: –a) 38/40 **–b)** 42/44 **–c)** 46/48 **–d)** 50/52

MATERIALES
ETHNIC: col. 6505: **–a)** 7 **–b)** 8 **–c)** 9 **–d)** 10 ovillos.

Agujas	Puntos empleados
Nº 8	*- P. elástico 1x1* *- P. jersey der.*

MUESTRA DEL PUNTO
P. jersey der., ag. nº 8
10x10 cm. = 9 p. y 14 vtas.

ESPALDA
Montar –a) 44 p. **–b)** 48 p. **–c)** 52 p. **–d)** 56 p.
Trab. 4 cm. a *p. elástico 1x1.*
Continuar trab. a *p. jersey der.*
A 8 cm. de largo total, **menguar** en ambos lados 1 vez 1 p. y a 16 cm. de largo total, **menguar** otra vez en ambos lados 1 vez 1 p. = **–a)** 40 p. **–b)** 44 p. **–c)** 48 p. **–d)** 52 p.
A 30 cm. de largo total, **aumentar** en ambos lados 1 vez 1 p. y a 38 cm. de largo total, **aumentar** otra vez en ambos lados 1 vez 1 p. = **–a)** 44 p. **–b)** 48 p. **–c)** 52 p. **–d)** 56 p.
Sisas:
A 45 cm. de largo total, **cerrar** en ambos lados **–a)** y **–b)** 1 vez 2 p. **–c)** y **–d)** 1 vez 3 p. y **cerrar** en ambos lados cada 4 vtas:
–a), –b) y **–c)** 3 veces 1 p.
–d) 4 veces 1 p.
A **–a)** 65 cm. **–b)** 66 cm. **–c)** 67 cm. **–d)** 68 cm. de largo total, **cerrar** los **–a)** 34 p. **–b)** 38 p. **–c)** 40 p. **–d)** 42 p. restantes.

DELANTERO
Trab. como la espalda, excepto el escote.
Escote:
A **–a)** 56 cm. **–b)** 57 cm. **–c)** 58 cm. **–d)** 59 cm. de largo total, **cerrar** los **–a)** y **–b)** 8 p. **–c)** y **–d)** 10 p. centrales y continuar trab. cada lado por separado.
Cerrar en el lado del escote cada 2 vtas: 1 vez 2 p., 2 veces 1 p.
Hombro:
A **–a)** 65 cm. **–b)** 66 cm. **–c)** 67 cm. **–d)** 68 cm. de largo total, **cerrar** los **–a)** 9 p. **–b)** 11 p. **–c)** 11 p. **–d)** 12 p. restantes del hombro.
Acabar el otro lado igual, pero a **la inversa.**

MANGAS
Montar -a) 20 p. **-b)** 20 p. **-c)** 22 p. **-d)** 24 p.
Trab. 3 cm. a *p. elástico 1x1.*
Continuar trab. a *p. jersey der.*
A 8 cm. de largo total, **aumentar** en ambos lados:
-a) cada 8 vtas y cada 10 vtas alternativamente: 5 veces 1 p. = 30 p.
-b) cada 8 vtas: 6 veces 1 p. = 32 p.
-c) cada 8 vtas: 6 veces 1 p. = 34 p.
-d) cada 8 vtas: 6 veces 1 p. = 36 p.
Sisa:
A 49 cm. de largo total, **cerrar** en ambos lados cada 2 vtas:
-a), -b) 1 vez 3 p., 4 veces 2 p.
-c), -d) 1 vez 3 p., 5 veces 2 p.
A **-a)** 58 cm. **-b)** 59 cm. **-c)** 60 cm. **-d)** 61 cm. de largo total, **cerrar** los **-a)** 8 p. **-b)** 10 p. **-c)** 8 p. **-d)** 10 p. restantes.
Trab. la otra manga igual.

CONFECCIÓN Y REMATE
Coser el hombro derecho.
Recoger alrededor del escote: **-a)** 45 p. **-b)** 49 p. **-c)** 53 p. **-d)** 57 p.
Trab. a *p. elástico 1x1.* Empezar y terminar con 1 p. der.
A 22 cm. de largo total, **cerrar** los p. muy flojos.
Coser el hombro izquierdo, cuello, lados y mangas.

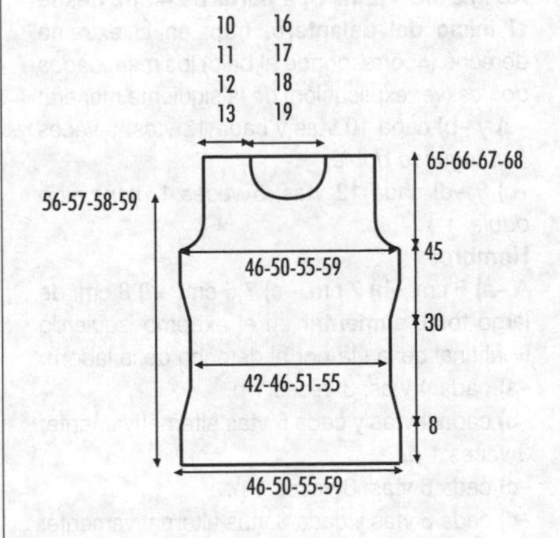

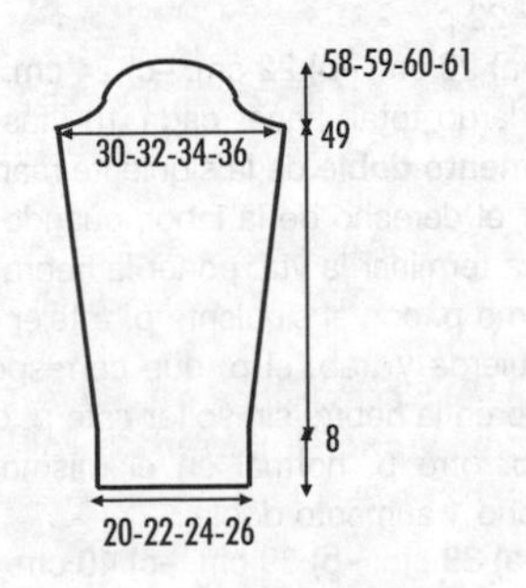

ENGLISH

SIZE: -a) 36 1/4" **-b)** 39 3/8" **-c)** 43 1/4" **-d)** 46 1/2": finished bust measurement

MATERIALS
ETHNIC: **-a)** 7 **-b)** 8 **-c)** 9 **-d)** 10 balls color no. 6505.

NEEDLES
Size 11 (U.S.) /(8 metric) **or size you need to use to obtain gauge listed below.**

STITCHES
See Basic Instructions for: *1x1 Ribbing*, *Stockinette St.*

GAUGE
In *Stockinette St*: 9 sts and 14 rows = 4x4"

BACK
Cast on -a) 44 sts **-b)** 48 sts **-c)** 52 sts **-d)** 56 sts.
Work *1x1 Ribbing* for 1 5/8", then work *Stockinette St.*
When back measures 3 1/8", **-a) -b) -c) & -d): decrease** 1 st at each edge, then at 6 1/4", **decrease** 1 st at each edge:
[-a) 40 sts -b) 44 sts -c) 48 sts -d) 52 sts].
When back measures 11 3/4", **-a) -b) -c) & -d): increase** 1 st at each edge, then at 15", **increase** 1 st at each edge:
[-a) 44 sts -b) 48 sts -c) 52 sts -d) 56 sts].
Armholes:
When back measures 17 3/4", **bind off** at each edge every 2 rows: **-a) & -b)** 2 sts **-c) & -d)** 3 sts; then **decrease** 1 st at each edge every 4 rows:
-a) -b), & -c) 3 times
-d) 4 times.
Shoulders:
When back measures **-a)** 25 5/8" **-b)** 26" **-c)** 26 3/8" **-d)** 26 3/4", bind off at armhole edge rem **-a)** 34 sts **-b)** 38 sts **-c)** 40 sts **-d)** 42 sts.

FRONT
Work same as back until front measures **-a)** 22" [34 sts] **-b)** 22 1/2" [38 sts] **-c)** 22 7/8" [40 sts] **-d)** 23 1/4" [42 sts].
Neckline:
Bind off center **-a) & -b)** 8 sts **-c) & -d)** 10 sts.
Working each side separately, **-a) -b) -c) & -d):** bind off at neck edge every 2 rows: 2 sts 1 time; 1 st 2 times.
Shoulders:
When front measures **-a)** 25 5/8" **-b)** 26" **-c)** 26 3/8" **-d)** 26 3/4", bind off at armhole edge remaining **-a)** 9 sts **-b)** 11 sts **-c)** 11 sts **-d)** 12 sts.

SLEEVES
Cast on -a) 20 sts **-b)** 20 sts **-c)** 22 sts **-d)** 24 sts.
Work *1x1 Ribbing* for 1 1/4", then work *Stockinette St.*
When sleeves measure 3 1/8", **increase** 1 st at each edge:
-a) alternately every 8 and 10 rows: 5 times: [30 sts]
-b) every 8 rows: 6 times: [32 sts]
-c) every 8 rows: 6 times: [34 sts]
-d) every 8 rows: 6 times: [36 sts].
Armhole:
When sleeve measures 19 1/4", **bind off** at each edge every 2 rows:
-a) & -b) 3 sts 1 time; 2 sts 4 times
-c) & -d) 3 sts 1 time; 2 sts 5 times.
When sleeve measures **-a)** 22 7/8" **-b)** 23 1/4" **-c)** 23 5/8" **-d)** 24", bind off at armhole edge remaining **-a)** 8 sts **-b)** 10 sts **-c)** 8 sts **-d)** 10 sts.

FINISHING
Sew right shoulder seam. **Pick up -a)** 45 sts **-b)** 49 sts **-c)** 53 sts **-d)** 57 sts around neck edge.
Beginning and ending with K1, work *1x1 Ribbing*.
When collar measures 8 5/8", **bind off** very loosely.
Sew other shoulder, side and sleeve seams.

MODELO 17

FIL KATIA

NEPAL

(Ver página 3 Puntos Básicos)
(See page 3 Basic Stitches)

pág. 11

ESPAÑOL

TALLA: única

MATERIALES
NEPAL 2 ovillos de cada color: 5002, 5006, 5005.

Agujas	Puntos empleados
Nº 7	*- Punto jersey derecho*

MUESTRA DEL PUNTO
P. jersey der. ag. nº 7.
10x10 cm. = 10 p. y 16 vtas

ESPALDA
En col. 5006 montar 50 p. trabajar a *p. jersey der.* A 70 cm. de largo total cerrar todos los p.

DELANTERO DERECHO
En col. 5002 montar 30 p. trabajar a *p. jersey der.* A 70 cm. de largo total cerrar todos los p.

DELANTERO IZQUIERDO
En col. 5005 montar 30 p. trabajar a *p. jersey der.* A 70 cm. cerrar todos los p.

MONTAJE
Hilvanar las piezas encaradas y planchar a vapor. Coser lados 20 cm. desde el lado superior, dejar una abertura de 20 cm. (sisa) y coser los 30 cm. restantes hasta el bajo.

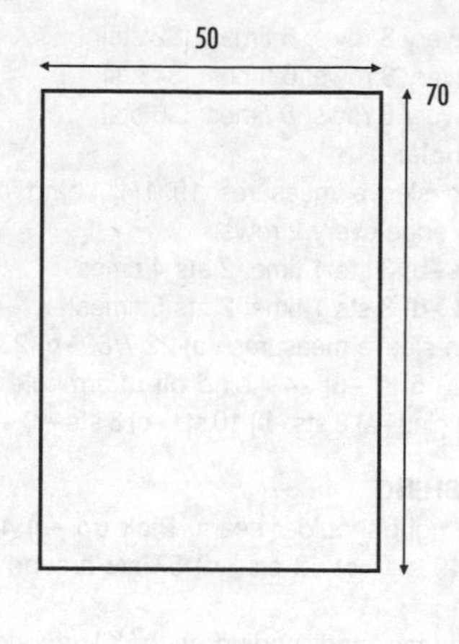

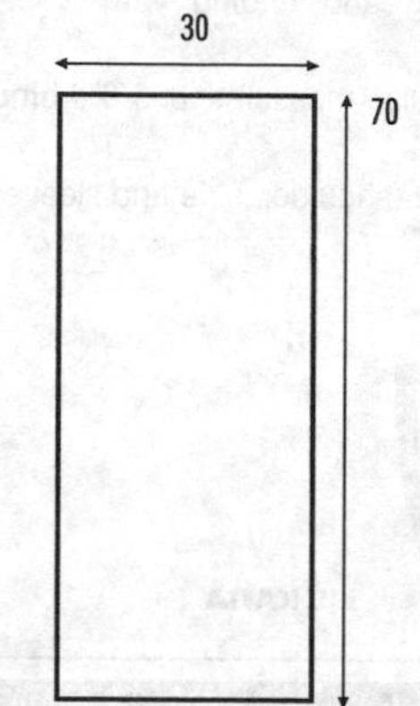

ENGLISH

SIZE: one size

MATERIALS
NEPAL: 2 ball each of colors no. 5002, 5005, and 5006.

NEEDLES
Size 10 1/2 (U.S.) /(7 metric) **or size you need to use to obtain gauge listed below.**

STITCHES
See Basic Instructions for: *Stockinette St*.

GAUGE
In *Stockinette St*: 10 sts and 16 rows = 4x4"

BACK
Using color no. 5006, **cast on** 50 sts.
Work *Stockinette St* for 27 1/2"; **bind off.**

RIGHT FRONT
Using color no. 5002, **cast on** 30 sts.
Work *Stockinette St* for 11 3/4"; **bind off.**

LEFT FRONT
Using color no. 5005, **cast on** 30 sts.
Work *Stockinette St* for 11 3/4"; **bind off.**

FINISHING
Carefully block pieces on the wrong side, using steam only.
Sew lower section of side seams for 11 3/4"; leave a 7 7/8" opening for armhole; **sew** top 11 3/4" of side seam.

MODELO 18

FIL KATIA

SHERPA / SHERPA PLUS

pág. 12

ESPAÑOL

TALLAS: –a) 38/40 **–b)** 42/44 **–c)** 46/48 **–d)** 50/52

MATERIALES
SHERPA: col. lila 64: **–a), –b)** 5 **–c), –d)** 6 ovillos.
SHERPA PLUS: col. 3312: **–a), –b), –c), –d)** 4 ovillos
1 botón col. lila.

Agujas	Puntos empleados
Nº 6 1/2	- *P. elástico 1x1* - *Menguados dobles* (ver explicación)
Aguja de ganchillo	
Nº 1,50 mm.	- *P. de cadeneta*

Menguados dobles delantero derecho: por el derecho de la labor:
Trab. 11 p. a *p. elástico 1x1*, trab. 3 p. juntos al rev.

Menguados dobles delantero izquierdo: por el derecho de la labor:
Al final de la vta, cuando faltan 14 p. para terminar la vta: trab. 3 p. juntos al rev., trab. 11 p. a *p. elástico 1x1.*

Menguados dobles mangas: por el derecho de la labor:
Al inicio de la vta: trab. 3 p. a *p. elástico 1x1*, trab. 3 p. juntos al rev..
Al final de la vta, cuando faltan 6 p. para terminar la vta: trab. 3 p. juntos al rev., trab. 3 p. a *p. elástico 1x1.*

MUESTRA DEL PUNTO
P. elástico 1x1, ag. nº 6 1/2
10x10 cm. = 18 p. y 19 vtas.

ESPALDA
Con SHERPA col. lila 64, **montar –a)** 79 p. **–b)** 87 p. **–c)** 95 p. **–d)** 103 p.
Trab. a *p. elástico 1x1.*
Sisas:
A 35 cm. de largo total, **cerrar** en ambos lados cada 2 vtas:
–a) 1 vez 3 p., 1 vez 2 p., 1 vez 1 p. = 67 p.
–b) 1 vez 3 p., 1 vez 2 p., 2 veces 1 p. = 73 p.
–c) 1 vez 3 p., 2 veces 2 p., 1 vez 1 p. = 79 p.
–d) 1 vez 3 p., 2 veces 2 p., 2 veces 1 p. = 85 p.

Hombros y escote:
Se forman al mismo tiempo.
A **–a)** 52 cm. **–b)** 53 cm. **–c)** 54 cm. **–d)** 55 cm. de largo total, para los hombros **cerrar** en ambos lados:
–a) 1 vez 9 p., 1 vez 8 p.
–b) 2 veces 10 p.
–c) 1 vez 12 p., 1 vez 11 p.
–d) 2 veces 13 p.
A los mismos **–a)** 52 cm. **–b)** 53 cm. **–c)** 54 cm. **–d)** 55 cm. de largo total, para el escote, **cerrar** los 21 p. centrales y continuar trab. cada lado por separado. Después de 2 vtas, **cerrar** en el lado del escote: 1 vez 6 p.
Acabar el otro lado igual, pero **a la inversa.**

DELANTERO DERECHO
Se trab. en sentido horizontal.
Con SHERPA PLUS col. 3312, **montar –a), –b), –c), –d)** 58 p.
Trab. a *p. elástico 1x1*. **NOTA:** Empezar la vta con 1 p. rev. (este punto corresponde al bajo del delantero y para un mejor acabado, a lo largo del delantero = al inicio de las vtas por el derecho de la labor, pasar el primer p. sin hacer al der. a la aguja derecha y trab. este p. en las vtas por el revés de la labor al der.
Sisa:
Después de 4 vtas (= 2 cm. de largo total), **aumentar** al final de cada vta por el derecho de la labor:
–a) 3 veces 1 p., 1 vez 25 p.
–b) 4 veces 1 p., 1 vez 26 p.
–c) 4 veces 1 p., 1 vez 27 p.
–d) 5 veces 1 p., 1 vez 28 p.
AL MISMO TIEMPO, a partir de 4 cm. desde el inicio del delantero, trab. en el extremo derecho (=corresponde al bajo) los *menguados dobles* (ver explicación) de la siguiente manera:
–a) y **–b)** cada 10 vtas y cada 12 vtas: 5 veces 1 *menguado doble*
–c) y **–d)** cada 12 vtas: 5 veces 1 *menguado doble*
Hombro:
A **–a)** 6 cm. **–b)** 7 cm. **–c)** 7,5 cm. **–d)** 8 cm. de largo total, **aumentar** en el extremo izquierdo (= al final de la vta por el derecho de la labor):
–a) cada 4 vtas: 3 veces 1 p.
–b) cada 4 vtas y cada 6 vtas alternativamente: 3 veces 1 p.
–c) cada 6 vtas: 3 veces 1 p.
–d) cada 6 vtas y cada 8 vtas alternativamente: 3 veces 1 p.
Cuello:
A **–a)** 16 cm. **–b)** 18,5 cm. **–c)** 20,5 cm. **–d)** 22,5 cm. de largo total, **aumentar** al final de la vta por el derecho de la labor, **–a), –b), –c), –d)** 1 vez 22 p.
A **–a)** 20 cm. **–b)** 22 cm. **–c)** 24 cm. **–d)** 26 cm. de largo total, hacer cada 10 vtas 3 veces 1 **aumento doble** de la siguiente manera:
Por el derecho de la labor, cuando faltan 7 p. para terminar la vta: poner la hebra que une el último p. con el siguiente p. a tejer en la aguja izquierda y trab. el p. que corresponda retorcido en la hebra, sin soltar este p. de la aguja, trab. otro p. normal en el mismo p. (se ha hecho 1 aumento doble).
A **–a)** 38 cm. **–b)** 39 cm. **–c)** 40 cm. **–d)** 41 cm.

de largo total, **cerrar** los **–a)** 107 p. **–b)** 109 p. **–c)** 110 p. **–d)** 112 p. de la siguiente manera: * trab. 2 p. juntos, poner el p. resultante otra vez en la aguja izquierda *, repetir de * a *.

DELANTERO IZQUIERDO

Trab. como el delantero derecho, pero **a la inversa.**

MANGAS

Con SHERPA col. lila 64, **montar –a)** 41 p. **–b)** 45 p. **–c)** 49 p. **–d)** 53 p.

Trab. a *p. elástico 1x1.*

A 4 cm. de largo total, **aumentar** en ambos lados (= a 1 p. desde cada extremo) cada 6 vtas y cada 8 vtas alternativamente: 10 veces 1 p.

Quedan **–a)** 61 p. **–b)** 65 p. **–c)** 69 p. **–d)** 73 p.

Trab. los p. aumentados a *p. elástico 1x1.*

Sisa:

A 46 cm. de largo total, **cerrar** en ambos lados 1 vez 4 p. y a continuación hacer en ambos lados los *menguados dobles mangas* (ver explicación):

–a) cada 4 vtas: 4 veces 1 *menguado doble;* cada 2 vtas: 5 veces 1 *menguado doble* = 17 p.

–b) cada 4 vtas: 4 veces 1 *menguado doble;* cada 2 vtas: 6 veces 1 *menguado doble* = 17 p.

–c) cada 4 vtas: 4 veces 1 *menguado doble;* cada 2 vtas: 7 veces 1 *menguado doble* = 17 p.

–d) cada 4 vtas: 4 veces 1 *menguado doble;* cada 2 vtas: 8 veces 1 *menguado doble* = 17 p.

A **–a)** 62 cm. **–b)** 63 cm. **–c)** 64 cm. **–d)** 65 cm. de largo total, **cerrar** los p.

Trab. la otra manga igual.

CONFECCIÓN Y REMATE

Hilvanar las piezas encaradas y planchar con PRECAUCIÓN.

Todas las costuras de la chaqueta se realizan a *p. de lado* (ver pág. p. básicos).

Coser hombros.

Coser los extremos del cuello por el derecho de la labor, de esta manera al girar el cuello hacia fuera no se ve la costura.

Coser el cuello alrededor del escote de la espalda.

Aplicar las mangas (= con la mitad de la parte superior de la manga a la costura del hombro) y coser lados y mangas.

Con la aguja de ganchillo nº 1,50 mm., trab. sobre la tapeta del delantero derecho 1 presilla de 5 *p. de cadeneta*, insertando la aguja de ganchillo a 17 cm. desde el bajo y volver a insertar la aguja de ganchillo 3 cm. por encima.

Coser el botón al delantero izquierdo, a 15 cm. desde la costura lateral y a 34 cm. desde el bajo.

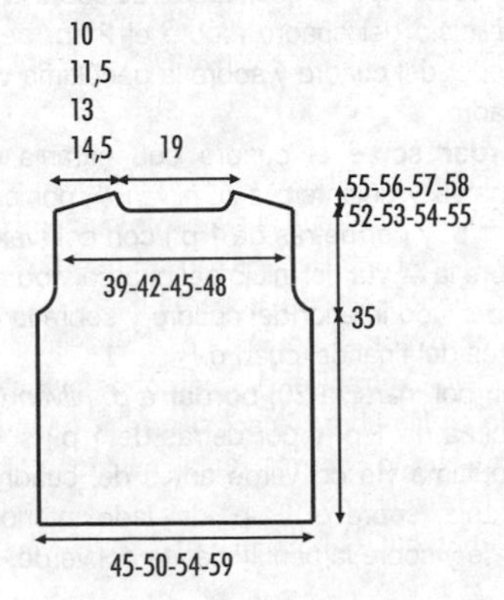

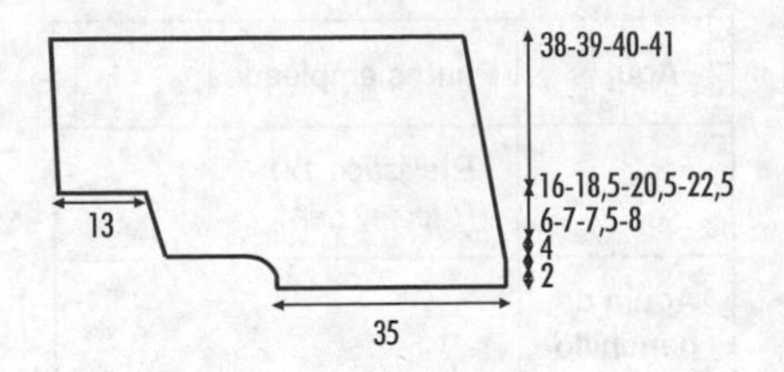

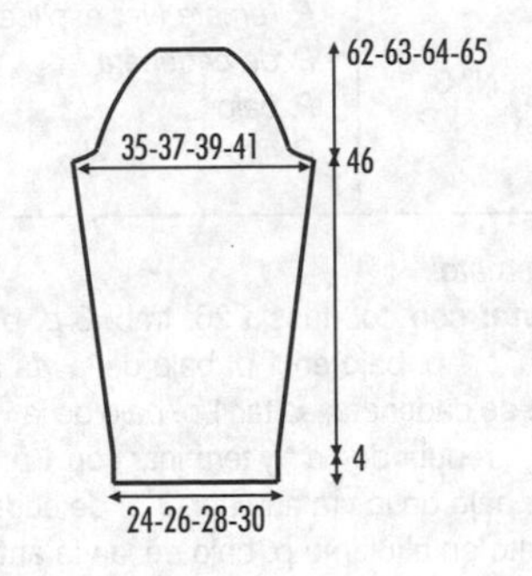

ENGLISH

SIZE: –a) 17 3/4" **–b)** 19 3/4" **–c)** 21 1/4" **–d)** 23 5/8": finished measurement of back at underarm.

MATERIALS

SHERPA: **–a) & –b)** 5 **–c) & –d)** 6 balls lilac no. 64.

SHERPA PLUS: **–a) –b) –c) & –d):** 4 balls color no. 3312.

One button.

KNITTING NEEDLES

Size 9 (U.S.) /(6 1/2 metric) **or size you need to use to obtain gauge listed below.**

CROCHET HOOK

Size B (U.S.) /(1.5 metric)

STITCHES

See Basic Instructions for: *1x1 Ribbing, Crochet Chain.*

NOTE 1: *Double decreases for right front:*

At the beginning of a right side row, work 11 sts in *1x1 Ribbing*; P 3 tog.

NOTE 2: *Double decreases for left front:*

On a right side row, work *1x1 Ribbing* to last 14 sts; P3 together, work 11 sts in existing *1x1 Ribbing* pattern.

NOTE 3: *Double decreases for sleeves:*

At the beginning of a right side row, work 3 sts *1x1 Ribbing*, P 3 tog.

At the end of a right side row, work to last 6 sts, P 3 tog, work 3 sts *1x1 Ribbing.*

GAUGE

In *1x1 Ribbing*: 18 sts and 19 rows = 4x4"

BACK

Using lilac SHERPA, **cast on –a)** 79 sts **–b)** 87 sts **–c)** 95 sts **–d)** 103 sts.

Work *1x1 Ribbing.*

Armholes:

When back measures 13 3/4", **bind off** at each edge every 2 rows:

–a) 3 sts 1 time; 2 sts 1 time; 1 st 1 time: [67 sts]

–b) 3 sts 1 time; 2 sts 1 time; 1 st 2 times: [73 sts]

–c) 3 sts 1 time; 2 sts 2 times; 1 st 1 time: [79 sts]

–d) 3 sts 1 time; 2 sts 2 times; 1 st 2 times: [85 sts]

Neckline and shoulders:

Worked at the same time when back measures **–a)** 20 1/2" **–b)** 20 7/8" **–c)** 21 1/4" **–d)** 21 5/8".

Neckline:

–a) –b) –c) & –d): Bind off center 21 sts, then Working each side separately, **bind off** at neck edge on 2nd row: 6 sts 1 time.

Shoulders:

Bind off at armhole edge every 2 rows:

–a) 9 sts 1 time; 8 sts 1 time

–b) 10 sts 2 times

–c) 12 sts 1 time; 11 sts 1 time

–d) 13 sts 2 times.

RIGHT FRONT

Worked horizontally. (First stitch on right side rows is the lower edge of front. On all right side rows, slip this st as if to purl I; on reverse side rows, knit this stitch.)

Using SHERPA PLUS, **cast on –a), –b), –c), & –d):** 58 sts.

Beginning and ending with P1, work *1x1 Ribbing* for 4 rows.

Armhole:

Beginning on the 5th row, at the end of right side rows, **cast on:**

–a) 1 st 3 times; 25 sts 1 time

–b) 1 st 4 times; 26 sts 1 time

–c) 1 st 4 times; 27 sts 1 time

–d) 1 st 5 times; 28 sts 1 time.

AND AT THE SAME TIME:

When front measures 1 5/8", **decrease** 2 sts as given in "NOTE 1":

–a) & –b) alternately every 10 and 12 rows: 5 times

–c) & –d) every 12 rows: 5 times.

Shoulder

When front measures **–a)** 2 3/8" **–b)** 2 3/4" **–c)** 3" **–d)** 3 1/8", **increase** 1 st at the end of right side rows:

–a) every 4 rows: 3 times

–b) alternately every 4 and 6 rows: 3 times

–c) every 6 rows: 3 times

–d) alternately every 6 and 8 rows: 3 times.

Collar:

When front measures **–a)** 6 1/4" **–b)** 7 1/4" **–c)** 8" **–d)** 8 7/8", **cast on** at the end of next right side row: **–a) –b) –c) & –d):** 22 sts.

When front measures **–a)** 7 7/8" **–b)** 8 5/8" **–c)** 9 1/2" **–d)** 10 1/4", on next right side row begin **increasing** on every 10th right side row 3 times as follows:

At the end of a right side row; work to last 7 sts; maintaining existing 1x1 ribbing pattern, knit (or purl) into the stitch below the last worked st on RH needle, then knit (or purl) into the next unworked stitch on the LH needle = 2 sts increased.

When front measures **–a)** 15" **–b)** 15 3/8" **–c)** 15 3/4" **–d)** 16 1/8", you should have **–a)** 107 sts **–b)** 109 sts **–c)** 110 sts **–d)** 112 sts.

Bind off as follows: * K 2 tog, put resulting st onto LH needle, *; rep from * to *,

LEFT FRONT
Work same as right front, reversing all shaping.

SLEEVES
Using lilac SHERPA, **cast on –a)** 41 sts **–b)** 45 sts **–c)** 49 sts **–d)** 53 sts.
Work *1x1 Ribbing1x1 Ribbing*
When sleeve measures 1 5/8", **–a) –b) –c) & –d):** working increased sts into *1x1 Ribbing* pattern, increase 1 st over 2nd st from each edge alternately every 6 and 8 rows: 10 times: [**–a)** 61 sts **–b)** 65 sts **–c)** 69 sts **–d)** 73 sts].
Armhole:
When sleeve measures 18 1/4", **–a) –b) –c) & –d): bind off** at each edge 4 sts 1 time; then **decrease** 2 sts at each edge as given in "NOTE 3" above.,
–a) every 4 rows: 4 times; every 2 rows: 5 times: [17 sts]
–b) every 4 rows: 4 times; every 2 rows: 6 times: [17 sts]
–c) every 4 rows: 4 times; every 2 rows: 7 times: [17 sts]
–d) every 4 rows: 4 times; every 2 rows: 8 times: [17 sts]
When sleeve measures **–a)** 24 3/8" **–b)** 24 3/4" **–c)** 25 1/4" **–d)** 25 5/8", **bind off** all rem sts.

FINISHING
Carefully block pieces on the wrong side, using steam only.
Sew shoulder seams.
Sew collar edges together so that the seam will not show when the collar is turned back.
Sew collar around back neck edge.
Matching center of sleeve with shoulder seam, **sew** in top of sleeve, then **sew** underarm seam.
Sew side seams.
With crochet hook, make a ch-5 button loop on right front, beginning at 6 3/4" from lower edge and ending 1 1/4" higher.
Sew button to left front, 5 7/8" from side seam and 13 3/8" from lower edge.

MERINO 100 %

pág. 13

ESPAÑOL

TALLAS: –a) 38/40 **–b)** 42/44 **–c)** 46/48 **–d)** 50/52

MATERIALES
MERINO 100 %: Col. fucsia 26 **–a)** 5 **–b** 6 **–c)** 7 **–d)** 8 ovillos.
Col. verde 35: **–a), –b)** 3 **–c), –d)** 4 ovillos.
Col. naranja 20: **–a), –b)** 2 **–c), –d)** 3 ovillos.

Agujas	Puntos empleados
Nº 4	- *P. elástico 1x1* - *P. jersey der.*
Aguja de ganchillo	
Nº 3	- *P. remate* (ver explicación) - *P. de cadeneta* - *P. bajo* - *P. alto*

P. remate:
1ª vta: con col. fucsia 26: trab. 3 *p. de cadeneta,* * 1 p. bajo en 1 p. bajo de la vta anterior, 5 p. de cadeneta, saltar 1 p. bajo de la vta anterior *, repetir de * a * y terminar con 1 p. bajo en 1 p. bajo de la vta anterior, 3 p. de cadeneta, 1 p. alto en el último p. bajo de la vta anterior.
2ª vta: con col. verde 35: trab. 1 p. bajo en el p. alto de la vta anterior, 5 p. de cadeneta, * 1 p. bajo en el centro de los 5 p. de cadeneta de la vta anterior, 5 p. de cadeneta *, repetir de * a * y terminar con 1 p. bajo en el centro de los 5 p. de cadeneta de la vta anterior.
3ª vta: con col. verde 35: trab. 6 p. de cadeneta, * 1 p. bajo en el centro de los 5 p. de cadeneta de la vta anterior, 5 p. de cadeneta *, repetir de * a * y terminar con 1 p. bajo en el centro de los 5 p. de cadeneta de la vta anterior, 3 p. de cadeneta, 1 p. alto en el último p. bajo de la vta anterior.
4ª vta: como la 3ª vta, pero con col. naranja 20.
5ª vta: como la 4ª vta, pero con col. naranja 20.
6ª vta: como la 3ª vta, pero con col. verde 35.

MUESTRA DEL PUNTO
P. jersey der., ag. nº 4
10x10 cm. = 20 p. y 28 vtas.

ESPALDA
Con ag. nº 4 y col. verde 35, **montar en tubular** (ver pág. p. básicos) **–a)** 46 p. **–b)** 51 p. **–c)** 55 p. **–d)** 60 p. para obtener **–a)** 92 p. **–b)** 102 p. **–c)** 110 p. **–d)** 120 p.
Trab. 3 cm. a *p. elástico 1x1* y continuar trab. a *p. jersey der.*
A 8 cm. de largo total, **menguar** en ambos lados (= a 2 p. desde cada extremo) cada 8 vtas: 3 veces 1 p. = **–a)** 86 p. **–b)** 96 p. **–c)** 104 p. **–d)** 114 p.
AL MISMO TIEMPO, a 14 cm. de largo total, trab. los **–a)** 40 p. **–b)** 45 p. **–c)** 49 p. **–d)** 54 p. del extremo derecho a *p. jersey der.* col. naranja 20 y los p. restantes a *p. jersey der.* col. verde 35.
A 24 cm. de largo total, **aumentar** en ambos lados (= a 2 p. desde cada lado) cada 8 vtas: 2 veces 1 p. = **–a)** 90 p. **–b)** 100 p. **–c)** 108 p. **–d)** 118 p.
A 34 cm. de largo total, continuar trab. todos los p. a *p. jersey der.* col. fucsia 26.
Sisas:
A 36 cm. de largo total, **cerrar** en ambos lados 1 vez 1 p. y continuar **menguando** en ambos lados (= a 2 p. desde cada extremo) cada 2 vtas:
–a) 6 veces 1 p. = 76 p.
–b) 7 veces 1 p. = 84 p.
–c) 8 veces 1 p. = 90 p.
–d) 9 veces 1 p. = 98 p.
A **–a)** 57 cm. **–b)** 58 cm. **–c)** 59 cm. **–d)** 60 cm. de largo total, **cerrar** los p.

DELANTERO
Trab. como la espalda, excepto el escote.
Escote:
A 36 cm. de largo total, **cerrar** los **–a), –b), –c), –d)** 16 p. centrales y continuar trab. cada lado por separado, formando la sisa como en la espalda.
Menguar cada 6 vtas en el lado del escote (= a 2 p. desde el extremo):
–a) 7 veces 1 p.
–b) 8 veces 1 p.
–c) 9 veces 1 p.
–d) 11 veces 1 p.
Hombro:
A **–a)** 57 cm. **–b)** 58 cm. **–c)** 59 cm. **–d)** 60 cm. de largo total, **cerrar** los **–a)** 24 p. **–b)** 26 p. **–c)** 28 p. **–d)** 30 p. restantes del hombro.
Acabar el otro lado igual, pero **a la inversa.**

MANGA DERECHA
Con ag. nº 4 y col.verde 35, **montar en tubular** (ver pág. p. básicos) **–a)** 20 p. **–b)** 22 p. **–c)** 24 p. **–d)** 26 p. para obtener **–a)** 40 p. **–b)** 44 p. **–c)** 48 p. **–d)** 52 p.
Trab. 6 cm. a *p. elástico 1x1* y continuar trab. a *p. jersey der.* con col. fucsia 26. A 8 cm. de largo total, **aumentar** en ambos lados (= a 2 p. desde cada lado) cada 6 vtas y cada 8 vtas alternativamente: 11 veces 1 p.
Quedan **–a)** 62 p. **–b)** 66 p. **–c)** 70 p. **–d)** 74 p.
Sisa:
A 41 cm. de largo total, **menguar** en ambos lados (= a 2 p. desde cada lado) cada 2 vtas:
–a) 22 veces 1 p. = 18 p.
–b) 23 veces 1 p. = 20 p.
–c) 24 veces 1 p. = 22 p.
–d) 25 veces 1 p. = 24 p.
A **–a)** 57 cm. **–b)** 58 cm. **–c)** 59 cm. **–d)** 60 cm. de largo total, **cerrar** los **–a)** 18 p. **–b)** 20 p. **–c)** 22 p. **–d)** 24 p. restantes.

MANGA IZQUIERDA
Trab. como la manga derecha, pero trab. los primeros 6 cm. con col. naranja 20.

CONFECCIÓN Y REMATE
Bordar sobre el cuadro col. naranja de la espalda a *p. hilván* (= por encima de 1 p. y por detrás de 1 p.) con col. fucsia 26 sobre la 2ª vta del inicio del cuadro, sobre el 2º p. del lado interior del cuadro y sobre la penúltima vta del cuadro.
Bordar sobre el cuadro col. naranja de la espalda y delantero a *p. hilván* (= por encima de 1 p. y por detrás de 1 p.) con col. verde 35 sobre la 4ª vta del inicio del cuadro, sobre el 4º p. del lado interior del cuadro y sobre la 4ª vta antes del final del cuadro.
Con col. naranja 20, **bordar** a *p. hilván* (= por encima de 1 p. y por detrás de 1 p.) sobre la penúltima vta col.verde antes del cuadro col. naranja, sobre el 2º p. del lado interior col. verde y sobre la penúltima vta col.verde.

Con col. fucsia 26, **bordar** a *p. hilván* (= por encima de 1 p. y por detrás de 1 p.) 2 vtas por debajo de la línea col. naranja, 2 p. al lado de la línea col. naranja, y 2 vtas por debajo de la línea col.naranja.

Bordar el delantero igual.

Con col. naranja 20, **bordar** a *p. hilván* (= por encima de 1 p. y por detrás de 1 p.) sobre la 2ª vta col. fucsia de la manga derecha.

Con col. verde 35, **bordar** a *p. hilván* (= por encima de 1 p. y por detrás de 1 p.) sobre la 4ª vta col. fucsia de la manga derecha.

Con col. verde 35, **bordar** a *p. hilván* (= por encima de 1 p. y por detrás de 1 p.) sobre la 2ª vta col. fucsia de la manga izquierda.

Con col. naranja 20, **bordar** a *p. hilván* (= por encima de 1 p. y por detrás de 1 p.) sobre la 4ª vta col. fucsia de la manga izquierda.

Coser hombros. (= **–a)** 24 p. **–b)** 26 p. **–c)** 28 p. **–d)** 30 p. para cada hombro).

Cuello:

Con la aguja de ganchillo nº 3 y col. fucsia 26, trab. en un lado del escote del delantero **–a)** 36 p. *bajos* **–b)** 38 p. *bajos* **–c)** 40 p. *bajos* **–d)** 42 *p. bajos;* alrededor del escote de la espala **–a)** 26 p. *bajos* **–b)** 30 p. *bajos* **–c)** 32 p. *bajos* **–d)** 36 *p. bajos;* en el otro lado del escote del delantero **–a)** 36 p. *bajos* **–b)** 38 p. *bajos* **–c)** 40 p. *bajos* **–d)** 42 *p. bajos* = en total **–a)** 98 p. *bajos* **–b)** 106 p. *bajos* **–c)** 112 p. *bajos* **–d)** 120 p. *bajos.*

Trab. a *p. remate.*

Flor espalda:

Con col.verde 35 y la aguja de ganchillo nº 3, trab. 7 *p. de cadeneta.* **Cerrar** en redondo con 1 *p. enano.*

1ª vta: Trab. 3 *p. de cadeneta,* 16 *p. altos* en la anilla formada. Cerrar con 1 *p. enano* en el primer *p. de cadeneta* de la vta.

2ª vta: Trab. 1 *p. de cadeneta*, * trab. en 1 *p. alto* de la vta anterior: 1 *p. bajo*, 3 *p. de cadeneta*, 2 *p. altos*, saltar 1 *p. alto* de la vta anterior *, repetir de * a * 7 veces más y cerrar con 1 *p. enano* en el primer *p. de cadeneta* de la vta. **Cortar** el hilo y rematar.

Coser esta flor en el centro del cuadro col. naranja de la espalda.

Motivo delantero:

Flor:

Con col.verde 35 y la aguja de ganchillo nº 3, trab. 6 *p. de cadeneta.* **Cerrar** en redondo con 1 *p. enano.*

1ª vta: Trab. 1 *p. de cadeneta,* 9 *p. bajos* en la anilla formada. Cerrar con 1 *p. enano* en el primer *p. de cadeneta* de la vta.

2ª vta: Trab. 1 *p. de cadeneta*, * trab. en 1 *p. bajo* de la vta anterior: 1 *p. bajo*, 3 *p. de cadeneta*, 2 *p. altos*, saltar 1 *p. bajo* de la vta anterior *, repetir de * a * 4 veces más y cerrar con 1 *p. enano* en el primer *p. de cadeneta* de la vta. **Cortar** el hilo y rematar.

Hacer de este manera 2 flores más, una flor col. fucsia 26 y otra flor col. naranja 20.

Hojas:

Con col. verde y la aguja de ganchillo nº 3, **montar** 8 *p. de cadeneta.* Trab. 1 *p. bajo* en cada uno de los 3 p. de cadeneta, 4 *p. altos* en cada uno de los siguientes 4 p. de cadeneta, trab. 3 *p. altos* en el último *p. de cadeneta.* Trab. en el otro lado de los 8 *p. de cadeneta* del montaje: 4 *p. altos* en cada uno de los siguientes 4 p. de cadeneta, trab. 1 *p. bajo* en cada uno de los últimos 3 p. de cadeneta. **Cortar** el hilo y rematar.

Trab. otra hoja igual.

Tiras:

Con col.verde 35 y la aguja de ganchillo nº 3, **montar** 21 *p. de cadeneta.* Trab. 2 *p. altos* en cada uno de los 15 *p. de cadeneta.* **Cortar** el hilo y rematar.

Hacer otra tira igual con col. fucsia 26.

Coser en el centro del cuadro col. naranja del delantero:

La flor col. naranja abajo, la flor col. verde a la derecha, la flor col. fucsia arriba; 1 hoja a la izquierda de la flor col. naranja, 1 hoja a la izquierda de la flor col. fucsia; las 2 tiras abajo en medio de las flores col. naranja y col. verde.

Aplicar mangas (= con el centro de la parte superior de la manga a la costura del hombro) y **coser** mangas y lados.

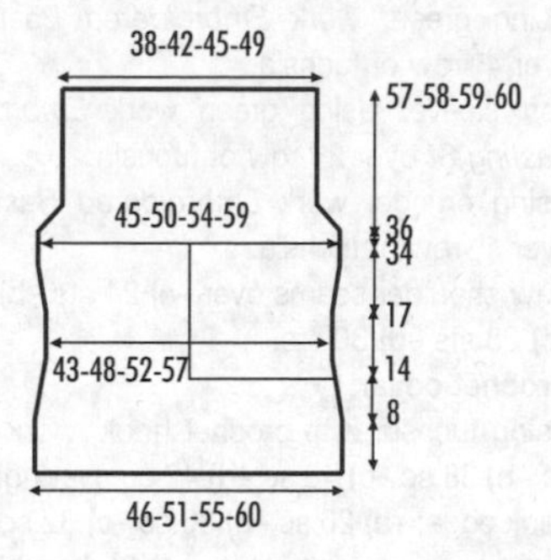

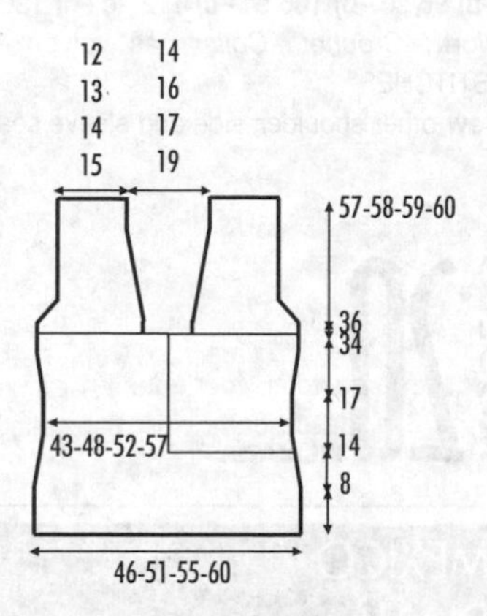

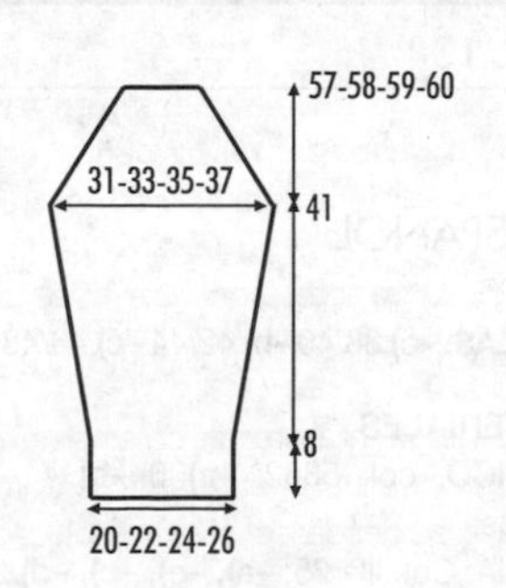

ENGLISH

SIZE: –a) 35 3/8" **–b)** 39 3/8" **–c)** 42 1/2" **–d)** 46 1/2": finished bust measurement

MATERIALS

MERINO 100%: **–a)** 5 **–b)** 6 **–c)** 7 **–d)** 8 balls fuchsia no. 26.

–a) –b) –c) & –d): 4 balls green no. 35.

–a) –b) –c) & –d): 3 balls orange no. 20.

KNITTING NEEDLES

Size 5 (U.S.) /(4 metric) **or size you need to use to obtain gauge listed below.**

CROCHET HOOK

Size D (U.S.) /(3 metric)

STITCHES

See Basic Instructions for: *1x1 Ribbing*, *Stockinette St*, *Crochet Chain*, *Single Crochet*, *Double Crochet, Crochet Slip St, Embroidered Basting St.*

NOTE 1: Decrease 1 st for shaping as follows:

At the beginning of right side rows, K2, sl 1, K1, PSSO.

At the end of right side rows, work to last 4 sts; K 2 tog, K2.

NOTE 2: Increase 1 st for shaping as follows:

At the beginning of right side rows: K2, increase in next st.

At the end of right side rows: work to last 3 sts; inc as before, K2.

Crochet Collar:

Row 1: Using fuchsia, ch 3, * sc in next sc, ch 5, skip 1 sc, *; rep from * to * to last 2 sts; sc in next sc, ch 5, dc in last sc, using green, ch 5, turn. **Fasten off** fuchsia.

Row 2: Using green, * sc in center if next ch-5 lp, ch 5, *; rep from * to *, ending with sc in last ch-5 lp on row below: ch 5, turn.

Row 3: * Sc in center of ch-5 loop on row below, ch 5, *; rep from * to * ending with sc in center of last ch-5 loop on row below; using orange, ch 6, turn. **Fasten off** green.

Row 4: Using orange, * sc in center of ch-5 loop on row below, ch 5, *; rep from * to * ending with sc in center of last ch-5 loop on row below;

Row 5: Using orange, repeat row 4, changing to green for last ch-6. **Fasten off** orange.

Row 6: Using green repeat row 4; **fasten off** and weave in all loose ends.

GAUGE

In *Stockinette St*: 20 sts and 28 rows = 4x4"

BACK

Using green with knitting needles in ***Tubular Cast On*** begin with **–a)** 46 sts **–b)** 51 sts **–c)** 55 sts **–d)** 60 sts to make **–a)** 92 sts **–b)** 102 sts **–c)** 110 sts **–d)** 120 sts.

Work *1x1 Ribbing* for 1 1/4", then work *Stockinette St.*

When back measures 3 1/8", **decrease** 1 st at each edge as given in "NOTE 1" above, every 8 rows: 3 times:

[**–a)** 86 sts **–b)** 96 sts **–c)** 104 sts **–d)** 114 sts.

AND AT THE SAME TIME:
When back measures 5 1/2", on next wrong side row, using green work to last **–a)** 40 sts **–b)** 45 sts **–c)** 49 sts **–d)** 54 sts; using orange work these last sts.
When back measures 9 1/2", **increase** 1 st at each edge as given in "NOTE 2" above, every 8 rows: 2 times:
[**–a)** 90 sts **–b)** 100 sts **–c)** 108 sts **–d)** 118 sts].
When back measures 13 3/8", work all sts using fuchsia.
Armholes:
When back measures 14 1/8", **bind off** 1 st at each edge; then **decrease** 1 st at each edge as given in "NOTE 1" above, every 2 rows:
–a) 6 times: [76 sts]
–b) 7 times: [84 sts]
–c) 8 times: [90 sts]
–d) 9 times: [98 sts].
When back measures **–a)** 22 1/2" **–b)** 22 7/8" **–c)** 23 1/4" **–d)** 23 5/8", **bind off** all rem sts.

FRONT
Work same as back until front measures **–a), –b), –c) & –d):** 14 1/8", shape armholes same as on back, **AND AT THE SAME TIME:**.
Neckline:
Bind off center **–a), –b), –c) & –d):** 16 sts.
Working each side separately, **–a) –b) –c) & –d): decrease** 1 st neck edge as given in "NOTE 1" above, every 6 rows:
–a) 7 times: [24 sts]
–b) 8 times: [26 sts]
–c) 9 times: [28 sts]
–d) 11 times: [30 sts]
When front measures **–a)** 22 1/2" **–b)** 22 7/8" **–c)** 23 1/4" **–d)** 23 5/8", **bind off** at armhole edge all rem sts.

RIGHT SLEEVE
Using green, in ***Tubular Cast On,*** begin with **–a)** 20 sts **–b)** 22 sts **–c)** 24 sts **–d)** 26 sts to make **–a)** 40 sts **–b)** 44 sts **–c)** 48 sts **–d)** 52 sts.
Work *1x1 Ribbing* for 2 3/8"; then using fuchsia, work *Stockinette St*.
When sleeve measures 3 1/8", **–a) –b) –c) & –d): increase** 1 st at each edge as given in "NOTE 2" above, alternately every 6 and 8 rows: 11 times:
[**–a)** 62 sts **–b)** 66 sts **–c)** 70 sts **–d)** 74 sts.
Armhole:
When sleeve measures 16 1/8", **decrease** 1 st at each edge as given in "NOTE 1" above, every 2 rows:
–a) 22 times: [18 sts]
–b) 23 times: [20 sts]
–c) 24 times: [22 sts]
–d) 25 times: [24 sts].
When sleeve measures **–a)** 22 1/2" **–b)** 22 7/8" **–c)** 23 1/4" **–d)** 23 5/8", **bind off** all rem sts.

LEFT SLEEVE
Work same as right sleeve, using orange instead of green for the 2 3/8" of ribbing.

FINISHING
NOTE: Work all *Embroidered Basting St*itches going over one stitch and under one stitch. See photograph.
Work embroidery over front and back as follows:
Orange section: Using fuchsia work *Embroidered Basting St* over the 2nd row of orange, from side seam to 2 sts from end of orange section; then continue *Basting St* up the 2nd st before green section, to last row of orange section, continue with fuchsia along this last row back to side seam.
Using green, work *Embroidered Basting St* over the 4th row of orange, from side seam to 4 sts from end of orange section; then continue *Basting St* up the 4th st before green section to the 4th row below fuchsia section, continue with green along this 4th row back to the side seam.
Green section: Using orange, work *Embroidered Basting St* over the top row of green, from side seam to end of orange section, then continue up the 2nd st of green (dividing the orange and green sections) to the last row of green before the fuchsia section, continue along this last row to other side seam.
Using fuchsia, work *Embroidered Basting St* 2 rows or 2 sts from the row of orange basting st.
Work embroidery over sleeves as follows:
Right sleeve: Using orange, work *Embroidered Basting St* over 2nd row of fuchsia.
Using green, work *Embroidered Basting St* over 4th row of fuchsia.
Left sleeve: Using green work *Embroidered Basting St* over 2nd row of fuchsia.
Using orange, work *Embroidered Basting St* over 4th row of fuchsia.
Sew shoulder seams over **–a)** 24 sts **–b)** 26 sts **–c)** 28 sts **–d)** 30 sts.
Crochet collar:
Using fuchsia with crochet hook, work **–a)** 36 sc **–b)** 38 sc **–c)** 40 sc **–d)** 42 sc over right front neck edge; **–a)** 26 sc **–b)** 30 sc **–c)** 32 sc **–d)** 38 sc over back neck edge; **–a)** 36 sc **–b)** 38 sc **–c)** 40 sc **–d)** 42 sc over left front neck edge: [**–a)** 96 sc **–b)** 106 sc **–c)** 112 sc **–d)** 120 sc].
Work *Crochet Collar* as given under "STITCHES".
Sew other shoulder, side and sleeve seams.

MODELO 20 FIL KATIA

MEXICO / DIANA
(Ver página 3 Puntos Básicos)
(See page 3 Basic Stitches)

pág. 13

ESPAÑOL

TALLAS: –a) 38/40 **–b)** 42/44 **–c)** 46/48 **–d)** 50/52

MATERIALES
MEXICO: col. 5862: **–a)** 6 **–b)** 7 **–c), –d)** 8 ovillos.
DIANA: Col. lila 25: **–a), –b), –c), –d)** 2 ovillos.

Agujas	Puntos empleados
Nº 4 1/2	- *P. elástico 2x2*
Nº 5	- *P. elástico 2x2* - *P. jersey der.* - *Menguados y aumentos* (ver explicación)

Menguados laterales: por el derecho de la labor:
En el extremo derecho (= inicio de la vta): trab. 2 p. der., 2 p. juntos al rev.
En el extremo izquierdo (= cuando faltan 4 p. para terminar la vta): trab. 2 p. juntos al rev., 2 p. der.
Aumentos laterales: por el derecho de la labor:
En el extremo derecho (= inicio de la vta): trab. 2 p. der., poner el hilo que une al último p. con el siguiente p. en la aguja izquierda y trab. al der. retorcido (= insertar la aguja derecha por detrás)
En el extremo izquierdo (= cuando faltan 2 p. para terminar la vta): poner el hilo que une al último p. con el siguiente p. en la aguja izquierda y trab. al der. retorcido (= insertar la aguja derecha por detrás), trab. 2 p. der.

MUESTRA DEL PUNTO
P. jersey der., MEXICO y ag. nº 5
10x10 cm. = 15 p. y 19 vtas.
P. elástico 2x2, DIANA y ag. nº 5
10x10 cm. = 17 p. y 23 vtas.
NOTA: las medidas están tomadas después de planchar las muestras.

ESPALDA
Con ag. nº 5 y MEXICO, **montar –a)** 66 p. **–b)** 72 p. **–c)** 80 p. **–d)** 86 p.
Trab. a *p. jersey der.* y hacer en ambos lados cada 4 vtas: 5 veces 1 *menguado lateral* = **–a)** 56 p. **–b)** 62 p. **–c)** 70 p. **–d)** 76 p.
A 14 cm. de largo total, hacer en ambos lados cada 6 vtas y cada 8 vtas alternativamente: 5 veces 1 *aumento lateral* = **–a)** 66 p. **–b)** 72 p. **–c)** 80 p. **–d)** 86 p.
Sisas:
A 37 cm. de largo total, **cerrar** en ambos lados cada 2 vtas:
–a) 1 vez 4 p., 1 vez 2 p., 2 veces 1 p. = 50 p.
–b) 1 vez 4 p., 2 veces 2 p., 1 vez 1 p. = 54 p.
–c) 1 vez 4 p., 3 veces 2 p., 1 vez 1 p. = 58 p.
–d) 1 vez 4 p., 3 veces 2 p., 2 veces 1 p. = 62 p.
Hombros:
A **–a)** 53 cm. **–b)** 54 cm. **–c)** 55 cm. **–d)** 56 cm. de largo total, **cerrar** en ambos lados cada 2 vtas:
–a) 2 veces 6 p.
–b) 1 vez 7 p., 1 vez 6 p.
–c) 1 vez 8 p., 1 vez 7 p.
–d) 2 veces 8 p.
Escote:
A **–a)** 56 cm. **–b)** 57 cm. **–c)** 58 cm. **–d)** 59 cm. de largo total, **cerrar** los **–a)** 26 p. **–b)** 28 p. **–c)** 28 p. **–d)** 30 p. restantes del escote.

DELANTERO

Se trab. en 3 piezas: 2 piezas laterales con MEXICO y 1 pieza central trabajado en horizontal con DIANA.

Pieza lateral derecha:

Con ag. nº 5 y MEXICO, **montar –a)** 20 p. **–b)** 22 p. **–c)** 26 p. **–d)** 28 p.

Trab. a *p. jersey der.* y hacer en el extremo izquierdo cada 4 vtas: 5 veces 1 *menguado lateral* = **–a)** 15 p. **–b)** 17 p. **–c)** 21 p. **–d)** 23 p.

A 14 cm. de largo total, hacer en el extremo izquierdo cada 6 vtas y cada 8 vtas alternativamente: 5 veces 1 *aumento lateral* = **–a)** 20 p. **–b)** 22 p. **–c)** 26 p. **–d)** 28 p.

Sisa:

A 37 cm. de largo total, **cerrar** en el extremo izquierdo cada 2 vtas:

–a) 1 vez 4 p., 1 vez 2 p., 2 veces 1 p. = 12 p.
–b) 1 vez 4 p., 2 veces 2 p., 1 vez 1 p. = 13 p.
–c) 1 vez 4 p., 3 veces 2 p., 1 vez 1 p. = 15 p.
–d) 1 vez 4 p., 3 veces 2 p., 2 veces 1 p. = 16 p.

Hombro:

A **–a)** 53 cm. **–b)** 54 cm. **–c)** 55 cm. **–d)** 56 cm. de largo total, **cerrar** en el extremo izquierdo cada 2 vtas:

–a) 2 veces 6 p.
–b) 1 vez 7 p., 1 vez 6 p.
–c) 1 vez 8 p., 1 vez 7 p.
–d) 2 veces 8 p.

Pieza lateral izquierda:

Trab. como la pieza lateral derecha, pero **a la inversa.**

Pieza central:

Con ag. nº 5 y DIANA, **montar –a)** 88 p. **–b)** 90 p. **–c)** 92 p. **–d)** 94 p.

Trab. a *p. elástico 2x2.* Empezar y terminar con **–a)** 3 p. der. **–b)** 4 p. der. **–c)** 3 p. der. **–d)** 4 p. der.

A **–a)** 18 cm. **–b)** 19 cm. **–c)** 20 cm. **–d)** 21 cm. de largo total, **cerrar** los p. como se presenten.

MANGAS

Con ag. nº 5 y MEXICO, **montar –a)** 30 p. **–b)** 34 p. **–c)** 36 p. **–d)** 38 p.

Trab. a *p. jersey der.*

Aumentar en ambos lados cada 6 vtas: 10 veces 1 p. = **–a)** 50 p. **–b)** 54 p. **–c)** 56 p. **–d)** 58 p.

Sisa:

A 45 cm. de largo total, **cerrar** en ambos lados cada 2 vtas:

–a) 2 veces 2 p., 7 veces 1 p., 3 veces 2 p. = 16 p.
–b) 2 veces 2 p., 8 veces 1 p., 3 veces 2 p. = 18 p.
–c) 2 veces 2 p., 9 veces 1 p., 3 veces 2 p. = 18 p.
–d) 2 veces 2 p., 10 veces 1 p., 3 veces 2 p. = 18 p.

A **–a)** 59 cm. **–b)** 60 cm. **–c)** 61 cm. **–d)** 62 cm. de largo total, **cerrar** los p.

Trab. la otra manga igual.

CONFECCIÓN Y REMATE

Cuello:

Con ag. nº 4 1/2 y DIANA, **montar –a)** 92 p. **–b)** 96 p. **–c)** 100 p. **–d)** 104 p.

Trab. a *p. elástico 2x2.* Empezar y terminar con 3 p. der.

A 7 cm. de largo total, **cambiar** ag. nº 5 y continuar trab. a *p. elástico 2x2.*

A 12 cm. de largo total, cerrar los p. como se presenten.

Hilvanar las piezas encaradas y planchar a vapor.

Coser la pieza central del delantero a las piezas laterales del delantero. (= los 3 p. al der. de cada extremo de la pieza central por el derecho de la labor).

Coser hombros.

Aplicar las mangas (= con la mitad de la parte superior de la manga a la costura del hombro) y coser lados y mangas.

Coser el cuello alrededor del escote = con la mitad del cuello en el centro del escote de la espalda y los extremos a cada lado del escote del delantero. **NOTA:** al girar el cuello, los 3 p. al der. en cada extremo del cuello tienen que quedar por el derecho de la labor.

Dar un repaso de plancha a las costuras.

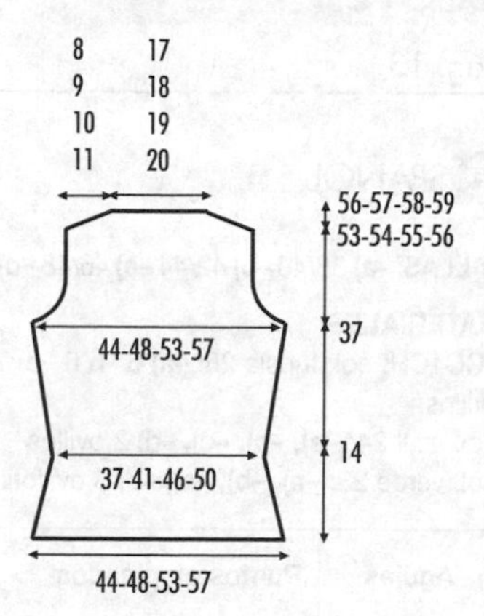

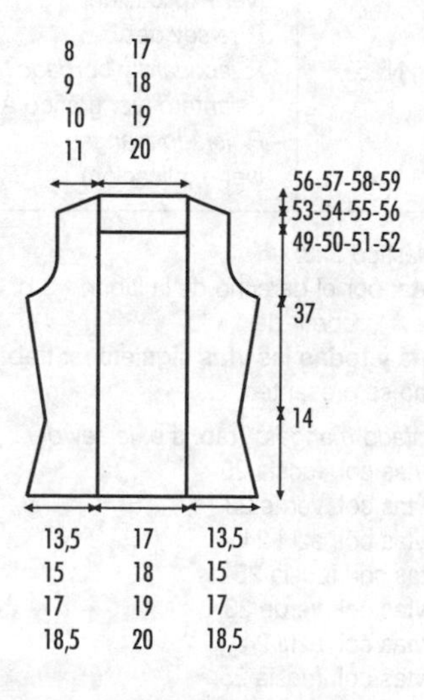

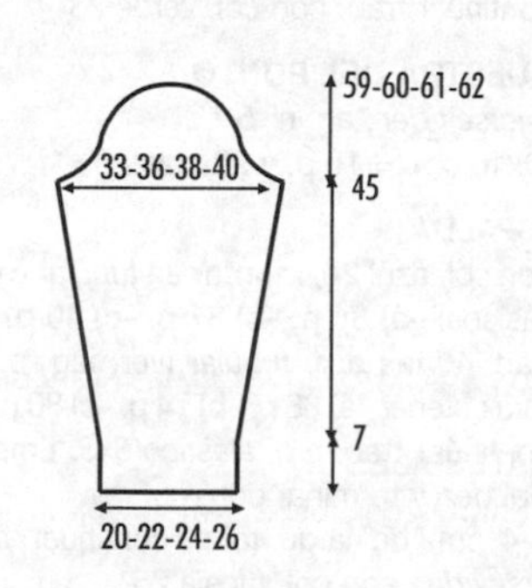

ENGLISH

SIZE: –a) 34 5/8" **–b)** 37 3/4" **–c)** 41 3/4" **–d)** 44 7/8": finished bust measurement

MATERIALS

MEXICO: **–a)** 6 **–b)** 7 **–c) & –d)** 8 balls color no. 5862.

DIANA: **–a) –b) –c) & –d):** 2 balls lilac no. 25.

NEEDLES

Size 6 & 7 (U.S.) /(4 1/2 5 metric) **or size you need to use to obtain gauge listed below.**

STITCHES

See Basic Instructions for: *2x2 Ribbing*; *Stockinette St*.

NOTE 1: Decrease 1 st for shaping as follows: At the beginning of right side rows, K2, P 2 tog. At the end of right side rows, work to last 4 sts; P 2 tog, K2.

NOTE 2: Increase 1 st for shaping as follows: At the beginning of right side rows: K2, with tip of LH needle pick up strand of yarn between last worked st on RH needle and next st on LH needle, knit into back lp to inc 1 st. At the end of right side rows: work to last 2 sts; inc as before, K2.

GAUGE

NOTE: Block swatches with steam before measuring.

Using MEXICO with larger needles in *Stockinette St*: 15 sts and 19 rows = 4x4"

Using DIANA, with larger needles in *2x2 Ribbing:* 17 sts and 23 rows = 4x4"

BACK

Using MEXICO with larger needles, **cast on –a)** 66 sts **–b)** 72 sts **–c)** 80 sts **–d)** 86 sts.

Work *Stockinette St*, **decreasing** 1 st at each edge as given in "NOTE 1" above, every 4 rows: 5 times:

[**–a)** 56 sts **–b)** 62 sts **–c)** 70 sts **–d)** 76 sts].

When back measures 5 1/2", **increase** 1 st at each edge as given in "NOTE 2" above, alternately every 6 and 8 rows: 5 times:

[**–a)** 66 sts **–b)** 72 sts **–c)** 80 sts **–d)** 86 sts].

Armholes:

When back measures 14 1/2", **bind off** at each edge every 2 rows

–a) 4 sts 1 time; 2 sts 1 time; 1 st 2 times: [50 sts]
–b) 4 sts 1 time; 2 sts 2 times; 1 st 1 time: [54 sts]
–c) 4 sts 1 time; 2 sts 3 times; 1 st 1 time: [58 sts]
–d) 4 sts 1 time; 2 sts 3 times; 1 st 2 times: [62 sts]

Shoulders:

When back measures **–a)** 20 7/8" **–b)** 21 1/4" **–c)** 21 5/8" **–d)** 22", bind off at each edge every 2 rows:

–a) 6 sts 2 times: [26 sts]
–b) 7 sts 1 time; 6 sts 1 time: [28 sts]
–c) 8 sts 1 time; 7 sts 1 time: [28 sts]
–d) 8 sts 2 times: [30 sts].

When back measures **–a)** 22" **–b)** 22 1/2" **–c)** 22 7/8" **–d)** 23 1/4", bind off all rem sts.

FRONT

Made in 3 sections, 2 sections using MEXICO and the center section using DIANA.

Right front piece:
Using MEXICO, **cast on –a)** 20 sts **–b)** 22 sts **–c)** 26 sts **–d)** 28 sts.
Work *Stockinette St*, **decreasing** 1 st at each edge as given in "NOTE 1" above, every 4 rows: 5 times:
[**–a)** 15 sts **–b)** 17 sts **–c)** 21 sts **–d)** 23 sts].
When back measures 5 1/2", **increase** 1 st at each edge as given in "NOTE 2" above, alternately every 6 and 8 rows: 5 times:
[**–a)** 20 sts **–b)** 22 sts **–c)** 26 sts **–d)** 28 sts].
Armholes:
When back measures 14 1/2", **bind off** at armhole edge every 2 rows
–a) 4 sts 1 time; 2 sts 1 time; 1 st 2 times: [12 sts]
–b) 4 sts 1 time; 2 sts 2 times; 1 st 1 time: [13 sts]
–c) 4 sts 1 time; 2 sts 3 times; 1 st 1 time: [15 sts]
–d) 4 sts 1 time; 2 sts 3 times; 1 st 2 times: [16 sts]
Shoulders:
When back measures **–a)** 20 7/8" **–b)** 21 1/4" **–c)** 21 5/8" **–d)** 22", bind off at armhole edge every 2 rows:
–a) 6 sts 2 times
–b) 7 sts 1 time; 6 sts 1 time
–c) 8 sts 1 time; 7 sts 1 time
–d) 8 sts 2 times
Left front piece:
Work same as right front, reversing all shaping.
Center piece: (Worked horizontally.)
Using DIANA with larger needles, cast on **–a)** 88 sts **–b)** 90 sts **–c)** 92 sts **–d)** 94 sts.
Beginning and ending with **–a)** K3 **–b)** K4 **–c)** K3 **–d)** K4, work *2x2 Ribbing.*
When piece measures **–a)** 7 1/8" **–b)** 7 1/2" **–c)** 7 7/8" **–d)** 8 1/4", bind off in pattern.

SLEEVES
Using MEXICO with larger needles, **cast on –a)** 30 sts **–b)** 34 sts **–c)** 36 sts **–d)** 38 sts.
Work *Stockinette St*, **–a) –b) –c) & –d):** increasing 1 st at each edge every 6 rows: 10 times: [**–a)** 50 sts **–b)** 54 sts **–c)** 56 sts **–d)** 58 sts].
Armhole:
When sleeve measures 17 3/4", **bind off** at each edge every 2 rows:
–a) 2 sts 2 times; 1 st 7 times; 2 sts 3 times: [16 sts]
–b) 2 sts 2 times; 1 st 8 times; 2 sts 3 times: [18 sts]
–c) 2 sts 2 times; 1 st 9 times; 2 sts 3 times: [18 sts]
–d) 2 sts 2 times; 1 st 10 times; 2 sts 3 times: [18 sts]

FINISHING
Collar:
Using DIANA with smaller needles, **cast on –a)** 92 sts **–b)** 96 sts **–c)** 100 sts **–d)** 104 sts.
Beginning and ending with K3, work *2x2 Ribbing.*
When collar measures 2 3/4", change to larger needle and continue in established pattern.
When collar measures 4 3/4", bind off in pattern.
Carefully block pieces on the wrong side, using steam only.
With the K3 edges on the right side, sew center section to right and left front sections.
Sew shoulder seams.
Matching center of sleeve with shoulder seam, **sew** in top of sleeve, then **sew** underarm seam and side seams.
Sew collar around neck edge so that the K3 edge will be on the outside when the collar is turned back.
Carefully block all seams on the wrong side, using steam only.

FIL KATIA

SCOTCH

pág. 13

E SPAÑOL

TALLAS: –a) 38/40 **–b)** 42/44 **–c)** 46/48 **–d)** 50/52

MATERIALES
SCOTCH: col. fucsia 25: **–a)** 6 **–b** 6 **–c)** 7 **–d)** 8 ovillos.
Col. azul 24: **–a), –b), –c), –d)** 2 ovillos
Col. verde 23: **–a), –b), –c), –d)** 3 ovillos.

Agujas	Puntos empleados
Nº 5	- *P. elástico 3x3* (ver explicación) - *P. jersey der.* - *P. jacquard y bordado delantero* (ver gráfico A) - *P. listado mangas* (ver explicación)

P. elástico 3x3:
1ª vta: por el derecho de la labor: * 3 p. der., 3 p. rev. *, repetir de * a *.
2ª vta y todas las vtas siguientes: trab. los p. como se presenten.

P. listado mangas: Trab. a *p. jersey der.:*
12 vtas col. fucsia 25
10 vtas col. verde 23
10 vtas col. azul 24
8 vtas col. fucsia 25
22 vtas col. verde 23
10 vtas col. azul 24
10 vtas col. fucsia 25
22 vtas col. azul 24
Continuar trab. con col. verde 23

MUESTRA DEL PUNTO
P. jersey der., ag. nº 5
10x10 cm. = 15 p. y 22 vtas.

ESPALDA
Con col. azul 24, **montar** en *tubular* (ver pág. p. básicos) **–a)** 34 p. **–b)** 37 p. **–c)** 40 p. **–d)** 44 p.
Trab. 4 vtas a *p. tubular* (ver pág. p. básicos) para obtener **–a)** 68 p. **–b)** 74 p. **–c)** 80 p. **–d)** 88 p.
Continuar trab. a *p. elástico 3x3.* Empezar con 4 p. der. y terminar con 4 p. rev.
A 4 cm. de largo total, continuar trab. a *p. jersey der.* con col. fucsia 25.
A 8 cm. de largo total, **menguar** en ambos lados (= a 3 p. desde cada lado) cada 6 vtas: 3 veces 1 p. = **–a)** 62 p. **–b)** 68 p. **–c)** 74 p. **–d)** 82 p.
A 17 cm. de largo total, **aumentar** en ambos lados (= a 3 p. desde cada lado) cada 4 vtas: 2 veces 1 p. = **–a)** 66 p. **–b)** 72 p. **–c)** 78 p. **–d)** 86 p.
Sisas:
A 36 cm. de largo total, **cerrar** en ambos lados 1 vez 1 p. y **menguar** cada 2 vtas en ambos lados (= a 2 p. desde cada lado):
–a) 4 veces 1 p. = 56 p.
–b) 4 veces 1 p. = 62 p.
–c) 5 veces 1 p. = 66 p.
–d) 6 veces 1 p. = 72 p.
A **–a)** 56 cm. **–b)** 57 cm. **–c)** 58 cm. **–d)** 59 cm. de largo total, **cerrar** los p.

DELANTERO
Con col. azul 24, **montar** en *tubular* (ver pág. p. básicos) **–a)** 34 p. **–b)** 37 p. **–c)** 40 p. **–d)** 44 p.
Trab. 4 vtas a *p. tubular* (ver pág. p. básicos) para obtener **–a)** 68 p. **–b)** 74 p. **–c)** 80 p. **–d)** 88 p.
Continuar trab. a *p. elástico 3x3.* Empezar con 4 p. der. y terminar con 4 p. rev.
A 4 cm. de largo total, continuar trab. a *p. jacquard* según gráfico A. Empezar y terminar con el p. indicado en el gráfico con la letra **–a)** A **–b)** B **–c)** C **–d)** D.
A 8 cm. de largo total, **menguar** en ambos lados (= a 3 p. desde cada lado) cada 6 vtas: 3 veces 1 p. = **–a)** 62 p. **–b)** 68 p. **–c)** 74 p. **–d)** 82 p.
A 17 cm. de largo total, **aumentar** en ambos lados (= a 3 p. desde cada lado) cada 4 vtas: 2 veces 1 p. = **–a)** 66 p. **–b)** 72 p. **–c)** 78 p. **–d)** 86 p.
Sisas:
A 36 cm. de largo total, **cerrar** en ambos lados 1 vez 1 p. y **menguar** cada 2 vtas en ambos lados (= a 2 p. desde cada lado):
–a) 4 veces 1 p. = 56 p.
–b) 4 veces 1 p. = 62 p.
–c) 5 veces 1 p. = 66 p.
–d) 6 veces 1 p. = 72 p.
Escote:
A **–a)** 48 cm. **–b)** 49 cm. **–c)** 50 cm. **–d)** 51 cm. de largo total, **cerrar** los **–a)** 18 p. **–b)** 20 p. **–c)** 22 p. **–d)** 24 p. centrales y continuar trab. cada lado por separado.
Menguar cada 2 vtas en el lado del escote (= a 2 p. desde el lado): 5 veces 1 p.
Hombro:
A **–a)** 56 cm. **–b)** 57 cm. **–c)** 58 cm. **–d)** 59 cm. de largo total, **cerrar** los **–a)** 14 p. **–b)** 16 p. **–c)** 17 p. **–d)** 19 p. restantes del hombro.
Acabar el otro lado igual, pero a **la inversa.**

MANGAS
Con col. fucsia 25, **montar** en *tubular* (ver pág. p. básicos) **–a)** 16 p. **–b)** 17 p. **–c)** 19 p. **–d)** 20 p.
Trab. 4 vtas a *p. tubular* (ver pág. p. básicos) para obtener **–a)** 32 p. **–b)** 34 p. **–c)** 38 p. **–d)** 40 p.
Continuar trab. a *p. elástico 3x3.* Empezar con **–a), –c)** 4 p. der. **–b), –d)** 5 p. der. y terminar con **–a), –c)** 4 p. rev. **–b), –d)** 5 p. rev.
A 4 cm. de largo total, continuar trab. a *p. listado mangas* y **aumentar** en ambos lados (= a 2 p. desde cada lado): cada 8 vtas y cada 10 vtas alternativamente: 8 veces 1 p. = **–a)** 48 p. **–b)** 50 p. **–c)** 54 p. **–d)** 56 p.
Sisa:
A 43 cm. de largo total, **cerrar** en ambos lados

1 vez 1 p. y **menguar** en ambos lados (= a 2 p. desde cada lado) cada 2 vtas:
–a) 17 veces 1 p. = 12 p.
–b) 18 veces 1 p. = 12 p.
–c) 19 veces 1 p. = 14 p.
–d) 20 veces 1 p. = 14 p.
A **–a)** 59 cm. **–b)** 60 cm. **–c)** 61 cm. **–d)** 62 cm. de largo total, **cerrar** los **–a), –b)** 12 p. **–c), –d)** 14 p. restantes.
Trab. la otra manga igual.

CONFECCIÓN Y REMATE
Con col. azul 24, **bordar** sobre el delantero las líneas a *p. jacquard bordado* según gráfico A.
Coser el hombro derecho.
Con col. azul 24, **recoger** alrededor del escote **–a)** 78 p. **–b)** 84 p. **–c)** 90 p. **–d)** 96 p.
Trab. 3 cm. a *p. elástico 3x3* (empezar con 3 p. der. y terminar con 3 p. rev.). **Cerrar** en *tubular.* (ver pág. p. básicos).
Coser el hombro izquierdo, cuello, lados y mangas.

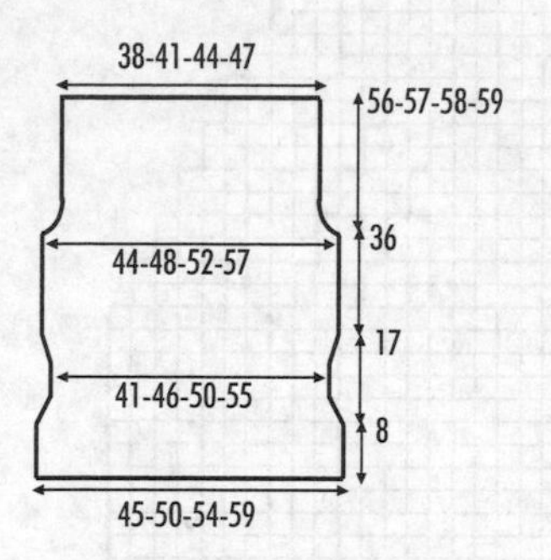

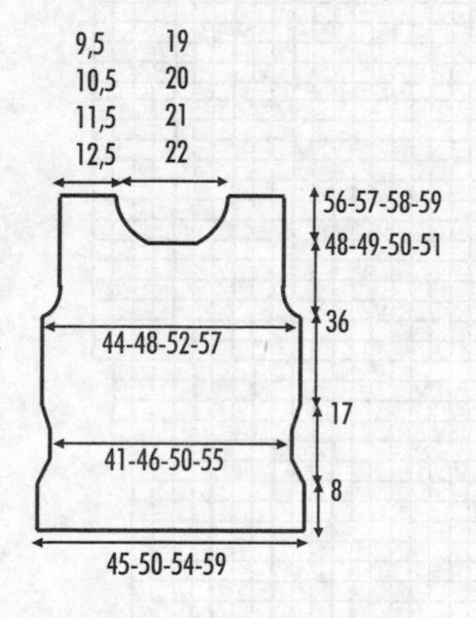

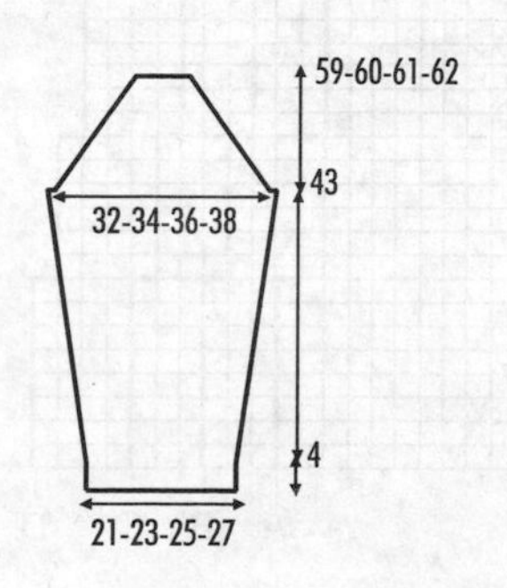

ENGLISH

SIZE: –a) 34 5/8" **–b)** 37 3/4" **–c)** 41" **–d)** 44 7/8": finished bust measurement

MATERIALS
SCOTCH: **–a)** 6 **–b)** 6 **–c)** 7 **–d)** 8 balls fuchsia no. 25.
–a) –b) –c) & –d): 3 balls green no. 23.
–a) –b) –c) & –d): 2 balls blue no. 24

NEEDLES
Size 7 (U.S.) /(5 metric) **or size you need to use to obtain gauge listed below.**

STITCHES
See Basic Instructions for: *Stockinette St, Embroidered Jacquard.*
Jacquard Pattern: See Graph A

3x3 Ribbing:
Row 1: * K3, P3, *; rep from * to *.
Row 2 and all following rows: Work sts as they appear.
Stripe Pattern for sleeves: work in *Stockinette St*:
12 rows fuchsia
10 rows green
10 rows blue
8 rows fuchsia
22 rows green
10 rows blue
10 rows fuchsia
22 rows blue
Use green to finish sleeve.
NOTE 1: Decrease 1 st for shaping as follows:
At the beginning of right side rows, K2, sl 1, K1, PSSO.
At the end of right side rows, work to last 4 sts; K 2 tog, K2.
NOTE 2: Increase 1 st for shaping as follows:
At the beginning of right side rows: K2, increase in next st.
At the end of right side rows: work to last 3 sts; inc as before, K2.

GAUGE
In *Stockinette St*: 15 sts and 22 rows = 4x4"

BACK
Using blue, In ***Tubular Cast On***, begin with **–a)** 34 sts **–b)** 37 sts **–c)** 40 sts **–d)** 44 sts to make **–a)** 68 sts **–b)** 74 sts **–c)** 80 sts **–d)** 88 sts.
Beginning/ending with K4/P4 for all sizes, work *3x3 Ribbing* for 1 5/8".
Using fuchsia, change to *Stockinette St*.
When back measures 3 1/8", **decrease** 1 st at each edge as given in "NOTE 1" above, every 6 rows: 3 times:
[**–a)** 62 sts **–b)** 68 sts **–c)** 74 sts **–d)** 82 sts.
When back measures 6 3/4", **increase** 1 st at each edge as given in "NOTE 2" above, every 4 rows: 2 times:
[**–a)** 66 sts **–b)** 72 sts **–c)** 78 sts **–d)** 86 sts].
Armholes:
When back measures 14 1/8", **bind off** 1 st at each edge, then **decrease** 1 st at each edge as given in "NOTE 1" above, every 2 rows:
–a) 4 times: [56 sts]
–b) 4 times: [62 sts]
–c) 5 times: [66 sts]
–d) 6 times: [72 sts]
When back measures **–a)** 22" **–b)** 22 1/2" **–c)** 22 7/8" **–d)** 23 1/4", **bind off** all rem sts.

FRONT
Using blue, In ***Tubular Cast On***, begin with **–a)** 34 sts **–b)** 37 sts **–c)** 40 sts **–d)** 44 sts to make **–a)** 68 sts **–b)** 74 sts **–c)** 80 sts **–d)** 88 sts.
Beginning/ending with K4/P4 for all sizes, work *3x3 Ribbing* for 1 5/8".
Beginning and ending with st marked **–a)** A **–b)** B **–c)** C **–d)** D, work *Jacquard Pattern* following Graph A.
When front measures 3 1/8", **decrease** 1 st at each edge as given in "NOTE 1" above, every 6 rows: 3 times:
[**–a)** 62 sts **–b)** 68 sts **–c)** 74 sts **–d)** 82 sts.
When front measures 6 3/4", **increase** 1 st at each edge as given in "NOTE 2" above, every 4 rows: 2 times:
[**–a)** 66 sts **–b)** 72 sts **–c)** 78 sts **–d)** 86 sts].
Armholes:
When front measures 14 1/8", **bind off** 1 st at each edge, then **decrease** 1 st at each edge as given in "NOTE 1" above, every 2 rows:
–a) 4 times: [56 sts]
–b) 4 times: [62 sts]
–c) 5 times: [66 sts]
–d) 6 times: [72 sts]
Neckline:
When front measures **–a)** 18 7/8" **–b)** 19 1/4" **–c)** 19 3/4" **–d)** 20 1/8", **bind off** center **–a)** 18 sts **–b)** 20 sts **–c)** 22 sts **–d)** 24 sts.
Working each side separately, **–a) –b) –c) & –d):** **decrease** 1 st at neck edge as given in "NOTE 1" above, every 2 rows: 5 times:
[**–a)** 14 sts **–b)** 16 sts **–c)** 17 sts **–d)** 19 sts].
When front measures **–a)** 22" **–b)** 22 1/2" **–c)** 22 7/8" **–d)** 23 1/4", **bind off** at armhole edge all rem sts.

SLEEVES
Using fuchsia, in ***Tubular Cast On***, begin with **–a)** 16 sts **–b)** 17 sts **–c)** 19 sts **–d)** 20 sts, to make **–a)** 32 sts **–b)** 34 sts **–c)** 38 sts **–d)** 40 sts.
Beginning/ending with: **–a)** K4/P4 **–b)** K5/P5 **–c)** K4/P4 **–d)** K5/P5, work *3x3 Ribbing* for 1 5/8".
Work *Stripe Pattern*, **increasing** 1 st at each edge as given in "NOTE 2" above, **–a) –b) –c) & –d):** alternately every 8 and 10 rows: 8 times:
[**–a)** 48 sts **–b)** 50 sts **–c)** 54 sts **–d)** 56 sts].
Armhole:
When sleeve measures 16 7/8", **bind off** at each edge 1 st; then **decrease** 1 st at each edge as given in "NOTE 1" above, every 2 rows:
–a) 17 times: [12 sts]
–b) 18 times: [12 sts]
–c) 19 times: [14 sts]
–d) 20 times: [14 sts].
When sleeve measures **–a)** 23 1/4" **–b)** 23 5/8" **–c)** 24" **–d)** 24 3/8", **bind off** all rem sts.

FINISHING
Using blue, work *Embroidered Jacquard* over designated sts on Graph A.
Sew right shoulder seam. Using blue, **pick up** **–a)** 78 sts **–b)** 84 sts **–c)** 90 sts **–d)** 96 sts sts around neck edge.
Beginning/ending with: K3/P3 for all sizes, work *3x3 Ribbing* for 1 1/4"; use **Finished Edge Bind Off** (see Basic Instructions).
Sew other shoulder, side and sleeve seams.

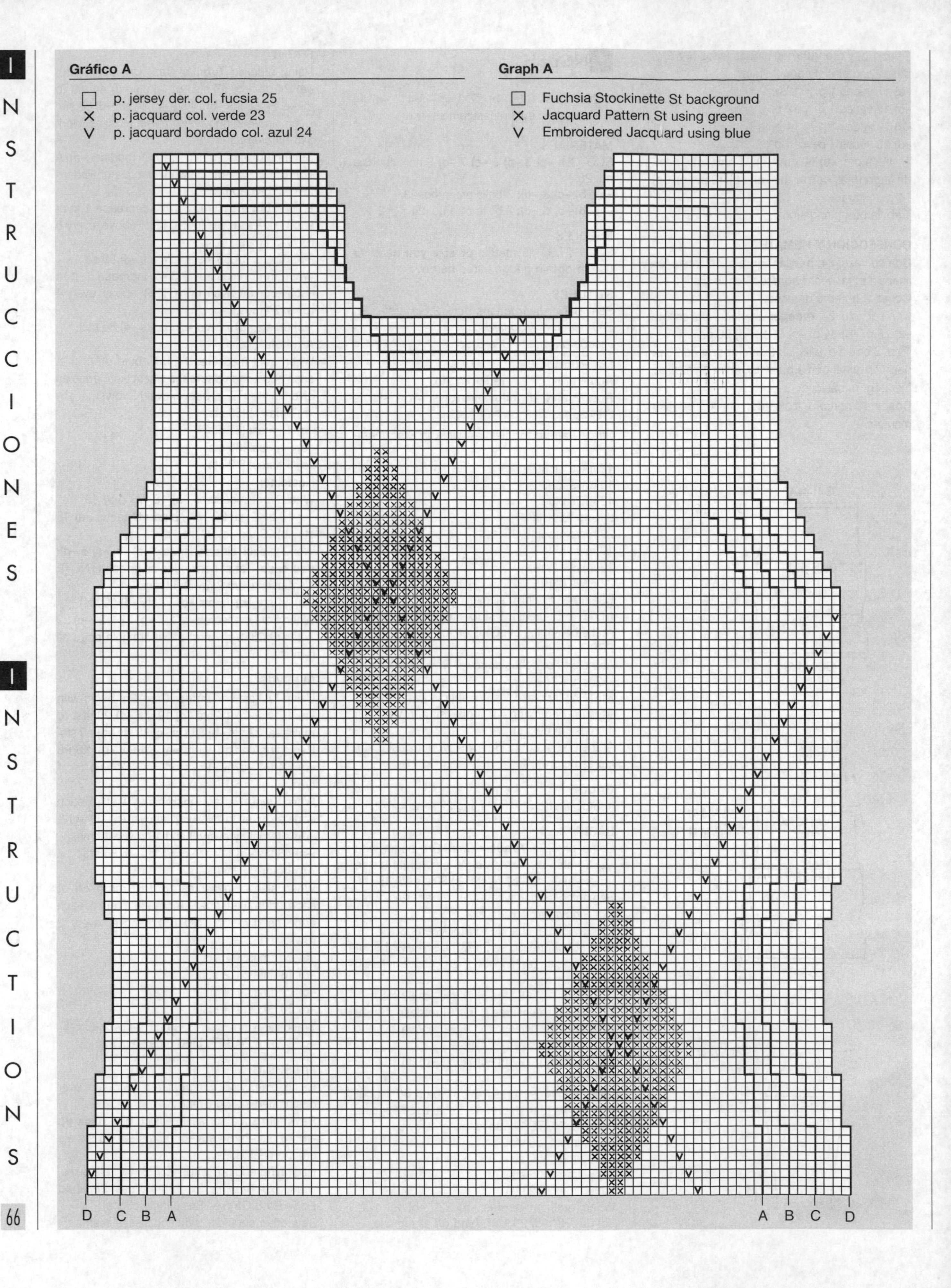
Gráfico A
p. jersey der. col. fucsia 25
p. jacquard col. verde 23
p. jacquard bordado col. azul 24
Graph A
Fuchsia Stockinette St background
Jacquard Pattern St using green
Embroidered Jacquard using blue
D
C
B
A
A
B
C
D

MODELO 22

FIL KATIA

MEXICO

(Ver página 3 Puntos Básicos)
(See page 3 Basic Stitches)

pág. 13

ESPAÑOL

TALLAS: -a) 38/40 **-b)** 42/44 **-c)** 46/48 **-d)** 50/52

MATERIALES
MEXICO: col. 5862: **-a)** 9 **-b** 10 **-c)** y **-d)** 11 ovillos.

Agujas	Puntos empleados
Nº 4, 4 1/2, 5 1/2, 6	- *P. elástico 2x2*
Nº 4 1/2	- *P. jersey der.*

MUESTRA DEL PUNTO
P. jersey der., ag. nº 4 1/2
10x10 cm. = 15 p. y 20 vtas.

ESPALDA
Con ag. nº 4, **montar -a)** 66 p. **-b)** 74 p. **-c)** 80 p. **-d)** 88 p.
Trab. a *p. elástico 2x2*. Empezar con **-a), -b)** 3 p. der. **-c), -d)** 2 p. der. y terminar con **-a), -b)** 3 p. rev. **-c), -d)** 2 p. rev.
A 15 cm. de largo total, **cambiar** ag. nº 4 1/2 y continuar trab. a *p. jersey der.*
Sisas:
A 35 cm. de largo total, **cerrar** en ambos lados cada 2 vtas:
-a) 1 vez 3 p., 1 vez 2 p., 1 vez 1 p. = 54 p.
-b) 1 vez 3 p., 1 vez 2 p., 2 veces 1 p. = 60 p.
-c) 1 vez 3 p., 1 vez 2 p., 2 veces 1 p. = 66 p.
-d) 1 vez 3 p., 2 veces 2 p., 2 veces 1 p. = 70 p.
Escote:
A 52 cm. de largo total, **cerrar** los **-a)** 20 p. **-b)** 22 p. **-c)** 24 p. **-d)** 26 p. centrales y continuar trab. cada lado por separado.
Después de 2 vtas **cerrar** en el lado del escote: 1 vez 7 p.
Hombro:
A **-a)** 54 cm. **-b)** 55 cm. **-c)** 56 cm. **-d)** 57 cm. de largo total, **cerrar** los **-a)** 10 p. **-b)** 12 p. **-c)** 14 p. **-d)** 15 p. restantes del hombro.
Acabar el otro lado igual, pero a **la inversa.**

DELANTERO
Con ag. nº 4, **montar -a)** 66 p. **-b)** 74 p. **-c)** 80 p. **-d)** 88 p.
Trab. a *p. elástico 2x2*. Empezar con **-a), -b)** 3 p. der. **-c), -d)** 2 p. der. y terminar con **-a), -b)** 3 p. rev. **-c), -d)** 2 p. rev.
A 15 cm. de largo total, **cambiar** ag. nº 4 1/2 y continuar trab. a *p. jersey der.*
Escote:
A 29 cm. de largo total, **cerrar** los **-a)** 14 p. **-b)** 16 p. **-c)** 18 p. **-d)** 20 p. centrales y continuar trab. cada lado por separado.
Cerrar cada 4 vtas en el lado del escote: 1 vez 3 p., 2 veces 2 p., 3 veces 1 p.
Sisa:
A 35 cm. de largo total, **cerrar** en el extremo exterior cada 2 vtas:
-a) 1 vez 3 p., 1 vez 2 p., 1 vez 1 p.
-b) 1 vez 3 p., 1 vez 2 p., 2 veces 1 p.
-c) 1 vez 3 p., 1 vez 2 p., 2 veces 1 p.
-d) 1 vez 3 p., 2 veces 2 p., 2 veces 1 p.
Hombro:
A **-a)** 54 cm. **-b)** 55 cm. **-c)** 56 cm. **-d)** 57 cm. de largo total, **cerrar** los **-a)** 10 p. **-b)** 12 p. **-c)** 14 p. **-d)** 15 p. restantes del hombro.
Acabar el otro lado igual, pero a **la inversa.**

MANGAS
Con ag. nº 4, **montar -a)** 30 p. **-b)** 34 p. **-c)** 36 p. **-d)** 40 p.
Trab. a *p. elástico 2x2*. Empezar con **-a), -b)** 3 p. der. **-c), -d)** 2 p. der. y terminar con **-a), -b)** 3 p. rev. **-c), -d)** 2 p. rev.
A 15 cm. de largo total, **cambiar** ag. nº 4 1/2 y continuar trab. a *p. jersey der.*
Aumentar en ambos lados cada 10 vtas y cada 12 vtas alternativamente: 6 veces 1 p.
Quedan **-a)** 42 p. **-b)** 46 p. **-c)** 48 p. **-d)** 52 p.
Sisa:
A 56 cm. de largo total, **cerrar** en ambos lados cada 2 vtas:
-a) 1 vez 3 p., 1 vez 2 p.
-b) 1 vez 3 p., 1 vez 2 p., 1 vez 1 p.
-c) 1 vez 3 p., 1 vez 2 p., 2 veces 1 p.
-d) 1 vez 3 p., 1 vez 2 p., 3 veces 1 p.
A **-a)** 59 cm. **-b)** 60 cm. **-c)** 61 cm. **-d)** 62 cm. de largo total, **cerrar** los **-a)** 32 p. **-b)** 34 p. **-c)** 34 p. **-d)** 36 p. restantes.
Trab. la otra manga igual.

CONFECCIÓN Y REMATE
Coser el hombro derecho.
Con ag. nº 4, **recoger** alrededor del escote **-a)** 184 p. **-b)** 192 p. **-c)** 200 p. **-d)** 208 p.
Trab. 7 cm. a *p. elástico 2x2.*
Cambiar ag. nº 4 1/2 y continuar trab. a *p. elástico 2x2.*
A 14 cm. de largo total, **cambiar** ag. nº 5 1/2 y continuar trab. a *p. elástico 2x2.*
A 21 cm. de largo total, **cambiar** ag. nº 6 y continuar trab. a *p. elástico 2x2.*
A 26 cm. de largo total, **cerrar** los p.
Coser el otro hombro, cuello, lados y mangas.

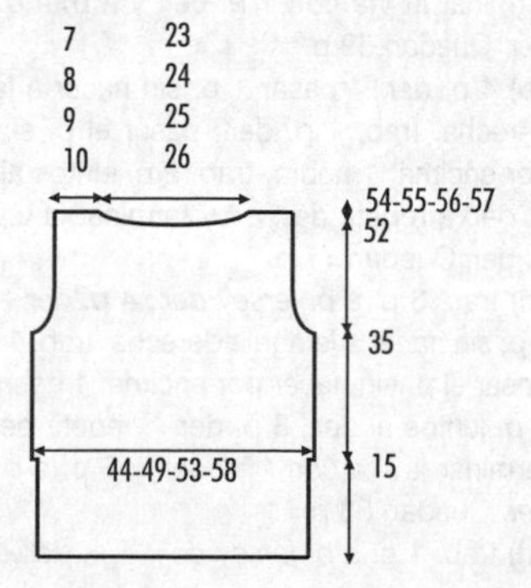

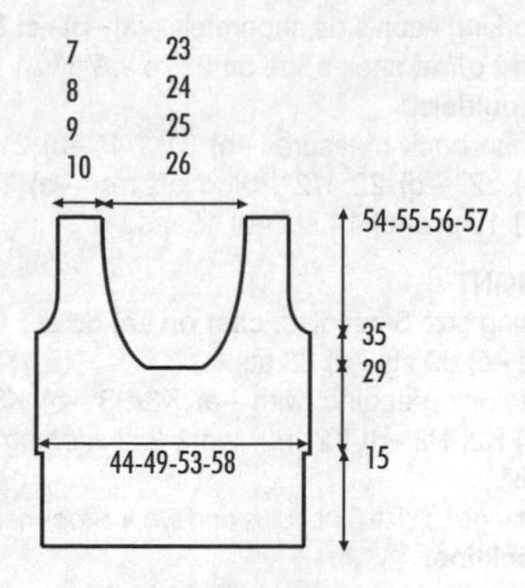

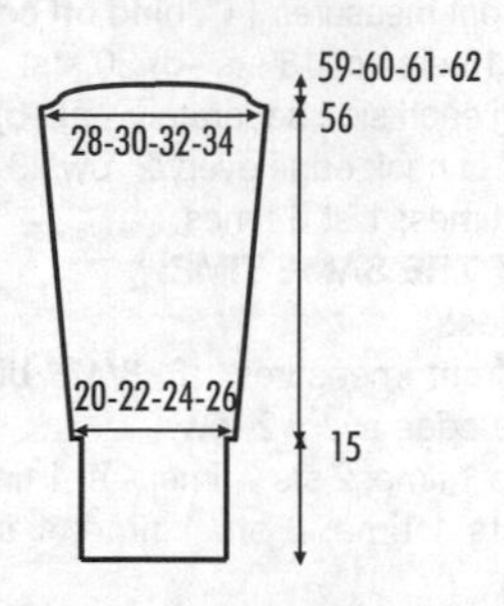

ENGLISH

SIZE: -a) 34 5/8" **-b)** 38 5/8" **-c)** 41 3/4" **-d)** 45 5/8": finished bust measurement

MATERIALS
MEXICO: **-a)** 9 **-b)** 10 **-c) & -d)** 11 balls color no. 5862.

NEEDLES
Size 5, 6, 8 & 9 (U.S.) /(4, 4 1/2, 5 1/2 & 6 metric) **or size you need to use to obtain gauge listed below.**

STITCHES
See Basic Instructions for: *Stockinette St; 2x2 Ribbing.*

GAUGE
Using size 6 needles in *Stockinette St*: 15 sts and 20 rows = 4x4"

BACK
Using size 5 needles, **cast on -a)** 66 sts **-b)** 74 sts **-c)** 80 sts **-d)** 88 sts.
Beginning/ending with **-a)** K3/P3 **-b)** K3/ P3 **-c)** K2, P2 **-d)** K2, P2, work *2x2 Ribbing* for 5 7/8".
Change to size 6 needles and work *Stockinette St.*
Armholes:
When back measures 13 3/4", **bind off** at each edge every 2 rows
-a) 3 sts 1 time; 2 sts 1 time; 1 st 1 time: [54 sts]
-b) 3 sts 1 time; 2 sts 1 time; 1 st 2 times: [60 sts]
-c) 3 sts 1 time; 2 sts 1 time; 1 st 2 times: [66 sts]
-d) 3 sts 1 time; 2 sts 2 times; 1 st 2 times: [70 sts].
Neckline:
When back measures 20 1/2", **bind off** center **-a)** 20 sts **-b)** 22 sts **-c)** 24 sts **-d)** 26 sts.

Working each side separately, **–a) –b) –c) & –d): bind off** at neck edge on 2nd row: 7 sts 1 time.

Shoulder:

When back measures **–a)** 21 1/4" **–b)** 21 5/8" **–c)** 22" **–d)** 22 1/2", bind off rem **–a)** 10 sts **–b)** 12 sts **–c)** 14 sts **–d)** 15 sts.

FRONT

Using size 5 needles, **cast on –a)** 66 sts **–b)** 74 sts **–c)** 80 sts **–d)** 88 sts.

Beginning/ending with **–a)** K3/P3 **–b)** K3/ P3 **–c)** K2, P2 **–d)** K2, P2, work *2x2 Ribbing* for 5 7/8".

Change to size 6 needles and work *Stockinette St.*

Neckline:

When front measures 11", **bind off** center **–a)** 14 sts **–b)** 16 sts **–c)** 18 sts **–d)** 20 sts.

Working each side separately, **–a) –b) –c) & –d):** bind off at neck edge every 2 rows:3 sts 1 time; 2 sts 2 times; 1 st 3 times.

AND AT THE SAME TIME:

Armholes:

When front measures 13 3/4", **bind off** at armhole edge every 2 rows

–a) 3 sts 1 time; 2 sts 1 time; 1 st 1 time: [10 sts]

–b) 3 sts 1 time; 2 sts 1 time; 1 st 2 times: [12 sts]

–c) 3 sts 1 time; 2 sts 1 time; 1 st 2 times: [14 sts]

–d) 3 sts 1 time; 2 sts 2 times; 1 st 2 times: [15 sts].

Shoulders:

When back measures **–a)** 21 1/4" **–b)** 21 5/8" **–c)** 22" **–d)** 22 1/2", bind off all remaining sts.

SLEEVES

Using size 5 needles, **cast on –a)** 30 sts **–b)** 34 sts **–c)** 36 sts **–d)** 40 sts.

Beginning/ending with: **–a)** K3/P3 **–b)** K3/P3 **–c)** K2/P2 **–d)** K2/P2, work *2x2 Ribbing* for 5 7/8".

Change to size 6 needles and work *Stockinette St* **increasing** 1 st at each edge alternately every 10 and 12 rows: 6 times:

[**–a)** 42 sts **–b)** 46 sts **–c)** 48 sts **–d)** 52 sts].

Armhole:

When sleeve measures 22", **bind off** at each edge every 2 rows:

–a) 3 sts 1 time; 2 sts 1 time: [32 sts]

–b) 3 sts 1 time; 2 sts 1 time; 1 st 1 time: [34 sts]

–c) 3 sts 1 time; 2 sts 1 time; 1 st 2 times: [34 sts

–d) 3 sts 1 time; 2 sts 1 time; 1 st 3 times: [35 sts

When sleeve measures **–a)** 23 1/4" **–b)** 23 5/8" **–c)** 24" **–d)** 24 3/8", **bind off** all rem sts,

FINISHING

Sew right shoulder seam.

Using size 5 needles, **pick up –a)** 184 sts **–b)** 192 sts **–c)** 200 sts **–d)** 208 sts around neck edge.

Work *2x2 Ribbing* for 2 3/4".

Change to size 6 needle and continue in *2x2 Ribbing.*

When collar measures 5 1/2", change to size 7 needle.

When collar measures 8 1/4", change to size 9 needle.

When collar measures 10 1/4", **bind off.**

Sew other shoulder, collar, side and sleeve seams.

MEXICO / TIBET

(Ver página 3 Puntos Básicos)
(See page 3 Basic Stitches)

pág. 14

ESPAÑOL

TALLAS: –a) 38/40 **–b)** 42/44 **–c)** 46/48 **–d)** 50/52

MATERIALES

MEXICO: col. 5860: **–a), –b), –c), –d)** 5 ovillos.

TIBET: col. 44: **–a), –b)** 4 **–c), –d)** 5 ovillos.

5 botones

Agujas	Puntos empleados
Nº 4	- *P. elástico 1x1* - *P. jersey der.* - *P. calado* (ver explicación)

P. calado:

NOTA: Se indica en las instrucciones para cada talla, la **1ª vta** del *p. calado.*

2ª vta: por el revés de la labor: * 5 p. rev., soltar la hebra de la vta anterior, 1 hebra *, repetir de * a * y terminar la vta con 5 p. rev.

3ª vta: * 5 p. der., soltar la hebra de la vta anterior, 1 hebra *, repetir de * a * y terminar la vta con 5 p. der.

Repetir siempre la 2ª y la 3ª vta.

MUESTRA DEL PUNTO

P. calado, MEXICO ó TIBET, ag. nº 4

10x10 cm. = 16 p. y 22 vtas.

ESPALDA

Con MEXICO, **montar –a)** 79 p. **–b)** 89 p. **–c)** 95 p. **–d)** 105 p.

Trab. 3 cm. a *p. elástico 1x1* y continuar trab. a *p. calado.* **NOTA:** en cada repetición del *p. calado* se mengua 1 p.

–a) trab. 2 p. a *p. jersey der.;* 4 p. der., * pasar 1 p. sin hacer a la aguja derecha, trab. 1 p. der., pasar el p. sin hacer por encima, 1 hebra, trab. 2 p. juntos al der., 3 p. der. *, repetir de * a * y terminar la vta con 1 p. der. y 2 p. a *p. jersey der.* Quedan 69 p.

–b) 4 p. der., * pasar 1 p. sin hacer a la aguja derecha, trab. 1 p. der., pasar el p. sin hacer por encima, 1 hebra, trab. 2 p. juntos al der., 3 p. der. *, repetir de * a * y terminar la vta con 1 p. der. Quedan 77 p.

–c) trab. 3 p. a *p. jersey der.;* 4 p. der., * pasar 1 p. sin hacer a la aguja derecha, trab. 1 p. der., pasar el p. sin hacer por encima, 1 hebra, trab. 2 p. juntos al der., 3 p. der. *, repetir de * a * y terminar la vta con 1 p. der. y 3 p. a *p. jersey der.* Quedan 83 p.

–d) trab. 1 p. a *p. jersey der.;* 4 p. der., * pasar 1 p. sin hacer a la aguja derecha, trab. 1 p. der., pasar el p. sin hacer por encima, 1 hebra, trab. 2 p. juntos al der., 3 p. der. *, repetir de * a * y terminar la vta con 1 p. der. y 1 p. a *p. jersey der.* Quedan 91 p.

Continuar trab. las vtas nº 2 y nº 3 del *p. calado*, manteniendo para las tallas **–a), –c), –d)** los primeros y los últimos **–a)** 2 p. **–c)** 3 p. **–d)** 1 p. a *p. jersey der.*

A 10 cm. de largo total, **cerrar** en ambos lados 1 vez 1 p. = **–a)** 67 p. **–b)** 75 p. **–c)** 81 p. **–d)** 89 p.

A 18 cm. de largo total, **aumentar** en ambos lados cada 10 vtas: 2 veces 1 p. = **–a)** 71 p. **–b)** 79 p. **–c)** 85 p. **–d)** 93 p.

Sisas:

A 37 cm. de largo total, **cerrar** en ambos lados cada 2 vtas:

–a) 1 vez 3 p., 1 vez 2 p., 1 vez 1 p. = 59 p.

–b) 1 vez 3 p., 1 vez 2 p., 2 veces 1 p. = 65 p.

–c) 1 vez 3 p., 1 vez 2 p., 2 veces 1 p. = 71 p.

–d) 1 vez 3 p., 2 veces 2 p., 1 vez 1 p. = 77 p.

Hombros:

A **–a)** 54 cm. **–b)** 55 cm. **–c)** 56 cm. **–d)** 57 cm. de largo total, **cerrar** en ambos lados cada 2 vtas:

–a) 1 vez 9 p., 1 vez 8 p.

–b) 1 vez 10 p., 1 vez 9 p.

–c) 1 vez 11 p., 1 vez 10 p.

–d) 1 vez 12 p., 1 vez 11 p.

A **–a)** 56 cm. **–b)** 57 cm. **–c)** 58 cm. **–d)** 59 cm. de largo total, **cerrar** los **–a)** 25 p. **–b)** 27 p. **–c)** 29 p. **–d)** 31 p. restantes del **escote.**

DELANTERO DERECHO

NOTA: se trab. al través, empezando por el lado de la tapeta.

Con MEXICO, **montar –a)** 99 p. **–b)** 101 p. **–c)** 103 p. **–d)** 105 p.

Trab. 4 vtas a *p. elástico 1x1* (empezar y terminar con 1 p. der.).

En la 5ª vta, trab. los ojales de la siguiente manera: trab. **–a)** 19 p. **–b)** 21 p. **–c)** 23 p. **–d)** 25 p. a *p. elástico 1x1,* **–a), –b), –c), –d)** * 1 hebra, 2 p. juntos al der., 15 p. a *p. elástico 1x1* *, repetir de * a * 3 veces más, 1 hebra, 2 p. juntos al der. Trab. a *p. elástico 1x1* hasta el final de la vta.

En la 6ª vta (= por el revés de la labor), trab. todos los p. incluido las hebras de la vta anterior a *p. elástico 1x1.*

7ª vta:

–a) 6 p. a *p. elástico 1x1;* 6 p. der.; trab. 77 p. a *p. calado*; 4 p. der., 6 p. a *p. elástico 1x1.* Quedan 88 p.

–b) 6 p. a *p. elástico 1x1;* 4 p. der.; trab. 84 p. a *p. calado*; 1 p. der., 6 p. a *p. elástico 1x1.* Quedan 89 p.

–c) 6 p. a *p. elástico 1x1;* 5 p. der.; trab. 84 p. a *p. calado*; 2 p. der., 6 p. a *p. elástico 1x1.* Quedan 91 p.

–d) 6 p. a *p. elástico 1x1;* 6 p. der.; trab. 84 p. a *p. calado*; 3 p. der., 6 p. a *p. elástico 1x1.* Quedan 93 p.

A **–a)** 12 cm. **–b)** 13 cm. **–c)** 14 cm. **–d)** 15 cm. de largo total, **cerrar** en el extremo derecho (= al inicio de la vta por el derecho de la labor) los primeros 6 p. a *p. elástico 1x1* = **–a)** 82 p. **–b)** 83 p. **–c)** 85 p. **–d)** 87 p.

A **–a)** 18 cm. **–b)** 19 cm. **–c)** 21 cm. **–d)** 23 cm.

vez 2 p. = **–a)** 80 p. **–b)** 81 p. **–c)** 83 p. **–d)** 85 p.
A **–a)** 23 cm. **–b)** 25 cm. **–c)** 27 cm. **–d)** 29 cm. de largo total, **cerrar** en el extremo derecho **–a)** 21 p. **–b)** 21 p. **–c)** 23 p. **–d)** 25 p. = **–a)** 59 p. **–b)** 60 p. **–c)** 60 p. **–d)** 60 p.
A **–a)** 26,5 cm. **–b)** 28,5 cm. **–c)** 30 cm. **–d)** 31,5 cm. de largo total, **cerrar** en el extremo derecho 1 vez 2 p. = **–a)** 57 p. **–b), –c), –d)** 58 p.
A **–a)** 30 cm. **–b)** 32,5 cm. **–c)** 34,5 cm. **–d)** 37 cm. de largo total, **cerrar** los p.

DELANTERO IZQUIERDO
Con TIBET, **montar –a)** 34 p. **–b)** 38 p. **–c)** 42 p. **–d)** 46 p.
Trab. 3 cm. a *p. elástico 1x1*, empezar con 1 p. rev. y terminar con 1 p. der.
Continuar trab.:
–a) 1 p. a *p. jersey der.;* 4 p. der., * pasar 1 p. sin hacer a la aguja derecha, trab. 1 p. der. y pasar el p. sin hacer por encima, 1 hebra, trab. 2 p. juntos al der., 3 p. der.*, repetir de * a * 2 veces más, 1 p. der.; 1 p. a *p. jersey der.*, 6 p. a *p. elástico 1x1*. Quedan 31 p.
–b) 3 p. a *p. jersey der.;* 4 p. der., * pasar 1 p. sin hacer a la aguja derecha, trab. 1 p. der. y pasar el p. sin hacer por encima, 1 hebra, trab. 2 p. juntos al der., 3 p. der.*, repetir de * a * 2 veces más, 1 p. der.; 3 p. a *p. jersey der.*, 6 p. a *p. elástico 1x1*. Quedan 35 p.
–c) 1 p. a *p. jersey der.;* 4 p. der., * pasar 1 p. sin hacer a la aguja derecha, trab. 1 p. der. y pasar el p. sin hacer por encima, 1 hebra, trab. 2 p. juntos al der., 3 p. der.*, repetir de * a * 3 veces más, 1 p. der.; 2 p. a *p. jersey der.*, 6 p. a *p. elástico 1x1*. Quedan 38 p.
–d) 4 p. der., * pasar 1 p. sin hacer a la aguja derecha, trab. 1 p. der. y pasar el p. sin hacer por encima, 1 hebra, trab. 2 p. juntos al der., 3 p. der.*, repetir de * a * 4 veces más, 1 p. der.; 6 p. a *p. elástico 1x1*. Quedan 41 p.
Continuar trab. las vtas nº 2 y nº 3 del *p. calado*, manteniendo para las tallas **–a), –b), –c)** los primeros y los últimos a *p. jersey der.*
A 10 cm. de largo total, **cerrar** en el extremo derecho 1 vez 1 p. = **–a)** 30 p. **–b)** 34 p. **–c)** 37 p. **–d)** 40 p.
A 18 cm. de largo total, **aumentar** en el extremo derecho cada 10 vtas: 2 veces 1 p. = **–a)** 32 p. **–b)** 36 p. **–c)** 39 p. **–d)** 42 p.
Sisa:
A 37 cm. de largo total, **cerrar** en el extremo derecho cada 2 vtas:
–a) 1 vez 3 p., 1 vez 2 p., 1 vez 1 p. = 26 p.
–b) 1 vez 3 p., 1 vez 2 p., 2 veces 1 p. = 29 p.
–c) 1 vez 3 p., 1 vez 2 p., 2 veces 1 p. = 32 p.
–d) 1 vez 3 p., 2 veces 2 p., 1 vez 1 p. = 34 p.
Escote:
A **–a)** 52 cm. **–b)** 53 cm. **–c)** 54 cm. **–d)** 55 cm. de largo total, **cerrar** en el extremo izquierdo cada 2 vtas:
–a) 1 vez 4 p., 1 vez 3 p., 2 veces 1 p.
–b) 1 vez 5 p., 1 vez 3 p., 2 veces 1 p.
–c) 1 vez 6 p., 1 vez 3 p., 2 veces 1 p.
–d) 1 vez 6 p., 1 vez 3 p., 2 veces 1 p.
Hombro:
A **–a)** 54 cm. **–b)** 55 cm. **–c)** 56 cm. **–d)** 57 cm. de largo total, **cerrar** en el extremo izquierdo cada 2 vtas:
–a) 1 vez 9 p., 1 vez 8 p.
–b) 1 vez 10 p., 1 vez 9 p.
–c) 1 vez 11 p., 1 vez 10 p.
–d) 1 vez 12 p., 1 vez 11 p.

MANGAS
Con TIBET, **montar –a)** 39 p. **–b)** 43 p. **–c)** 47 p. **–d)** 51 p.
Trab. 3 cm. a *p. elástico 1x1* y continuar trab. a *p. calado* de la siguiente manera:
–a) 4 p. der., * pasar 1 p. sin hacer a la aguja derecha, trab. 1 p. der. y pasar el p. sin hacer por encima, 1 hebra, 2 p. juntos al der., 3 p. der.*, repetir de * a * 4 veces más. Quedan 34 p.
–b) 4 p. der., * pasar 1 p. sin hacer a la aguja derecha, trab. 1 p. der. y pasar el p. sin hacer por encima, 1 hebra, 2 p. juntos al der., 3 p. der.*, repetir de * a * 4 veces más; 3 p. a *p. jersey der.* Quedan 38 p.
–c) 4 p. der., * pasar 1 p. sin hacer a la aguja derecha, trab. 1 p. der. y pasar el p. sin hacer por encima, 1 hebra, 2 p. juntos al der., 3 p. der.*, repetir de * a * 5 veces más, 1 p. der. Quedan 45 p.
–d) 4 p. der., * pasar 1 p. sin hacer a la aguja derecha, trab. 1 p. der. y pasar el p. sin hacer por encima, 1 hebra, 2 p. juntos al der., 3 p. der.*, repetir de * a * 5 veces más, 1 p. der.; 4 p. a *p. jersey der.* Quedan 45 p.
Continuar trab. las vtas 2 y 3 del *p. calado.*
Aumentar en ambos lados cada 10 vtas: 10 veces 1 p. = **–a)** 54 p. **–b)** 58 p. **–c)** 61 p. **–d)** 65 p. Trab. los p. aumentados a *p. calado.*
Sisa:
A 55 cm. de largo total, **cerrar** en ambos lados cada 2 vtas:
–a) 1 vez 3 p., 1 vez 2 p. = 44 p.
–b) 1 vez 3 p., 1 vez 2 p., 1 vez 1 p. = 46 p.
–c) 1 vez 3 p., 1 vez 2 p., 2 veces 1 p. = 47 p.
–d) 1 vez 3 p., 1 vez 2 p., 3 veces 1 p. = 49 p.
A **–a)** 58 cm. **–b)** 59 cm. **–c)** 60 cm. **–d)** 61 cm. de largo total, **cerrar** los p.
Trab. la otra manga igual.

CONFECCIÓN Y REMATE
Coser el hombro del delantero izquierdo al hombro de la espalda.
Con MEXICO, **recoger** alrededor del escote del delantero y escote de la espalda **–a)** 41 p. **–b)** 45 p. **–c)** 49 p. **–d)** 53 p.
Trab. 2 vtas a *p. elástico 1x1* y **cerrar** los p. *en tubular* (ver pág. p. básicos).
Coser el hombro del delantero derecho al hombro de la espalda, lados, mangas y botones.

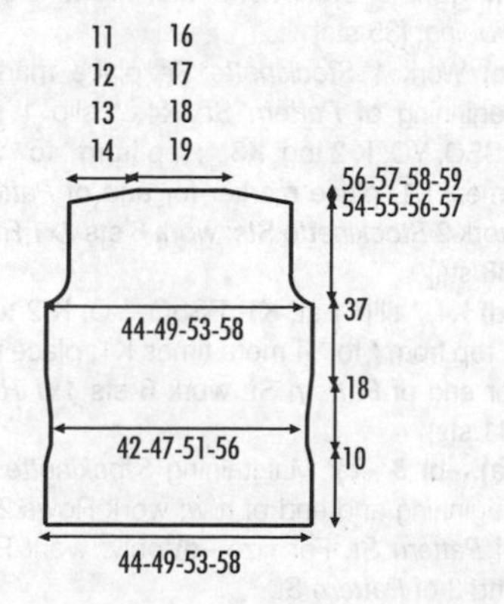

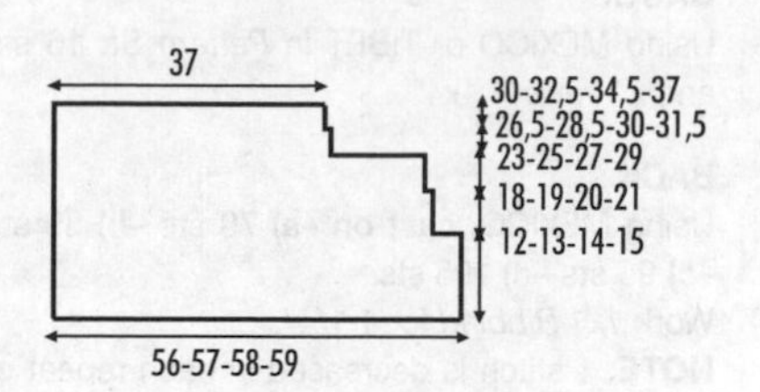

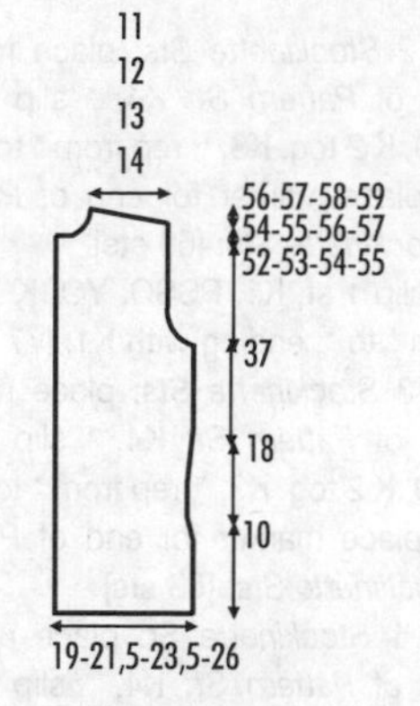

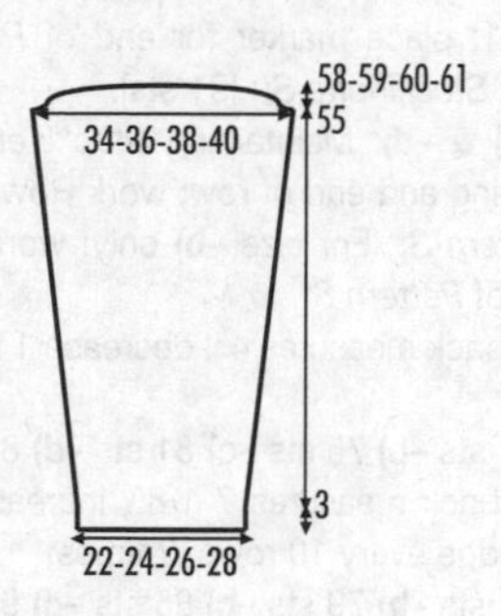

ENGLISH

SIZE: –a) 34 5/8" **–b)** 38 5/8" **–c)** 41 3/4" **–d)** 45 5/8": finished bust measurement.

MATERIALS
MEXICO: **–a) –b) –c) & –d):** 5 balls color no. 5860.
TIBET: **–a), –b) & –c)** 4 **–d)** 5 balls green no. 44
Two stitch markers.
Five buttons.

NEEDLES
Size 5 (U.S.) /(4 metric) **or size you need to use to obtain gauge listed below.**

STITCHES
See Basic Instructions for: *1x1 Ribbing*.
Pattern St:
NOTE: Row 1 is given for each size in the instructions below.
Row 2: (wrong side) * P5, drop YO on previous row, YO, *; rep from * to *; ending with P5.
Row 3: * K5, drop YO on previous row, YO, *; rep from * to *; ending with K5.
Repeat Rows 2 and 3 for pattern.

GAUGE
Using MEXICO or TIBET in *Pattern St*: 16 sts and 22 rows = 4x4"

BACK
Using MEXICO, **cast on –a)** 79 sts **–b)** 89 sts **–c)** 95 sts **–d)** 105 sts.
Work *1x1 Ribbing* for 1 1/4".
NOTE: 1 stitch is decreased in each repeat of pattern stitches.
On next right side row, set up pattern as follows::
–a) Work 2 *Stockinette Sts*: place marker for beginning of *Pattern St*: K4, * slip 1 st, K1, PSSO, YO, K 2 tog, K3, *; rep from * to *; ending with K1: place marker for end of *Pattern St*; work 2 *Stockinette Sts*: [69 sts].
–b) K4, * slip 1 st, K1, PSSO, YO, K 2 tog, K3, *; rep from * to *; ending with K1: [77 sts]
–c) Work 3 *Stockinette Sts*: place marker for beginning of *Pattern St*: K4, * slip 1 st, K1, PSSO, YO, K 2 tog, K3, *; rep from * to *; ending with K1: place marker for end of *Pattern St*; work3 *Stockinette Sts*: [83 sts]
–d) Work 1 *Stockinette St*: place marker for beginning of *Pattern St*: K4, * slip 1 st, K1, PSSO, YO, K 2 tog, K3, *; rep from * to *; ending with K1: place marker for end of *Pattern St*; work 1 *Stockinette St*: [91 sts].
–a) –c) & –d): Maintaining *Stockinette Sts* at beginning and end of row; work Rows 2 and 3 of *Pattern St*. For size **–b)** only: work Rows 2 and 3 of *Pattern St*.
When back measures 4", decrease 1 st at each edge:
[**–a)** 67 sts **–b)** 75 sts **–c)** 81 sts **–d)** 89 sts.
When back measures 7 1/8", increase 1 st at each edge every 10 rows: 2 times:
[**–a)** 71 sts **–b)** 79 sts **–c)** 85 sts **–d)** 93 sts].
Armholes:
When back measures 14 1/2", **bind off** at each edge every 2 rows:
–a) 3 sts 1 time; 2 sts 1 time; 1 st 1 time: [59 sts]
–b) 3 sts 1 time; 2 sts 1 time; 1 st 2 times: [65 sts]
–c) 3 sts 1 time; 2 sts 1 time; 1 st 2 times: [71 sts]
–d) 3 sts 1 time; 2 sts 2 times; 1 st 1 time: [77 sts].
Shoulders:
When back measures **–a)** 21 1/4" **–b)** 21 5/8" **–c)** 22" **–d)** 22 1/2", **bind off** at each edge every 2 rows:
–a) 9 sts 1 time; 8 sts 1 time: [25 sts]
–b) 10 sts 1 time; 9 sts 1 time: [27 sts]
–c) 11 sts 1 time; 10 sts 1 time: [29 sts]
–d) 12 sts 1 time; 11 sts 1 time: [31 sts].
When back measures **–a)** 22" **–b)** 22 1/2" **–c)** 22 7/8" **–d)** 23 1/4", **bind off** all rem sts.

RIGHT FRONT
(Worked sideways, beginning at center front edge.)
Using MEXICO, **cast on –a)** 99 sts **–b)** 101 sts **–c)** 103 sts **–d)** 105 sts.
Rows 1 thru 4: Beginning and ending with K1, work *1x1 Ribbing* for 4 rows.
Row 5: (right side); continuing in established *1x1 Ribbing* pattern, work buttonholes as follows: work **–a)** 19 sts **–b)** 21 sts **–c)** 23 sts **–d)** 25 sts; **–a) –b) –c) & –d):** * YO, K 2 tog, work 15 sts *1x1 Ribbing*, *; rep from * to *3 more times; YO, K 2 tog, work *1x1 Ribbing* to end of row.
Row 6: (wrong side): Work all sts, including yarn overs in established *1x1 Ribbing* pattern.
Row 7: Set up pattern as follows:
–a) 6 sts *1x1 Ribbing*; K6, work 77 sts *Pattern St;* K4, 6 sts *1x1 Ribbing*: [88 sts]
–b) 6 sts *1x1 Ribbing*; K4, work 84 sts *Pattern St;* K1, 6 sts *1x1 Ribbing*: [89 sts]
–c) 6 sts *1x1 Ribbing*; K5, work 84 sts *Pattern St;* K2, 6 sts *1x1 Ribbing*: [91 sts]
–d) 6 sts *1x1 Ribbing*; K6, work 84 sts *Pattern St;* K3, 6 sts *1x1 Ribbing*: [93 sts].
When front measures **–a)** 4 3/4" **–b)** 5 1/8" **–c)** 5 1/2" **–d)** 5 7/8", at the beginning of next right side row, **–a) –b) –c) & –d): bind off** 6 sts: [**–a)** 82 sts **–b)** 83 sts **–c)** 85 sts **–d)** 87 sts].
When front measures **–a)** 7 1/8" **–b)** 7 1/2" **–c)** 8 1/4" **–d)** 9", at the beginning of next right side row; **–a) –b) –c) & –d):** bind off 2 sts: [**–a)** 80 sts **–b)** 81 sts **–c)** 83 sts **–d)** 85 sts].
When front measures **–a)** 9" **–b)** 9 7/8" **–c)** 10 5/8" **–d)** 11 3/8", at the beginning of next right side row; bind off **–a)** 21 sts **–b)** 21 sts **–c)** 23 sts **–d)** 25 sts:
[**–a)** 59 sts **–b)** 60 sts **–c)** 60 sts **–d)** 60 sts].
When front measures **–a)** 10 3/8" **–b)** 11 1/4" **–c)** 11 3/4" **–d)** 12 3/8", at the beginning of next right side row, **–a) –b) –c) & –d): bind off** 2 sts: [**–a)** 57 sts **–b) –c) & –d):** 58 sts.
When front measures **–a)** 11 3/4" **–b)** 12 3/4" **–c)** 13 5/8" **–d)** 14 1/2"; **bind off** all rem sts.

LEFT FRONT
Using TIBET, **cast on –a)** 34 sts **–b)** 38 sts **–c)** 42 sts **–d)** 46 sts.
–a) –b) –c) & –d): Beginning/ending with P1/K2, work *1x1 Ribbing* for 1 1/4".
On next right side row, set up pattern as follows:
–a) Work 1 *Stockinette St*: place marker for beginning of *Pattern St*: K4, * slip 1 st, K1, PSSO, YO, K 2 tog, K3, *; rep from * to * two more times; K1; place marker for end of *Pattern St*; work 1 *Stockinette St*: work 6 sts *1x1 Ribbing*: [31 sts]
–b) Work 3 *Stockinette Sts*: place marker for beginning of *Pattern St*: K4, * slip 1 st, K1, PSSO, YO, K 2 tog, K3, *; rep from * to * two more times; K1; place marker for end of *Pattern St*; work 3 *Stockinette Sts;* work 6 sts *1x1 Ribbing*: [35 sts]
–c) Work 1 *Stockinette St*: place marker for beginning of *Pattern St*: K4, * slip 1 st, K1, PSSO, YO, K 2 tog, K3, *; rep from * to * 3 more times; K1; place marker for end of *Pattern St*; work 2 *Stockinette Sts*: work 6 sts *1x1 Ribbing*: [38 sts]
–d) K4, * slip 1 st, K1, PSSO, YO, K 2 tog, K3, *; rep from * to * 4 more times K1; place marker for end of *Pattern St*: work 6 sts *1x1 Ribbing*: [41 sts]
–a), –b) & –c): Maintaining *Stockinette Sts* at beginning and end of row; work Rows 2 and 3 of *Pattern St*. For size **–d)** only: work Rows 2 and 3 of *Pattern St*.
When front measures 4", decrease 1 st at armhole edge:
[**–a)** 30 sts **–b)** 34 sts **–c)** 37 sts **–d)** 40 sts.
When front measures 7 1/8", increase 1 st at armhole edge every 10 rows: 2 times:
[**–a)** 32 sts **–b)** 36 sts **–c)** 39 sts **–d)** 42 sts].
Armholes:
When front measures 14 1/2", **bind off** at armhole edge every 2 rows:
–a) 3 sts 1 time; 2 sts 1 time; 1 st 1 time: [26 sts]
–b) 3 sts 1 time; 2 sts 1 time; 1 st 2 times: [29 sts]
–c) 3 sts 1 time; 2 sts 1 time; 1 st 2 times: [32 sts]
–d) 3 sts 1 time; 2 sts 2 times; 1 st 1 time: [34 sts].
Neckline:
When front measures **–a)** 20 1/2" **–b)** 20 7/8" **–c)** 21 1/4" **–d)** 21 5/8", **bind off** at center front edge (beginning of wrong side rows):
–a) 4 sts 1 time; 3 sts 1 time; 1 st 2 times
–b) 5 sts 1 time; 3 sts 1 time; 1 st 2 times
–c) 6 sts 1 time; 3 sts 1 time; 1 st 2 times
–d) 6 sts 1 time; 3 sts 1 time; 1 st 2 times
Shoulders:
When front measures **–a)** 21 1/4" **–b)** 21 5/8" **–c)** 22" **–d)** 22 1/2", **bind off** at armhole edge every 2 rows:
–a) 9 sts 1 time; 8 sts 1 time
–b) 10 sts 1 time; 9 sts 1 time
–c) 11 sts 1 time; 10 sts 1 time
–d) 12 sts 1 time; 11 sts 1 time

SLEEVES
Using TIBET, **cast on –a)** 39 sts **–b)** 43 sts **–c)** 47 sts **–d)** 51 sts.
Work *1x1 Ribbing* for 1 1/4".
On next right side row, set up pattern as follows:
–a) K4, * slip 1 st, K1, PSSO, YO, K 2 tog, K3, *; rep from * to * 4 more times: [34 sts].
–b) K4, * slip 1 st, K1, PSSO, YO, K 2 tog, K3, *; rep from * to * 4 more times K1; place marker for end of *Pattern St*; work 3 *Stockinette Sts:* [38 sts]
–c) K4, * slip 1 st, K1, PSSO, YO, K 2 tog, K3, *; rep from * to * 5 more times K1; [45 sts]
–d) K4, * slip 1 st, K1, PSSO, YO, K 2 tog, K3, *; rep from * to * 5 more times K1; place marker for end of *Pattern St*; work 4 *Stockinette Sts*: [45 sts]
Work rows 2 and 3 of *Pattern St* as before, and working increased sts into *Pattern St* when enough sts are available, increase 1 st at each edge every 10 rows: 10 times:
[**–a)** 54 sts **–b)** 58 sts **–c)** 61 sts **–d)** 65 sts].
Armhole:
When sleeve measures 21 5/8", bind off at each edge every 2 rows:
–a) 3 sts 1 time; 2 sts 1 time; bind off rem 44 sts
–b) 3 sts 1 time; 2 sts 1 time; 1 st 1 time; bind off rem 46 sts
–c) 3 sts 1 time; 2 sts 1 time; 1 st 2 times bind; off rem 47 sts
–d) 3 sts 1 time; 2 sts 1 time; 1 st 3 times; bind off rem 49 sts.

FINISHING

Sew left front shoulder seam to left back shoulder seam

Using MEXICO, **pick up -a)** 41 sts **-b)** 45 sts **-c)** 49 sts **-d)** 53 sts around back neck edge and left front neckline.

Work *1x1 Ribbing* for 2 rows; use Finished Edge Bind Off (see Basic Instructions).

Sew right front shoulder seam to right back shoulder seam.

Sew side and sleeve seams. **Sew** on buttons.

FIL KATIA

COCKTAIL

pág. 15

ESPAÑOL

TALLAS: -a) 38/40 **-b)** 42/44 **-c)** 46/48 **-d)** 50/52

MATERIALES

COCKTAIL: col. 13: **-a)** 10 **-b)** 11 **-c)** 12 **-d)** 13 ovillos.

8 botones col. naranja

Agujas	Puntos empleados
Nº 4 1/2	- *P. bobo* - *P. jersey der.*
Aguja de ganchillo	
Nº 2 de pasta	- *P. bajo*

MUESTRA DEL PUNTO

P. jersey der., ag. nº 4 1/2

10x10 cm. = 15 p. y 22 vtas.

ESPALDA

Con ag. nº 4 1/2, **montar -a)** 66 p. **-b)** 74 p. **-c)** 80 p. **-d)** 88 p.

Trab. 4 cm. a *p. bobo* y continuar trab. a *p. jersey der.*

A 8 cm. de largo total, **aumentar** en ambos lados (= a 3 p. desde cada lado) cada 10 vtas: 3 veces 1 p. = **-a)** 72 p. **-b)** 80 p. **-c)** 86 p. **-d)** 94 p.

Sisas:

A 27 cm. de largo total, **cerrar** en ambos lados cada 2 vtas:

-a) 1 vez 3 p., 1 vez 2 p., 2 veces 1 p. = 58 p.

-b) 1 vez 3 p., 1 vez 2 p., 3 veces 1 p. = 64 p.

-c) 1 vez 3 p., 2 veces 2 p., 2 veces 1 p. = 68 p.

-d) 1 vez 3 p., 2 veces 2 p., 3 veces 1 p. = 74 p.

Hombros:

A **-a)** 44 cm. **-b)** 45 cm. **-c)** 46 cm. **-d)** 47 cm. de largo total, **cerrar** en ambos lados cada 2 vtas:

-a) 2 veces 9 p.

-b) 2 veces 10 p.

-c) 1 vez 11 p., 1 vez 10 p.

-d) 1 vez 12 p., 1 vez 11 p.

A **-a)** 47 cm. **-b)** 48 cm. **-c)** 49 cm. **-d)** 50 cm. de largo total, **cerrar** los **-a)** 22 p. **-b)** 24 p. **-c)** 26 p. **-d)** 28 p. restantes del **escote.**

DELANTERO DERECHO

Con ag. nº 4 1/2, **montar -a)** 48 p. **-b)** 52 p. **-c)** 54 p. **-d)** 58 p.

Trab. 4 cm. a *p. bobo* y continuar trab. a *p. jersey der.* **NOTA:** para conseguir una tapeta bonita, trab. en las vtas por el revés de la labor = cuando falten 3 p. para terminar la vta: pasar 2 p. sin hacer a la aguja derecha y trab. 1 p. rev. Se forma un pequeño dobladillo. Para evitar que quede demasiado tirante, trab. cada 10 vtas los últimos 3 p. de la vta por el revés de la labor al rev.

Ojales:

A 2 cm. de largo total (= desde el comienzo de la labor), trab. los primeros dos ojales de la siguiente manera:

Por el derecho de la labor = inicio de la vta: trab. 4 p. der., **cerrar** 2 p., trab. **-a)** 18 p. **-b)** 20 p. **-c)** 22 p. **-d)** 24 p. der., **cerrar** 2 p. y terminar la vta al der.

Por el revés de la labor, al llegar a los p. cerrados de la vta anterior, **montar** 2 p. en la aguja derecha para cada ojal.

Trab. las 3 otras filas de 2 ojales cada 12 cm.

A 8 cm. de largo total, **aumentar** en el extremo izquierdo (= a 3 p. desde el extremo) cada 10 vtas: 3 veces 1 p. = **-a)** 51 p. **-b)** 55 p. **-c)** 57 p. **-d)** 61 p.

Sisa:

A 27 cm. de largo total, **cerrar** en el extremo izquierdo cada 2 vtas:

-a) 1 vez 3 p., 1 vez 2 p., 2 veces 1 p. = 44 p.

-b) 1 vez 3 p., 1 vez 2 p., 3 veces 1 p. = 47 p.

-c) 1 vez 3 p., 2 veces 2 p., 2 veces 1 p. = 48 p.

-d) 1 vez 3 p., 2 veces 2 p., 3 veces 1 p. = 51 p.

Escote:

A 40 cm. de largo total, **cerrar** en el extremo derecho cada 2 vtas:

-a) 1 vez 20 p., 6 veces 1 p.

-b), -c) 1 vez 20 p., 7 veces 1 p.

-d) 1 vez 20 p., 8 veces 1 p.

Hombro:

A **-a)** 44 cm. **-b)** 45 cm. **-c)** 46 cm. **-d)** 47 cm. de largo total, **cerrar** en el extremo izquierdo cada 2 vtas:

-a) 2 veces 9 p.

-b) 2 veces 10 p.

-c) 1 vez 11 p., 1 vez 10 p.

-d) 1 vez 12 p., 1 vez 11 p.

DELANTERO IZQUIERDO

Trab. como el delantero derecho, pero **a la inversa** y sin ojales.

Trab. para la tapeta: en las vtas por el revés de la labor = inicio de la vta: trab. 1 p. rev., pasar 2 p. sin hacer a la aguja derecha. Para evitar que quede demasiado tirante, trab. cada 10 vtas los primeros 3 p. de la vta por el revés de la labor al rev.

MANGAS

Con ag. nº 4 1/2, **montar -a)** 40 p. **-b)** 44 p. **-c)** 46 p. **-d)** 50 p.

Trab. 8 cm. a *p. bobo* y continuar trab. a *p. jersey der.*

A 11 cm. de largo total, **aumentar** en ambos lados cada 8 vtas: 8 veces 1 p. = **-a)** 56 p. **-b)** 60 p. **-c)** 62 p. **-d)** 66 p.

Sisa:

A 44 cm. de largo total, **cerrar** en ambos lados cada 2 vtas:

-a) 2 veces 2 p., 8 veces 1 p., 5 veces 2 p.

-b) 2 veces 2 p., 9 veces 1 p., 5 veces 2 p.

-c) 2 veces 2 p., 10 veces 1 p., 5 veces 2 p.

-d) 2 veces 2 p., 11 veces 1 p., 5 veces 2 p.

A **-a)** 59 cm. **-b)** 60 cm. **-c)** 61 cm. **-d)** 62 cm. de largo total, **cerrar** los **-a)** 12 p. **-b), -c)** 14 p. **-d)** 16 p. restantes.

Trab. la otra manga igual.

CONFECCIÓN Y REMATE

Cuello:

Con ag. nº 4 1/2, **montar -a)** 60 p. **-b)** 64 p. **-c)** 68 p. **-d)** 72 p.

Trab. 5 cm. a *p. bobo.*

En la siguiente vta por el derecho de la labor, **aumentar -a)** 8 p. **-b)** 9 p. **-c)** 9 p. **-d)** 10 p. repartidos = **-a)** 68 p. **-b)** 73 p. **-c)** 77 p. **-d)** 82 p. Continuar trab. a *p. bobo.*

A 10 cm. de largo total, en una vta por el derecho de la labor, **aumentar -a)** 9 p. **-b)** 10 p. **-c)** 11 p. **-d)** 11 p. repartidos = **-a)** 77 p. **-b)** 83 p. **-c)** 88 p. **-d)** 93 p.

A 14 cm. de largo total, **cerrar** los p. muy flojos.

Hilvanar las piezas encaradas y planchar a vapor.

Todas las costuras se realizan a *p. de lado* (ver pág. p. básicos).

Coser hombros.

Aplicar mangas (= con el centro de la parte superior de la manga a la costura del hombro) y **coser** mangas y lados.

Aplicar el cuello, con el centro del cuello en el centro del escote de la espalda y con los extremos después de los 20 p. cerrados del escote de cada delantero.

Con la aguja de ganchillo nº 2 y 2 hilos, trab. 1 vta a *p. bajo* sobre los 20 p. cerrados del escote de cada delantero.

Coser los botones en el delantero izquierdo, enfrente de los ojales del delantero derecho.

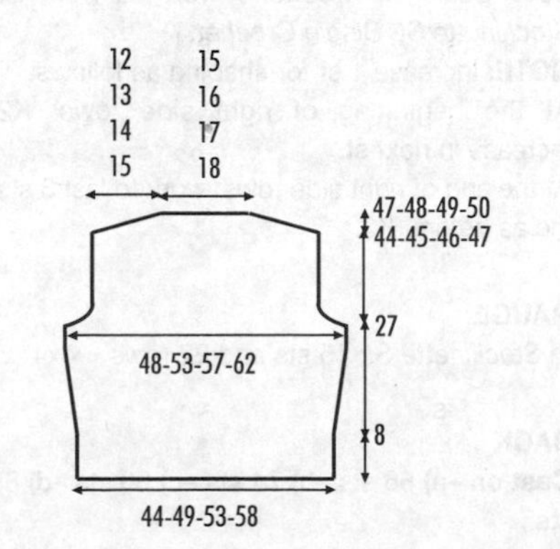

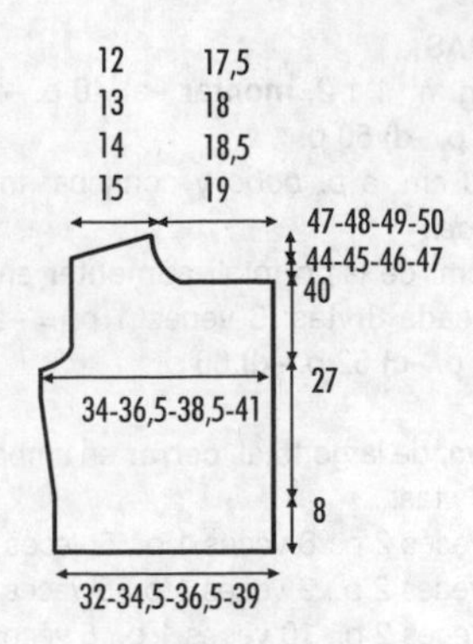

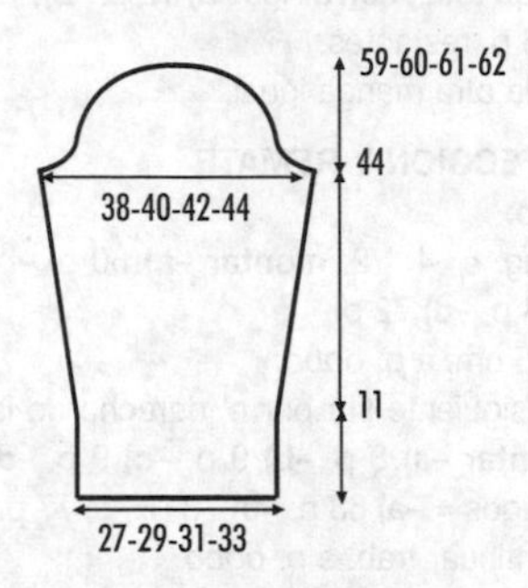

ENGLISH

SIZE: –a) 37 3/4" **–b)** 41 3/4" **–c)** 44 7/8" **–d)** 48 3/4": finished bust measurement

MATERIALS
COCKTAIL: **–a)** 10 **–b)** 11 **–c)** 12 **–d)** 13 balls color no. 13.
Eight buttons.

KNITTING NEEDLES
Size 6 (U.S.) /(4 1/2 metric) **or size you need to use to obtain gauge listed below.**

CROCHET HOOK
Size B (U.S.) /(2 metric)

STITCHES
See Basic Instructions for: *Garter St*, *Stockinette St*, *Single Crochet*.
NOTE: Increase 1 st for shaping as follows:
At the beginning of right side rows: K2, increase in next st.
At the end of right side rows: work to last 3 sts; inc as before, K2.

GAUGE
In *Stockinette St*: 15 sts and 22 rows = 4x4"

BACK
Cast on –a) 66 sts **–b)** 74 sts **–c)** 80 sts **–d)** 88 sts.
Work *Garter St* for 1 5/8", then work *Stockinette St*.
When back measures 3 1/8", **increase** 1 st at each edge as given in "NOTE 1" above, every 10 rows: 3 times:
[**–a)** 72 sts **–b)** 80 sts **–c)** 86 sts **–d)** 94 sts].
Armholes:
When back measures 9 7/8", **bind off** at each edge every 2 rows
–a) 3 sts 1 time; 2 sts 1 time; 1 st 2 times: [58 sts]
–b) 3 sts 1 time; 2 sts 1 time; 1 st 3 times: [64 sts]
–c) 3 sts 1 time; 2 sts 2 times; 1 st 2 times: [68 sts]
–d) 3 sts 1 time; 2 sts 2 times; 1 st 3 times: [74 sts].
Shoulders:
When back measures **–a)** 17 1/4" **–b)** 17 3/4" **–c)** 18 1/4" **–d)** 18 1/2", bind off at each edge every 2 rows:
–a) 9 sts 2 times: [22 sts]
–b) 10 sts 2 times: [24 sts]
–c) 11 sts 1 time: 10 sts 1 time: [26 sts]
–d) 12 sts 1 time; 11 sts 1 time: [28 sts].
When back measures **–a)** 18 1/2" **–b)** 18 7/8" **–c)** 19 1/4" **–d)** 19 3/4", **bind off** all rem sts.

RIGHT FRONT
NOTE: Buttonholes:
When front measures 3/4", work first group of buttonholes as follows: At the beginning of a right side row, K4, **bind off** 2 sts, work **–a)** 18 sts **–b)** 20 sts **–c)** 22 sts **–d)** 24 sts, **bind off** 2 sts, work to end of row. On reverse side row, **cast on** 2 sts over each buttonhole. As work progresses, make 3 more sets of buttonholes, each 4 3/4" apart.
Cast on –a) 48 sts **–b)** 52 sts **–c)** 54 sts **–d)** 58 sts.
Work *Garter St* for 1 5/8"; then work *Stockinette St*, working reverse side rows as follows: On four reverse side rows, purl to last 3 sts; slip 2 sts; P1. On fifth reverse side row, purl all stitches.
When front measures 3 1/8", **increase** 1 st at armhole edge as given in "NOTE" above, every 10 rows: 3 times:
[**–a)** 51 sts **–b)** 55 sts **–c)** 57 sts **–d)** 61 sts.
Armhole:
When front measures 9 7/8", **bind off** at each edge every 2 rows
–a) 3 sts 1 time; 2 sts 1 time; 1 st 2 times: [44 sts]
–b) 3 sts 1 time; 2 sts 1 time; 1 st 3 times: [47 sts]
–c) 3 sts 1 time; 2 sts 2 times; 1 st 2 times: [48 sts]
–d) 3 sts 1 time; 2 sts 2 times; 1 st 3 times: [51 sts]
Neckline:
When front measures 15 3/4", **bind off** at center front edge every 2 rows:
–a) 20 sts 1 time; 1 st 6 times
–b) 20 sts 1 time; 1 st 7 times
–c) 20 sts 1 time; 1 st 7 times
–d) 20 sts 1 time; 1 st 8 times.
Shoulders:
When front measures **–a)** 17 1/4" **–b)** 17 3/4" **–c)** 18 1/4" **–d)** 18 1/2", bind off at armhole edge every 2 rows:
–a) 9 sts 2 times
–b) 10 sts 2 times
–c) 11 sts 1 time; 10 sts 1 time
–d) 12 sts 1 time; 11 sts 1 time.

LEFT FRONT
Omitting buttonholes, work same as back, working center front edge sts on reverse side rows as follows: At the beginning of four reverse side rows, P1, sl 2, purl to end of row. On the 5th reverse side row, purl all stitches.

SLEEVES
Cast on –a) 40 sts **–b)** 44 sts **–c)** 46 sts **–d)** 50 sts.
Work *Garter St* for 3 1/8"'; then work *Stockinette St*.
When sleeve measures 4 3/8", **–a) –b) –c) & –d): increase** 1 st at each edge as given in "NOTE" above, every 8 rows: 8 times:
[**–a)** 56 sts **–b)** 60 sts **–c)** 62 sts **–d)** 66 sts.
Armhole:
When sleeve measures 17 1/4", **bind off** at each edge every 2 rows:
–a) 2 sts 2 time; 1 st 8 times; 2 sts 5 times: [12 sts]
–b) 2 sts 2 time; 1 st 9 times; 2 sts 5 times: [14 sts]
–c) 2 sts 2 time; 1 st 10 times; 2 sts 5 times: [14 sts]
–d) 2 sts 2 time; 1 st 11 times; 2 sts 5 times: [16 sts].
When sleeve measures **–a)** 23 1/4" **–b)** 23 5/8" **–c)** 24" **–d)** 24 3/8", **bind off** all rem sts.

FINISHING
Collar:
Cast on: –a) 60 sts **–b)** 64 sts **–c)** 68 sts **–d)** 72 sts.
Work *Garter St* for 2".
On next right side row, **increase –a)** 8 sts **–b)** 9 sts **–c)** 9 sts **–d)** 10 sts evenly:
[**–a)** 68 sts **–b)** 73 sts **–c)** 77 sts **–d)** 82 sts].
When collar measures 4", on next right side row **increase –a)** 9 sts **–b)** 10 sts **–c)** 11 sts **–d)** 11 sts evenly.
[**–a)** 77sts **–b)** 83 sts **–c)** 88 sts **–d)** 93 sts].
When collar measures 5 1/2", **bind off** very loosely.
Carefully block pieces on the wrong side, using steam only.
Sew shoulder seams.
Matching center of sleeve with shoulder seam, **sew** in top of sleeve, then **sew** underarm seam.
Matching center of collar with center of back neckline, and ends of collar at end of the 20 sts bound off for front neck shaping, **sew** collar around neck edge.
Using 2 strands of yarn with crochet hook, work 1 row single crochet over the 20 sts that were bound off on both front necklines.
Sew other shoulder, side and sleeve seams.
Sew buttons on left front, opposite buttonholes.

MODELO 24 B FIL KATIA

COCKTAIL

pág. 15

ESPAÑOL

MEDIDAS: 22 x 240 cm. (sin flecos)

MATERIALES
COCKTAIL: 2 ovillos de cada color: verde pistacho 11, amarillo 12, verde oscuro 22, gris 23.

Agujas	Puntos empleados
Nº 10	- P. jersey der. - P. bobo - P. alargado: (ver explicación)

P. alargado: **1ª vta:** Por el derecho de la labor: 1 p. derecho, poner 1 hebra en la ag. derecha con la mano pasar el p. por encima de la hebra, repetir, poner de nuevo otra hebra en la ag. derecha y pasar el p. por encima de la hebra repetir esta operación 2 veces más * clavar la ag. para trabajar el siguiente p. al derecho, enrollar el hilo 4 veces alrededor de la ag. y trab. al derecho *, repetir de * a *. **2ª vta:** Por el revés de la labor: * 1 p. rev. soltando las vueltas de hilo alrededor de la aguja *, repetir de * a *.

MUESTRA DEL PUNTO
P. jersey der. ag. nº 10
10x10 cm. = 10 p. y 12 vtas

REALIZACIÓN
En color pistacho montar 22 p. trab. 6 vtas a p. bobo y continuar como sigue:
2 vtas p. alargado col. pistacho
12 vtas p. jersey der. col. pistacho
2 vtas p. alargado col. amarillo
24 vtas p. jersey der. col. gris
2 vtas p. alargado col. verde
20 vtas p. jersey der. col. amarillo
8 vtas p. jersey der. col. verde
8 vtas p. jersey der. col. pistacho
2 vtas p. alargado col. pistacho
4 vtas p. jersey der. col. gris
2 vtas p. alargado col. gris
10 vtas p. jersey der. col. gris
8 vtas p. jersey der. col. amarillo
2 vtas p. alargado col. amarillo
8 vtas p. jersey der. col. amarillo
20 vtas p. jersey der. col. verde
2 vtas p. alargado col. verde
18 vtas p. jersey der. col. pistacho
2 vtas p. alargado col. pistacho
8 vtas p. jersey der. col. pistacho
12 vtas p. jersey der. col. amarillo
2 vtas p. alargado col. amarillo
6 vtas p. bobo col. amarillo y cerrar todos los p.

MONTAJE
De todos los colores cortar 22 hilos de 40 cm. de largo. Agrupar un hilo de cada color y anudar como flecos (ver pág. p. básicos) en cada extremo de la bufanda.

ENGLISH

SIZE: 8 5/8" x 94 1/5"

MATERIALS
COCKTAIL: 2 balls each of pistachio no. 11, yellow no. 12, dark green no. 22 and grey no. 23.

NEEDLES
Size 15 (U.S.) /(10 metric) **or size you need to use to obtain gauge listed below.**

STITCHES
See Basic Instructions for: *Stockinette St, Garter St.*
Pattern St:
Row 1: (right side) To make a border stitch long enough to equalize edge of the row, (YO, bind off YO) 4 times (only one stitch used from LH needle); * insert RH needle in next st on LH needle as if to knit, YO four times, complete knitting the stitch *; rep from * to *.
Row 2: *P1, drop the 4 yarn overs, *; rep from * to *, P1.

GAUGE
In *Stockinette St*: 10 sts and 12 rows = 4x4"

INSTRUCTIONS
Using pistachio, **cast on:** 22 sts.
Work *Garter St* for 6 rows, then work as follows:
2 rows *Pattern St* using pistachio
12 rows *Stockinette St* using pistachio
2 rows *Pattern St* using yellow
24 rows *Stockinette St* using grey
2 rows *Pattern St* using dark green
20 rows *Stockinette St* using yellow
8 rows *Stockinette St* using dark green
8 rows *Stockinette St* using pistachio
2 rows *Pattern St* using pistachio
4 rows *Stockinette St* using grey
2 rows *Pattern St* using grey
10 rows *Stockinette St* using grey
8 rows *Stockinette St* using yellow
2 rows *Pattern St* using yellow
8 rows *Stockinette St* using yellow
20 rows *Stockinette St* using dark green
2 rows *Pattern St* using dark green
18 rows *Stockinette St* using pistachio
2 rows *Pattern St* using pistachio
8 rows *Stockinette St* using pistachio
12 rows *Stockinette St* using yellow
2 rows *Pattern St* using yellow
6 rows *Garter St* using yellow: **bind off.**

FINISHING
Fringe: (see Basic Instructions).
Cut 44 strands of each color, with each strand 15 3/4" long.
Use 1 strand of each color for each group.
Insert 22 groups in each end of shawl

MODELO 24 C FIL KATIA

COCKTAIL

pág. 15

ESPAÑOL

TALLA: única

MATERIALES
COCKTAIL: col. 22: 3 ovillos.

Aguja de ganchillo	Puntos empleados
Nº 4 de pasta	- P. de cadeneta - P. enano - P. bajo

MUESTRA DEL PUNTO
P. bajo con 2 hilos COCKTAIL y aguja de ganchillo nº 4
10x10 cm. = 10 p. y 10 vtas.

REALIZACIÓN
NOTA: se trab. con 2 hilos y en redondo. (= cerrar cada vta con 1 p. enano y empezar cada vta con 1 p. de cadeneta).
Con 2 hilos y aguja de ganchillo nº 4, **montar** 5 *p. de cadeneta.*
Cerrar en redondo con 1 *p. enano* en el primer *p. de cadeneta.*
Trab. 12 *p. bajos* en la anilla formada.
1ª vta: trab. * 1 p. bajo en cada uno de los 3 p. bajos de la vta anterior, trab. 2 p. bajos en el siguiente p. bajo *, repetir de * a * 2 veces más. = 15 p. bajos.
2ª vta: trab. * 1 p. bajo en cada uno de los 2 p. bajos de la vta anterior, trab. 2 p. bajos en el siguiente p. bajo *, repetir de * a * 4 veces más. = 20 p. bajos.
3ª vta: trab. * 1 p. bajo en cada uno de los 3 p. bajos de la vta anterior, trab. 2 p. bajos en el siguiente p. bajo *, repetir de * a * 4 veces más. = 25 p. bajos.
4ª vta: trab. * 1 p. bajo en cada uno de los 4 p. bajos de la vta anterior, trab. 2 p. bajos en el siguiente p. bajo *, repetir de * a * 4 veces más. = 30 p. bajos.
5ª vta: trab. * 1 p. bajo en cada uno de los 4 p. bajos de la vta anterior, trab. 2 p. bajos en el siguiente p. bajo *, repetir de * a * 5 veces más. = 36 p. bajos.
6ª vta: trab. * 1 p. bajo en cada uno de los 5 p. bajos de la vta anterior, trab. 2 p. bajos en el siguiente p. bajo *, repetir de * a * 5 veces más. = 42 p. bajos.
7ª vta: trab. * 1 p. bajo en cada uno de los 5 p. bajos de la vta anterior, trab. 2 p. bajos en el siguiente p. bajo *, repetir de * a * 6 veces más. = 49 p. bajos.

Continuar trab. a *p. bajo* sin aumentar hasta 20 cm. de largo total (medir desde el inicio).
Trab. durante 1 vta: * 1 p. bajo en 1 p. bajo de la vta anterior, 2 p. bajos en el siguiente p. bajo *, repetir de * a * y terminar con 1 p. bajo = 73 p. bajos.
Trab. 2 vtas a *p. bajo* sobre los 73 *p. bajos.*
Trab. durante la siguiente vta: * 1 p. bajo en cada uno de los 2 p. bajos de la vta anterior, 2 p. bajos en el siguiente p. bajo *, repetir de * a * y terminar con 1 p. bajo = 97 p. bajos.
Trab. 2 vtas más a *p. bajo* sobre los 97 p. bajos, **cortar** el hilo y rematar.

ENGLISH

SIZE: one size

MATERIALS
COCKTAIL: 3 balls color no. 22.

CROCHET HOOK
Size F (U.S.) /(4 metric) **or size you need to use to obtain gauge listed below.**

STITCHES
See Basic Instructions for: *Crochet Chain, Crochet Slip St, Single Crochet.*

GAUGE
Using 2 strands COCKTAIL In *Single Crochet*: 10 sts and 10 rows = 4x4"

INSTRUCTIONS
NOTE: Hat is made using 2 strands of yarn held together. Work in rounds, joining each round with a sl st in top of beg ch-1. Do not turn.
Using 2 strands of yarn, **chain** 5; sl st in beginning ch to form a ring. Ch 1, work 12 sc in ring, join.
Rnd 1: Ch 1, * sc in each of next 3 sc, work 2 sc in next sc, *; rep from * to * two more times; join: [15 sc].
Rnd 2: Ch 1, * sc in each of next 2 sc, work 2 sc in next sc, *; rep from * to * 4 more times; join: [20 sc].
Rnd 3: Ch 1, * sc in each of next 3 sc, work 2 sc in next sc, *; rep from * to * 4 more times; join: [25 sc].
Rnd 4: Ch 1, * sc in each of next 4 sc, work 2 sc in next sc, *; rep from * to * 4 more times; join: [30 sc].
Rnd 5: Ch 1, * sc in each of next 4 sc, work 2 sc in next sc, *; rep from * to * 5 more times; join: [36 sc].
Rnd 6: Ch 1, * sc in each of next 5 sc, work 2 sc in next sc, *; rep from * to * 5 more times; join: [42 sc]
Rnd 7: Ch 1, * sc in each of next 5 sc, work 2 sc in next sc, *; rep from * to * 6 more times; join: [49 sc]
Rnd 8: Ch 1, sc in each sc around; join: [49 sc]
Repeat Rnd 8 until hat measures 7 7/8" from beginning row.

Brim:
Rnd 1: Ch 1, * sc in next sc, 2 sc in next sc, *; rep from * to * 23 more times; sc in last sc; join: [73 sc].
Rnds 2 & 3: Ch 1, sc in each sc around; join: [73 sc].
Rnd 4: Ch 1, * sc in each of next 2 sc, work 2 sc in next sc, *; rep from * to * 23 more times; sc in last sc; join: [97 sc]
Rnds 5 & 6: Ch 1, sc in each sc around; join: [97 sc].
Fasten off and weave in all ends.

MODELO 25

FIL KATIA

GRAFFFITI

pág. 15

ESPAÑOL

TALLAS: –a) 40 **–b)** 44 **–c)** 48 **–d)** 52

MATERIALES
GRAFFITI: col. 6000: **–a)** 16 **–b)** 18 **–c)** 19 **–d)** 20 ovillos.
2 botones redondos col. marrón.

Agujas	Puntos empleados
Nº 5	- *P. elástico 1x1* - *P. elástico 3x3* (ver explicación)
Nº 6	- *P. elástico 9x3* (ver explicación) - *Menguados* a 3 p. desde cada lado (ver explicación)

P. elástico 3x3:
1ª vta: * 3 p. der., 3 p. rev. *, repetir de * a *.
2ª vta y todas las vtas siguientes: trab. los p. como se presenten.

P. elástico 9x3:
1ª vta: * 9 p. der., 3 p. rev. *, repetir de * a *.
2ª vta y todas las vtas siguientes: trab. los p. como se presenten.

Menguados a 3 p. desde cada lado: por el derecho de la labor:
Al inicio de la vta: trab. 3 p. der., trab. 2 p. juntos al der.
Al final de la vta (= cuando falten 5 p. para terminar): pasar 1 p. sin hacer a la aguja derecha, trab. 1 p. der. y pasar el p. sin hacer por encima, 3 p. der.

MUESTRA DEL PUNTO
P. elástico 9x3, ag. nº 6
10x10 cm. = 14 p. y 18 vtas.

ESPALDA
Con ag. nº 5, **montar en tubular** (ver pág. p. básicos) **–a)** 36 p. **–b)** 40 p. **–c)** 43 p. **–d)** 46 p. para obtener **–a)** 72 p. **–b)** 80 p. **–c)** 86 p. **–d)** 92 p.
Continuar trab. a *p. elástico 3x3.* Empezar con **–a)** 2 p. rev. **–b)** 3 p. der. **–c)** 3 p. rev. **–d)** 3 p. der. y terminar con **–a)** 1 p. rev. **–b)** 1 p. der. **–c)** 2 p. rev. **–d)** 2 p. der.
A 8 cm. de largo total, **cambiar** ag. nº 6 y continuar trab. a *p. elástico 9x3.* Empezar con **–a)** 5 p. der., 3 p. rev. **–b)** 9 p. der., 3 p. rev. **–c)** 3 p. rev. **–d)** 3 p. der., 3 p. rev. y terminar con **–a)** 4 p. der. **–b)** 8 p. der. **–c)** 2 p. der. **–d)** 2 p. der.
Aumentar en ambos lados (= a 3 p. desde cada lado): cada 8 vtas: 3 veces 1 p. = **–a)** 78 p. **–b)** 86 p. **–c)** 92 p. **–d)** 98 p. **NOTA:** trab. los p. aumentados a *p. elástico 9x3.*
Sisas:
A 44 cm. de largo total, **cerrar** en ambos lados 1 vez 2 p. y continuar **menguando** en ambos lados (= a 3 p. desde cada lado) cada 2 vtas:
–a) 4 veces 1 p. = 66 p.
–b) 6 veces 1 p. = 70 p.
–c) 7 veces 1 p. = 74 p.
–d) 8 veces 1 p. = 78 p.
Después de haber hecho todos los menguados de la sisa = a **–a)** 51 cm. **–b)** 52 cm. **–c)** 53 cm. **–d)** 54 cm. de largo total, continuar trab. a *p. elástico 3x3* de la siguiente manera: trab. sobre los 9 p. der. del elástico 9x3: 3 p. der., 3 p. rev., 3 p. der. y trab. sobre los 3 p. rev. del elástico 9x3: 3 p. rev.
A **–a)** 71 cm. **–b)** 72 cm. **–c)** 73 cm. **–d)** 74 cm. de largo total, **cerrar** los p.

DELANTERO
Trab. como la espalda, excepto la abertura y el escote.
Abertura:
A **–a)** 51 cm. **–b)** 52 cm. **–c)** 53 cm. **–d)** 54 cm. de largo total, **cerrar** los 6 p. centrales y continuar trab. cada lado por separado.
Escote:
A **–a)** 61 cm. **–b)** 62 cm. **–c)** 63 cm. **–d)** 64 cm. de largo total, **cerrar** en el lado del escote: 1 vez 5 p. y continuar **menguando** cada 2 vtas: (= a 2 p. desde el lado del escote):
–a) 4 veces 1 p.
–b), –c) 5 veces 1 p.
–d) 6 veces 1 p.
Hombro:
A **–a)** 71 cm. **–b)** 72 cm. **–c)** 73 cm. **–d)** 74 cm. de largo total, **cerrar** los **–a)** 21 p. **–b)** 22 p. **–c)** 24 p. **–d)** 25 p. restantes del hombro.
Acabar el otro lado igual, pero a **la inversa.**

MANGAS
Con ag. nº 5, **montar en tubular** (ver pág. p. básicos) **–a)** 18 p. **–b)** 20 p. **–c)** 21 p. **–d)** 22 p. para obtener **–a)** 36 p. **–b)** 40 p. **–c)** 42 p. **–d)** 44 p.
Continuar trab. a *p. elástico 3x3.* Empezar con **–a)** 1 p. rev. **–b)** 3 p. rev. **–c)** 1 p. der. **–d)** 2 p. der. y terminar con **–a)** 2 p. rev. **–b)** 1 p. der. **–c)** 2 p. der. **–d)** 3 p. der.

A 8 cm. de largo total, **cambiar** ag. nº 6 y continuar trab. a *p. elástico 9x3.* Empezar con **-a)** 1 p. rev. **-b)** 3 p. rev. **-c)** 1 p. der., 3 p. rev. **-d)** 2 p. der., 3 p. rev. y terminar con **-a)** 9 p. der., 2 p. rev. **-b)** 1 p. der. **-c)** 2 p. der. **-d)** 3 p. der.
Aumentar en ambos lados (= a 3 p. desde cada lado): cada 6 vtas y cada 8 vtas alternativamente: 10 veces 1 p. = **-a)** 56 p. **-b)** 60 p. **-c)** 62 p. **-d)** 64 p.
NOTA: trab. los p. aumentados a *p. elástico 9x3.*
Sisa:
A 52 cm. de largo total, **menguar** en ambos lados (= a 3 p. desde cada lado) cada 2 vtas:
-a) 14 veces 1 p. = 28 p.
-b) 15 veces 1 p. = 30 p.
-c) 16 veces 1 p. = 30 p.
-d) 17 veces 1 p. = 30 p.
A **-a)** 69 cm. **-b)** 70 cm. **-c)** 71 cm. **-d)** 72 cm. largo total, **cerrar** los p.
Trab. la otra manga igual.

CONFECCIÓN Y REMATE
Coser hombros.
Con ag. nº 5, **recoger** alrededor del escote **-a)** 77 p. **-b)** 83 p. **-c)** 89 p. **-d)** 95 p.
Trab. a *p. elástico 1x1,* empezar y terminar con 1 p.der.
A 14 cm. de largo total, **cerrar** los p. en **tubular** (ver pág. p. básicos).
Doblar el cuello hacia fuera y coser los extremos.
Tira abertura:
Con ag. nº 5, **recoger** en el lado izquierdo de la abertura del delantero 31 p. Trab. 5,5 cm. a *p. elástico 1x1,* empezar y terminar con 1 p. der. **Cerrar** los p. en **tubular.**
Hacer lo mismo con el lado derecho de la abertura, pero a los 3 cm. de largo, trab. 2 ojales de la siguiente manera: trab. 8 p. a *p. elástico,* trab. 2 p. juntos al der., 1 hebra, 11 p. a *p. elástico 1x1,* trab. 2 p. juntos al der., 1 hebra, 8 p. a *p. elástico 1x1.* En la siguiente vta, trab. 1 p. en las hebras de la vta anterior.
A 5,5 cm. de largo total, **cerrar** los p. en **tubular.**
Aplicar las mangas (= con la mitad de la parte superior de la manga a la costura del hombro) y coser lados, la base de la tapeta y la parte superior de las tapetas a los extremos del cuello, mangas y botones.

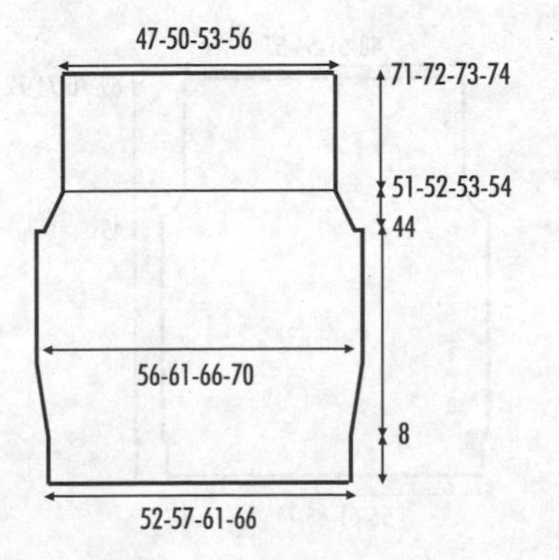

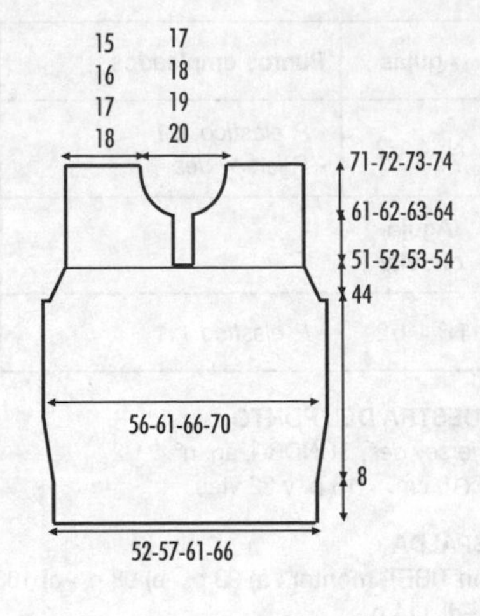

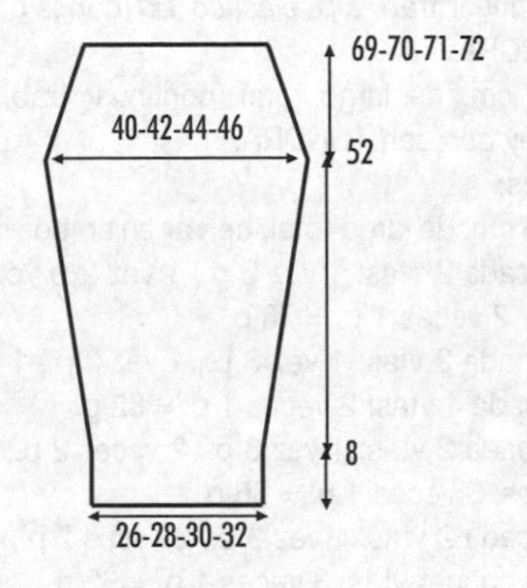

ENGLISH

SIZE: -a) 44 1/8" **-b)** 48" **-c)** 52" **-d)** 55": finished chest measurement.

MATERIALS
GRAFFITI: **-a)** 16 **-b)** 18 **-c)** 19 **-d)** 20 balls color no. 6000.
Two buttons.

NEEDLES
Size 7 & 9 (U.S.) /(5 & 6 metric) **or size you need to use to obtain gauge listed below.**

STITCHES
See Basic Instructions for: *1x1 Ribbing, Tubular Cast On.*
9x3 Ribbing:
Row 1: * K9, P3, *; rep from * to *
Row 2 and all following rows: Work sts as they appear.
3x3 Ribbing:
Row 1: * K3, P3, *; rep from * to *
Row 2 and all following rows: Work sts as they appear.
NOTE 1: Working all increased sts into existing pattern, increase 1 st for shaping as follows:
At the beginning of right side rows: K2, increase in next st.
At the end of right side rows: work to last 3 sts; inc as before, K2.
NOTE 2: Decrease 1 st for shaping as follows:
At the beginning of right side rows, K3, K 2 tog.
At the end of right side rows, work to last 5 sts; sl 1, K1, PSSO, K3
NOTE 3: Decrease 1 st for neckline shaping as follows:
At the beginning of right side rows, K2, K 2 tog.
At the end of right side rows, work to last 4 sts; sl 1, K1, PSSO, K2

GAUGE
Using larger needles in *9x3 Ribbing:* 14 sts and 18 rows = 4x4"

BACK
Using smaller needles in *Tubular Cast On,* begin with **-a)** 36 sts **-b)** 40 sts **-c)** 43 sts **-d)** 46 sts to make **-a)** 72 sts **-b)** 80 sts **-c)** 86 sts **-d)** 92 sts.
Beginning/ending with **-a)** P2/P1 **-b)** K3/K1 **-c)** P3/P2 **-d)** K3/K2, work *3x3 Ribbing.*
When back measures 3 1/8", change to larger size needle and beginning/ending with **-a)** K5, P3/K4 **-b)** K9/K8 **-c)** P3/K2 **-d)** K3/K2, work *9x3 Ribbing,* **increasing** 1 st at each edge as give in "NOTE 1" above, every 8 rows: 3 times: [**-a)** 78 sts **-b)** 86 sts **-c)** 92 sts **-d)** 98 sts].
Armholes:
When back measures 17 1/4" **-a) -b) -c) & -d):** bind off at each 2 sts, then **decrease** 1 st at each edge as given in "NOTE 2" above, every 2 rows:
a) 4 times: [66 sts]
b) 6 times: [70 sts]
c) 7 times: [74 sts]
d) 8 times: [78 sts].
When back measures **-a)** 20 1/8" **-b)** 20 1/2" **-c)** 20 7/8" **-d)** 21 1/4", work *3x3 Ribbing* by changing the 9 knit sts into K3, P3, K3.
When back measures **-a)** 28" **-b)** 28 3/8" **-c)** 28 3/4" **-d)** 29 1/2", **bind off** all sts.

FRONT
Work same as back until front measures **-a)** 20 1/8" **-b)** 20 1/2" **-c)** 20 7/8" **-d)** 21 1/4".
Neck opening:
Bind off center 6 sts and work each side separately in *3x3 Ribbing,* same as on back.
Neckline:
When front measures **-a)** 24" **-b)** 24 3/8" **-c)** 24 3/4" **-d)** 25 1/4", **-a) -b) -c) & -d): bind off** at neck edge 5 sts, then **decrease** 1 st at neck edge as given in "NOTE 3" above, every 2 rows:
-a) 4 times: [21 sts]
-b) 5 times: [22 sts]
-c) 5 times: [24 sts]
-d) 6 times: [25 sts]
Shoulder:
When front measures **-a)** 28" **-b)** 28 3/8" **-c)** 28 3/4" **-d)** 29 1/2", **bind off** all rem sts.

SLEEVES
Using smaller needles in *Tubular Cast On,* begin with **-a)** 18 sts **-b)** 20 sts **-c)** 21 sts **-d)** 22 sts to make **-a)** 36 sts **-b)** 40 sts **-c)** 42 sts **-d)** 44 sts.
Beginning/ending with: **-a)** P1/P2 **-b)** P3/K1 **-c)** K1/K2 **-d)** K2/K3, work *3x3 Ribbing* for 3 1/8".

Change to larger needles and Beginning/ending with: **-a)** P1/P2 **-b)** P3/K1 **-c)** K1/K2 **-d)** K2/K3, work *9x3 Ribbing*, **-a) -b) -c) & -d): increasing** 1 st at each edge as given in "NOTE 1" above, alternately every 6 and 8 rows: 10 times:
[a) 56 sts **-b)** 60 sts **-c)** 62 sts **-d)** 64 sts].
Armhole:
When sleeve measures 20 1/2", **decrease** 1 st at each edge as given in "NOTE 2" above, every2 rows:
-a) 14 times: [28 sts]
-b) 15 times: [30 sts]
-c) 16 times: [30 sts]
-d) 17 times: [30 sts].
When sleeve measures **-a)** 27 1/8" **-b)** 27 1/2" **-c)** 28" **-d)** 28 3/8", **bind off** all rem sts.

FINISHING
Sew shoulder seams.
Using smaller needles, **pick up -a)** 77 sts **-b)** 83 sts **-c)** 89 sts **-d)** 95 sts around neck edge. Beginning/ending with: with P1 for all sizes, work *1x1 Ribbing* for 5 1/2"; **use Finished Edge Bind Off** (see Basic Instructions).
Fold collar to outside and **sew** in place. **Sew** ends together.
Using smaller needles, **pick up -a) -b) -c) & -d):** 31 sts along left front neck opening. Beginning/ending with P1 for all sizes, work *1x1 Ribbing* for 2 1/4"; **use Finished Edge Bind Off.**
Make right front band the same for only 1 1/4", then work 2 buttonholes as follows:
On next row work 8 sts; K 2 tog, YO; work 11 sts, K 2 tog, YO, work last 8 sts. On following row, work all sts (including yarn overs) into existing *1x1 Ribbing*. When banc measures 2 1/4", **use Finished Edge Bind Off.**
Matching center of sleeve with shoulder seam, **sew** in top of sleeve, then **sew** underarm seam. **Sew** side and sleeve seams. **Sew** buttons opposite buttonholes.

TUNDRA / TIBET

(Ver página 3 Puntos Básicos)
(See page 3 Basic Stitches)

pág. 16

E SPAÑOL

TALLAS: -a) 40 **-b)** 44 **-c)** 48 **-d)** 52

MATERIALES
TUNDRA: col. 6705: **-a)** 6 **-b)** 6 **-c)** 7 **-d)** 8 ovillos.
TIBET: col. 21: **-a), -b), -c), -d)** 1 ovillo.

Agujas	Puntos empleados
Nº 4 1/2	- *P. elástico 1x1* - *P. jersey der.*
Aguja circular	
Nº 4 1/2	- *P. elástico 1x1*

MUESTRA DEL PUNTO
P. jersey der., TUNDRA, ag. nº 4 1/2
10x10 cm. = 16 p. y 22 vtas.

ESPALDA
Con TIBET, **montar -a)** 90 p. **-b)** 98 p. **-c)** 106 p. **-d)** 114 p.
Trab. 2 vtas a *p. elástico 1x1.*
Continuar trab. a *p. elástico 1x1* con la calidad TUNDRA.
A 6 cm. de largo total, continuar trab. a *p. jersey der.* con TUNDRA.
Sisas:
A 45 cm. de largo total, **cerrar** en ambos lados:
-a) cada 2 vtas: 1 vez 3 p., 1 vez 2 p.; cada 4 vtas: 2 veces 1 p. = 76 p.
-b) cada 2 vtas: 1 vez 3 p., 1 vez 2 p., 1 vez 1 p.; cada 4 vtas: 2 veces 1 p. = 82 p.
-c) cada 2 vtas: 1 vez 3 p., 2 veces 2 p.; cada 4 vtas: 3 veces 1 p. = 86 p.
-d) cada 2 vtas: 1 vez 3 p., 2 veces 2 p., 1 vez 1 p.; cada 4 vtas: 3 veces 1 p. = 92 p.
A **-a)** 69 cm. **-b)** 70 cm. **-c)** 71 cm. **-d)** 72 cm. de largo total, **cerrar** los p.

DELANTERO
Trab. como la espalda, hasta 43 cm. de largo total.
Escote:
A 43 cm. de largo total, **cerrar** los **-a)** 18 p. **-b)** 20 p. **-c)** 22 p. **-d)** 24 p. centrales y continuar trab. cada lado por separado.
Menguar cada 6 vtas en el lado del escote 5 veces 1 p. de la siguiente manera:
En el lado izquierdo de la abertura (= al inicio de la vta por el derecho de la labor): trab. 2 p. der., pasar 1 p. sin hacer a la aguja derecha, trab. 1 p. der. y pasar el p. sin hacer por encima de este p.
En el lado derecho de la abertura (= al final de la vta por el derecho de la labor, cuando faltan 4 p. para el final): trab. 2 p. juntos al der., 2 p. der.
Sisa:
A 45 cm. de largo total, **cerrar** en el extremo izquierdo:
-a) cada 2 vtas: 1 vez 3 p., 1 vez 2 p.; cada 4 vtas: 2 veces 1 p.
-b) cada 2 vtas: 1 vez 3 p., 1 vez 2 p., 1 vez 1 p.; cada 4 vtas: 2 veces 1 p.
-c) cada 2 vtas: 1 vez 3 p., 2 veces 2 p.; cada 4 vtas: 3 veces 1 p.
-d) cada 2 vtas: 1 vez 3 p., 2 veces 2 p., 1 vez 1 p.; cada 4 vtas: 3 veces 1 p.
Hombro:
A **-a)** 69 cm. **-b)** 70 cm. **-c)** 71 cm. **-d)** 72 cm. de largo total, **cerrar** los **-a)** 24 p. **-b)** 26 p. **-c)** 27 p. **-d)** 29 p. restantes del hombro.
Acabar el otro lado igual, pero a **la inversa.**

MANGAS
Con TIBET, **montar -a)** 38 p. **-b)** 42 p. **-c)** 44 p. **-d)** 48 p.
Trab. 2 vtas a *p. elástico 1x1.*
Continuar trab. a *p. elástico 1x1* con la calidad TUNDRA.
A 6 cm. de largo total, continuar trab. a *p. jersey der.* con TUNDRA y **aumentar** en ambos lados:
-a) cada 6 vtas y cada 8 vtas alternativamente: 13 veces 1 p. = 64 p.
-b) cada 6 vtas y cada 8 vtas alternativamente: 14 veces 1 p. = 70 p.
-c) cada 6 vtas: 15 veces 1 p. = 74 p.
-d) cada 6 vtas y cada 8 vtas alternativamente: 14 veces 1 p. = 76 p.
Sisa:
A 54 cm. de largo total, **cerrar** en ambos lados cada 2 vtas:
-a) 1 vez 3 p., 5 veces 2 p., 1 vez 8 p.
-b) 1 vez 3 p., 6 veces 2 p., 1 vez 8 p.
-c) 1 vez 3 p., 7 veces 2 p., 1 vez 8 p.
-d) 1 vez 3 p., 8 veces 2 p., 1 vez 8 p.
A **-a)** 61 cm. **-b)** 62 cm. **-c)** 63 cm. **-d)** 64 cm. de largo total, **cerrar** los **-a)** 22 p. **-b)** 24 p. **-c)** 24 p. **-d)** 22 p. restantes.
Trab. la otra manga igual.

CONFECCIÓN Y REMATE
Coser hombros.
Cuello:
Con la aguja circular nº 4 1/2 y TUNDRA, **recoger** en un lado del escote del delantero **-a)** 53 p. **-b)** 55 p. **-c)** 57 p. **-d)** 59 p.; seguidamente **recoger** del escote de la espalda **-a)** 30 p. **-b)** 32 p. **-c)** 34 p. **-d)** 36 p.; seguidamente **recoger** del otro lado del escote del delantero **-a)** 53 p. **-b)** 55 p. **-c)** 57 p. **-d)** 59 p. = en total **-a)** 136 p. **-b)** 142 p. **-c)** 148 p. **-d)** 154 p.
Trab. 3 cm. a *p. elástico 1x1.*
A continuación, **aumentar** 8 p. repartidos en la parte del escote de la espalda. Quedan **-a)** 144 p. **-b)** 150 p. **-c)** 156 p. **-d)** 162 p.
Continuar trab. a *p. elástico 1x1.*
A 11 cm. de largo total, cambiar la calidad por TIBET y trab. 2 vtas más a *p. elástico 1x1.*
Cerrar.
Coser las tapetas del cuello a la abertura del escote del delantero (= sobreponer la tapeta del lado derecho, ver foto) y **coser** lados y mangas.

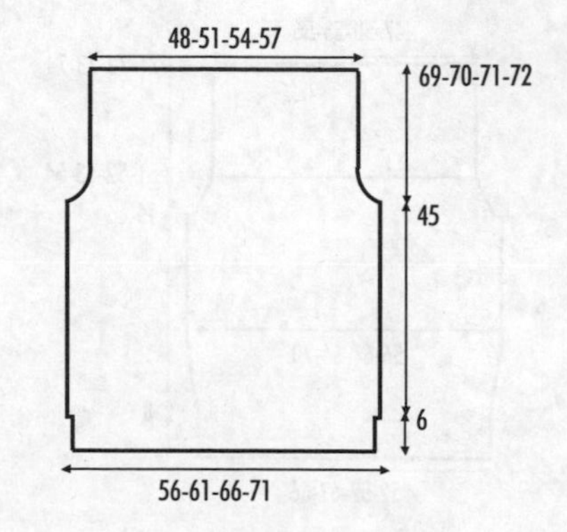

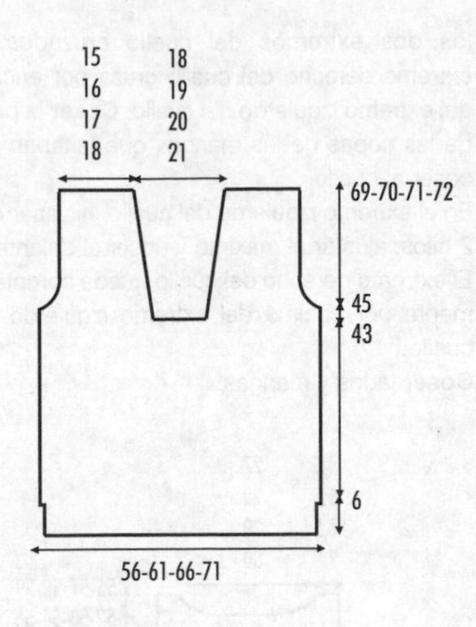

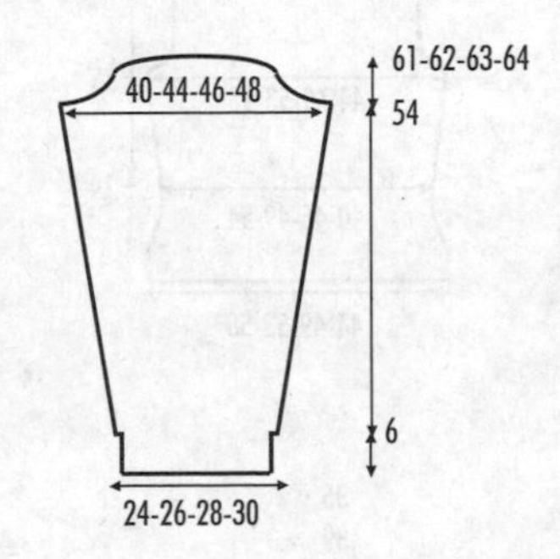

ENGLISH

SIZE: -a) 44 1/8" **-b)** 48" **-c)** 52" **-d)** 55 7/8" finished chest measurement.

MATERIALS

TUNDRA: **-a)** 6 **-b)** 6 **-c)** 7 **-d)** 8 balls color no. 6705.

TIBET: **-a) -b) -c) & -d):** 1 ball brown no. 21

NEEDLES

Size 6 (U.S.) /(4 1/2 metric) **or size you need to use to obtain gauge listed below.**

NOTE: a circular needle will be necessary to work the collar.

STITCHES

See Basic Instructions for: *1x1 Ribbing*, *Stockinette St*.

GAUGE

Using TUNDRA in *Stockinette St*: 16 sts and 22 rows = 4x4"

BACK

Using TIBET, **cast on -a)** 90 sts **-b)** 98 sts **-c)** 106 sts **-d)** 114 sts.

Work 2 rows *1x1 Ribbing*.

Change to TUNDRA and continue in *1x1 Ribbing*.

When back measures 2 3/8", using TUNDRA, work *Stockinette St*.

Armholes:

When back measures 17 3/4", bind off at each edge:

a) every 2 rows: 3 sts 1 time; 2 sts 1 time; every 4 rows;1 st 2 times: [76 sts]

b) every 2 rows: 3 sts 1 time; 2 sts 1 time: 1 st 1 time; every 4 rows: 1 st 2 times: [82 sts]

c) every 2 rows: 3 sts 1 time; 2 sts 2 times: every 4 rows: 1 st 3 times: [86 sts]

d) every 2 rows: 3 sts 1 time; 2 sts 2 times: 1 st 1 time; every 4 rows: 1 st 3 times: [92 sts].

When back measures **-a)** 27 1/8" **-b)** 27 1/2" **-c)** 28" **-d)** 28 3/8", bind off all rem sts.

FRONT

Work same as back until front measures 16 7/8":

Neckline:

NOTE: decrease 1 st at neck edge as follows; At the beginning of a right side row, K2, sl 1 K1 PSSO.

At the end of a right side row, work to last 4 sts, K 2 tog, K2.

Bind off center **-a)** 18 sts **-b)** 20 sts **-c)** 22 sts **-d)** 24 sts.

Working each side separately, **decrease** 1 st at neck edge as given in "NOTE" above, every 6 rows: 5 times.

AND AT THE SAME TIME:

Armholes:

When back measures 17 3/4", bind off at armhole edge:

a) every 2 rows: 3 sts 1 time; 2 sts 1 time; every 4 rows;1 st 2 times

b) every 2 rows: 3 sts 1 time; 2 sts 1 time: 1 st 1 time; every 4 rows: 1 st 2 times

c) every 2 rows: 3 sts 1 time; 2 sts 2 times: every 4 rows: 1 st 3 times]

d) every 2 rows: 3 sts 1 time; 2 sts 2 times: 1 st 1 time; every 4 rows: 1 st 3 times.

When front measures **-a)** 27 1/8" **-b)** 27 1/2" **-c)** 28" **-d)** 28", bind off at armhole edge remaining **-a)** 24 sts **-b)** 26 sts **-c)** 27 sts **-d)** 29 sts.

SLEEVES

Using TIBET, **cast on -a)** 38 sts **-b)** 42 sts **-c)** 44 sts **-d)** 48 sts.

Work *1x1 Ribbing* for 2 rows.

Change to TUNDRA and continue in *1x1 Ribbing*.

When sleeve measures 2 3/8", work *Stockinette St*, increasing 1 st at each edge:

-a) alternately every 6 and 8 rows: 13 times: [64 sts]

-b) alternately every 6 and 8 rows: 14 times: [70 sts]

-c) every 6 rows: 15 times: [74 sts]

-d) alternately every 6 and 8 rows: 14 times: [76 sts].

Armhole:

When sleeve measures 21 1/4", **bind off** at each edge every 2 rows:

-a) 3 sts 1 time; 2 sts 5 times; 8 sts 1 time: [22 sts]

-b) 3 sts 1 time; 2 sts 6 times; 8 sts 1 time: [24 sts]

-c) 3 sts 1 time; 2 sts 7 times; 8 sts 1 time: [24 sts]

-d) 3 sts 1 time; 2 sts 8 times; 8 sts 1 time: [22 sts].

When sleeve measures **-a)** 24" **-b)** 24 3/8" **-c)** 24 3/4" **-d)** 25 1/4", **bind off** all rem sts.

FINISHING

Sew shoulder seams.

Collar:

Using TUNDRA with a circular needle, **pick up -a)** 53 sts **-b)** 55 sts **-c)** 57 sts **-d)** 59 sts along the right front opening; **pick up -a)** 30 sts **-b)** 32 sts **-c)** 34 sts **-d)** 36 sts around back neck edge; **-a)** 53 sts **-b)** 55 sts **-c)** 57 sts **-d)** 59 sts along the left front opening:

[**-a)** 136 sts **-b)** 142 sts **-c)** 148 sts **-d)** 154 sts].

Work *1x1 Ribbing* for 1 1/4".

Increase 8 sts evenly over the center back stitches:

[**-a)** 144 sts **-b)** 150 sts **-c)** 156 sts **-d)** 162 sts].

When collar measures 4 3/8", change to TIBET and work 2 more rows *1x1 Ribbing*; **bind off.**

Sew edge of right front collar to inside of bound off stitches at beginning of neckline shaping.

Sew edge of left collar to outside, covering end of right collar, as shown in photograph.

Sew side and sleeve seams.

MODELO 27

FIL KATIA

MERINO 100 % / TECNO SOFT PRINT

pág. 16

ESPAÑOL

TALLAS: -a) 38/40 **-b)** 42/44 **-c)** 46/48 **-d)** 50/52

MATERIALES

MERINO 100 %: col. 25: **-a)** 7 **-b)** 8 **-c)** 8 **-d)** 9 ovillos.

TENCO SOFT PRINT: col. 5708: **-a), -b), -c), -d)** 3 ovillos.

Agujas	Puntos empleados
Nº 4 1/2	- *P. elástico 1x1* - *P. jersey der.* - *Menguados y aumentos* (ver explicación)

Menguados: Por el derecho de la labor:

En el extremo derecho = al inicio de la vta: trab. 3 p. der., pasar 1 p. sin hacer a la aguja derecha, trab. 1 p. der. y pasar el p. sin hacer por encima.

INSTRUCCIONES INSTRUCTIONS

En el extremo izquierdo = cuando falten 5 p. para terminar la vta: trab. 2 p. juntos al der., 3 p. der.

Aumentos: por el derecho de la labor:
En el extremo derecho = al inicio de la vta: trab. 3 p. der., poner el hilo que une el último p. con el siguiente p. en la aguja izquierdo y trab. al der. retorcido (= insertar la aguja derecha por detrás).
En el extremo izquierdo = cuando falten 3 p. para terminar la vta: poner el hilo que une el último p. con el siguiente p. en la aguja izquierdo y trab. al der. retorcido (= insertar la aguja derecha por detrás), trab. 3 p. der.

MUESTRA DEL PUNTO
P. jersey der., MERINO 100 %, ag. nº 4 1/2
10x10 cm. = 20 p. y 28 vtas.

ESPALDA
Con MERINO 100 %, **montar –a)** 88 p. **–b)** 98 p. **–c)** 106 p. **–d)** 116 p.
Trab. 4 vtas a *p. elástico 1x1* y continuar trab. a *p. jersey der.*
A 4 cm. de largo total, **menguar** en ambos lados cada 4 vtas: 4 veces 1 p. = **–a)** 80 p. **–b)** 90 p. **–c)** 98 p. **–d)** 108 p.
A 14 cm. de largo total, **aumentar** en ambos lados cada 10 vtas: 4 veces 1 p. = **–a)** 88 p. **–b)** 98 p. **–c)** 106 p. **–d)** 116 p.
Sisas:
A 35 cm. de largo total, **cerrar** en ambos lados cada 2 vtas:
–a) 1 vez 4 p., 1 vez 2 p., 2 veces 1 p. = 72 p.
–b) 1 vez 4 p., 2 veces 2 p., 2 veces 1 p. = 78 p.
–c) 1 vez 4 p., 2 veces 2 p., 3 veces 1 p. = 84 p.
–d) 1 vez 4 p., 3 veces 2 p., 3 veces 1 p. = 90 p.
Escote:
A **–a)** 52 cm. **–b)** 53 cm. **–c)** 54 cm. **–d)** 55 cm. de largo total, **cerrar** los **–a)** 24 p. **–b)** 26 p. **–c)** 28 p. **–d)** 30 p. centrales y continuar trab. cada lado por separado.
Cerrar cada 2 vtas en el lado del escote: 2 veces 5 p., 1 vez 3 p., 1 vez 2 p.
A **–a)** 56 cm. **–b)** 57 cm. **–c)** 58 cm. **–d)** 59 cm. de largo total, **cerrar** los **–a)** 9 p. **–b)** 11 p. **–c)** 13 p. **–d)** 15 p. restantes del hombro.
Acabar el otro lado igual, pero **a la inversa.**

DELANTERO
Con MERINO 100 %, **montar –a)** 88 p. **–b)** 98 p. **–c)** 106 p. **–d)** 116 p.
Trab. 4 vtas a *p. elástico 1x1* y continuar trab. a *p. jersey der.*
A 4 cm. de largo total, **menguar** en ambos lados cada 4 vtas: 4 veces 1 p. = **–a)** 80 p. **–b)** 90 p. **–c)** 98 p. **–d)** 108 p.
A 14 cm. de largo total, **aumentar** en ambos lados cada 10 vtas: 4 veces 1 p. = **–a)** 88 p. **–b)** 98 p. **–c)** 106 p. **–d)** 116 p.
Escote:
Al mismo tiempo, a 25 cm. de largo total, **cerrar** los **–a)** 16 p. **–b)** 20 p. **–c)** 24 p. **–d)** 28 p. centrales y continuar trab. cada lado por separado.
Cerrar en el lado del escote cada 2 vtas:
–a) 3 veces 3 p., * 1 vez 2 p., 1 vez 1 p. *, repetir de * a * 5 veces más, 1 vez 1 p.
–b) 3 veces 3 p., * 1 vez 2 p., 1 vez 1 p. *, repetir de * a * 5 veces más, 2 veces 1 p.
–c) 3 veces 3 p., * 1 vez 2 p., 1 vez 1 p. *, repetir de * a * 6 veces más.
–d) 3 veces 3 p., * 1 vez 2 p., 1 vez 1 p. *, repetir de * a * 6 veces más, 1 vez 1 p.
Sisa:
A 35 cm. de largo total, **cerrar** en en extremo exterior cada 2 vtas:
–a) 1 vez 4 p., 1 vez 2 p., 2 veces 1 p.
–b) 1 vez 4 p., 2 veces 2 p., 2 veces 1 p.
–c) 1 vez 4 p., 2 veces 2 p., 3 veces 1 p.
–d) 1 vez 4 p., 3 veces 2 p., 3 veces 1 p.
A **–a)** 38 cm. **–b)** 39 cm. **–c)** 40 cm. **–d)** 41 cm. de largo total, no queda ningún p.
Trab. el otro lado igual, pero **a la inversa.**

MANGAS
Con MERINO 100 %, **montar –a)** 42 p. **–b)** 46 p. **–c)** 50 p. **–d)** 54 p.
Trab. 3 cm. a *p. elástico 1x1* y continuar trab. a *p. jersey der.*
A 5 cm. de largo total, **aumentar** en ambos lados cada 8 vtas: 13 veces 1 p. = **–a)** 68 p. **–b)** 72 p. **–c)** 76 p. **–d)** 80 p.
Sisa:
A 47 cm. de largo total, **cerrar** en ambos lados cada 2 vtas:
–a) 2 veces 2 p., 9 veces 1 p., 2 veces 2 p., 3 veces 3 p. = 16 p.
–b) 2 veces 2 p., 10 veces 1 p., 2 veces 2 p., 3 veces 3 p. = 18 p.
–c) 2 veces 2 p., 11 veces 1 p., 2 veces 2 p., 3 veces 3 p. = 20 p.
–d) 2 veces 2 p., 12 veces 1 p., 2 veces 2 p., 3 veces 3 p. = 22 p.
A **–a)** 59 cm. **–b)** 60 cm. **–c)** 61 cm. **–d)** 62 cm. de largo total, **cerrar** los **–a)** 16 p. **–b)** 18 p. **–c)** 20 p. **–d)** 22 p.
Trab. la otra manga igual.

CONFECCIÓN Y REMATE
Cuello:
Con TECNO SOFT PRINT, **montar –a), –b), –c), –d)** 60 p.
Trab. a *p. jersey der.*
A **–a)** 120 cm. **–b)** 122 cm. **–c)** 124 cm. **–d)** 126 cm. de largo total, **cerrar** los p.
Hilvanar las piezas encaradas y planchar a vapor con precaución.
Todas las costuras se realizan a *p. de lado* (ver pág. p. básicos).
Coser la sisa de la manga a la sisa de la espalda, con el centro de la parte superior de la manga a la altura del hombro de la espalda. (queda media copa de la manga cosida). **Coser** la otra sisa de la manga a la sisa del delantero.
Hacer lo mismo con la otra manga.
Aplicar el cuello (= hilvanarlo) de la siguiente manera: poner una señal a **–a)** 60 cm. **–b)** 61 cm. **–c)** 62 cm. **–d)** 63 cm. de los extremos del cuello; aplicar el cuello a la espalda con la señal en el centro del escote de la espalda; aplicar en toda la espalda, incluido el hombro = **–a)** 36 cm. **–b)** 39 cm. **–c)** 42 cm. **–d)** 45 cm. (= **–a)** 18 cm. **–b)** 19,5 cm. **–c)** 21 cm. **–d)** 22,5 cm. a cada lado de la señal). Hacer llegar cada extremo del cuello a 10 cm. del centro del escote del delantero, de esta manera quedan los dos extremos del cuello cruzados, el extremo derecho del cuello cruza por encima del extremo izquierdo del cuello. **Coser** la parte de las copas de las mangas que faltaban por coser al cuello.
En el extremo izquierdo del cuello, hilvanar con 2 hilos, ajustar al máximo y coser al delantero. El extremo derecho del cuello queda completamente por encima del extremo izquierdo del cuello.
Coser lados y mangas.

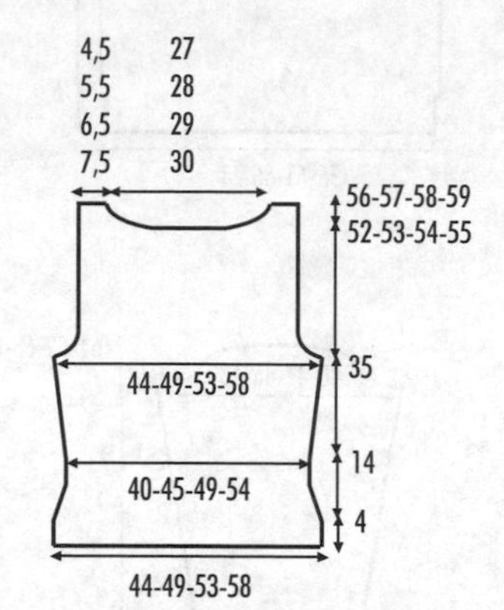

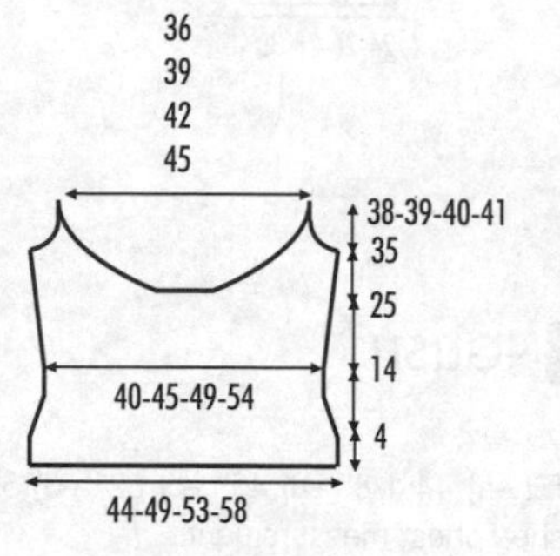

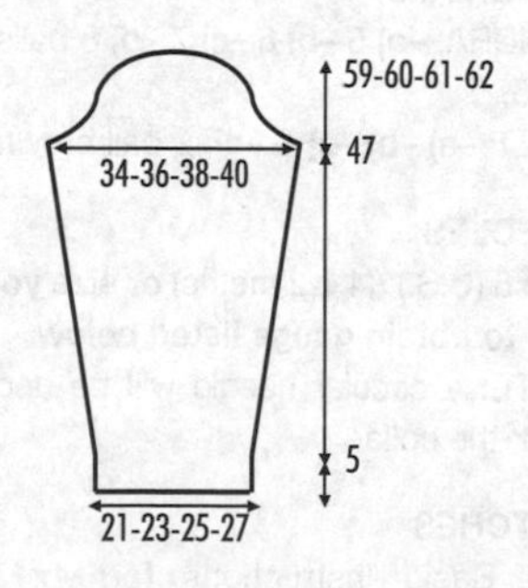

ENGLISH

SIZE: –a) 34 5/8" **–b)** 38 5/8" **–c)** 41 3/4" **–d)** 45 5/8": finished bust measurement.

MATERIALS
MERINO 100%: **–a) 7 –b) 8 –c) 8 –d)** 9 balls burgundy no. 25
TECNO SOFT PRINT: **–a) –b) –c) & –d):** 3 balls color no. 5708.

NEEDLES
Size 6 (U.S.) /(4 1/2 metric) **or size you need to use to obtain gauge listed below.**

STITCHES
See Basic Instructions for: *1x1 Ribbing*. *Stockinette St*.

NOTE 1: Decrease 1 st for shaping as follows:
At the beginning of right side rows, K3, sl 1, K1, PSSO.
At the end of right side rows, work to last 5 sts; K 2 tog, K3

NOTE 2: Increase 1 st for shaping as follows:
At the beginning of right side rows: K3, with tip of LH needle pick up strand of yarn between last worked st on RH needle and next st on LH needle, knit into back lp to inc 1 st.
At the end of right side rows: work to last 3 sts; inc as before, K3.

GAUGE
Using MERINO 100% in *Stockinette St*: 20 sts and 28 rows = 4x4"

BACK
Using MERINO 100%, cast on **-a)** 88 sts **-b)** 98 sts **-c)** 106 sts **-d)** 116 sts.
Work 4 rows *1x1 Ribbing*, then work *Stockinette St*
When back measures 1 5/8", **decrease** 1 st at each edge as given in "NOTE 1" above, every 4 rows: 4 times:
[**-a)** 80 sts **-b)** 90 sts **-c)** 98 sts **-d)** 108 sts].
When back measures 5 1/2", **increase** 1 st at each edge as given in "NOTE 2" above, every 10 rows: 4 times:
[**-a)** 88 sts **-b)** 98 sts **-c)** 106 sts **-d)** 116 sts].

Armholes:
When back measures 13 3/4", **bind off** at each edge every 2 rows:
-a) 4 sts 1 time; 2 sts 1 time; 1 st 2 times: [72 sts]
-b) 4 sts 1 time; 2 sts 2 times; 1 st 2 times: [78 sts]
-c) 4 sts 1 time; 2 sts 2 times; 1 st 3 times: [84 sts]
-d) 4 sts 1 time; 2 sts 3 times; 1 st 3 times: [90 sts].

Neckline:
When back measures **-a)** 20 1/2" **-b)** 20 7/8" **-c)** 21 1/4" **-d)** 21 5/8", **bind off** center **-a)** 24 sts **-b)** 26 sts **-c)** 28 sts **-c)** 30 sts.
Working each side separately, **-a) -b) -c) & -d):** bind off at neck edge every 2 rows: 5 sts 2 times; 3 sts 1 time; 2 sts 1 time:
-a) 9 sts **-b)** 11 sts **-c)** 13 sts **-d)** 15 sts].
When front measures **-a)** 22" **-b)** 22 1/2" **-c)** 22 7/8" **-d)** 23 1/4", bind off all rem sts.

FRONT
Using MERINO 100%, **cast on -a)** 88 sts **-b)** 98 sts **-c)** 106 sts **-d)** 116 sts.
Work 4 rows *1x1 Ribbing*, then work *Stockinette St*
When back measures 1 5/8", **decrease** 1 st at each edge as given in "NOTE 1" above, every 4 rows: 4 times:
[**-a)** 80 sts **-b)** 90 sts **-c)** 98 sts **-d)** 108 sts].
When back measures 5 1/2", **increase** 1 st at each edge as given in "NOTE 2" above, every 10 rows: 4 times:
[**-a)** 88 sts **-b)** 98 sts **-c)** 106 sts **-d)** 116 sts].

AND AT THE SAME TIME:
Neckline:
When front measures 9 7/8", **bind off** center **-a)** 16 sts **-b)** 20 sts **-c)** 24 sts **-d)** 28 sts.
Working each side separately, **bind off** at neck edge every 2 rows:
-a) 3 sts 3 times; * 2 sts 1 time; 1 st 1 time, *; rep from * to * 5 more times; 1 st 1 time.
-b) 3 sts 3 times; * 2 sts 1 time; 1 st 1 time, *; rep from * to * 5 more times; 1 st 2 times.
-c) 3 sts 3 times; * 2 sts 1 time; 1 st 1 time, *; rep from * to * 6 more times.
-d) 3 sts 3 times; * 2 sts 1 time; 1 st 1 time, *; rep from * to * 6 more times; 1 st 1 time.

AND AT THE SAME TIME:
Armhole:
When front measures 13 3/4" **bind off** at armhole edge every 2 rows:
-a) 4 sts 1 time; 2 sts 1 time; 1 st 2 times
-b) 4 sts 1 time; 2 sts 2 times; 1 st 2 times
-c) 4 sts 1 time; 2 sts 2 times; 1 st 3 times
-d) 4 sts 1 time; 2 sts 3 times; 1 st 3 times.
When front measures **-a)** 15" **-b)** 15 3/8" **-c)** 15 3/4" **-d)** 16 1/8", no stitches remain.

SLEEVES
Using MERINO 100%, **cast on -a)** 42 sts **-b)** 46 sts **-c)** 50 sts **-d)** 54 sts.
Work *1x1 Ribbing* for 1 1/4", then work *Stockinette St*,
When sleeve measures 2", **-a) -b) -c) & -d): increase** 1 st at each edge every 8 rows: 13 times:
[**-a)** 68 sts **-b)** 72 sts **-c)** 76 sts **-d)** 80 sts].

Armhole:
When sleeve measures 18 1/2", bind off at each edge every 2 rows:
-a) 2 sts 2 times; 1 st 9 times; 2 sts 2 times; 3 sts 3 times: [16 sts]
-b) 2 sts 2 times; 1 st 10 times; 2 sts 2 times; 3 sts 3 times: [18 sts]
-c) 2 sts 2 times; 1 st 11 times; 2 sts 2 times; 3 sts 3 times: [20 sts]
-d) 2 sts 2 times; 1 st 12 times; 2 sts 2 times; 3 sts 3 times: [22 sts]
When sleeve measures **-a)** 23 1/4" **-b)** 23 5/8" **-c)** 24" **-d)** 24 3/8", **bind off** all rem sts.

FINISHING
Collar:
Using TECNO SOFT PRINT, **cast on -a) -b) -c) & -d):** 60 sts.
Work *Stockinette St*.
When piece measures **-a)** 47 1/4" **-b)** 48" **-c)** 48 3/4" **-d)** 49 5/8", **bind off.**
Carefully block pieces on the wrong side, using steam only.
Sew armhole of each sleeve to back armhole shaping, from side seam to shoulder.
Sew first few rows of armhole shaping of each sleeve to front, so that remainder of sleeve reaches the back shoulder when the sleeve is folded in the center. (Most of sleeve will be the side edge of the front).
Match center of collar (**-a)** 23 5/8" **-b)** 24" **-c)** 24 3/8" **-d)** 24 3/4" from each end), to center of back neck edge, and overlap ends of collar by 4" at front neck edge, gathering left end to make it less wide and crossing right end over left end, as shown in photograph. Pin entire edge, the **sew** collar to neck edge.
Sew side and sleeve seams.

MODELO 28

FIL KATIA

TUNDRA / TIBET

(Ver página 3 Puntos Básicos)
(See page 3 Basic Stitches)

pág. 17

ESPAÑOL

TALLAS: -a) 40 **-b)** 44 **-c)** 48 **-d)** 52

MATERIALES
TUNDRA: col. 6702: **-a)** y **-b)** 3 **-c)** y **-d)** 4 ovillos.
TIBET: col. rojo 4: **-a)** 4 **-b), -c), -d)** 5 ovillos.

Agujas	Puntos empleados
Nº 4 1/2	- *P. elástico 2x2* - *P. jersey der.*

MUESTRA DEL PUNTO
P. jersey der., TUNDRA ag. nº 4 1/2
10x10 cm. = 16 p. y 21 vtas.
P. jersey der., TIBET ag. nº 4 1/2
10x10 cm. = 16 p. y 23 vtas.

ESPALDA
Con TIBET col. rojo 4 y ag. nº 4 1/2, **montar -a)** 80 p. **-b)** 88 p. **-c)** 96 p. **-d)** 104 p.
Trab. 2 cm. a *p. elástico 2x2*.
Cambiar la calidad por TUNDRA col. 6702 y continuar trab. a *p. elástico 2x2*.
A 6 cm. de largo total, continuar trab. a *p. jersey der.*

Sisas:
A 44 cm. de largo total, **cerrar** en ambos lados:
-a) 1 vez 6 p. = 68 p.
-b) 1 vez 8 p. = 72 p.
-c) 1 vez 9 p. = 78 p.
-d) 1 vez 10 p. = 84 p.

Escote:
A **-a)** 61 cm. **-b)** 62 cm. **-c)** 63 cm. **-d)** 64 cm. de largo total, **cerrar** los **-a)** y **-b)** 14 p. **-c)** 16 p. **-d)** 18 p. centrales y continuar trab. cada lado por separado. Después de 2 vtas, **cerrar** en el lado del escote: 1 vez 7 p.

Hombro:
A **-a)** 63 cm. **-b)** 64 cm. **-c)** 65 cm. **-d)** 66 cm. de largo total, **cerrar** los **-a)** 20 p. **-b)** 22 p. **-c)** 24 p. **-d)** 26 p. restantes del hombro.
Acabar el otro lado igual, pero **a la inversa.**

DELANTERO
Trab. como la espalda, excepto el escote.
Escote:
A **-a)** 57 cm. **-b)** 58 cm. **-c)** 59 cm. **-d)** 60 cm. de largo total, **cerrar** los **-a)** y **-b)** 14 p. **-c)** 16 p. **-d)** 18 p. centrales y continuar trab. cada lado por separado.
Cerrar cada 2 vtas en el lado del escote: 3 veces 2 p., 1 vez 1 p.
Hombro:
A **-a)** 63 cm. **-b)** 64 cm. **-c)** 65 cm. **-d)** 66 cm. de largo total, **cerrar** los **-a)** 20 p. **-b)** 22 p. **-c)** 24 p. **-d)** 26 p. restantes del hombro.
Acabar el otro lado igual, pero **a la inversa.**

MANGAS
Con TIBET col. rojo 4 y ag. nº 4 1/2, **montar -a)** 44 p. **-b)** 48 p. **-c)** 52 p. **-d)** 54 p.
Trab. 6 cm. a *p. elástico 2x2.* Empezar y terminar con **-a)** 1 p. der. **-b)** 1 p. rev. **-c)** 1 p. der. **-d)** 2 p. der.
Continuar trab. con la siguiente distribución:
-a) 13 p. a *p. jersey der.,* 18 p. a *p. elástico 2x2,* empezar y terminar con 2 p. rev., 13 p. a *p. jersey der.*
-b) 15 p. a *p. jersey der.,* 18 p. a *p. elástico 2x2,* empezar y terminar con 2 p. rev., 15 p. a *p. jersey der.*
-c) 17 p. a *p. jersey der.,* 18 p. a *p. elástico 2x2,* empezar y terminar con 2 p. rev., 17 p. a *p. jersey der.*
-d) 18 p. a *p. jersey der.,* 18 p. a *p. elástico 2x2,* empezar y terminar con 2 p. rev., 18 p. a *p. jersey der.*
A 11 cm. de largo total, **aumentar** en ambos lados (= a 2 p. desde cada extremo) cada 8 vtas: 11 veces 1 p. Trab. los p. aumentados a *p. jersey der.*
Quedan **-a)** 66 p. **-b)** 70 p. **-c)** 74 p. **-d)** 76 p.
Sisa:
A 54 cm. de largo total, **cerrar** (un poco flojo) en ambos lados:
-a) 1 vez 23 p. = 20 p.
-b) 1 vez 25 p. = 20 p.
-c) 1 vez 27 p. = 20 p.
-d) 1 vez 28 p. = 20 p.
Continuar trab. con estos 20 p. a *p. elástico 2x2,* empezar y terminar con 3 p. rev.
A **-a)** 66 cm. **-b)** 67 cm. **-c)** 68 cm. **-d)** 69 cm. largo total, **dejar** los p. **en espera.**
Trab. la otra manga igual.

CONFECCIÓN Y REMATE
Hilvanar las piezas encaradas y planchar con precaución.
Cuello:
Con TIBET col. rojo 4 y ag. nº 4 1/2, **recoger** los p. de la siguiente manera: los **-a), -b), -c), -d)** 20 p. dejados en espera de una manga; los **-a), -b)** 36 p. **-c)** 38 p. **-d)** 40 p. alrededor del escote del delantero; los **-a), -b), -c), -d)** 20 p. dejados en espera de la otra manga; los **-a), -b)** 30 **-c)** 32 p. **-d)** 34 p. alrededor del escote de la espalda.
Trab. a *p. elástico 2x2* (empezar con 3 p. der. y terminar con 3 p. rev.), haciendo coincidir el elástico 2x2 de las mangas y aumentar ó menguar los p. necesarios en la 1ª vta hasta obtener un total de **-a)** 82 p. **-b)** 90 p. **-c)** 98 p. **-d)** 106 p.
A 6 cm. de largo total, **cerrar** los p.

NOTA: todas las costuras se realizan a *p. de lado* (ver pág. p. básicos)
Coser los laterales de las tiras de la parte superior de las mangas a las bases de los hombros y los p. cerrados de las sisas de las mangas a las sisas del delantero y espalda. Los **-a)** 6 p. **-b)** 8 p. **-c)** 9 p. **-d)** 10 p. cerrados de las sisas del delantero y espalda se cosen a los laterales de la parte superior de las mangas, antes de las tiras de las mangas. De esta manera se forman sisas cuadradas.
Dar un repaso de plancha a las costuras.
Coser lados y mangas.

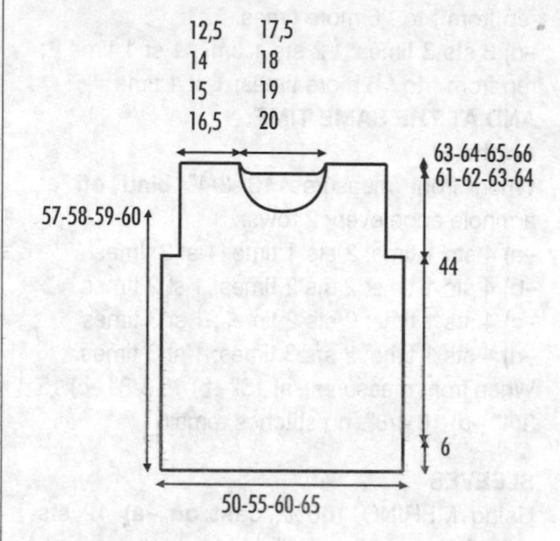

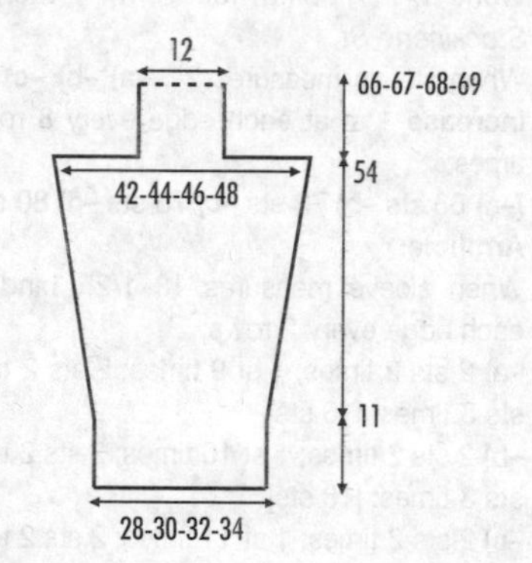

ENGLISH

SIZE: -a) 39 3/8" **-b)** 43 1/4" **-c)** 47 1/4" **-d)** 51 1/4": finished chest measurement

MATERIALS
TUNDRA: **-a) & -b)** 3 **-c) & -d):** 4 balls color no. 6702.
TIBET: **-a)** 4 **-b) -c) & -d):** 5 balls red no. 4.

NEEDLES
Size 6 (U.S.) /(4 1/2 metric) **or size you need to use to obtain gauge listed below.**

STITCHES
See Basic Instructions for: *2x2 Ribbing, Stockinette St.*

GAUGE
Using TUNDRA in *Stockinette St*: 16 sts and 21 rows = 4x4"
Using TIBET in *Stockinette St*: 16 sts and 23 rows = 4x4"

BACK
Using TIBET, **cast on -a)** 80 sts **-b)** 88 sts **-c)** 96 sts **-d)** 104 sts.
Work *2x2 Ribbing* for 3/4".
Change to TUNDRA and continue in *2x2 Ribbing*.
When back measures 2 3/8", work *Stockinette St*.
Armholes:
When back measures 17 1/4", bind off at each edge:
a) 6 sts 1 time: [68 sts]
b) 8 sts 1 time: [72 sts]
c) 9 sts 1 time: [78 sts]
d) 10 sts 1 time: [84 sts[.
Neckline:
When back measures **-a)** 24" **-b)** 24 3/8" **-c)** 24 3/4" **-d)** 25 1/4", **bind off** center **-a) & -b)** 14 sts **-c)** 16 **-d)** 18 sts. Working each side separately, **-a) -b) -c) & -d): bind off** at neck edge on 2nd row: 7 sts 1 time.
Shoulder:
When back measures **-a)** 24 3/4" **-b)** 25 1/4" **-c)** 25 5/8" **-d)** 26", bind off at armhole edge rem **-a)** 20 sts **-b)** 22 sts **-c)** 24 sts **-d)** 26 sts.

FRONT
Work same as back until front measures **-a)** 22 1/2" **-b)** 22 7/8" **-c)** 23 1/4" **-d)** 23 5/8".
Neckline:
Bind off center **-a) & -b)** 14 sts **-c)** 16 sts **-d)** 18 sts.
Working each side separately, **-a) -b) -c) & -d):** bind off at neck edge every 2 rows: 2 sts 3 times; 1 st 1 time:
[**-a)** 20 sts **-b)** 22 sts **-c)** 24 sts **-d)** 26 sts.
Shoulder:
When front measures **-a)** 24 3/4" **-b)** 25 1/4" **-c)** 25 5/8" **-d)** 26", bind off all rem sts.

SLEEVES
Using TIBET, **cast on -a)** 44 sts **-b)** 48 sts **-c)** 52 sts **-d)** 54 sts.
Beginning and ending with **-a)** K1 **-b)** a **-c)** K1 **-d)** K2, work *2x2 Ribbing*.
When sleeve measures 2 3/8", set up pattern as follows:
-a) 13 sts *Stockinette St*; beginning and ending with P2, work 18 sts *2x2 Ribbing*; 13 sts *Stockinette St*
-b) 15 sts *Stockinette St*; beginning and ending with P2, work 18 sts *2x2 Ribbing*; 15 sts *Stockinette St*
-c) 17 sts *Stockinette St*; beginning and ending with P2, work 18 sts *2x2 Ribbing*; 17 sts *Stockinette St*
-d) 18 sts *Stockinette St*; beginning and ending with P2, work 18 sts *2x2 Ribbing*; 18 sts *Stockinette St*
When sleeve measures 4 3/8", **-a) -b) -c) & -d):** increase 1 st in 2nd st from each edge every 8 rows: 11 times:
[**a)** 66 sts **-b)** 70 sts **-c)** 74 sts **-d)** 76 sts].

Armhole:
When sleeve measures 21 1/4", bind off loosely at each edge:
–a) 23 sts 1 time: [20 sts]
–b) 25 sts 1 time: [20 sts]
–c) 27 sts 1 time: [20 sts]
–d) 28 sts 1 time: [20 sts]
Beginning and ending with P3, continue working *2x2 Ribbing.*
When sleeve measures **–a)** 26" **–b)** 26 3/8" **–c)** 26 3/4" **–d)** 27 1/8", slip sts to holder.

FINISHING
Carefully block pieces on the wrong side, using steam only.
Collar:
NOTE: Slip sts from holder to empty needle before working them.
Using TIBET, work the 20 sts from one sleeve; pick up **–a) & –b)** 36 sts **–c)** 38 sts **–d)** 40 sts around front neckline: work the 20 sts from other sleeve; pick up **–a) & –b)** 30 sts **–c)** 32 sts **–d)** 34 sts around back neckline: total of **–a) &** 106 sts **–b)** 110 sts **–c)** 106 sts **–d)** 114 sts.
Beginning and ending with K3, work *2x2 Ribbing*.
When collar measures 2 3/8", **bind off.**
Sew sleeve extensions to front and back shoulder seams.
Carefully block seams on the wrong side, using steam only.
Sew sleeve armholes to front and back armholes; then carefully block seams on the wrong side with steam only.
Sew side and sleeve seams.

TUNDRA / INGENUA

(Ver página 3 Puntos Básicos)
(See page 3 Basic Stitches)

pág. 17

TALLAS: –a) 38/40 **–b)** 42/44 **–c)** 46/48 **–d)** 50/52

MATERIALES
TUNDRA: col. 6702: **–a)** y **–b** 4 **–c)** y **–d)** 5 ovillos.
INGENUA: col. 22: **–a), –b), –c), –d)** 1 ovillo.
1 botón

Agujas	Puntos empleados
Nº 4 1/2	- *P. elástico 1x1* - *P. jersey der.* - *Menguados y aumentos laterales* (ver explicación)

Menguados: por el derecho de la labor:
En el extremo derecho (= inicio de la vta): trab. 3 p. der., pasar 1 p. sin hacer a la aguja derecha, trab. 1 p. der. y pasar el p. sin hacer por encima.
En el extremo izquierdo (= cuando falten 5 p. para terminar la vta): trab. 2 p. juntos al der., 3 p. der.
Aumentos: por el derecho de la labor:
En el extremo derecho (= inicio de la vta): trab. 3 p. der., trab. 1 p. der. en el siguiente p. y sin soltar de la aguja izquierda, insertar la aguja derecha por detrás en el p. y trab. otro p. der. en el mismo p.
En el extremo izquierdo (= cuando falten 4 p. para terminar la vta): trab. 1 p. der. y sin soltar de la aguja izquierda, insertar la aguja derecha por detrás en el p. y trab. otro p. der. en el mismo p., trab. 3 p. der.

MUESTRA DEL PUNTO
P. jersey der., TUNDRA, ag. nº 4 1/2
10x10 cm. = 16 p. y 22 vtas.

ESPALDA
Con TUNDRA, **montar –a)** 74 p. **–b)** 80 p. **–c)** 88 p. **–d)** 94 p.
Trab. 2 cm. a *p. elástico 1x1.*
Continuar trab. a *p. jersey der.*
A 7 cm. de largo total, **menguar** en ambos lados 1 vez 1 p. y después cada 5 cm.: 2 veces 1 p. Quedan **–a)** 68 p. **–b)** 74 p. **–c)** 82 p. **–d)** 88 p.
A 22 cm. de largo total, **aumentar** en ambos lados 1 vez 1 p. y después cada 5 cm.: 2 veces 1 p. Quedan **–a)** 74 p. **–b)** 80 p. **–c)** 88 p. **–d)** 94 p.
Sisas:
A 35 cm. de largo total, **cerrar** en ambos lados:
–a) cada 2 vtas: 1 vez 3 p.; cada 4 vtas: 4 veces 1 p. = 60 p.
–b) cada 2 vtas: 1 vez 3 p., 1 vez 1 p.; cada 4 vtas: 4 veces 1 p. = 64 p.
–c) cada 2 vtas: 1 vez 4 p., 2 veces 1 p.; cada 4 vtas: 4 veces 1 p. = 68 p.
–d) cada 2 vtas: 1 vez 4 p., 2 veces 1 p.; cada 4 vtas: 4 veces 1 p. = 74 p.
Escote:
A **–a)** 53 cm. **–b)** 54 cm. **–c)** 55 cm. **–d)** 56 cm. de largo total, **cerrar** los **–a)** 16 p. **–b)** 16 p. **–c)** 18 p. **–d)** 20 p. centrales y continuar trab. cada lado por separado.
Cerrar cada 2 vtas en el lado del escote: 2 veces 3 p.
Hombro:
A **–a)** 57 cm. **–b)** 58 cm. **–c)** 59 cm. **–d)** 60 cm. de largo total, **cerrar** los **–a)** 16 p. **–b)** 18 p. **–c)** 19 p. **–d)** 21 p. restantes del hombro.
Acabar el otro lado igual, pero a **la inversa.**

DELANTERO DERECHO
Con TUNDRA, **montar –a)** 42 p. **–b)** 44 p. **–c)** 48 p. **–d)** 52 p.
Trab. 2 cm. a *p. elástico 1x1.*
Continuar trab. a *p. jersey der.,* excepto los 5 p. del extremo derecho (= corresponden a la tapeta). Trab. estos 5 p. de la siguiente manera:
En las vtas por el derecho de la labor: pasar 2 p. sin hacer al der. a la aguja derecha, trab. 1 p. rev., 1 p. der., 1 p. rev.
En las vtas por el revés de la labor (= cuando falten 5 p.para terminar la vta): trab. 1 p. der., 1 p. rev., 1 p. der., 2 p. rev.
A 7 cm. de largo total, **menguar** en el extremo izquierdo 1 vez 1 p. y después cada 5 cm.: 2 veces 1 p. Quedan **–a)** 39 p. **–b)** 41 p. **–c)** 45 p. **–d)** 49 p.
A 22 cm. de largo total, **aumentar** en el extremo izquierdo 1 vez 1 p. y después cada 5 cm.: 2 veces 1 p.
Ojal:
A 27 cm. de largo total, trab. al inicio de una vta por el derecho de la labor:
Pasar 2 p. sin hacer al der. a la aguja derecha, trab. 1 p. rev., 1 p. der., 1 hebra, 2 p. juntos al der.
Al final de la siguiente vta (= por el revés de la labor): trab. 1 p. rev., 1 p. der. en la hebra de la vta anterior, 1 p. rev., 1 p. der., 2 p. rev.
Escote:
A 28 cm. de largo total, **menguar** en el extremo derecho en cada vta por el derecho de la labor:
–a) 19 veces 1 p.
–b) 18 veces 1 p.
–c) 19 veces 1 p.
–d) 21 veces 1 p.
de la siguiente manera:
Pasar 2 p. sin hacer al der. a la aguja derecha, trab. 1 p. rev., 1 p. der., 2 p. juntos al rev.
Trab. al final de la siguiente vta por el revés de la labor: 1 p. der., 1 p. rev., 1 p. der., 2 p. rev.
Sisa:
A 35 cm. de largo total, **cerrar** en el extremo izquierdo:
–a) cada 2 vtas: 1 vez 3 p.; cada 4 vtas: 4 veces 1 p.
–b) cada 2 vtas: 1 vez 3 p., 1 vez 1 p.; cada 4 vtas: 4 veces 1 p.
–c) cada 2 vtas: 1 vez 4 p., 2 veces 1 p.; cada 4 vtas: 4 veces 1 p.
–d) cada 2 vtas: 1 vez 4 p., 2 veces 1 p.; cada 4 vtas: 4 veces 1 p.
Hombro:
A **–a)** 57 cm. **–b)** 58 cm. **–c)** 59 cm. **–d)** 60 cm. de largo total, **cerrar** los **–a)** 16 p. **–b)** 18 p. **–c)** 19 p. **–d)** 21 p. restantes del hombro.

DELANTERO IZQUIERDO
Trab. como el delantero derecho, pero **a la inversa** y sin ojal.
Hacer los **menguados** del **escote** de la siguiente manera:
Al final de la vta por el derecho de la labor (= cuando falten 6 p. para terminar la vta): trab. 2 p. juntos al rev., 1 p. der., 1 p. rev., pasar 2 p. sin hacer al der. a la aguja derecha.
Al inicio de la siguiente vta por el revés de la labor: trab. 2 p. rev., 1 p. der., 1 p. rev., 1 p. der.

MANGAS
Con TUNDRA, **montar –a)** 32 p. **–b)** 36 p. **–c)** 38 p. **–d)** 42 p.
Trab. 2 cm. a *p. elástico 1x1.*
Continuar trab. a *p. jersey der.*
A 8 cm. de largo total, **aumentar** en ambos lados cada 6 vtas: 10 veces 1 p.
Quedan **–a)** 52 p. **–b)** 56 p. **–c)** 58 p. **–d)** 62 p.

Sisa:
A 42 cm. de largo total, **cerrar** en ambos lados cada 2 vtas:
–a) 1 vez 3 p., 11 veces 1 p., 1 vez 2 p., 3 veces 3 p.
–b) 1 vez 3 p., 12 veces 1 p., 1 vez 2 p., 3 veces 3 p.
–c) 1 vez 3 p., 13 veces 1 p., 1 vez 2 p., 3 veces 3 p.
–d) 1 vez 3 p., 14 veces 1 p., 1 vez 2 p., 3 veces 3 p.
A **–a)** 58 cm. **–b)** 59 cm. **–c)** 60 cm. **–d)** 61 cm. de largo total, **cerrar** los **–a)** 2 p. **–b)** 4 p. **–c)** 4 p. **–d)** 6 p. restantes.
Trab. la otra manga igual.

CONFECCIÓN Y REMATE
Coser hombros.
Con INGENUA, **recoger** alrededor del escote del delantero derecho **–a)** 56 p. **–b)** 58 p. **–c)** 60 p. **–d)** 62 p.; **recoger** alrededor del escote de la espalda **–a)** 37 p. **–b)** 39 p. **–c)** 41 p. **–d)** 43 p.; **recoger** alrededor del escote del delantero izquierdo **–a)** 56 p. **–b)** 58 p. **–c)** 60 p. **–d)** 62 p. = en total **–a)** 149 p. **–b)** 155 p. **–c)** 161 p. **–d)** 167 p.
Trab. 6 cm. a *p. elástico 1x1.* (empezar y terminar con 1 p. der.) A continuación, por el revés de la labor, trab. 1 vta al der. y trab. 6 cm. más a *p. elástico 1x1.* **Cerrar.**
Doblar el cuello por la mitad y coser por el interior alrededor del escote.
Coser lados, mangas y botón.

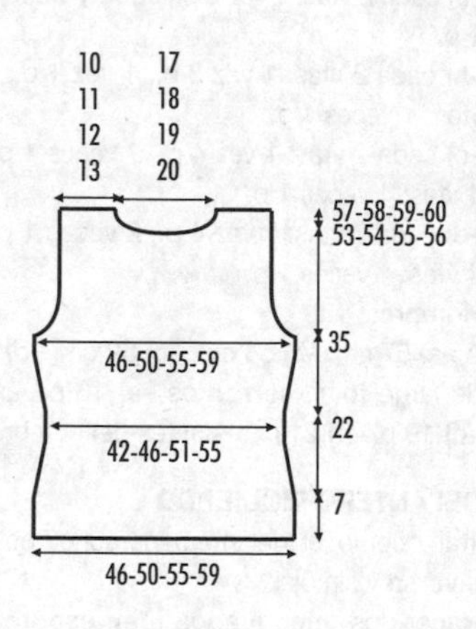

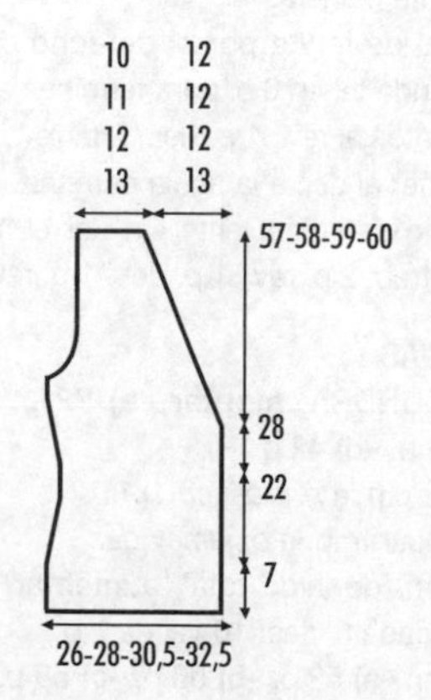

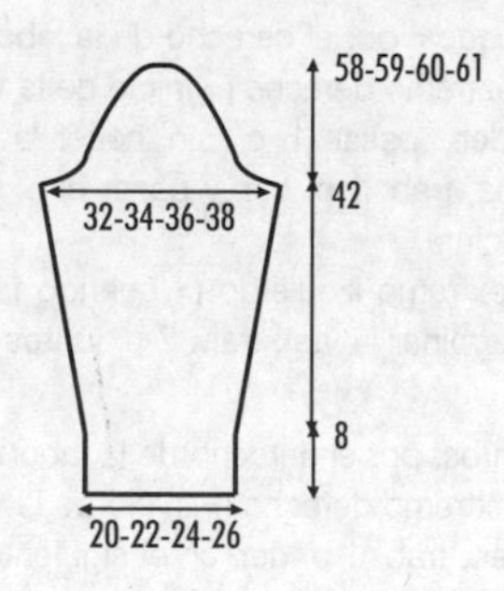

ENGLISH

SIZE: –a) 36 1/4" **–b)** 39 3/8" **–c)** 43 1/4" **–d)** 46 1/2": finished bust measurement.

MATERIALS
TUNDRA: **–a) & –b)** 4 **–c) & –d)** 5 balls color no. 6702.
INGENUA: **–a) –b) –c) & –d):** 1 ball chestnut no. 22.
One button.

NEEDLES
Size 6 (U.S.) /(4 1/2 metric) **or size you need to use to obtain gauge listed below.**

STITCHES
See Basic Instructions for: *1x1 Ribbing*, *Stockinette St*.
NOTE 1: Decrease 1 st for shaping as follows:
At the beginning of right side rows, K3, sl 1, K1, PSSO.
At the end of right side rows, work to last 5 sts; K 2 tog, K3
NOTE 2: Increase 1 st for shaping as follows:
At beginning of right side row: K3, knit into the front and then into the back of the next st. At end of right side row: work to last 4 sts, inc as before, K3.

GAUGE
Using TUNDRA in *Stockinette St*: 16 sts and 22 rows = 4x4"

BACK
Using TUNDRA, **cast on –a)** 74 sts **–b)** 80 sts **–c)** 88 sts **–d)** 94 sts.
Work *1x1 Ribbing* for 3/4", then work *Stockinette St*.
When back measures 2 3/4", **–a) –b) –c) & –d):** begin **decreasing** 1 st at each edge as given in "NOTE 1" above, every 2": 3 times:
[**–a)** 68 sts **–b)** 74 sts **–c)** 82 sts **–d)** 88 sts].
When back measures 8 5/8", **–a) –b) –c) & –d):** begin **increasing** 1 st at each edge as given in "NOTE 2" above, every 2": 3 times:
[**–a)** 74 sts **–b)** 80 sts **–c)** 88 sts **–d)** 94 sts].
Armholes:
When back measures 13 3/4", **bind off** at each edge:
–a) every 2 rows: 3 sts 1 time; every 4 rows: 1 st 4 times: [60 sts]
–b) every 2 rows: 3 sts 1 time; 1 st 1 time; every 4 rows: 1 st 4 times: [64 sts]
–c) every 2 rows: 4 sts 1 time; 1 st 2 times; every 4 rows: 1 st 4 times: [68 sts]
–d) every 2 rows: 4 sts 1 time; 1 st 2 times; every 4 rows: 1 st 4 times: [74 sts].
Neckline:
When back measures **–a)** 20 7/8" **–b)** 21 1/4" **–c)** 21 5/8" **–d)** 22", **bind off** center **–a)** 16 sts **–b)** 16 sts **–c)** 18 sts **–d)** 20 sts.
Working each side separately, **–a) –b) –c) & –d): bind off** at neck edge every 2 rows: 3 sts 2 times:
[**–a)** 16 sts **–b)** 18 sts **–c)** 19 sts **–d)** 21 sts].
Shoulder:
When front measures **–a)** 22 1/2" **–b)** 22 7/8" **–c)** 23 1/4" **–d)** 23 5/8", **bind off** all rem sts.

RIGHT FRONT
Using TUNDRA, **cast on –a)** 42 sts **–b)** 44 sts **–c)** 48 sts **–d)** 52 sts.
Work *1x1 Ribbing* for 3/4".
On next right side row, work first 5 sts for front band as follows: slip 2 sts as if to knit them, P1, K1, P1; (work rem sts in *Stockinette St*).
On reverse side rows, work *Stockinette St* to last 5 sts; K1, P1, K1, P2.
When front measures 2 3/4", **–a) –b) –c) & –d):** begin **decreasing** 1 st at armhole edge as given in "NOTE 1" above, every 2": 3 times:
[**–a)** 39 sts **–b)** 41 sts **–c)** 45 sts **–d)** 49 sts].
When front measures 8 5/8", **–a) –b) –c) & –d):** begin **increasing** 1 st at armhole edge as given in "NOTE 2" above, every 2": 3 times:
AND AT THE SAME TIME: work **Buttonhole:**
When front measures 10 5/8", on next right side row, slip 2 sts, P1, K1, YO, K 2 tog.
On reverse side row, work to last 6 sts, P1, K1 in YO, P1, K1, P2.
AND AT THE SAME TIME:
Neckline:
NOTE: Decrease for neckline as follows: an a right side row, work the first 4 front band sts in established pattern, P 2 tog.
When front measures 11", **–a) –b) –c) & –d): decrease** 1 st at center front edge every 2 rows:
–a) 19 times
–b) 18 times
–c) 19 times
–d) 21 times.
Armhole:
When front measures 13 3/4", **bind off** at armhole edge:
–a) every 2 rows: 3 sts 1 time; every 4 rows: 1 st 4 times
–b) every 2 rows: 3 sts 1 time; 1 sts 1 time; every 4 rows: 1 st 4 times
–c) every 2 rows: 4 sts 1 time; 1 st 2 times; every 4 rows: 1 st 4 times
–d) every 2 rows: 4 sts 1 time; 1 st 2 times; every 4 rows: 1 st 4 times
Shoulder:
When front measures **–a)** 22 1/2" **–b)** 22 7/8" **–c)** 23 1/4" **–d)** 23 5/8", bind off at armhole edge rem **–a)** 16 sts **–b)** 18 sts **–c)** 19 sts **–d)** 21 sts.

LEFT FRONT
Omitting the buttonhole, work same as right front, reversing all shaping and working front band as follows: on right side rows, work to last 5 sts; P1, K1, P1, slip 2 sts as if to knit them: reverse side rows, P2, K1, P1, K1. For neckline **decreases:** on right side rows, work to last 6 sts; P 2 tog, K1, P1, slip 2 sts.

SLEEVES
Using TUNDRA, **cast on –a)** 32 sts **–b)** 36 sts **–c)** 38 sts **–d)** 42 sts.
Work *1x1 Ribbing* for 3/4", then work *Stockinette St*.
When sleeve measures 3 1/8", **–a) –b) –c) & –d): increase** 1 st at each edge every 6 rows: 10 times:
[**–a)** 52 sts **–b)** 56 sts **–c)** 58 sts **–d)** 62 sts].
Armhole:
When sleeve measures 16 1/2", bind off at each edge every 2 rows:
–a) 3 sts 1 time; 1 st 11 times; 2 sts 1 time; 3 sts 3 times: [2 sts]
–b) 3 sts 1 time; 1 st 12 times; 2 sts 1 time; 3 sts 3 times: [4 sts]
–c) 3 sts 1 time; 1 st 13 times; 2 sts 1 time; 3 sts 3 times: [4 sts]
–d) 3 sts 1 time; 1 st 14 times; 2 sts 1 time; 3 sts 3 times: [6 sts].
When sleeve measures **–a)** 22 7/8" **–b)** 23 1/4" **–c)** 23 5/8" **–d)** 24", bind off all rem sts.

FINISHING
Sew shoulder seams. Using INGENUA, **pick up –a)** 56 sts **–b)** 58 sts **–c)** 60 sts **–d)** 63 sts along right front neck edge; **–a)** 37 sts **–b)** 39 sts **–c)** 41 sts **–d)** 43 sts around back neck edge; **–a)** 56 sts **–b)** 58 sts **–c)** 60 sts **–d)** 63 sts along left front neck edge: total of **–a)** 149 sts **–b)** 155 sts **–c)** 161 sts **–d)** 167 sts.
Beginning and ending with K1, work *1x1 Ribbing* for 2 3/8". On next wrong side row, knit 1 row, then continue in *1x1 Ribbing* for 2 3/8".
Bind off.
Fold collar on knit row and sew to inside edge of neckline.
Sew side and sleeve seams.
Sew on button.

GRAFFITI

pág. 18

ESPAÑOL

TALLAS: –a) 38/40 **–b)** 42/44 **–c)** 46/48 **–d)** 50/52

MATERIALES
GRAFFITI: col. 6003: **–a)** 7 **–b)** 8 **–c)** 9 **–d)** 10 ovillos.

Agujas	Puntos empleados
Nº 7	- *P. elástico 2x2.*

MUESTRA DEL PUNTO
P. elástico 2x2, ag. nº 7
10x10 cm. = 9 p. y 19 vtas.
NOTA: las medidas están tomadas después de planchar la muestra al máximo.

REALIZACIÓN
Montar –a) 92 p. **–b)** 100 p. **–c)** 108 p. **–d)** 116 p.
Trab. a *p. elástico 2x2.* Empezar y terminar con 3 p. der.
A 12 cm. de largo total, trab. en una vta por el derecho de la labor, todos los p. al rev. Trab. la siguiente vta (= por el revés de la labor) a *p. elástico 2x2.*
Continuar trab. a *p. elástico 2x2.*
A **–a)** 62,5 cm. **–b)** 64,5 cm. **–c)** 66,5 cm. **–d)** 68,5 cm. de largo total, trab. en una vta por el derecho de la labor, todos los p. al rev. Trab. la siguiente vta (= por el revés de la labor) a *p. elástico 2x2.*
Continuar trab. a *p. elástico 2x2.*
A **–a)** 75 cm. **–b)** 77 cm. **–c)** 79 cm. **–d)** 81 cm. de largo total, **cerrar** los p.

CONFECCIÓN Y REMATE
Doblar la pieza por la mitad (las vtas al revés quedan por el revés de la labor) y **coser** a *p. de lado* (ver pág. p. básicos) los lados = 17,5 cm. desde la parte inferior. Queda la sisa de **–a)** 20 cm. **–b)** 21 cm. **–c)** 22 cm. **–d)** 23 cm.
Girar la parte por la vta al revés hacia fuera.

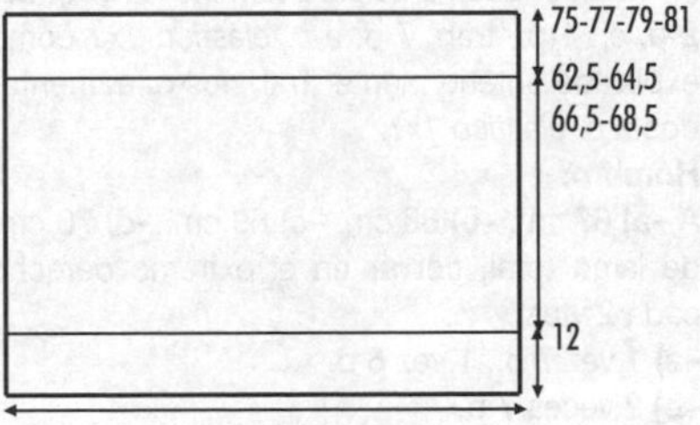

ENGLISH

SIZE: –a) 29 1/2" x 40 1/8" **–b)** 30 3/8" x 44 1/8" **–c)** 31 3/8" x 47 1/4" **–d)** 31 7/8" x 51 1/4".

MATERIALS
GRAFFITI: **–a)** 7 **–b)** 8 **–c)** 9 **–d)** 10 balls color no. 6003.

NEEDLES
Size 10 1/2 (U.S.) /(7 metric) **or size you need to use to obtain gauge listed below.**

STITCHES
See Basic Instructions for: *2x2 Ribbing.*

GAUGE
In *2x2 Ribbing:* 9 sts and 19 rows = 4x4" after blocking.

INSTRUCTIONS
Cast on: –a) 92 sts **–b)** 100 sts **–c)** 108 sts **–d)** 116 sts.
Beginning and ending with K3, work *2x2 Ribbing.*
When piece measures 4 3/4", on next right side row, purl all stitches.
Next row: (wrong side) continue in established 2x2 ribbing pattern.
When piece measures **–a)** 24 5/8" **–b)** 25 3/8" **–c)** 26 1/4" **–d)** 27", on next right side row, purl all sts.
Next row: (wrong side) continue in established 2x2 ribbing pattern.
When piece measures **–a)** 29 1/2" **–b)** 30 3/8" **–c)** 31 3/8" **–d)** 31 7/8", **bind off.**

FINISHING
With the right sides together, fold piece in center across lines of ribbing, so that cast on row and bind off row are together.
Sew the short side edges for 6 7/8", leaving **–a)** 7 7/8" **–b)** 8 1/4" **–c)** 8 5/8" **–d)** 9" on each half open for sleeve.
Turn so that right side is outside and fold back top edge on the purl row, for collar, as shown in photograph.

NEPAL

(Ver página 3 Puntos Básicos)
(See page 3 Basic Stitches)

pág. 18

ESPAÑOL

TALLAS: –a) 40 **–b)** 44 **–c)** 48 **–d)** 52

MATERIALES
NEPAL: col. 5010: **–a)** 7 **–b)** 8 **–c)** 9 **–d)** 10 ovillos.
5 botones col. marrón.

Agujas	Puntos empleados
Nº 5 1/2	- *P. elástico 1x1* - *P. jersey der.*

MUESTRA DEL PUNTO
P. jersey der., ag. nº 5 1/2
10x10 cm. = 11 p. y 18 vtas.

ESPALDA
Montar –a) 62 p. **–b)** 68 p. **–c)** 74 p. **–d)** 80 p.
Trab. a *p. elástico 1x1.*
A 6 cm. de largo total, continuar trab. a *p. jersey der.*

INSTRUCCIONES

Sisas:
A 46 cm. de largo total, **cerrar** en ambos lados cada 2 vtas:
–a) 1 vez 3 p., 1 vez 2 p., 2 veces 1 p. = 48 p.
–b) 1 vez 3 p., 1 vez 2 p., 3 veces 1 p. = 52 p.
–c) 1 vez 3 p., 1 vez 2 p., 4 veces 1 p. = 56 p.
–d) 1 vez 3 p., 1 vez 2 p., 5 veces 1 p. = 60 p.
Hombros:
A **–a)** 67 cm. **–b)** 68 cm. **–c)** 69 cm. **–d)** 70 cm. de largo total, **cerrar** en ambos lados cada 2 vtas:
–a) 1 vez 7 p., 1 vez 6 p.
–b) 2 veces 7 p.
–c) 2 veces 8 p.
–d) 1 vez 9 p., 1 vez 8 p.
A **–a)** 70 cm. **–b)** 71 cm. **–c)** 72 cm. **–d)** 73 cm. de largo total, **cerrar** los**–a)** 22 p.**–b)** 24 p. **–c)** 24 p. **–d)** 26 p. restantes.

DELANTERO DERECHO
Montar –a) 35 p. **–b)** 37 p. **–c)** 41 p. **–d)** 43 p.
Trab.:
Los 7 primeros p. (= corresponden a la tapeta): en las vtas por el derecho de la labor, pasar el primer p. sin hacer a la aguja derecha, * 1 p. der., 1 p. rev. *, repetir de * a * 2 veces más; trab. **–a)** 28 p. **–b)** 30 p. **–c)** 34 p. **–d)** 36 p. a *p. elástico 1x1,* empezando con 1 p. der.
En las vtas por el revés de la labor (= cuando falten 7 p. para el final de la vta): trab. * 1 p. der., 1 p. rev.*, repetir de * a * 2 veces más, 1 p. der.
A 6 cm. de largo total, continuar trab. a *p. jersey der.,* excepto los 7 p. en el extremo derecho. Trab. estos 7 p. a lo largo del delantero como explicado anteriormente.
Sisa y solapa escote:
Se forman al mismo tiempo:
A 46 cm. de largo total, **cerrar** en el extremo izquierdo cada 2 vtas:
–a) 1 vez 3 p., 1 vez 2 p., 2 veces 1 p.
–b) 1 vez 3 p., 1 vez 2 p., 3 veces 1 p.
–c) 1 vez 3 p., 1 vez 2 p., 4 veces 1 p.
–d) 1 vez 3 p., 1 vez 2 p., 5 veces 1 p.
A los mismos 46 cm. de largo total, **aumentar** en el extremo derecho:
–a) cada 4 vtas: 8 veces 1 p.
–b) cada 4 vtas: 8 veces 1 p.
–c) cada 4 vtas: 9 veces 1 p.
–d) cada 4 vtas: 9 veces 1 p. de la siguiente manera:
Trab. los primeros 7 p. de la tapeta a *p. elástico 1x1* como explicado anteriormente, trab. 2 p. en el siguiente p. Trab. los p. aumentados a *p. elástico 1x1.*
Hombro:
A **–a)** 67 cm. **–b)** 68 cm. **–c)** 69 cm. **–d)** 70 cm. de largo total, **cerrar** en el extremo izquierdo cada 2 vtas:
–a) 1 vez 7 p., 1 vez 6 p.
–b) 2 veces 7 p.
–c) 2 veces 8 p.
–d) 1 vez 9 p., 1 vez 8 p.
A **–a)** 70 cm. **–b)** 71 cm. **–c)** 72 cm. **–d)** 73 cm. de largo total, **cerrar** los**–a)** 23 p.**–b)** 23 p. **–c)** 25 p. **–d)** 25 p. restantes.

DELANTERO IZQUIERDO
Montar –a) 35 p. **–b)** 37 p. **–c)** 41 p. **–d)** 43 p.
Trab.: **–a)** 28 p. **–b)** 30 p. **–c)** 34 p. **–d)** 36 p. a *p. elástico 1x1,* empezar con 1 p. rev. y terminar con 1 p. der.; los últimos 7 p. (= corresponden a la tapeta): en las vtas por el derecho de la labor, * 1 p. rev., 1 p. der. *, repetir de * a * 2 veces más; pasar el último p. sin hacer a la aguja derecha.
En las vtas por el revés de la labor (= al inicio de la vta): trab. * 1 p. der., 1 p. rev.*, repetir de * a * 2 veces más, 1 p. der.
Ojales:
A 5 cm. de largo total, trab. el primer ojal de la siguiente manera: Al final de una vta por el derecho de la labor (= cuando falten 7 p. para terminar la vta): trab. 1 p. rev., 1 p. der., 1 p. rev., 1 hebra, 2 p. juntos al der., 1 p. der., pasar el último p. sin hacer a la aguja derecha. Al inicio de la siguiente vta por el revés de la labor: trab. 1 p. der., 1 p. rev., 1 p. der., 1 p. rev. en la hebra de la vta anterior,1 p. der., 1 p. rev.,1 p. der.
Hacer 4 ojales más, cada 10 cm.
A 6 cm. de largo total, continuar trab. a *p. jersey der.,* excepto los 7 p. en el extremo izquierdo. Trab. estos 7 p. a lo largo del delantero como explicado anteriormente.
Sisa y solapa escote:
Se forman al mismo tiempo:
A 46 cm. de largo total, **cerrar** en el extremo derecho cada 2 vtas:
–a) 1 vez 3 p., 1 vez 2 p., 2 veces 1 p.
–b) 1 vez 3 p., 1 vez 2 p., 3 veces 1 p.
–c) 1 vez 3 p., 1 vez 2 p., 4 veces 1 p.
–d) 1 vez 3 p., 1 vez 2 p., 5 veces 1 p.
A los mismos 46 cm. de largo total, **aumentar** en el extremo izquierdo:
–a) cada 4 vtas: 8 veces 1 p.
–b) cada 4 vtas: 8 veces 1 p.
–c) cada 4 vtas: 9 veces 1 p.
–d) cada 4 vtas: 9 veces 1 p. de la siguiente manera:
Al final de la vta por el derecho de la labor (= cuando falten 8 p. para terminar la vta)trab. 2 p. en 1 p., trab. 7 p. a *p. elástico 1x1* como explicado anteriormente. Trab. los p. aumentados a *p. elástico 1x1.*
Hombro:
A **–a)** 67 cm. **–b)** 68 cm. **–c)** 69 cm. **–d)** 70 cm. de largo total, **cerrar** en el extremo derecho cada 2 vtas:
–a) 1 vez 7 p., 1 vez 6 p.
–b) 2 veces 7 p.
–c) 2 veces 8 p.
–d) 1 vez 9 p., 1 vez 8 p.
A **–a)** 88 cm. **–b)** 90 cm. **–c)** 92 cm. **–d)** 94 cm. de largo total, **cerrar** los**–a)** 23 p.**–b)** 23 p. **–c)** 25 p. **–d)** 25 p. restantes.

MANGAS
Montar–a) 26 p. **–b)** 28 p. **–c)** 30 p. **–d)** 32 p.
Trab. a *p. elástico 1x1.*
A 6 cm. de largo total, continuar trab. a *p. jersey der.*
Aumentar en ambos lados cada 8 vtas: 10 veces 1 p.
Quedan **–a)** 46 p. **–b)** 48 p. **–c)** 50 p. **–d)** 52 p.
Sisa:
A 59 cm. de largo total, **cerrar** en ambos lados cada 2 vtas:
–a) 1 vez 3 p., 1 vez 2 p., 1 vez 1 p.
–b) 1 vez 3 p., 1 vez 2 p., 2 veces 1 p.
–c) 1 vez 3 p., 1 vez 2 p., 3 veces 1 p.
–d) 1 vez 3 p., 1 vez 2 p., 4 veces 1 p.
A **–a)** 64 cm. **–b)** 65 cm. **–c)** 66 cm. **–d)** 67 cm. de largo total, **cerrar** los **–a), –b), –c), –d)** 34 p. restantes.
Trab. la otra manga igual.

CONFECCIÓN Y REMATE
Coser hombros, la tira del cuello del delantero izquierdo al escote de la espalda, cuello, lados, mangas y botones.

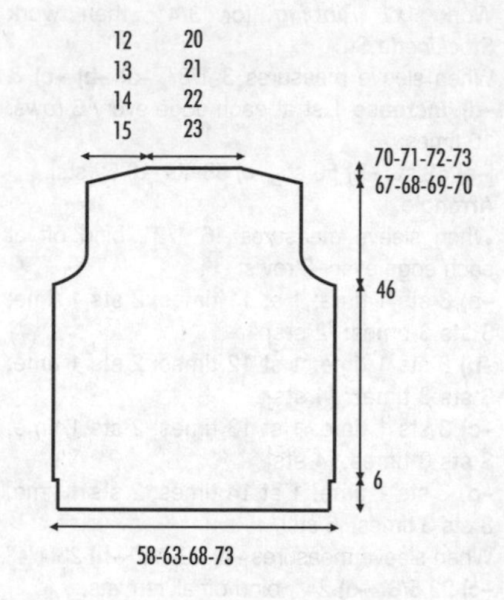

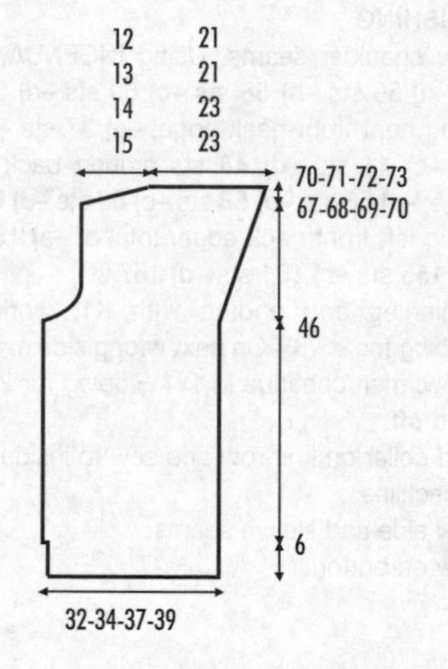

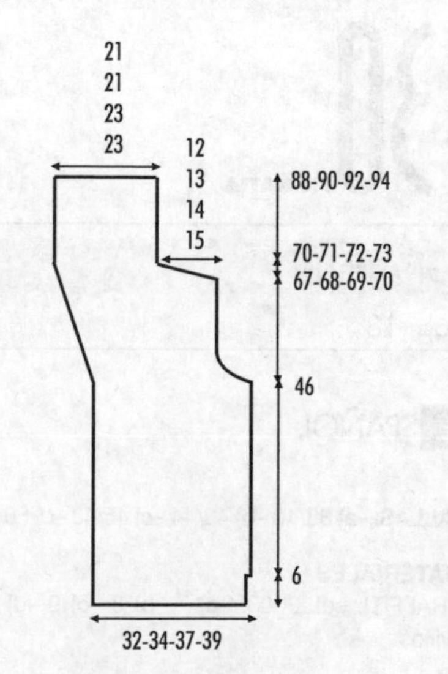

INSTRUCTIONS

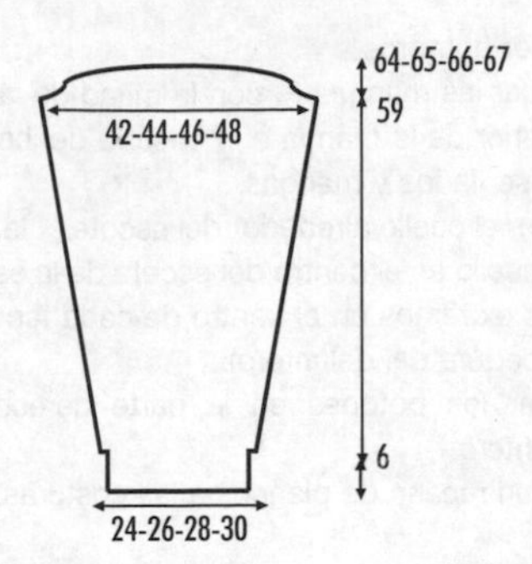

ENGLISH

SIZE: –a) 6 1/4" **–b)** 49 5/8" **–c)** 53 1/2" **–d)** 57 1/2": finished chest measurement.

MATERIALS
NEPAL: **–a)** 7 **–b)** 8 **–c)** 9 **–d)** 10 balls color no. 5010.
Five buttons.

NEEDLES
Size 8 (U.S.) /(5 1/2 metric) **or size you need to use to obtain gauge listed below.**

STITCHES
See Basic Instructions for: *1x1 Ribbing*, *Stockinette St*

GAUGE
In *Stockinette St*: 11 sts and 18 rows = 4x4"

BACK
Cast on –a) 62 sts **–b)** 68 sts **–c)** 74 sts **–d)** 80 sts.
Work *1x1 Ribbing* for 2 3/8", then work *Stockinette St*.
Armholes:
When back measures 18 1/4", **bind off** at each edge every 2 rows:
a) 3 sts 1 time; 2 sts 1 time; 1 st 2 times: [48 sts]
b) 3 sts 1 time; 2 sts 1 time; 1 st 3 times: [52 sts]
c) 3 sts 1 time; 2 sts 1 time; 1 st 4 times: [56 sts]
d) 3 sts 1 time; 2 sts 1 time; 1 st 5 times: [60 sts].
Shoulders:
When back measures **–a)** 26 3/8" **–b)** 26 3/4" **–c)** 27 1/8" **–d)** 27 1/2", **bind off** at each edge every 2 rows:
–a) 7 sts 1 time; 6 sts 1 time: [22 sts]
–b) 7 sts 2 times: [24 sts]
–c) 8 sts 2 times: [24 sts]
–d) 9 sts 1 time; 8 sts 1 time: [26 sts].
When back measures **–a)** 27 1/2" **–b)** 28" **–c)** 28 3/8" **–d)** 28 3/4", **bind off** all rem sts.

RIGHT FRONT
Cast on –a) 35 sts **–b)** 37 sts **–c)** 41 sts **–d)** 43 sts.
Right side rows: Sl 1, (K1, P1) 3 times for front band; beginning with K1, work *1x1 Ribbing* to end of row.
Wrong side rows: beginning with K1, work *1x1 Ribbing* to last 7 sts; (K1, P1) 3 times; K1 for front band.
When front measures 2 3/8", continue working the 7 front band sts in established pattern, work remaining sts in *Stockinette St*.
Armholes and Lapel:
Worked at the same time when back measures 18 1/4".
Armholes: bind off at armhole edge every 2 rows:
a) 3 sts 1 time; 2 sts 1 time; 1 st 2 times
b) 3 sts 1 time; 2 sts 1 time; 1 st 3 times
c) 3 sts 1 time; 2 sts 1 time; 1 st 4 times
d) 3 sts 1 time; 2 sts 1 time; 1 st 5 times
Lapel: increase at center front edge as follows: on a right side row, work the 7 front band sts, then increase in next st, working increased sts into established *1x1 Ribbing* pattern.
Increase 1 st every 4 rows:
–a) 8 times
–b) 8 times
–c) 9 times
–d) 9 times
AND AT THE SAME TIME:
Shoulders:
When back measures **–a)** 26 3/8" **–b)** 26 3/4" **–c)** 27 1/8" **–d)** 27 1/2", **bind off** at armhole edge every 2 rows:
–a) 7 sts 1 time; 6 sts 1 time: [23 sts]
–b) 7 sts 2 times: [23 sts]
–c) 8 sts 2 times: [25 sts]
–d) 9 sts 1 time; 8 sts 1 time: [25 sts].
When front measures **–a)** 27 1/2" **–b)** 28" **–c)** 28 3/8" **–d)** 28 3/4", bind off all rem sts.

LEFT FRONT
Cast on –a) 35 sts **–b)** 37 sts **–c)** 41 sts **–d)** 43 sts.
Right side rows: beginning/ending with **–a) –b) –c) & –d):** P1/K1, work *1x1 Ribbing* to last 7 sts; for front band: (P1, K1) 3 times; sl 1.
Wrong side rows: beginning/ending with **–a) –b) –c) & –d):** K1, work *1x1 Ribbing* to last 7 sts; for front band, (K1, P1) 3 times; K1.
Buttonholes:
When front measures 2", on next right side row work to last 7 sts; P1, K1, P1, YO, K 2 tog, K1, sl 1.
Next row: (wrong side) K1, P1, K1, P1 into YO, K1, P1, K1.
As work progresses, make 4 more buttonholes, each 4" apart.
AND AT THE SAME TIME:
When front measures 2 3/8", continue working the 7 front band sts in established pattern, work remaining sts in *Stockinette St*.
Armholes and Lapel:
Worked at the same time when back measures 18 1/4".
Armholes: bind off at armhole edge every 2 rows:
a) 3 sts 1 time; 2 sts 1 time; 1 st 2 times
b) 3 sts 1 time; 2 sts 1 time; 1 st 3 times
c) 3 sts 1 time; 2 sts 1 time; 1 st 4 times
d) 3 sts 1 time; 2 sts 1 time; 1 st 5 times
Lapel: increase at center front edge as follows: on a right side row, work to the last 8 sts; increase in next st, work 7 front band sts in established pattern. **NOTE:** Work increased sts into established *1x1 Ribbing* pattern.
Increase 1 st every 4 rows:
–a) 8 times
–b) 8 times
–c) 9 times
–d) 9 times
AND AT THE SAME TIME:
Shoulders:
When back measures **–a)** 26 3/8" **–b)** 26 3/4" **–c)** 27 1/8" **–d)** 27 1/2", **bind off** at armhole edge every 2 rows:
–a) 7 sts 1 time; 6 sts 1 time: [23 sts]
–b) 7 sts 2 times: [23 sts]
–c) 8 sts 2 times: [25 sts]
–d) 9 sts 1 time; 8 sts 1 time: [25 sts].
When front measures **–a)** 34 5/8"**–b)** 35 3/8" **–c)** 36 1/4" **–d)** 37", bind off all rem sts.

SLEEVES
Cast on –a) 26 sts **–b)** 28 sts **–c)** 30 sts **–d)** 32 sts.
Work *1x1 Ribbing*.
When sleeve measures 2 3/8", work *Stockinette St*, **i–a) –b) –c) & –d): increasing** 1 st at each edge every 8 rows: 10 times:
[a) 46 sts **–b)** 48 sts **–c)** 50 sts **–d)** 52 sts].
Armhole:
When sleeve measures 23 1/4", bind off at each edge every 2 rows:
–a) 3 sts 1 time; 2 sts 1 time; 1 st 1 time: [34 sts]
–b) 3 sts 1 time; 2 sts 1 time; 1 st 2 times: [34 sts]
–c) 3 sts 1 time; 2 sts 1 time; 1 st 3 times: [34 sts]
–d) 3 sts 1 time; 2 sts 1 time; 1 st 4 times: [34 sts]
When sleeve measures **–a)** 25 1/4" **–b)** 25 5/8" **–c)** 26" **–d)** 26 3/8", bind off all rem sts.

FINISHING
Sew shoulder seams.
Sew collar extension on left front to end of collar on right front, then **sew** collar around back neck edge.
Sew side and sleeve seams.

TUNDRA
(Ver página 3 Puntos Básicos)
(See page 3 Basic Stitches)

pág. 19

ESPAÑOL

TALLAS: –a) 40 **–b)** 44 **–c)** 48 **–d)** 52

MATERIALES
TUNDRA: col. 6703: **–a)** 5 **–b)** y **–c)** 6 **–d)** 7 ovillos.
3 botones.

INSTRUCCIONES

Agujas	Puntos empleados
Nº 4	- *P. elástico 1x1*
Nº 5	- *P. jersey der.*

MUESTRA DEL PUNTO
P. jersey der., ag. nº 5
10x10 cm. = 15 p. y 21 vtas.

ESPALDA
Con ag. nº 4, **montar –a)** 78 p. **–b)** 86 p. **–c)** 92 p. **–d)** 98 p.
Trab. 5 cm. a *p. elástico 1x1*.
Cambiar ag. nº 5 y continuar trab. a *p. jersey der.*
Sisas:
A 40 cm. de largo total, **cerrar** en ambos lados cada 2 vtas:
–a) 1 vez 4 p., 1 vez 2 p., 2 veces 1 p. = 62 p.
–b) 1 vez 4 p., 2 veces 2 p., 2 veces 1 p. = 66 p.
–c) 1 vez 5 p., 2 veces 2 p., 2 veces 1 p. = 70 p.
–d) 1 vez 5 p., 3 veces 2 p., 1 vez 1 p. = 74 p.
Hombros y escote:
Se forman al mismo tiempo:
A **–a)** 62 cm. **–b)** 63 cm. **–c)** 64 cm. **–d)** 65 cm. de largo total, para los hombros **cerrar** en ambos lados cada 2 vtas:
–a) 2 veces 10 p.
–b) 1 vez 11 p., 1 vez 10 p.
–c) 2 veces 11 p.
–d) 1 vez 12 p., 1 vez 11 p.
A los **mismos –a)** 62 cm. **–b)** 63 cm. **–c)** 64 cm. **–d)** 65 cm. de largo total, para el **escote, cerrar** los **–a)** 16 p. **–b)** 18 p. **–c)** 20 p. **–d)** 22 p. centrales y continuar trab. cada lado por separado.
Después de 2 vtas, **cerrar** en el lado del escote: 1 vez 3 p.
Acabar el otro lado igual, pero **a la inversa.**

DELANTERO
Trab. como la espalda hasta las sisas y **AL MISMO TIEMPO,** a **–a)** 42 cm. **–b)** 43 cm. **–c)** 44 cm. **–d)** 45 cm. de largo total, para empezar la **abertura del escote,** antes de empezar la siguiente vta por el derecho de la labor, marcar los 8 p. centrales. Trab. hasta el primer p. marcado, trab. 1 p. rev., trab. *p. elástico 1x1* sobre los primeros 6 p., pasar el siguiente p. sin hacer a la aguja derecha.
Poner los p. restantes en una aguja auxiliar para poder trabajar la otra parte del delantero por separado.
En las vtas por el revés de la labor, trab. a *p. elástico 1x1* sobre 8 p., empezando con 1 p. rev., trab. hasta el final de la vta.
Continuar trab. estos 8 p. a *p. elástico 1x1* y pasar el último p. en cada vta por el derecho de la labor sin hacer a la aguja derecha. (queda un mejor acabado).
Ojales:
Trab. 3 ojales de la siguiente manera:
El primer ojal a 3 cm. desde el inicio de la tapeta: por el derecho de la labor, trab. sobre los 8 p. de la tapeta: 1 p. rev., 1 p. der., **cerrar** 2 p., trab. los últimos 3 p. a *p. elástico 1x1*. En la vta por el revés de la labor, **añadir** 2 p. dónde se han cerrado en la vta anterior.
Trab. 2 ojales más, cada 5 cm.
Escote:
A **–a)** 56 cm. **–b)** 57 cm. **–c)** 58 cm. **–d)** 59 cm. de largo total, **cerrar** a cada lado de la abertura cada 2 vtas:
–a) 1 vez 10 p., 2 veces 2 p., 1 vez 1 p. = 20 p.
–b) 1 vez 11 p., 2 veces 2 p., 1 vez 1 p. = 21 p.
–c) 1 vez 12 p., 2 veces 2 p., 1 vez 1 p. = 22 p.
–d) 1 vez 13 p., 2 veces 2 p., 1 vez 1 p. = 23 p.
Hombro:
A **–a)** 62 cm. **–b)** 63 cm. **–c)** 64 cm. **–d)** 65 cm. de largo total, para el hombro **cerrar** en el extremo exterior cada 2 vtas:
–a) 2 veces 10 p.
–b) 1 vez 11 p., 1 vez 10 p.
–c) 2 veces 11 p.
–d) 1 vez 12 p., 1 vez 11 p.
Parte derecha del delantero:
Montar 8 p.; pasar los p. de la aguja auxiliar a la aguja de tejer y terminar una vta por el derecho de la labor.
La siguiente vta (= por el revés de la labor), trab. hasta los últimos 8 p., empezar con 1 p. der., trab. a *p. elástico 1x1*.
La siguiente vta (= por el derecho de la labor), pasar el primer p. sin hacer a la aguja derecha, empezando con 1 p. rev. trab. a *p. elástico 1x1* sobre 7 p., continuar trab. como la parte izquierda del delantero, pero **a la inversa.**

MANGAS
Con ag. nº 4, **montar –a)** 36 p. **–b)** 38 p. **–c)** 42 p. **–d)** 44 p.
Trab. 6 cm. a *p. elástico 1x1*.
Cambiar ag. nº 5 y continuar trab. a *p. jersey der.*
A 10 cm. de largo total, **aumentar** en ambos lados (= a 2 p. desde cada extremo) cada 6 vtas: 13 veces 1 p.
Quedan **–a)** 62 p. **–b)** 64 p. **–c)** 68 p. **–d)** 70 p.
Sisa:
A 52 cm. de largo total, **cerrar** en ambos lados cada 2 vtas:
–a) 1 vez 3 p., 1 vez 2 p., 4 veces 3 p., 1 vez 5 p. = 18 p.
–b) 1 vez 3 p., 2 veces 2 p., 4 veces 3 p., 1 vez 5 p. = 16 p.
–c) 1 vez 3 p., 3 veces 2 p., 4 veces 3 p., 1 vez 5 p. = 16 p.
–d) 1 vez 3 p., 4 veces 2 p., 4 veces 3 p., 1 vez 5 p. = 14 p.
A **–a)** 60 cm. **–b)** 61 cm. **–c)** 62 cm. **–d)** 63 cm. largo total, **cerrar** los p.
Trab. la otra manga igual.

CONFECCIÓN Y REMATE
Cuello:
Con ag. nº 4, **montar –a)** 95 p. **–b)** 101 p. **–c)** 107 p. **–d)** 113 p.
Trab. a *p. elástico 1x1*, empezar y terminar con 3 p.der.
A 12 cm. de largo total, **cerrar** los p.
Hilvanar las piezas encaradas y planchar a vapor.
NOTA: todas las costuras se realizan a *p. de lado* (ver pág. p. básicos)
Coser hombros.
Aplicar las mangas (= con la mitad de la parte superior de la manga a la costura del hombro) y coser lados y mangas.
Coser el cuello alrededor del escote (= la mitad del cuello en el centro del escote de la espalda y los extremos en el centro de cada tapeta de la abertura del delantero).
Coser los botones en la parte derecha del delantero.
Dar un repaso de plancha a las costuras.

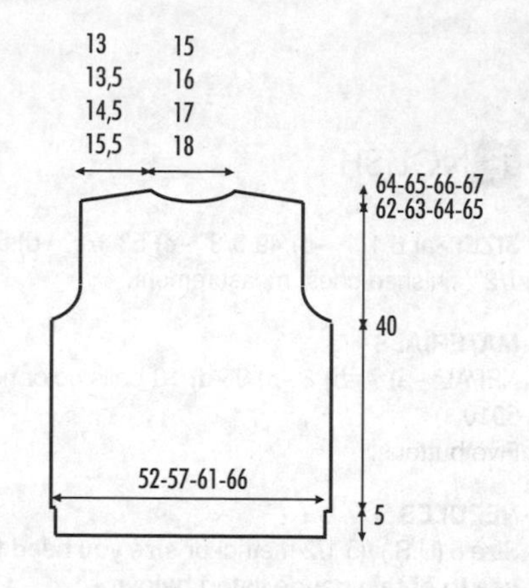

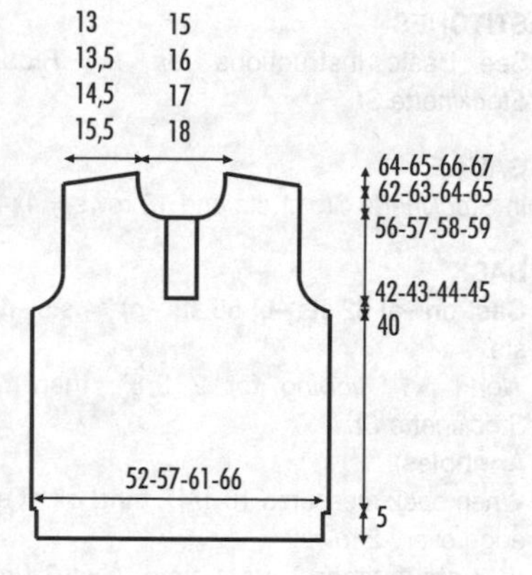

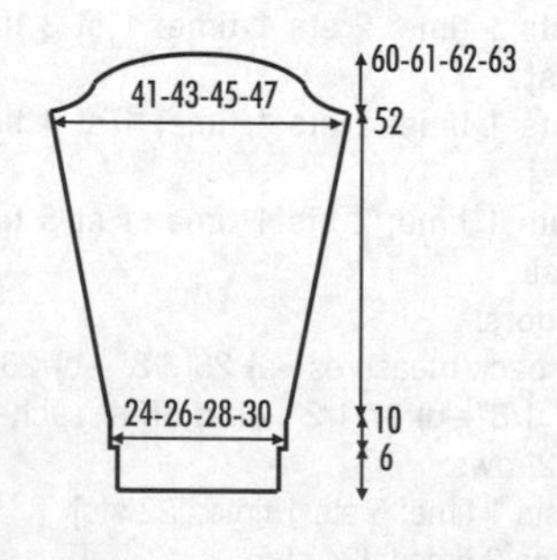

INSTRUCTIONS

ENGLISH

SIZE: –a) 41" **–b)** 44 7/8" **–c)** 48" **–d)** 52": finished chest measurement
MATERIALS
TUNDRA: **–a)** 5 **–b) & –c)** 6 **–d)** 7 balls color no. 6703.
Three buttons.

NEEDLES
Size 5 & 7(U.S.) /(4 & 5 metric) **or size you need to use to obtain gauge listed below.**

STITCHES
See Basic Instructions for: *1x1 Ribbing*, *Stockinette St*.

GAUGE
Using larger needles in *Stockinette St*: 15 sts and 21 rows = 4x4"

BACK
Using smaller needles, **cast on –a)** 78 sts **–b)** 86 sts **–c)** 92 sts **–d)** 98 sts.
Work *1x1 Ribbing* for 2".
Change to larger needles and work *Stockinette St*.
Armholes:
When back measures 15 3/4", **bind off** at each edge every 2 rows:
a) 4 sts 1 time; 2 sts 1 time; 1 st 2 times: [62 sts]
b) 4 sts 1 time; 2 sts 2 time1; 1 st 2 times: [66 sts]
c) 5 sts 1 time; 2 sts 2 time1; 1 st 2 times: [70 sts]
d) 5 sts 1 time; 2 sts 3 time1; 1 st 1 time: [74 sts]
Shoulders and neckline:
Worked at the same time when back measures **–a)** 24 3/8" **–b)** 24 3/4" **–c)** 25 1/4" **–d)** 25 5/8".
For neckline: bind off center **–a)** 16 sts **–b)** 18 sts **–c)** 20 sts **–d)** 22 sts. Working each side separately, **bind off** at neck edge on 2nd row: 3 sts 1 time.
For shoulders: bind off at armhole edge every 2 rows:
–a) 10 sts 2 times
–b) 11 sts 1 time; 10 sts 2 times
–c) 11 sts 2 times
–d) 12 sts 1 time; 11 sts 1 time.

FRONT
Work same as back to armholes, then **AT THE SAME TIME:** when front measures **–a)** 16 1/2" **–b)** 16 7/8" **–c)** 17 1/4" **–d)** 17 3/4", begin neck opening.
Before beginning next right side row, mark the center 8 sts. Work to the first marked st, beginning with P1, work *1x1 Ribbing* on first 6 sts, P1, slip next st.
Slip remaining sts to holder to work left half of front separately.
On reverse side rows, beginning with P1, work *1x1 Ribbing* over 8 sts, continue to end of row. Maintaining these 8 sts in *1x1 Ribbing*, slip the last st on right side rows to make a tighter edge.
Buttonholes:
When front band measures 1 1/4", on next right side row work to the 8 front band sts, P1, K1, **bind off** 2 sts; work last 3 sts in existing *1x1 Ribbing* pattern. On reverse side row, **cast on** 2 sts to replace the bound off sts. Work two more buttonholes, each 2" apart.
Neckline:
When left front measures **–a)** 22" **–b)** 22 1/2" **–c)** 22 7/8" **–d)** 23 1/4", **bind off** at center front edge every 2 rows:
–a) 10 sts 1 time; 2 sts 2 time; 1 st 1 time: [20 sts]
–b) 11 sts 1 time; 2 sts 2 times; 1 st 1 time: [21 sts]
–c) 12 sts 1 time; 2 sts 2 times; 1 st 1 time: [22 sts]
–d) 13 sts 1 time; 2 sts 2 times; 1 st 1 time: [23 sts]
Shoulder:
When back measures **–a)** 24 3/8" **–b)** 24 3/4" **–c)** 25 1/4" **–d)** 25 5/8", **bind off** at armhole edge every 2 rows:
–a) 10 sts 2 times
–b) 11 sts 1 time; 10 sts 2 times
–c) 11 sts 2 times
–d) 12 sts 1 time; 11 sts 1 time.
Right half of front:
Cast on 8 sts; slip sts from holder to empty needle and finish a right side row.
Next row, (wrong side), work to last 8 sts, beginning with K1, work *1x1 Ribbing*.
Next row (right side), slip 1st st, beginning with P1 work *1x1 Ribbing* over 7 sts, continue same as left half of front, reversing all shaping.

SLEEVES
Using smaller needles, **cast on –a)** 36 sts **–b)** 38 sts **–c)** 42 sts **–d)** 4 sts,
Work *1x1 Ribbing* for 2 3/8".
Change to larger needles and work *Stockinette St*.
When sleeve measures 4", **–a) –b) –c) & –d):** increase 1 st at each edge as given in "NOTE" above, every 6 rows: 13 times:
[a) 62 sts **–b)** 64 sts **–c)** 68 sts **–d)** 70 sts].
Armhole:
When sleeve measures 20 1/2", bind off at each edge every 2 rows:
–a) 3 sts 1 time; 2 sts 1 time; 3 sts 4 times; 5 sts 1 time: [18 sts]
–b) 3 sts 1 time; 2 sts 2 times; 3 sts 4 times; 5 sts 1 time: [16 sts]
–c) 3 sts 1 time; 2 sts 3 times; 3 sts 4 times; 5 sts 1 time: [16 sts]
–d) 3 sts 1 time; 2 sts 4 times; 3 sts 4 times; 5 sts 1 time: [14 sts]
When sleeve measures **–a)** 23 5/8" **–b)** 24" **–c)** 24 3/8" **–d)** 24 3/4", bind off all rem sts.

FINISHING
Collar:
Using smaller needles, **cast on –a)** 95 sts **–b)** 101 sts **–c)** 107 sts **–d)** 113 sts.
Beginning and ending with K3, work *1x1 Ribbing*.
When collar measures 5 1/8"; **bind off.**
Carefully block pieces on the wrong side, using steam only.
Sew shoulder seams.
Matching center of sleeve with shoulder seam, **sew** in top of sleeve, then **sew** underarm and side seams.
Matching center of collar to center of back neck, and side edge of collar to beginning of front opening ribbing, **sew** collar around neck edge.
Sew buttons to right front.
Carefully block seams on the wrong side, using steam only.

FIL KATIA

NEPAL
(Ver página 3 Puntos Básicos)
(See page 3 Basic Stitches)

pág. 19

ESPAÑOL

TALLAS: –a) 38/40 **–b)** 42/44 **–c)** 46/48 **–d)** 50/52

MATERIALES
NEPAL: col. 5007: **–a)** y **–b)** 6 **–c)** y **–d)** 7 ovillos.
1 botón col. cobre con un diámetro de 4 cm. y 1 botón col. cobre con un diámetro de 2,5 cm.

Agujas	Puntos empleados
Nº 5 1/2	- *P. elástico 1x1* - *P. elástico 2x1* (ver explicación) - *P. jersey der.*
Aguja de ganchillo	
Nº 3	- *p. de cadeneta*

P. elástico 2x1:
1ª vta: por el derecho de la labor: * 2 p. rev., 1 p. der. *, repetir de * a *.
2ª vta y todas las vtas siguientes: trab. los p. como se presenten.

MUESTRA DEL PUNTO
P. jersey der., ag. nº 5 1/2
10x10 cm. = 11 p. y 16 vtas.

ESPALDA
Con ag. nº 5 1/2, **montar –a)** 46 p. **–b)** 50 p. **–c)** 54 p. **–d)** 58 p.
Trab. a *p. elástico 1x1*.
A 7 cm. de largo total, continuar trab. a *p. jersey der.*
Sisas:
A 26 cm. de largo total, **cerrar** en ambos lados cada 2 vtas: **–a), –b), –c), –d)** 1 vez 2 p., 1 vez 1 p. = **–a)** 40 p. **–b)** 44 p. **–c)** 48 p. **–d)** 52 p.
Hombros:
A **–a)** 44 cm. **–b)** 45 cm. **–c)** 46 cm. **–d)** 47 cm. de largo total, **cerrar** en ambos lados:
–a) 1 vez 5 p.
–b) 1 vez 6 p.
–c) 1 vez 7 p.
–d) 1 vez 9 p.
Continuar trab. a *p. jersey der.* con los **–a)** 30 p. **–b)** 32 p. **–c)** 34 p. **–d)** 34 p. restantes del cuello.
A **–a)** 58 cm. **–b)** 59 cm. **–c)** 60 cm. **–d)** 61 cm. de largo total, continuar trab. a *p. elástico 1x1*.
A **–a)** 64 cm. **–b)** 65 cm. **–c)** 66 cm. **–d)** 67 cm. de largo total, **cerrar** los p. en *tubular* (ver pág. p. básicos).

DELANTERO DERECHO

Con ag. nº 5 1/2, **montar –a)** 36 p. **–b)** 38 p. **–c)** 40 p. **–d)** 42 p.
Trab. a *p. elástico 1x1*. **NOTA:** para un mejor acabado de la tapeta, a lo largo del delantero = al inicio de las vtas por el derecho de la labor, pasar el primer p. sin hacer al der. a la aguja derecha y trab. este p. en las vtas por el revés de la labor al rev.
A 7 cm. de largo total, continuar trab.: los 6 primeros p. de la tapeta a *p. elástico 1x1* y los demás p. a *p. jersey der.*
Sisa:
A 26 cm. de largo total, **cerrar** en el extremo izquierdo cada 2 vtas: **–a), –b), –c), –d)** 1 vez 2 p., 1 vez 1 p. = **–a)** 33 p. **–b)** 35 p. **–c)** 37 p. **–d)** 39 p.
Hombro:
A **–a)** 44 cm. **–b)** 45 cm. **–c)** 46 cm. **–d)** 47 cm. de largo total, **cerrar** al inicio de la vta por el revés de la labor los primeros **–a)** 5 p. **–b)** 6 p. **–c)** 7 p. **–d)** 9 p.
Continuar trab. con los **–a)** 28 p. **–b)** 29 p. **–c)** 30 p. **–d)** 30 p.: los 6 primeros p. a *p. elástico 1x1* y los demás p. a *p. jersey der.*
A **–a)** 58 cm. **–b)** 59 cm. **–c)** 60 cm. **–d)** 61 cm. de largo total, continuar trab. todos los p. a *p. elástico 1x1* y a **–a)** 64 cm. **–b)** 65 cm. **–c)** 66 cm. **–d)** 67 cm. de largo total, **cerrar** los p. en tubular.

DELANTERO IZQUIERDO

Con ag. nº 5 1/2, **montar –a)** 20 p. **–b)** 22 p. **–c)** 24 p. **–d)** 26 p.
Trab. a *p. elástico 1x1*. **NOTA:** para un mejor acabado de la tapeta, a lo largo del delantero = al final de las vtas por el derecho de la labor, pasar el último p. sin hacer al rev. a la aguja derecha y trab. este p. en las vtas por el revés de la labor al der.
A 7 cm. de largo total, continuar trab.: los 6 últimos p. de la tapeta a *p. elástico 1x1* y los demás p. a *p. jersey der.*
Sisa:
A 26 cm. de largo total, **cerrar** en el extremo derecho cada 2 vtas: **–a), –b), –c), –d)** 1 vez 2 p., 1 vez 1 p. = **–a)** 17 p. **–b)** 19 p. **–c)** 21 p. **–d)** 23 p.
Hombro:
A **–a)** 44 cm. **–b)** 45 cm. **–c)** 46 cm. **–d)** 47 cm. de largo total, **cerrar** al inicio de la vta por el derecho de la labor los primeros **–a)** 5 p. **–b)** 6 p. **–c)** 7 p. **–d)** 9 p.
Continuar trab. con los **–a)** 12 p. **–b)** 13 p. **–c)** 14 p. **–d)** 14 p.: los 6 últimos p. a *p. elástico 1x1* y los demás p. a *p. jersey der.*
A **–a)** 58 cm. **–b)** 59 cm. **–c)** 60 cm. **–d)** 61 cm. de largo total, continuar trab. todos los p. a *p. elástico 1x1* y a **–a)** 64 cm. **–b)** 65 cm. **–c)** 66 cm. **–d)** 67 cm. de largo total, **cerrar** los p. en tubular.

MANGAS

Con ag. nº 5 1/2, **montar –a)** 27 p. **–b)** 29 p. **–c)** 31 p. **–d)** 33 p.
Trab. a *p. elástico 2x1*. Empezar con **–a)** 2 p. rev. **–b)** 1 p. der. **–c)** 1 p. rev. **–d)** 2 p. rev. y terminar con **–a)** 1 p. der. **–b)** 1 p. rev. **–c)** 2 p. rev. **–d)** 1 p. der.
Aumentar en ambos lados cada 10 vtas y cada 12 vtas alternativamente: 7 veces 1 p.
Quedan **–a)** 41 p. **–b)** 43 p. **–c)** 45 p. **–d)** 47 p.
Trab. los p. aumentados a *p. elástico 2x1*.
Sisa:
A 55 cm. de largo total, **cerrar** en ambos lados cada 2 vtas:
–a), –b) 1 vez 2 p., 1 vez 1 p.
–c), –d) 1 vez 2 p., 2 veces 1 p.
A **–a)** 59 cm. **–b)** 60 cm. **–c)** 61 cm. **–d)** 62 cm. de largo total, **cerrar** los **–a)** 35 p. **–b)** 37 p. **–c)** 37 p. **–d)** 39 p. restantes.
Trab. la otra manga igual.

CONFECCIÓN Y REMATE

Coser hombros.
Coser el cuello por el derecho de la labor, de esta manera al girar el cuello hacia fuera no se ve la costura.
Aplicar las mangas (= con la mitad de la parte superior de la manga a la costura del hombro) y coser lados y mangas.
Con la aguja de ganchillo nº 3, trab. sobre la tapeta del delantero derecho 2 presillas a *p. de cadeneta*:
la primera presilla de 8 *p. de cadeneta* a 25 cm. desde el bajo y la otra presilla de 10 *p. de cadeneta* a 35 cm. desde el bajo.
Coser los botones en la tapeta del delantero izquierdo, el botón pequeño a 25 cm. desde el bajo y el botón grande a 35 cm. desde el bajo.

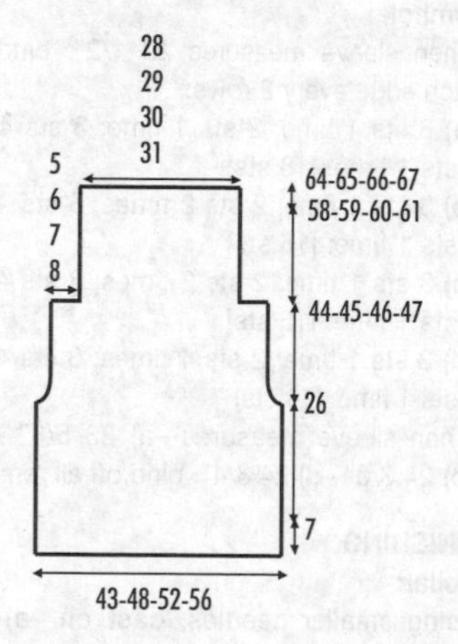

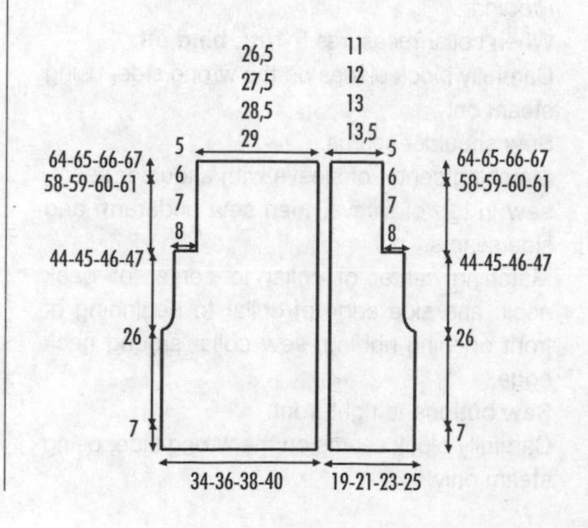

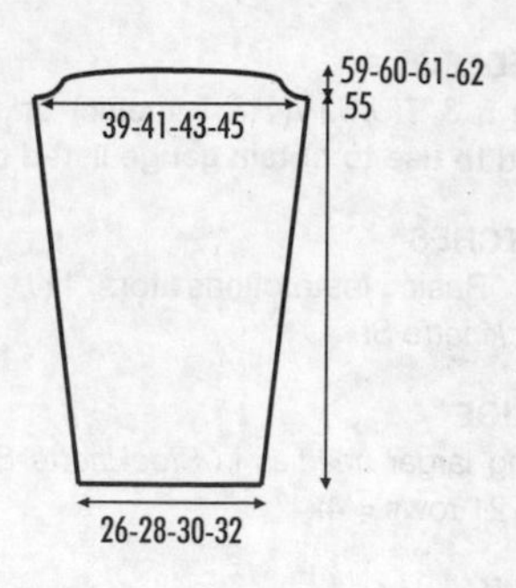

ENGLISH

SIZE: –a) 33 7/8" **–b)** 37 3/4" **–c)** 41" **–d)** 44 1/8": finished bust measurement.

MATERIALS
NEPAL: **–a) & –b)** 6 **–c) & –d)** 7 balls color no. 5007.
One 1 5/8" button; one 1" button.

KNITTING NEEDLES
Size 8 (U.S.) /(5 1/2 metric) **or size you need to use to obtain gauge listed below.**

CROCHET HOOK
Size D (U.S.) /(3 metric)

STITCHES
See Basic Instructions for: *1x1 Ribbing*, *Stockinette St*, *Crochet Chain*.
2x1 Ribbing:
Row 1: (right side) * P2, K1, *; rep from * to *.
Row 2 and all following rows: Work sts as they appear.

GAUGE
In *Stockinette St*: 11 sts and 16 rows = 4x4"

BACK
Cast on –a) 46 sts **–b)** 50 sts **–c)** 54 sts **–d)** 58 sts.
Work *1x1 Ribbing*.
When back measures 2 3/4", work *Stockinette St*.
Armholes:
When back measures 10 1/4", **–a) –b) –c) & –d): bind off** at each edge every 2 rows: 2 sts 1 time; 1 st 1 time:
[**–a)** 40 sts **–b)** 44 sts **–c)** 48 sts **–d)** 52 sts].
Shoulders:
When back measures **–a)** 17 1/4" **–b)** 17 3/4" **–c)** 18 1/4" **–d)** 18 1/2"; bind off at each edge:
–a) 5 sts 1 time: [30 sts]
–b) 6 sts 1 time: [32 sts]
–c) 7 sts 1 time: [34 sts]
–d) 9 sts 1 time: [34 sts].
Collar:
Work all sts in *Stockinette St*.
When back measures **–a)** 22 7/8" **–b)** 23 1/4" **–c)** 23 5/8" **–d)** 24", work all sts in *1x1 Ribbing*.
When back measures **–a)** 25 1/4" **–b)** 25 5/8" **–c)** 26" **–d)** 26 3/8", use Finished Edge Bind Off (see Basic Instructions).

RIGHT FRONT
Cast on –a) 36 sts **–b)** 38 sts **–c)** 40 sts **–d)** 42 sts.
Work *1x1 Ribbing* as follows: on right side rows, sl 1 st, begin with P1 and end with P1; on reverse side rows, begin with K1 and end with P1.

When front measures 2 3/4", continue with established ribbing pattern over first 6 sts, work rem sts in *Stockinette St*.

Armhole:

When front measures 10 1/4", **-a) -b) -c) & -d): bind off** at armhole edge every 2 rows: 2 sts 1 time; 1 st 1 time:

[-a) 33 sts -b) 35 sts -c) 37 sts -d) 39 sts.

Shoulder:

When back measures **-a)** 17 1/4" **-b)** 17 3/4" **-c)** 18 1/4" **-d)** 18 1/2"; bind off at armhole edge:

-a) 5 sts 1 time: [28 sts]
-b) 6 sts 1 time: [29 sts]
-c) 7 sts 1 time: [30 sts]
-d) 9 sts 1 time: [30 sts].

Continue in established pattern on all sts.

When front measures **-a)** 22 7/8" **-b)** 23 1/4" **-c)** 23 5/8" **-d)** 24", work all sts in *1x1 Ribbing*.

When front measures **-a)** 25 1/4" **-b)** 25 5/8" **-c)** 26" **-d)** 26 3/8", use Finished Edge Bind Off (see Basic Instructions).

LEFT FRONT

Cast on -a) 20 sts **-b)** 22 sts **-c)** 24 sts **-d)** 26 sts.

Work *1x1 Ribbing* as follows: on right side rows, begin with K1 and work to last st, slip this st as if to purl it; on reverse side rows, begin with K1 and end with P1.

When front measures 2 3/4", work *Stockinette St* to last 6 sts, continue with established ribbing pattern over last 6 sts.

Armhole:

When front measures 10 1/4", **-a) -b) -c) & -d): bind off** at armhole edge every 2 rows: 2 sts 1 time; 1 st 1 time:

[-a) 17 sts -b) 19 sts -c) 21 sts -d) 23 sts.

Shoulder:

When back measures **-a)** 17 1/4" **-b)** 17 3/4" **-c)** 18 1/4" **-d)** 18 1/2"; bind off at armhole edge:

-a) 5 sts 1 time: [12 sts]
-b) 6 sts 1 time: [13 sts]
-c) 7 sts 1 time: [14 sts]
-d) 9 sts 1 time: [14 sts].

Continue in established pattern on all sts.

When front measures **-a)** 22 7/8" **-b)** 23 1/4" **-c)** 23 5/8" **-d)** 24", work all sts in *1x1 Ribbing*.

When front measures **-a)** 25 1/4" **-b)** 25 5/8" **-c)** 26" **-d)** 26 3/8", use Finished Edge Bind Off (see Basic Instructions).

SLEEVES

NOTE: Work increased sts into *2x1 Ribbing* pattern.

Cast on -a) 27 sts **-b)** 29 sts **-c)** 31 sts **-d)** 33 sts.

Beginning/ending with **-a)** P2/K1 **-b)** K1/P1 **-c)** P1/P2 **-d)** /K1, work *2x1 Ribbing,* **-a) -b) -c) & -d):** increasing 1 st at each edge alternately every 10 and 12 rows: 7 times:

[-a) 41 sts -b) 43 sts -c) 45 sts -d) 47 sts].

Armhole:

When sleeve measures 21 5/8", **bind off** at each edge every 2 rows:

-a) & -b): 2 sts 1 time; 1 st 1 time: [-a) 35 sts -b) 37 sts]

-c) & -d): 2 sts 1 time; 1 st 2 times: [-c) 37 sts -d) 39 sts].

When sleeve measures **-a)** 23 1/4" **-b)** 23 5/8" **-c)** 24" **-d)** 24 3/8", **bind off** all rem sts.

FINISHING

Sew shoulder seams.

Sew edges of collar so that seam is underneath when collar is turned back.

Matching center of sleeve with shoulder seam, **sew** in top of sleeve, then **sew** underarm and side seams.

With crochet hook, make two button loops at center front edge of right front as follows:

At 13 3/4" from lower edge, insert hook and make a ch-10 loop, fasten where hook was inserted and cut yarn. Make a second button loop at 9 7/8" from lower edge, making the chain only 8 sts.

Sew buttons opposite button loops, with larger button at top loop.

TUNDRA (Ver página 3 Puntos Básicos)
(See page 3 Basic Stitches)

pág. 20

ESPAÑOL

TALLAS: -a) 38-40 **-b)** 42-44 **-c)** 46-48 **-d)** 50-52

MATERIALES

TUNDRA: col. 6705: **-a), -b)** 4 **-c), -d)** 5 ovillos.
Aguja decorativa de madera.

Agujas	Puntos empleados
Nº 5	*P. elástico 1x1*.

MUESTRA DEL PUNTO

TUNDRA a *p. elástico 1x1*., ag. nº 5.
10x10 cm. = 22 p. y 20 vtas.

REALIZACIÓN

Montar -a) 111 **-b)** 113 **-c)** 115 **-d)** 117 p.

Continuar trab. a *p. elástico 1x1*. Empezar y terminar el elástico con: **-a), -b), -c),d)** 1 p. der.

NOTA: para que la prenda quede mejor rematada pasar a la ag. derecha en cada inicio de vta 1 p. sin hacer.

Sisas: A **-a)** 20 cm. **-b)** 22 cm. **-c)** 24 cm. **-d)** 27 cm. de largo total, trab. de la siguiente manera:

Derecho de la labor (=inicio de vta) trab. **-a)** 71 **-b)** 73 **-c)** 75 **-d)** 77 p. a *p. elástico 1x1* y dejar los 40 p. restantes en espera.

A **-a)** 37 cm. **-b)** 40 cm. **-c)** 43 cm. **-d)** 47 cm. de largo total, dejar estos **-a)** 71 **-b)** 73 **-c)** 75 **-d)** 77 p. en espera y continuar trab. los 40 p. dejados en espera anteriormente.

A **-a)** 37 cm. **-b)** 40 cm. **-c)** 43 cm. **-d)** 47 cm. de largo total, continuar trab. los **-a)** 111 **-b)** 113 **-c)** 115 **-d)** 117 p. a *p. elástico 1x1*.

A **-a)** 73 cm. **-b)** 80 cm. **-c)** 87 cm. **-d)** 97 cm. de largo total, para la otra sisa por el derecho de la labor trab. **-a)** 71 **-b)** 73 **-c)** 75 **-d)** 77 p. a *p. elástico 1x1* y dejar los 40 p. restantes en espera.

A **-a)** 90 cm. **-b)** 98 cm. **-c)** 106 cm. **-d)** 117 cm. de largo total, dejar estos **-a)** 71 **-b)** 73 **-c)** 75 **-d)** 77 p. en espera y continuar trab. los 40 p. dejados en espera anteriormente.

A **-a)** 90 cm. **-b)** 98 cm. **-c)** 106 cm. **-d)** 117 cm. de largo total, continuar trab. los **-a)** 111 **-b)** 113 **-c)** 115 **-d)** 117 p. a *p. elástico 1x1*.

A **-a)** 110 cm. **-b)** 120 cm. **-c)** 130 cm. **-d)** 144 cm. de largo total, **cerrar** por el revés de la labor todos los p. como se presenten.

Para **cerrar** el chaleco clavar la aguja decorativa atravesando los 2 delanteros (ver fotografía).

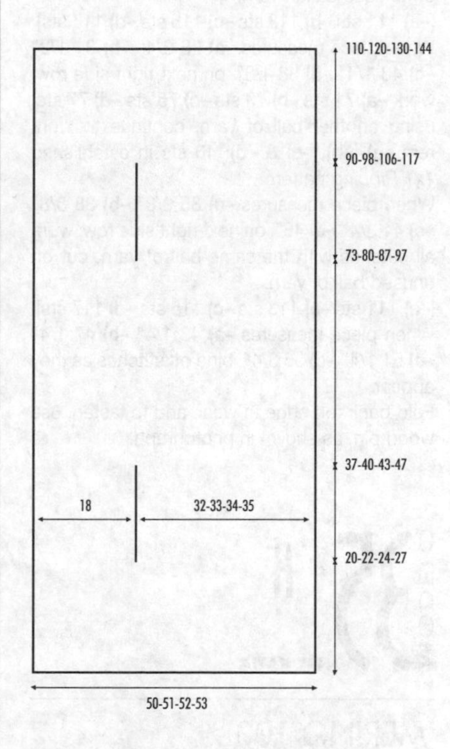

ENGLISH

SIZE: -a) 19 3/4" x 43 1/4" **-b)** 20 1/8" x 47 1/4" **-c)** 20 1/2" x 47 1/4" **-d)** 20 7/8" x 56 3/4".

MATERIALS

TUNDRA: **-a) & -b)** 4 **-c) & -d)** 5 balls color no, 6705.
Wood pin, for fastening.

NEEDLES

Size 7 (U.S.) /(5 metric) **or size you need to use to obtain gauge listed below.**

STITCHES

See Basic Instructions for: *1x1 Ribbing*.

GAUGE

In *1x1 Ribbing*: 22 sts and 20 rows = 4x4"

INSTRUCTIONS
Cast on –a) 111 sts **–b)** 113 sts **–c)** 115 sts **–d)** 117 sts.
Work *1x1 Ribbing* as follows:
Row 1: Slip 1 st, then beginning with P1, work *1x1 Ribbing* to end of row.
Row 2: Slip 1 st, then beginning with K1, work *1x1 Ribbing* to end of row.
Repeat these 2 rows.
Armhole:
When piece measures **–a)** 7 7/8" **–b)** 8 5/8" **–c)** 9 1/2" **–d)** 10 5/8", on next right side row, work **–a)** 71 sts **–b)** 73 sts **–c)** 75 sts **–d)** 77 sts; using another ball of yarn, continue to work rem **–a), –b), –c) & –d):** 40 sts in established *1x1 Ribbing* pattern.
When piece measures **–a)** 14 1/2" **–b)** 15 3/4" **–c)** 16 7/8" **–d)** 18 1/2", on next right side row, work all stitches with the same ball of yarn, cut off unused ball of yarn:
[**–a)** 111 sts **–b)** 113 sts **–c)** 115 sts **–d)** 117 sts].
When piece measures **–a)** 28 3/4" **–b)** 31 1/2" **–c)** 43 1/4" **–d)** 38 1/8", on next right side row, work **–a)** 71 sts **–b)** 73 sts **–c)** 75 sts **–d)** 77 sts; using another ball of yarn, continue to work rem **–a), –b), –c) & –d):** 40 sts in established *1x1 Ribbing* pattern.
When piece measures **–a)** 35 3/8" **–b)** 38 5/8" **–c)** 41 3/4" **–d)** 46", on next right side row, work all stitches with the same ball of yarn, cut off unused ball of yarn:
[**–a)** 111 sts **–b)** 113 sts **–c)** 115 sts **–d)** 117 sts].
When piece measures **–a)** 43 1/4" **–b)** 47 1/4" **–c)** 51 1/4" **–d)** 56 3/4", bind off stitches as they appear.
Fold back top edge to wear, and to fasten, use wood pin, as shown in photograph.

MODELO 35 A

FIL KATIA

MERINO 100 %

pág. 21

E SPAÑOL

TALLAS: –a) 38/40 **–b)** 42/44 **–c)** 46/48 **–d)** 50/52

MATERIALES
MERINO 100 %: col. 18: **–a)** 8 **–b** 9 **–c)** 10 **–d)** 11 ovillos.

Agujas	Puntos empleados
Nº 3 1/2	- *P. elástico 2x2*
Nº 4	- *P. elástico 6x2* (ver explicación) - *P. calado* (ver gráfico A) - *P. jersey der.*

P. elástico 6x2:
1ª vta: por el derecho de la labor: * 6 p. der., 2 p. rev. *, repetir de * a *.
2ª vta y todas las vtas siguientes: trab. los p. como se presenten.

MUESTRA DEL PUNTO
P. elástico 6x2, ag. nº 4
10x10 cm. = 21 p. y 28 vtas.

ESPALDA
Con ag. nº 3 1/2, **montar** en *tubular* (ver pág. p. básicos) **–a)** 45 p. **–b)** 50 p. **–c)** 55 p. **–d)** 60 p. para obtener **–a)** 90 p. **–b)** 100 p. **–c)** 110 p. **–d)** 120 p.
Trab. a *p. elástico 2x2.* Empezar y terminar con **–a)** 2 p. rev. **–b)** 1 p. der. **–c),** 2 p. der. **–d)** 1 p. rev.
A 3 cm. de largo total, **cambiar** ag. nº 4 y continuar trab. a *p. elástico 6x2.* Empezar y terminar con **–a)** 2 p. rev. **–b)** 5 p. der. **–c)** 2 p. der. **–d)** 1 p. rev.
A 8 cm. de largo total, **menguar** en ambos lados (= a 3 p. desde cada lado) cada 6 vtas: 3 veces 1 p. = **–a)** 84 p. **–b)** 94 p. **–c)** 104 p. **–d)** 114 p.
A 22 cm. de largo total, **aumentar** en ambos lados (= a 3 p. desde cada lado) cada 6 vtas: 2 veces 1 p. = **–a)** 88 p. **–b)** 98 p. **–c)** 108 p. **–d)** 118 p.
Sisas:
A 37 cm. de largo total, **cerrar** en ambos lados 1 vez 1 p. y continuar **menguando** (= trab. 2 p. juntos al rev. a 3 p. desde cada lado) cada 2 vtas:
–a) 6 veces 1 p. = 74 p.
–b) 7 veces 1 p. = 82 p.
–c) 8 veces 1 p. = 90 p.
–d) 10 veces 1 p. = 96 p.
A **–a)** 58 cm. **–b)** 59 cm. **–c)** 60 cm. **–d)** 61 cm. de largo total, **cerrar** los p.

DELANTERO
Con ag. nº 3 1/2, **montar** en *tubular* (ver pág. p. básicos) **–a)** 45 p. **–b)** 50 p. **–c)** 55 p. **–d)** 60 p. para obtener **–a)** 90 p. **–b)** 100 p. **–c)** 110 p. **–d)** 120 p.
Trab. a *p. elástico 2x2.* Empezar y terminar con **–a)** 2 p. rev. **–b)** 1 p. der. **–c),** 2 p. der. **–d)** 1 p. rev.
A 3 cm. de largo total, **cambiar** ag. nº 4 y trab.:
–a) 30 p. a *p. jersey der.,* 29 p. a *p. calado* según gráfico A, 31 p. a *p. jersey der.*
–b) 35 p. a *p. jersey der.,* 29 p. a *p. calado* según gráfico A, 36 p. a *p. jersey der.*
–c) 40 p. a *p. jersey der.,* 29 p. a *p. calado* según gráfico A, 41 p. a *p. jersey der.*
–d) 45 p. a *p. jersey der.,* 29 p. a *p. calado* según gráfico A, 46 p. a *p. jersey der.*
A 8 cm. de largo total, **menguar** en ambos lados (= a 3 p. desde cada lado) cada 6 vtas: 3 veces 1 p. = **–a)** 84 p. **–b)** 94 p. **–c)** 104 p. **–d)** 114 p.
A 22 cm. de largo total, **aumentar** en ambos lados (= a 3 p. desde cada lado) cada 6 vtas: 2 veces 1 p. = **–a)** 88 p. **–b)** 98 p. **–c)** 108 p. **–d)** 118 p.
A 26 cm. de largo total, trab. los 8 p. a cada lado de los 29 p. centrales a *p. elástico 6x2* = en el extremo derecho empezar con 2 p. rev., 6 p. der. y en el extremo izquierdo de los 29 p. centrales empezar con 6 p. der., 2 p. rev.
Trab. cada 8 vtas 8 p. más a *p. elástico 6x2* a cada lado de los 8 p. anteriores.
Sisas:
A 37 cm. de largo total, **cerrar** en ambos lados 1 vez 1 p. y continuar **menguando** (= trab. 2 p. juntos al rev. a 3 p. desde cada lado) cada 2 vtas:
–a) 6 veces 1 p. = 74 p.
–b) 7 veces 1 p. = 82 p.
–c) 8 veces 1 p. = 90 p.
–d) 10 veces 1 p. = 96 p.
Escote:
A **–a)** 52 cm. **–b)** 53 cm. **–c)** 54 cm. **–d)** 55 cm. de largo total, **cerrar** los **–a)** 18 p. **–b)** 22 p. **–c)** 24 p. **–d)** 26 p. centrales y continuar trab. cada lado por separado. **Menguar** (= trab. 2 p. juntos al rev. a 2 p. desde el lado del escote) cada 2 vtas en el lado del escote: 5 veces 1 p.
Hombro:
A **–a)** 58 cm. **–b)** 59 cm. **–c)** 60 cm. **–d)** 61 cm. de largo total, **cerrar** los **–a)** 23 p. **–b)** 25 p. **–c)** 28 p. **–d)** 30 p. restantes del hombro.
Acabar el otro lado igual, pero **a la inversa.**

MANGAS
Con ag. nº 3 1/2, **montar** en *tubular* (ver pág. p. básicos) **–a)** 24 p. **–b)** 26 p. **–c)** 28 p. **–d)** 30 p. para obtener **–a)** 48 p. **–b)** 52 p. **–c)** 56 p. **–d)** 60 p.
Trab. a *p. elástico 2x2.* Empezar y terminar con **–a)** 1 p. rev. **–b)** 1 p. der. **–c)** 1 p. rev. **–d)** 1 p. der.
A 3 cm. de largo total, **cambiar** ag. nº 4 y continuar trab. a *p. elástico 6x2.* Empezar y terminar con **–a)** 1 p. rev. **–b)** 1 p. der. **–c)** 3 p. der. **–d)** 5 p. der.
A 8 cm. de largo total, **aumentar** en ambos lados (= a 2 p. desde cada lado) cada 10 vtas: 8 veces 1 p. Trab. los p. aumentados a *p. elástico 6x2.*
Quedan **–a)** 64 p. **–b)** 68 p. **–c)** 72 p. **–d)** 76 p.
Sisa:
A 42 cm. de largo total, **menguar** (= trab. 2 p. juntos al rev. a 2 p. desde cada lado) en ambos lados cada 2 vtas:
–a) 23 veces 1 p. = 18 p.
–b) 24 veces 1 p. = 20 p.
–c) 25 veces 1 p. = 22 p.
–d) 26 veces 1 p. = 24 p.
A **–a)** 59 cm. **–b)** 60 cm. **–c)** 61 cm. **–d)** 62 cm. de largo total, **cerrar** los p.
Trab. la otra manga igual.

CONFECCIÓN Y REMATE
Coser el hombro derecho.
Con ag. nº 3 1/2, **recoger** alrededor del escote **–a)** 82 p. **–b)** 90 p. **–c)** 98 p. **–d)** 106 p.
Trab. 4 cm. a *p. elástico 2x2.* Empezar con 3 p. der. y terminar con 3 p. rev.
Cerrar en *tubular* (ver pág. p. básicos).
Coser el otro hombro, cuello, lados y mangas.

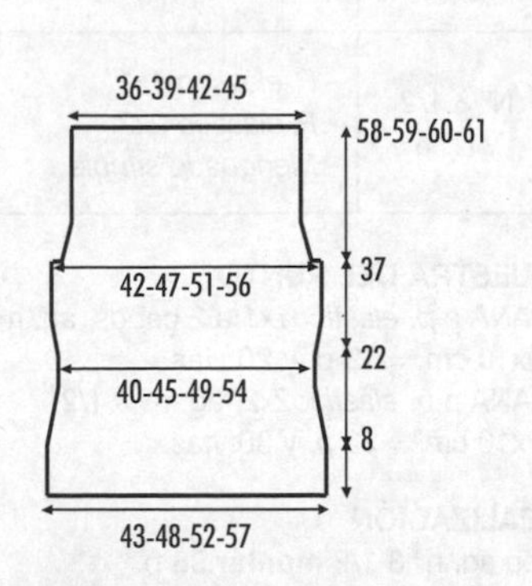

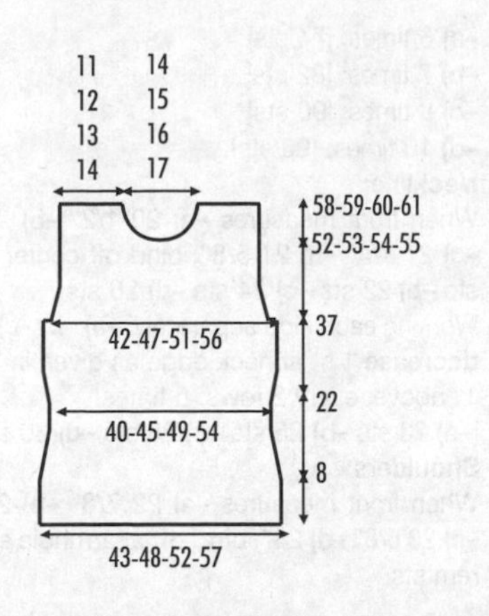

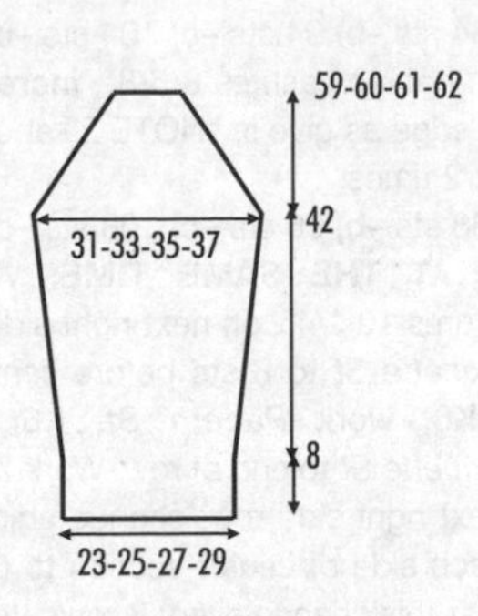

Gráfico A

En las vtas pares, trab. los p. como se presenten

- R Repetir
- □ 1 p. der.
- – 1 p. rev.
- U 1 hebra
- ⋌ trab. 2 p. juntos al der.
- ⋋ pasar 1 p. sin hacer a la aguja derecha, trab. 1 p. der. y pasar el p. sin hacer por encima.
- ⋀ pasar 1 p. sin hacer a la aguja derecha, trab. 2 p. juntos al der. y pasar el p. sin hacer por encima del p. resultante de los 2 p. juntos

Graph A

NOTE: On alternate rows, work sts as they appear.

- R Repeat
- □ Knit
- – Purl
- U YO
- ⋌ K 2 tog
- ⋋ Sl 1, K1, PSSO
- ⋀ Slip 2 sts tog as if to knit them, K1, pass slipped sts over knitted st

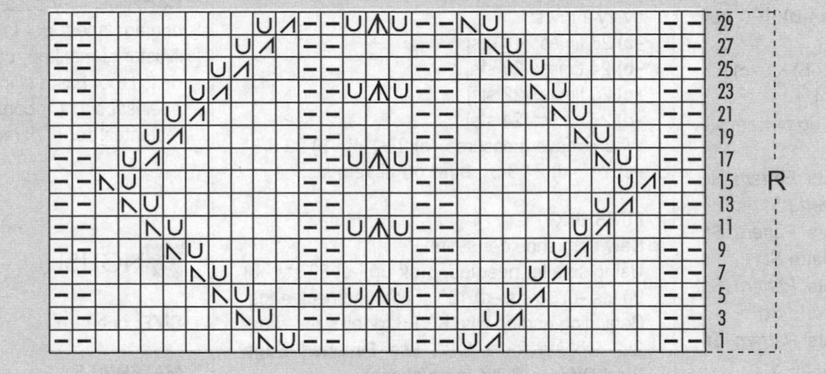

ENGLISH

SIZE: -a) 33" **-b)** 37" **-c)** 40 1/8" **-d)** 44 1/8": finished bust measurement

MATERIALS

MERINO 100%: **-a)** 8 **-b)** 9 **-c)** 10 **-d)** 11 balls turquoise no. 18.

NEEDLES

Size 4 & 5 (U.S.) /(3 1/2 & 4 metric) **or size you need to use to obtain gauge listed below.**

STITCHES

See Basic Instructions for: *2x2 Ribbing*, Stockinette St, *Tubular Cast On.*

Pattern St: See Graph A

6x2 Ribbing:

Row 1: (right side) * K6, P1, *; rep from * to *.

Row 2 and all following rows: Work sts as they appear.

NOTE 1: Decrease 1 st for shaping as follows:

At the beginning of right side rows, K2, sl 1, K1, PSSO.

At the end of right side rows, work to last 4 sts; K 2 tog, K2.

NOTE 2: Increase 1 st for shaping as follows:

At the beginning of right side rows: K2, increase in next st.

At the end of right side rows: work to last 3 sts; inc as before, K2.

GAUGE

Using larger needles in *Stockinette St*: 21 sts and 26 rows = 4x4"

BACK

Using smaller needles in ***Tubular Cast On***, begin with **-a)** 45 sts **-b)** 50 sts **-c)** 55 sts **-d)** 60 sts to obtain **-a)** 90 sts **-b)** 100 sts **-c)** 110 sts **-d)** 120 sts.

Beginning and ending with **-a)** P2 **-b)** K1 **-c)** K2 **-d)** P1, work *2x2* Ribbing for 1 1/4".

Change to larger needles and set up pattern as follows:

-a) 30 sts *Stockinette St*; 29 sts *Pattern St* following Graph A; 31 sts *Stockinette St*

-b) 35 sts *Stockinette St*; 29 sts *Pattern St* following Graph A; 36 sts *Stockinette St*

-c) 40 sts *Stockinette St*; 29 sts *Pattern St* following Graph A; 41 sts *Stockinette St*

-d) 45 sts *Stockinette St*; 29 sts *Pattern St* following Graph A; 46 sts *Stockinette St*

When back measures 3 1/8", **decrease** 1 st at each edge as given in "NOTE 1" above, every 6 rows: 3 times:
[**–a)** 84 sts **–b)** 94 sts **–c)** 104 sts **–d)** 114 sts].
When back measures 8 5/8", **increase** 1 st at each edge as give in "NOTE 2" above, every 6 rows: 2 times:
[**–a)** 88 sts **–b)** 96 sts **–c)** 108 sts **–d)** 118 sts].
AND AT THE SAME TIME: When back measures 10 1/4", on next right side row, work *Stockinette St* to 8 sts before center section, P2, K6, work *Pattern St*; K6, P2, work *Stockinette St* to end of row. Work 7 rows, then on next right side row, change adjoining 8 sts on each side of center section to 6x2 ribbing. Repeat this change every 8 rows until all sts at each side of *Pattern St* are worked in *6x2 Ribbing.*
Armholes:
When back measures 14 1/2", **bind off** 1 st at each edge; then **decrease** 1 st at each edge as given in "NOTE 1" above, every 2 rows:
–a) 6 times: [74 sts]
–b) 7 times: [82 sts]
–c) 8 times: [90 sts]
–d) 10 times: [96 sts].
When back measures **–a)** 22 7/8" **–b)** 23 1/4" **–c)** 23 5/8" **–d)** 24", **bind off** at armhole edge all rem sts.

FRONT
Using smaller needles in ***Tubular Cast On***, begin with **–a)** 45 sts **–b)** 50 sts **–c)** 55 sts **–d)** 60 sts to obtain **–a)** 90 sts **–b)** 100 sts **–c)** 110 sts **–d)** 120 sts.
Beginning and ending with **–a)** P2 **–b)** K1 **–c)** K2 **–d)** P1, work *2x2* Ribbing for 1 1/4".
Change to larger needles and set up pattern as follows:
–a) 30 sts *Stockinette St*; 29 sts *Pattern St* following Graph A; 31 sts *Stockinette St*
–b) 35 sts *Stockinette St*; 29 sts *Pattern St* following Graph A; 36 sts *Stockinette St*
–c) 40 sts *Stockinette St*; 29 sts *Pattern St* following Graph A; 41 sts *Stockinette St*
–d) 45 sts *Stockinette St*; 29 sts *Pattern St* following Graph A; 46 sts *Stockinette St*
When front measures 3 1/8", **decrease** 1 st at each edge as given in "NOTE 1" above, every 6 rows: 3 times:
[**–a)** 84 sts **–b)** 94 sts **–c)** 104 sts **–d)** 114 sts].
When front measures 8 5/8", **increase** 1 st at each edge as give in "NOTE 2" above, every 6 rows: 2 times:
[**–a)** 88 sts **–b)** 96 sts **–c)** 108 sts **–d)** 118 sts].
AND AT THE SAME TIME: When front measures 10 1/4", on next right side row, work *Stockinette St* to 8 sts before center section, P2, K6, work *Pattern St*; K6, P2, work *Stockinette St* to end of row. Work 7 rows, then on next right side row, change adjoining 8 sts on each side of center section to 6x2 ribbing. Repeat this change every 8 rows until all sts at each side of *Pattern St* are worked in *6x2 Ribbing.*
Armholes:
When front measures 14 1/2", **bind off** 1 st at each edge; then **decrease** 1 st at each edge as given in "NOTE 1" above, every 2 rows:
–a) 6 times: [74 sts]
–b) 7 times: [82 sts]
–c) 8 times: [90 sts]
–d) 10 times: [96 sts].
Neckline:
When front measures **–a)** 20 1/2" **–b)** 20 7/8" **–c)** 21 1/4" **–d)** 21 5/8", bind off center **–a)** 18 sts **–b)** 22 sts **–c)** 24 sts **–d)** 26 sts.
Working each side separately, **–a) –b) –c) & –d): decrease** 1 st at neck edge as given in "NOTE 1" above, every 2 rows: 5 times:
[**–a)** 23 sts **–b)** 25 sts **–c)** 28 sts **–d)** 30 sts.
Shoulders:
When front measures **–a)** 22 7/8" **–b)** 23 1/4" **–c)** 23 5/8" **–d)** 24", **bind off** at armhole edge all rem sts.

SLEEVES
Using smaller needles in *Tubular Cast On*, begin with **–a)** 24 sts **–b)** 26 sts **–c)** 28 sts **–d)** 30 sts to obtain **–a)** 48 sts **–b)** 52 sts **–c)** 58 sts **–d)** 60 sts.
Beginning and ending with **–a)** P1 **–b)** K1 **–c)** P1 **–d)** K1, work *2x2 Ribbing* for 1 1/4".
Change to larger needles and beginning and ending with **–a)** P1 **–b)** K1 **–c)** K3 **–d)** K5, work *6x2 Ribbing.*
When sleeve measures 3 1/8", **–a) –b) –c) & –d): increase** 1 st at each edge as given in "NOTE 2" above, every 10 rows: 8 times:
[**–a)** 64 sts **–b)** 68 sts **–c)** 72 sts **–d)** 76 sts].
Armhole:
When sleeve measures 16 1/2", **decrease** 1 st at each edge as given in "NOTE 1" above, every 2 rows:
–a) 23 times: [18 sts]
–b) 24 times: [20 sts]
–c) 25 times: [22 sts]
–d) 26 times: [24 sts].
When sleeve measures **–a)** 23 1/4" **–b)** 23 5/8" **–c)** 24" **–d)** 24 3/8", **bind off** all rem sts.

FINISHING
Sew right shoulder seam.
Using smaller needles, **pick up –a)** 82 sts **–b)** 90 sts **–c)** 98 sts **–d)** 106 sts around neck edge. Beginning/ending with K3/P3 for all sizes, work *2x2 Ribbing* for 1 5/8"; **use Finished Edge Bind Off** (see Basic Instructions).
Sew other shoulder, side and sleeve seams.

DIANA

pág. 21

ESPAÑOL

TALLA: única

MATERIALES
DIANA: col. 12: 2 ovillos.

Agujas	Puntos empleados
Nº 3 1/2 y Nº 5	- *P. elástico 1x1* - *P. elástico 2x2.* - *Menguado simple*

MUESTRA DEL PUNTO
DIANA a *p. elástico1x1* a 2 cabos, ag. nº 5. 10x10 cm. = 19 p. y 20 vtas.
DIANA a *p. elástico2x2*, ag. nº 3 1/2. 10x10 cm. = 22 p. y 30 vtas.

REALIZACIÓN
Con ag. nº 3 1/2 **montar** 98 p.
Trab. a *p. elástico 2x2* empezando y terminando el elástico por: 2 p. der.
A 5 cm. de largo total, cambiar por el derecho de la labor a ag. nº 5 con 2 cabos y continuar trab. a *p. elástico 1x1*, **menguando** en la primera vta cada 5 p. y 6 p. alternativamente: 16 veces 1 p.= 82 p.
A 12 cm. de largo total, **menguar** por el derecho de la labor, en una misma vta: 8 veces 1 *menguado simple*, con la siguiente distribución: Derecho de la labor (=inicio de vta) trab. 1 p. der, 1 p. rev., * 1 menguado simple, 8 p. como se presenten.* repetir de * a * 7 veces más. = 74 p.
Continuar trab. estos **menguados** en cada vta del derecho de la labor, un total de 9 veces, teniendo la precaución de que el primer p. del primer menguado sea siempre p. der. = 10 p.
Cortar el hilo y pasar este hilo con la ayuda de una ag. lanera por los 10 p.
Ajustar al máximo, **coser** el lateral por el revés de la labor hasta el inicio de los p. trabajados a *p. elástico 1x1* y continuar **cosiendo** los 5 cm. restantes por el derecho de la labor. **Rematar**.

ENGLISH

SIZE: one size

MATERIALS
DIANA: 2 balls dark grey no. 12

NEEDLES
Size 4 & 7 (U.S.) /(3 1/2 & 5 metric) **or size you need to use to obtain gauge listed below.**

STITCHES
See Basic Instructions for: *1x1 Ribbing*, *2x2 Ribbing.*

GAUGE
Using 2 strands DIANA with larger needles in *1x1 Ribbing*: 19 sts and 20 rows = 4x4"
Using 1 strand DIANA with smaller needles in *2x2 Ribbing*: 22 sts and 30 rows = 4x4"

INSTRUCTIONS
Using 1 strand DIANA with smaller needles, **cast on:** 98 sts.
Beginning and ending with K2, work *2x2 Ribbing*
When piece measures 2", on next right side row, using larger needle with 2 strands DIANA

and beginning with K1, work *1x1 Ribbing*, knitting or purling together every 5th and 6th sts: 16 times: = 82 sts.
When piece measures 4 3/4", begin decreasing on right side rows as follows:
1st dec row: K1, P1, * sl 1, K1 PSSO, work 8 sts in existing *1x1 Ribbing* pattern, *; rep from * to *7 more times: [74 sts]
Next row: work sts as they appear.
2nd dec row: K1, P1, * sl 1, K1 PSSO, work 7 sts in existing *1x1 Ribbing* pattern, *; rep from * to *7 more times: [66 sts]
Next row: work sts as they appear.
3rd dec row: K1, P1, * sl 1, K1 PSSO, work 6 sts in existing *1x1 Ribbing* pattern, *; rep from * to *7 more times: [58 sts]
Next row: work sts as they appear.
4th dec row: K1, P1, * sl 1, K1 PSSO, work 5 sts in existing *1x1 Ribbing* pattern, *; rep from * to *7 more times: [50 sts]
Next row: work sts as they appear.
5th dec row: K1, P1, * sl 1, K1 PSSO, work 4 sts in existing *1x1 Ribbing* pattern, *; rep from * to *7 more times: [42 sts]
Next row: work sts as they appear.
6th dec row: K1, P1, * sl 1, K1 PSSO, work 3 sts in existing *1x1 Ribbing* pattern, *; rep from * to *7 more times: [34 sts]
Next row: work sts as they appear.
7th dec row: K1, P1, * sl 1, K1 PSSO, work 2 sts in existing *1x1 Ribbing* pattern, *; rep from * to *7 more times: [26 sts]
Next row: work sts as they appear.
8th dec row: K1, P1, * sl 1, K1 PSSO, work 1 st in existing *1x1 Ribbing* pattern, *; rep from * to *7 more times: [18 sts]
9th dec row: K1, P1, * sl 1, K1 PSSO, *; rep front * to * 7 more times: [10 sts]
Leaving a 20" tail on one strand of yarn for sewing, cut yarn.
Thread yarn onto a yarn needle and slip sts to yarn.
Pull into a tight circle and fasten securely on the wrong side.
Sew the rows of *1x1 Ribbing* on the wrong side, then **sew** the rows of *2x2 Ribbing* on the right side, so that seam will not show when lower edge of cap is folded back, as shown in photograph.

MODELO **36** FIL KATIA

AUSTRAL

pág. 22

ESPAÑOL

TALLAS: –a) 38/40 **–b)** 42/44 **–c)** 46/48 **–d)** 50/52

MATERIALES
AUSTRAL: col. morado 88: **–a)** 9 **–b)** 10 **–c)** 11 **–d)** 13 ovillos.
Col. berenjena 17: **–a) –b), –c)** 1 **–d)** 2 ovillos.
Col. beige 18, col, petróleo 37, col. lila 57: **–a), –b), –c), –d)** 1 ovillo de cada uno de estos colores.
5 botones col. berenjena.

Agujas	Puntos empleados
Nº 3	- *P. calado* (ver gráficos A, B, C)
Nº 2 1/2	- *P. elástico 1x1* - *P. jersey der.* - *P. jersey rev.* - *P. relieve* (ver explicación) - *P. rombo* (ver gráfico D) - *P. elástico 2x1* (ver explicación) - *P. jacquard* (ver gráficos E, F, G) - *P. jacquard* (ver gráfico H)
Aguja de ganchillo	
Nº 3.00 mm.	- *P. de cadeneta.* - *P. bajo*

P. relieve:
1ª vta: por el derecho de la labor: * 2 p. der., 2 p. rev. *, repetir de * a * y terminar la vta con 2 p. der.
2ª vta: por el revés de la labor: trab. los p. como se presenten.
3ª vta: trab. al der.
4ª vta: trab. al der.
Repetir siempre estas 4 vtas.
P. elástico 2x1:
1ª vta: por el derecho de la labor: * 1 p. der., 2 p. rev. *, repetir de * a *.
2ª vta y todas las vtas siguientes: trab. los p. como se presenten.

MUESTRA DEL PUNTO
P. relieve, ag. nº 2 1/2
10x10 cm. = 28 p. y 40 vtas.
P. elástico 2x1, ag. nº 2 1/2
10x10 cm. = 34 p. y 36 vtas.
P. calado, ag. nº 3
10x10 cm. = 25 p. y 40 vtas

ESPALDA
Con col. morado 88 y ag. nº 3, **montar –a)** 119 p. **–b)** 132 p. **–c)** 141 p. **–d)** 153 p.
Trab. a *p. calado* según gráfico A. Empezar y terminar con el p. indicado en el gráfico con la letra **–a)** A **–b)** B **–c)** C **–d)** D.
Después de haber trabajado las 24 vtas del gráfico A, **cambiar** ag. nº 2 1/2 y continuar trab. a *p. relieve* y **aumentar –a)** 15 p. **–b)** 14 p. **–c)** 13 p. **–d)** 17 p. repartidos en la 1ª vta. Quedan **–a)** 134 p. **–b)** 146 p. **–c)** 154 p. **–d)** 170 p.
A 8 cm. de largo total, **cerrar** en ambos lados cada 6 vtas: 5 veces 1 p. = **–a)** 124 p. **–b)** 136 p. **–c)** 144 p. **–d)** 160 p.
A 18 cm. de largo total, **aumentar** en ambos lados cada 6 vtas: 5 veces 1 p. = **–a)** 134 p. **–b)** 146 p. **–c)** 154 p. **–d)** 170 p.
Sisas:
A 35 cm. de largo total, **cerrar** en ambos lados cada 2 vtas:
–a) 2 veces 3 p., 2 veces 2 p., 2 veces 1 p. = 110 p.
–b) 2 veces 3 p., 2 veces 2 p., 2 veces 1 p. = 122 p.
–c) 2 veces 3 p., 2 veces 2 p., 3 veces 1 p. = 128 p.
–d) 2 veces 3 p., 3 veces 2 p., 3 veces 1 p. = 140 p.
Hombros:
A **–a)** 53 cm. **–b)** 54 cm. **–c)** 55 cm. **–d)** 56 cm. de largo total, **cerrar** en ambos lados cada 2 vtas:
–a) 2 veces 15 p.
–b) 2 veces 17 p.
–c) 2 veces 18 p.
–d) 2 veces 20 p.
A **–a)** 55 cm. **–b)** 56 cm. **–c)** 57 cm. **–d)** 58 cm. de largo total, **cerrar** los **–a)** 50 p. **–b)** 54 p. **–c)** 56 p. **–d)** 60 p. restantes del **escote**.

DELANTERO DERECHO
Con col. morado 88 y ag. nº 3, **montar –a)** 49 p. **–b)** 55 p. **–c)** 61 p. **–d)** 67 p.
Trab. a *p. calado* según gráfico B. Empezar y terminar con el p. indicado en el gráfico con la letra **–a)** A **–b)** B **–c)** C **–d)** D.
Después de haber trabajado las 24 vtas del gráfico A, **cambiar** ag. nº 2 1/2, continuar trab. con la siguiente distribución y **aumentar –a), –b), –c), –d)** 6 p. repartidos en la 1ª vta. Quedan **–a)** 55 p. **–b)** 61 p. **–c)** 67 p. **–d)** 73 p.
Distribución:
–a) 17 p. a *p. jersey der.*, 4 p. a *p. jersey rev.*, 13 p. a *p. rombo* según gráfico D, 4 p. a *p. jersey rev.*, 17 p. a *p. jersey der.*
–b) 20 p. a *p. jersey der.*, 4 p. a *p. jersey rev.*, 13 p. a *p. rombo* según gráfico D, 4 p. a *p. jersey rev.*, 20 p. a *p. jersey der.*
–c) 23 p. a *p. jersey der.*, 4 p. a *p. jersey rev.*, 13 p. a *p. rombo* según gráfico D, 4 p. a *p. jersey rev.*, 23 p. a *p. jersey der.*
–d) 26 p. a *p. jersey der.*, 4 p. a *p. jersey rev.*, 13 p. a *p. rombo* según gráfico D, 4 p. a *p. jersey rev.*, 26 p. a *p. jersey der.*
A 8 cm. de largo total, **cerrar** en el extremo izquierdo cada 6 vtas: 5 veces 1 p. = **–a)** 50 p. **–b)** 56 p. **–c)** 62 p. **–d)** 68 p.
A 18 cm. de largo total, **aumentar** en el extremo izquierdo cada 6 vtas: 5 veces 1 p. = **–a)** 55 p. **–b)** 61 p. **–c)** 67 p. **–d)** 73 p.
Después de haber trabajado durante 60 vtas con la distribución, continuar trab. todos los p. a *p. relieve*.
Sisa:
A 35 cm. de largo total, **cerrar** en el extremo izquierdo cada 2 vtas:
–a) 2 veces 3 p., 2 veces 2 p., 2 veces 1 p. = 43 p.
–b) 2 veces 3 p., 2 veces 2 p., 2 veces 1 p. = 49 p.
–c) 2 veces 3 p., 2 veces 2 p., 3 veces 1 p. = 54 p.
–d) 2 veces 3 p., 3 veces 2 p., 3 veces 1 p. = 58 p.

Escote:
A 44 cm. de largo total, **cerrar** en el extremo derecho cada 4 vtas:
–a) 1 vez 5 p., 1 vez 4 p., 1 vez 2 p., 2 veces 1 p.
–b) 1 vez 5 p., 1 vez 4 p., 1 vez 3 p., 3 veces 1 p.
–c) 1 vez 5 p., 1 vez 4 p., 1 vez 3 p., 2 veces 2 p., 2 veces 1 p.
–d) 1 vez 5 p., 1 vez 4 p., 1 vez 3 p., 2 veces 2 p., 2 veces 1 p.
Hombro:
A **–a)** 53 cm. **–b)** 54 cm. **–c)** 55 cm. **–d)** 56 cm. de largo total, **cerrar** en el extremo izquierdo cada 2 vtas:
–a) 2 veces 15 p.
–b) 2 veces 17 p.
–c) 2 veces 18 p.
–d) 2 veces 20 p.

DELANTERO IZQUIERDO
Con col. morado 88 y ag. nº 3, **montar –a)** 49 p. **–b)** 55 p. **–c)** 61 p. **–d)** 67 p.
Trab. a *p. calado* según gráfico C. Empezar y terminar con el p. indicado en el gráfico con la letra **–a)** A **–b)** B **–c)** C **–d)** D.
Después de haber trabajado las 24 vtas del gráfico C, **cambiar** ag. nº 2 1/2, continuar trab. con la siguiente distribución y **aumentar –a), –b), –c), –d)** 6 p. repartidos en la 1ª vta.
Quedan **–a)** 55 p. **–b)** 61 p. **–c)** 67 p. **–d)** 73 p.
Distribución:
–a) 17 p. a *p. jersey der.*, 4 p. a *p. jersey rev.*, 13 p. a *p. rombo* según gráfico D, 4 p. a *p. jersey rev.*, 17 p. a *p. jersey der.*
–b) 20 p. a *p. jersey der.*, 4 p. a *p. jersey rev.*, 13 p. a *p. rombo* según gráfico D, 4 p. a *p. jersey rev.*, 20 p. a *p. jersey der.*
–c) 23 p. a *p. jersey der.*, 4 p. a *p. jersey rev.*, 13 p. a *p. rombo* según gráfico D, 4 p. a *p. jersey rev.*, 23 p. a *p. jersey der.*
–d) 26 p. a *p. jersey der.*, 4 p. a *p. jersey rev.*, 13 p. a *p. rombo* según gráfico D, 4 p. a *p. jersey rev.*, 26 p. a *p. jersey der.*
A 8 cm. de largo total, **cerrar** en el extremo derecho cada 6 vtas: 5 veces 1 p. = **–a)** 50 p. **–b)** 56 p. **–c)** 62 p. **–d)** 68 p.
A 18 cm. de largo total, **aumentar** en el extremo derecho cada 6 vtas: 5 veces 1 p. = **–a)** 55 p. **–b)** 61 p. **–c)** 67 p. **–d)** 73 p.
Después de haber trabajado durante 60 vtas con la distribución, continuar trab. todos los p. a *p. relieve*.
Sisa:
A 35 cm. de largo total, **cerrar** en el extremo derecho cada 2 vtas:
–a) 2 veces 3 p., 2 veces 2 p., 2 veces 1 p. = 43 p.
–b) 2 veces 3 p., 2 veces 2 p., 2 veces 1 p. = 49 p.
–c) 2 veces 3 p., 2 veces 2 p., 3 veces 1 p. = 54 p.
–d) 2 veces 3 p., 3 veces 2 p., 3 veces 1 p. = 58 p.
Escote:
A 44 cm. de largo total, **cerrar** en el extremo izquierdo cada 4 vtas:
–a) 1 vez 5 p., 1 vez 4 p., 1 vez 2 p., 2 veces 1 p.
–b) 1 vez 5 p., 1 vez 4 p., 1 vez 3 p., 3 veces 1 p.
–c) 1 vez 5 p., 1 vez 4 p., 1 vez 3 p., 2 veces 2 p., 2 veces 1 p.
–d) 1 vez 5 p., 1 vez 4 p., 1 vez 3 p., 2 veces 2 p., 2 veces 1 p.
Hombro:
A **–a)** 53 cm. **–b)** 54 cm. **–c)** 55 cm. **–d)** 56 cm. de largo total, **cerrar** en el extremo derecho cada 2 vtas:
–a) 2 veces 15 p.
–b) 2 veces 17 p.
–c) 2 veces 18 p.
–d) 2 veces 20 p.

MANGA DERECHA
Con col. berenjena 17 y ag. nº 2 1/2, **montar –a)** 75 p. **–b)** 81 p. **–c)** 87 p. **–d)** 93 p.
Trab. a *p. elástico 2x1.*
A 15 cm. de largo total, **cambiar** a col. morado 88 y continuar trab. a *p. relieve.* **Aumentar** en ambos lados cada 10 vtas: 13 veces 1 p. Trab. los p. aumentados a *p. relieve.*
Quedan **–a)** 101 p. **–b)** 107 p. **–c)** 113 p. **–d)** 119 p.
A 38 cm. de largo total, trab. 6 vtas a *p. jacquard* según gráfico E; con col. morado 88 trab. 2 vtas al der., 8 vtas a *p. relieve;* trab. 6 vtas a *p. jacquard* según gráfico F; con col. morado 88 trab. 2 vtas al der., 8 vtas a *p. relieve;* trab. 6 vtas a *p. jacquard* según gráfico G; con col. morado 88 trab. 2 vtas al der. y continuar trab. a *p. relieve.*
Sisa:
A 53 cm. de largo total, **cerrar** en ambos lados cada 4 vtas:
–a) 2 veces 3 p., 2 veces 2 p.
–b) 3 veces 3 p., 1 vez 2 p.
–c) 3 veces 3 p., 2 veces 2 p.
–d) 3 veces 3 p., 3 veces 2 p.
A **–a)** 56 cm. **–b)** 57 cm. **–c)** 58 cm. **–d)** 59 cm. de largo total, **cerrar** los **–a)** 81 p. **–b)** 85 p. **–c)** 87 p. **–d)** 89 p. restantes.

MANGA IZQUIERDA
Con col. berenjena 17 y ag. nº 2 1/2, **montar –a)** 75 p. **–b)** 81 p. **–c)** 87 p. **–d)** 93 p.
Trab. a *p. elástico 2x1.*
A 15 cm. de largo total, con col. morado 88 trab. 2 vtas al der. y continuar trab.: 6 vtas a *p. jacquard* según gráfico E; con col. morado 88 trab. 2 vtas al der., 8 vtas a *p. relieve;* trab. 6 vtas a *p. jacquard* según gráfico F; con col. morado 88 trab. 2 vtas al der., 8 vtas a *p. relieve;* trab. 6 vtas a *p. jacquard* según gráfico G; con col. morado 88 trab. 2 vtas al der. y continuar trab. a *p. relieve.*
Al mismo tiempo, después del *p. elástico 2x1*, **aumentar** en ambos lados cada 10 vtas: 13 veces 1 p. Trab. los p. aumentados a *p. relieve.*
Quedan **–a)** 101 p. **–b)** 107 p. **–c)** 113 p. **–d)** 119 p.
Sisa:
A 53 cm. de largo total, **cerrar** en ambos lados cada 4 vtas:
–a) 2 veces 3 p., 2 veces 2 p.
–b) 3 veces 3 p., 1 vez 2 p.
–c) 3 veces 3 p., 2 veces 2 p.
–d) 3 veces 3 p., 3 veces 2 p.
A **–a)** 56 cm. **–b)** 57 cm. **–c)** 58 cm. **–d)** 59 cm. de largo total, **cerrar** los **–a)** 81 p. **–b)** 85 p. **–c)** 87 p. **–d)** 89 p. restantes.

CONFECCIÓN Y REMATE
Coser hombros.
Con ag. nº 2 1/2 y col. lila 57, **recoger** para la tapeta del delantero derecho **–a), –b), –c), –d)** 146 p.
Trab. a *p. jacquard* según gráfico H (empezar y terminar con el p. indicado en el gráfico con la letra A), a continuación trab. con col. berenjena 17 2 vtas a *p. elástico 1x1* y **cerrar** los p. en *tubular* (ver pág. p. básicos).
Con la aguja de ganchillo nº 3.00 mm. y col. berenjena 17, trab. 5 presillas de la siguiente manera:
La primera presilla por el interior de las vtas col. berenjena de la tapeta, al inicio del escote: trab. 1 *p. bajo*, 7 *p. de cadeneta* y 1 cm. por debajo del primer p. bajo trab. otro *p. bajo.* Cortar el hilo y rematar.
Trab. las otras 4 presillas con una distancia entre ellas de 10 cm.
Con ag. nº 2 1/2 y col. lila 57, **recoger** para la tapeta del delantero izquierdo **–a), –b), –c), –d)** 146 p.
Trab. a *p. jacquard* según gráfico H (empezar y terminar con el p. indicado en el gráfico con la letra B), a continuación trab. con col. berenjena 17 2 vtas a *p. elástico 1x1* y **cerrar** los p. en *tubular* (ver pág. p. básicos).
Coser los botones repartidos en esta tapeta, enfrente de las presillas del delantero derecho.
Con ag. nº 2 1/2 y col. berenjena 17, **recoger** alrededor del escote **–a)** 120 p. **–b)** 132 p. **–c)** 144 p. **–d)** 156 p.
Trab. 4 vtas a *p. elástico 1x1.* **Cerrar** los p. en *tubular.* (ver pág. p. básicos).
Coser lados y mangas.

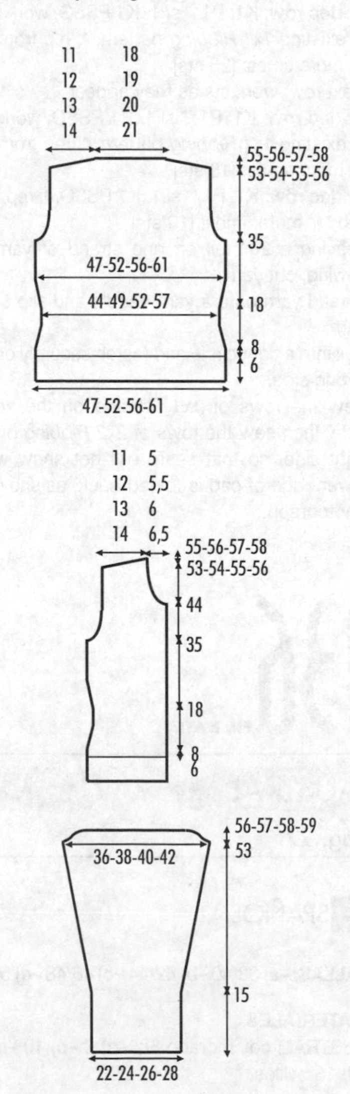

Gráfico A

En las vtas pares, trab. los p. como se presenten.

- R Repetir
- □ 1 p. der.
- U 1 hebra
- ⁄ trab. 2 p. juntos al der.
- ⟍ pasar 1 p. sin hacer a la aguja derecha, trab. 1 p. der. y pasar el p. sin hacer por encima de este p.
- ⊗ 1 bodoque = trab. en 1 p.: 1 p. der., 1 p. rev., 1 p. der., 1 p. rev., 1 p. der.; girar la labor, trab. 5 p. rev.; girar la labor, trab. 5 p. der.; girar la labor, trab. 5 p. rev.; a continuación pasar el 2°, 3°, 4°, 5° p. uno por uno por encima del 1er p.; girar la labor.
- ⋀ pasar 2 p. sin hacer a la aguja derecha, trab. 1 p. der. y pasar los 2 p. sin hacer por encima de este p.

Graph A

On alternate rows, purl all sts.

- R Repeat
- □ Knit
- U YO
- ⁄ K 2 tog
- ⟍ Sl 1, K1, PSSO
- ⊗ Popcorn = (K1, P1, K1, P1, K1) in designated st; turn; P5, turn; K5, turn; P5; turn, K5; one at a time pass the 2nd st, 3rd st, 4th st, 5th st over the first st on RH needle.
- ⋀ Slip 2 sts tog as if to knit them, K1, pass slipped sts over knitted st

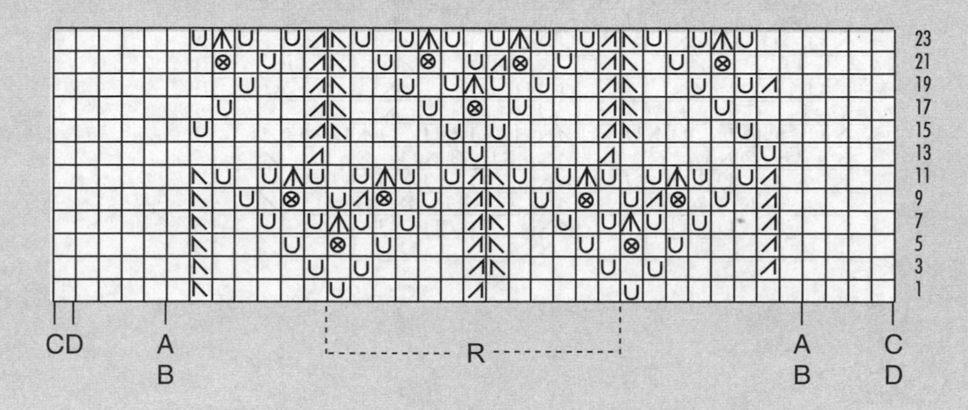

Gráfico B

En las vtas pares, trab. los p. como se presenten.

- R Repetir
- □ 1 p. der.
- U 1 hebra
- ⁄ trab. 2 p. juntos al der.
- ⟍ pasar 1 p. sin hacer a la aguja derecha, trab. 1 p. der. y pasar el p. sin hacer por encima de este p.
- ⊗ 1 bodoque = trab. en 1 p.: 1 p. der., 1 p. rev., 1 p. der., 1 p. rev., 1 p. der.; girar la labor, trab. 5 p. rev.; girar la labor, trab. 5 p. der.; girar la labor, trab. 5 p. rev.; a continuación pasar el 2°, 3°, 4°, 5° p. uno por uno por encima del 1er p.; girar la labor
- ⋀ pasar 2 p. sin hacer a la aguja derecha, trab. 1 p. der. y pasar los 2 p. sin hacer por encima de este p.

Graph B

On alternate rows, purl all sts.

- R Repeat
- □ Knit
- U YO
- ⁄ K 2 tog
- ⟍ Sl 1, K1, PSSO
- ⊗ Popcorn = (K1, P1, K1, P1, K1) in designated st; turn; P5, turn; K5, turn; P5; turn, K5; one at a time pass the 2nd st, 3rd st, 4th st, 5th st over the first st on RH needle.
- ⋀ Slip 2 sts tog as if to knit them, K1, pass slipped sts over knitted st

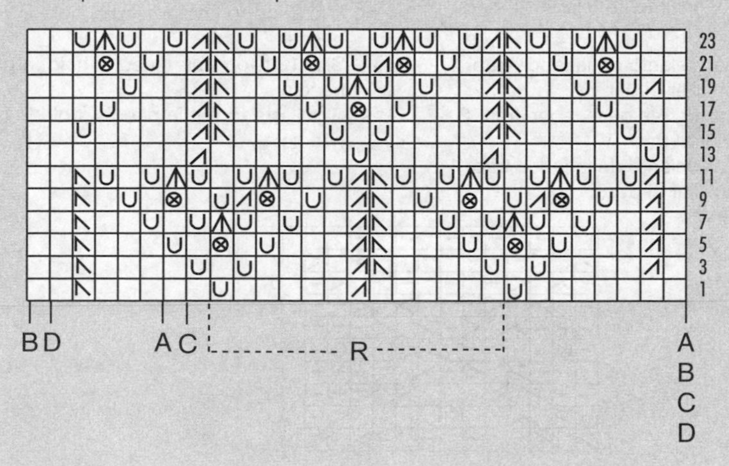

Gráfico C

En las vtas pares, trab. los p. como se presenten.

- R Repetir
- □ 1 p. der.
- U 1 hebra
- ⁄ trab. 2 p. juntos al der.
- ⟍ pasar 1 p. sin hacer a la aguja derecha, trab. 1 p. der. y pasar el p. sin hacer por encima de este p.
- ⊗ 1 bodoque = trab. en 1 p.: 1 p. der., 1 p. rev., 1 p. der., 1 p. rev., 1 p. der.; girar la labor, trab. 5 p. rev.; girar la labor, trab. 5 p. der.; girar la labor, trab. 5 p. rev.; a continuación pasar el 2°, 3°, 4°, 5° p. uno por uno por encima del 1er p.; girar la labor
- ⋀ pasar 2 p. sin hacer a la aguja derecha, trab. 1 p. der. y pasar los 2 p. sin hacer por encima de este p.

Graph C

On alternate rows, purl all sts.

- R Repeat
- □ Knit
- U YO
- ⁄ K 2 tog
- ⟍ Sl 1, K1, PSSO
- ⊗ Popcorn = (K1, P1, K1, P1, K1) in designated st; turn; P5, turn; K5, turn; P5;
  turn, K5; one at a time pass the 2nd st, 3rd st, 4th st, 5th st over the first st on
  RH needle.
- ⋀ Slip 2 sts tog as if to knit them, K1, pass slipped sts over knitted st

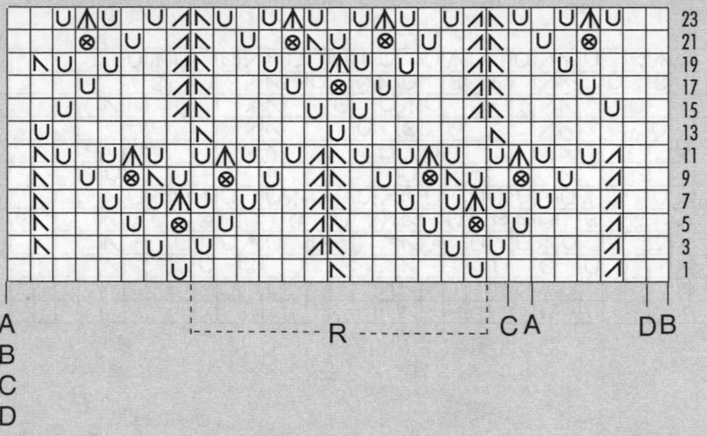

Gráfico D

En las vtas pares, trab. los p. como se presenten

- R Repetir
- □ 1 p. der.
- – 1 p. rev.
- ⊗ 1 bodoque = trab. en 1 p.: 1 p. der., 1 p. rev., 1 p. der., 1 p. rev., 1 p. der.; girar la labor, trab. 5 p. rev.; girar la labor, trab. 5 p. der.; girar la labor, trab. 5 p. rev.; a continuación pasar el 2°, 3°, 4°, 5° p. uno por uno por encima del 1er p., girar la labor
- poner 1 p. en una aguja auxiliar detrás de la labor, trab. 2 p. der. y el p. de la aguja auxiliar al der.
- poner 3 p. en una aguja auxiliar detrás de la labor, trab. los 2 p. siguientes al der., volver a poner el 3er p. de la aguja auxiliar en la aguja izquierda y tejer este p. al der. pasando por detrás de los 2 p. de la aguja auxiliar y finalmente tejer los 2 p. de la aguja auxiliar al der.
- poner 2 p. en una aguja auxiliar delante de la labor, trab. 1 p. der. y los 2 p. de la aguja auxiliar al der.
- poner 1 p. en una aguja auxiliar detrás de la labor, trab. 2 p. der. y el p. de la aguja auxiliar al rev.
- poner 2 p. en una aguja auxiliar delante de la labor, trab. 1 p. rev. y los 2 p. de la aguja auxiliar al der.

Graph D

On alternate rows, work sts as they appear.

- R Repeat
- □ Knit
- – Purl
- ⊗ Popcorn = (K1, P1, K1, P1, K1) in designated st; turn; P5, turn; K5, turn; P5;
  turn, K5; one at a time pass the 2nd st, 3rd st, 4th st, 5th st over the first st on
  RH needle.
- Slip 1 st to cable needle, hold in back, K2; K1 from cable needle.
- Slip 3 sts to cable needle, hold in back, K2; bring cable needle to front and slip 3rd st on cable needle to LH needle then knit it; K 2 from cable needle.
- Slip 2 sts to cable needle, hold in front; K1, K2 from cable needle.
- Slip 1 st to cable needle, hold in back; K2; P1 from cable needle
- Slip 2 sts to cable needle, hold in front; P1, K2 from cable needle.

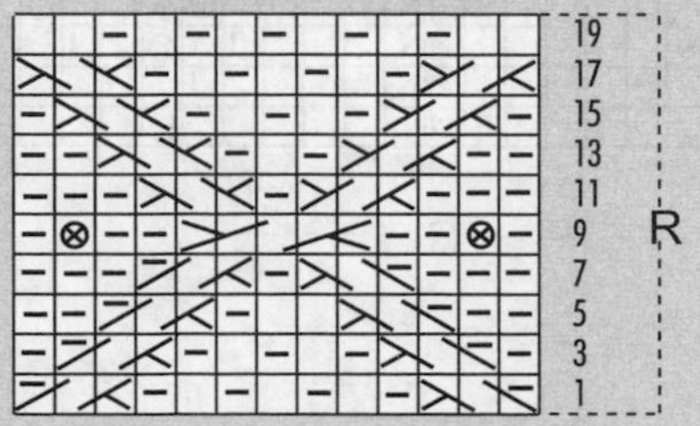

Gráfico E

R repetir
□ p. jacquard col. beige 18
× p. jacquard col. lila 57

Graph E

R Repeat
□ Jacquard Pattern St using beige
× Jacquard Pattern St using lilac

Gráfico F

R repetir
□ p. jacquard col. beige 18
/ p. jacquard col. berenjena 17

Graph F

R Repeat
□ Jacquard Pattern St using beige
/ Jacquard Pattern St using eggplant

Gráfico G

R repetir
□ p. jacquard col. beige 18
I p. jacquard col. petróleo 37

Graph G

R Repeat
□ Jacquard Pattern St using beige
I Jacquard Pattern St using teal

Gráfico H

R Repetir
□ p. jacquard col. beige 18
× p. jacquard col. lila 57
I p. jacquard col. petróleo 37
• p. jacquard col. morado 88

Graph H

R Repeat
□ Jacquard Pattern St using beige
× Jacquard Pattern St using lilac
I Jacquard Pattern St using teal
• Jacquard Pattern St using purple

ENGLISH

SIZE: –a) 37" **–b)** 41" **–c)** 44 1/8" **–d)** 48": finished bust measurement.

MATERIALS
AUSTRAL: **–a)** 9 **–b)** 10 **–c)** 11 **–d)** 13 balls purple no. 88.
–a) –b) & –c) 1 **–d)** 2 balls eggplant no. 17.
–a) –b) –c) & –d): 1 ball each of beige no. 18, teal no. 37, and lilac no. 57.
Five buttons.

KNITTING NEEDLES
Size 2 & 3 (U.S.) /(2 1/2 & 3 metric) **or size you need to use to obtain gauge listed below.**

CROCHET HOOK
Size D (U.S.) /(3.00 metric)

STITCHES
See Basic Instructions for: *1x1 Ribbing, Stockinette St, Reverse Stockinette St, Crochet Chain, Single Crochet.*
Openwork Patterns: See Graphs A, B and C
Diamond Pattern: See Graph D.
Jacquard Patterns: See Graphs E, F, G and H.
Pattern St:
Row 1: (right side) * K2, P2, *; rep from * to *; end K2.
Row 2: Work sts as they appear.
Rows 3 & 4: Knit.
Repeat these 4 rows for pattern.
1x2 Ribbing:
Row 1:: * K1, P2, *; rep from * to *.
Row 2 and all remaining rows: Work sts as they appear.

GAUGE
Using smaller needles in *Pattern St*, 28 sts and 40 rows = 4x4". Using smaller needles in *1x2 Ribbing:* 34 sts and 36 rows = 4x4".
Using larger needles in *Openwork Patterns:* 25 sts and 40 rows - 4x4".

BACK
Using purple with larger needles, **cast on –a)** 119 **–b)** 132 **–c)** 141 **–d)** 153 sts.
Beginning and ending with st marked **–a)** A **–b)** B **–c) C –d)** D, work *Openwork Pattern* following Graph A.
After completing the 24 rows of Graph, change to smaller needles and **increasing –a)** 15 sts **–b)** 14 sts **–c)** 13 sts **–d)** 17 sts on the first row, work *Pattern St* over **–a)** 134 sts **–b)** 146 sts **–c)** 154 sts **–d)** 170 sts.
When back measures 3 1/8", **bind off** 1 st at each edge every 6 rows: 5 times:
[**–a)** 124 sts **–b)** 136 sts **–c)** 144 sts **–d)** 160 sts.
When back measures 7 1/8", **increase** 1 st at each edge every 6 rows: 6 times:
[**–a)** 134 sts **–b)** 146 sts **–c)** 154 sts **–d)** 170 sts].
Armholes:
When back measures 13 3/4", **bind off** at each edge every 2 rows:
–a) 3 sts 2 times; 2 sts 2 times; 1 st 2 times; [110 sts]
–b) 3 sts 2 times; 2 sts 2 times; 1 st 2 times; [122 sts]
–c) 3 sts 2 times; 2 sts 2 times; 1 st 3 times; [128 sts]
–d) 3 sts 2 times; 2 sts 3 times; 1 st 3 times; [140 sts].
Shoulders:
When back measures **–a)** 20 7/8" **–b)** 21 1/4" **–c)** 21 5/8" **–d)** 22", bind off at each edge every 2 rows:
–a) 15 sts 2 times: [50 sts]
–b) 17 sts 2 times: [54 sts]
–c) 18 sts 2 times: [56 sts]
–d) 20 sts 2 times: [60 sts].
When back measures **–a)** 21 5/8" **–b)** 22" **–c)** 22 1/2" **–d)** 22 7/8", bind off all rem sts.

RIGHT FRONT
Using purple with larger needles, **cast on –a)** 49 sts **–b)** 55 sts **–c)** 61 sts **–d)** 67 sts.
Beginning and ending with st marked **–a)** A **–b)** B **–c) C –d)** D, work *Openwork Pattern*

following Graph B, increasing 6 sts evenly on Row 24, for all sizes: **–a)** 55 sts **–b)** 61 sts **–c)** 67 sts **–d)** 73 sts.

Change to smaller needles and using Graph D for *Diamond Pattern,* set up pattern as follows:

–a) 17 sts *Stockinette St*; 4 sts *Reverse Stockinette St*, 13 sts *Diamond Pattern;* 4 sts *Reverse Stockinette St*; 17 sts *Stockinette St.*

–b) 20 sts *Stockinette St*; 4 sts *Reverse Stockinette St*, 13 sts *Diamond Pattern;* 4 sts *Reverse Stockinette St*; 20 sts *Stockinette St.*

–c) 23 sts *Stockinette St*; 4 sts *Reverse Stockinette St*, 13 sts *Diamond Pattern;* 4 sts *Reverse Stockinette St*; 23 sts *Stockinette St.*

–d) 26 sts *Stockinette St*; 4 sts *Reverse Stockinette St*, 13 sts *Diamond Pattern;* 4 sts *Reverse Stockinette St*; 26 sts *Stockinette St.*

When back measures 3 1/8", **bind off** 1 st at armhole edge every 6 rows: 5 times:

[–a) 50 sts **–b)** 56 sts **–c)** 62 sts **–d)** 68 sts.

When back measures 7 1/8", **increase** 1 st at each edge every 6 rows: 6 times:

[–a) 55 sts **–b)** 61 sts **–c)** 67 sts **–d)** 73 sts].

AND AT THE SAME TIME: after completing 60 rows in this pattern, work all sts in *Pattern St*.

Armhole:

When front measures 13 3/4", **bind off** at armhole edge every 2 rows:

–a) 3 sts 2 times; 2 sts 2 times; 1 st 2 times; [43 sts]

–b) 3 sts 2 times; 2 sts 2 times; 1 st 2 times; [49 sts]

–c) 3 sts 2 times; 2 sts 2 times; 1 st 3 times; [54 sts]

–d) 3 sts 2 times; 2 sts 3 times; 1 st 3 times; [58 sts].

Neckline:

When front measures 17 1/4", **bind off** at center front edge every 4 rows

–a) 5 sts 1 time; 4 sts 1 time; 2 sts 1 time; 1 st 2 times: [30 sts]

–b) 5 sts 1 time; 4 sts 1 time; 3 sts 1 time; 1 st 3 times: [34 sts]

–c) 5 sts 1 time; 4 sts 1 time; 3 sts 1 time; 2 sts 2 times; 1 st 2 times: [36 sts]

–d) 5 sts 1 time; 4 sts 1 time; 3 sts 1 time; 2 sts 2 times; 1 st 2 times: [40 sts]

When front measures **–a)** 20 7/8" **–b)** 21 1/4" **–c)** 21 5/8" **–d)** 22", bind off at armhole edge every 2 rows:

–a) 15 sts 2 times

–b) 17 sts 2 times

–c) 18 sts 2 times

–d) 20 sts 2 times.

LEFT FRONT

Using purple with larger needles, **cast on** **–a)** 49 sts **–b)** 55 sts **–c)** 61 sts **–d)** 67 sts.

Beginning and ending with st marked **–a)** A **–b)** B **–c) C –d)** D, work *Openwork Pattern* following Graph C, increasing 6 sts evenly on Row 24, for all sizes: **–a)** 55 sts **–b)** 61 sts **–c)** 67 sts **–d)** 73 sts.

Change to smaller needles and using Graph D for *Diamond Pattern,* set up pattern as follows:

–a) 17 sts *Stockinette St*; 4 sts *Reverse Stockinette St*, 13 sts *Diamond Pattern;* 4 sts *Reverse Stockinette St*; 17 sts *Stockinette St.*

–b) 20 sts *Stockinette St*; 4 sts *Reverse Stockinette St*, 13 sts *Diamond Pattern;* 4 sts *Reverse Stockinette St*; 20 sts *Stockinette St.*

–c) 23 sts *Stockinette St*; 4 sts *Reverse Stockinette St*, 13 sts *Diamond Pattern;* 4 sts *Reverse Stockinette St*; 23 sts *Stockinette St.*

–d) 26 sts *Stockinette St*; 4 sts *Reverse Stockinette St*, 13 sts *Diamond Pattern;* 4 sts *Reverse Stockinette St*; 26 sts *Stockinette St.*

When back measures 3 1/8", **bind off** 1 st at armhole edge every 6 rows: 5 times:

[–a) 50 sts **–b)** 56 sts **–c)** 62 sts **–d)** 68 sts.

When back measures 7 1/8", **increase** 1 st at each edge every 6 rows: 6 times:

[–a) 55 sts **–b)** 61 sts **–c)** 67 sts **–d)** 73 sts].

AND AT THE SAME TIME: after completing 60 rows in this pattern, work all sts in *Pattern St*.

Armhole:

When front measures 13 3/4", **bind off** at armhole edge every 2 rows:

–a) 3 sts 2 times; 2 sts 2 times; 1 st 2 times; [43 sts]

–b) 3 sts 2 times; 2 sts 2 times; 1 st 2 times; [49 sts]

–c) 3 sts 2 times; 2 sts 2 times; 1 st 3 times; [54 sts]

–d) 3 sts 2 times; 2 sts 3 times; 1 st 3 times; [58 sts].

Neckline:

When front measures 17 1/4", **bind off** at center front edge every 4 rows

–a) 5 sts 1 time; 4 sts 1 time; 2 sts 1 time; 1 st 2 times: [30 sts]

–b) 5 sts 1 time; 4 sts 1 time; 3 sts 1 time; 1 st 3 times: [34 sts]

–c) 5 sts 1 time; 4 sts 1 time; 3 sts 1 time; 2 sts 2 times; 1 st 2 times: [36 sts]

–d) 5 sts 1 time; 4 sts 1 time; 3 sts 1 time; 2 sts 2 times; 1 st 2 times: [40 sts]

When front measures **–a)** 20 7/8" **–b)** 21 1/4" **–c)** 21 5/8" **–d)** 22", bind off at armhole edge every 2 rows:

–a) 15 sts 2 times

–b) 17 sts 2 times

–c) 18 sts 2 times

–d) 20 sts 2 times.

RIGHT SLEEVE

Using eggplant with smaller needles, **cast on** **–a)** 75 sts **–b)** 81 sts **–c)** 87 sts **–d)** 93 sts. Work *1x1 Ribbing*.

When sleeve measures 5 7/8", change to purple and work *Pattern St*, **–a) –b) –c) & –d):** increasing 1 st at each edge every 10 rows: 13 times, working increased sts into *Pattern St*.

[–a) 101 sts **–b)** 107 sts **–c)** 113 sts **–d)** 119 sts].

AND AT THE SAME TIME:

When sleeve measures 15" work as follows:

Work 6 rows *Jacquard Pattern St* following Graph E.

Using purple, work 2 rows *Stockinette St,* then work 8 rows *Pattern St.*

Work 6 rows *Jacquard Pattern St* following Graph F.

Using purple, work 2 rows *Stockinette St*; then work 8 rows *Pattern St.*

Work 6 rows *Jacquard Pattern St* following Graph G.

Using purple, work 2 rows *Stockinette St*; then work *Pattern St* to end of sleeve.

AND AT THE SAME TIME:

Armhole:

When sleeve measures 20 7/8", **bind off** at each edge every 2 rows:

–a) 3 sts 2 times; 2 sts 2 times: [81 sts]

–b) 3 sts 3 times; 2 sts 1 time: [85 sts]

–c) 3 sts 3 times; 2 sts 2 times: [87 sts]

–d) 3 sts 3 times; 2 sts 3 times: [89 sts].

When sleeve measures **–a)** 22" **–b)** 22 1/2" **–c)** 22 7/8" **–d)** 23 1/4", bind off all rem sts.

LEFT SLEEVE

Using eggplant with smaller needles, **cast on** **–a)** 75 sts **–b)** 81 sts **–c)** 87 sts **–d)** 93 sts. Work *1x1 Ribbing*.

When sleeve measures 5 7/8", increasing as given below, work as follows;

Using purple, work 2 rows *Stockinette St*

Work 6 rows *Jacquard Pattern St* following Graph E.

Using purple, work 2 rows *Stockinette St,* then work 8 rows *Pattern St.*

Work 6 rows *Jacquard Pattern St* following Graph F.

Using purple, work 2 rows *Stockinette St*; then work 8 rows *Pattern St.*

Work 6 rows *Jacquard Pattern St* following Graph G.

Using purple, work 2 rows *Stockinette St*; then work *Pattern St* to end of sleeve.

AND AT THE SAME TIME: –a) –b) –c) & –d): increase 1 st at each edge every 10 rows: 12 times:

–a) 101 sts **–b)** 107 sts **–c)** 113 sts **–d)** 119 sts].

Armhole:

When sleeve measures 20 7/8", **bind off** at each edge every 2 rows:

–a) 3 sts 2 times; 2 sts 2 times: [81 sts]

–b) 3 sts 3 times; 2 sts 1 time: [85 sts]

–c) 3 sts 3 times; 2 sts 2 times: [87 sts]

–d) 3 sts 3 times; 2 sts 3 times: [89 sts].

When sleeve measures **–a)** 22" **–b)** 22 1/2" **–c)** 22 7/8" **–d)** 23 1/4", bind off all rem sts.

FINISHING

Right front band: Using lilac with smaller needles, **pick up –a) –b) –c) & –d):** 146 sts along center right front edge. Beginning and ending with stitch marked A, work *Jacquard Pattern St* following Graph H.

At end of graph, using eggplant, work 2 rows *1x1 Ribbing*; use Finished Edge Bind Off (see Basic Instructions).

Button loops: Using eggplant with crochet hook, make a single crochet in edge of right front band, 1/2" below neckline shaping; ch 7, sc at beginning of neckline shaping; fasten off and weave in all ends. Make 4 more button loops, each 4" apart.

Left front band:

Using lilac with smaller needles, **pick up –a) –b) –c) & –d):** 146 sts along center right front edge. Beginning and ending with stitch marked B, work *Jacquard Pattern St* following Graph H.

At end of graph, using eggplant, work 2 rows *1x1 Ribbing*; use Finished Edge Bind Off (see Basic Instructions).

Sew buttons to left front band, opposite button loops.

Sew shoulder seams.

Neckline band: Using eggplant with smaller needles, **pick up –a)** 120 sts **–b)** 132 sts **–c)** 144 sts **–d)** 156 sts around neck edge.
Work *1x1 Ribbing* for 4rows; use Finished Edge Bind Off.
Sew side and sleeve seams.

FIL KATIA

AUSTRAL

pág. 23

ESPAÑOL

TALLAS: –a) 38/40 **–b)** 42/44 **–c)** 46/48 **–d)** 50/52

MATERIALES
AUSTRAL: col. petróleo 37: **–a)** 7 **–b)** 8 **–c)** 8 **–d)** 9 ovillos.
Col. morado 88, col. berenjena 17, col. beige18: **–a), –b), –c), –d)** 1 ovillo de cada uno de estos colores.

Agujas	Puntos empleados
Nº 2 1/2	- *P. elástico 1x1* - *P. listado* (ver explicación)
Nº 3	- *P. relieve* (ver explicación)
Nº 3 1/2	- *P. jacquard* (ver gráficos A, B, C)

P. listado: trab. a *p. elástico 1x1:*
8 vtas col. morado 88
2 vtas col. petróleo 37
2 vtas col. beige 18
2 vtas col. morado 88
2 vtas col. beige 18
4 vtas col. berenjena 17
2 vtas col. petróleo 37

P. relieve:
1ª vta: por el derecho de la labor: * 1 p. der., 3 p. rev. *, repetir de * a *.
2ª vta: trab. al rev.
3ª vta: * 2 p. rev., 1 p. der., 1 p. rev. *, repetir de * a *.
4ª vta: trab. al rev.
repetir siempre estas 4 vtas.

MUESTRA DEL PUNTO
P. relieve, ag. nº 3
10x10 cm. = 25 p. y 36 vtas.
P. jacquard, ag. nº 3 1/2
10x10 cm. = 24 p. y 30 vtas

ESPALDA
Con ag. nº 3 y col. petróleo 37, **montar –a)** 112 p. **–b)** 124 p. **–c)** 136 p. **–d)** 148 p.
Trab. a *p. relieve.*
A 8 cm. de largo total, **cerrar** en ambos lados cada 6 vtas: 5 veces 1 p. = **–a)** 102 p. **–b)** 114 p. **–c)** 126 p. **–d)** 138 p.
A 20 cm. de largo total, **aumentar** en ambos lados cada 4 vtas: 5 veces 1 p. = **–a)** 112 p. **–b)** 124 p. **–c)** 136 p. **–d)** 148 p.
Sisas:
A 37 cm. de largo total, **cerrar** en ambos lados cada 2 vtas:
–a) 1 vez 3 p., 1 vez 2 p., 2 veces 1 p. = 98 p.
–b) 1 vez 3 p., 2 veces 2 p., 3 veces 1 p. = 104 p.
–c) 1 vez 3 p., 3 veces 2 p., 3 veces 1 p. = 112 p.
–d) 1 vez 3 p., 3 veces 2 p., 4 veces 1 p. = 122 p.
Hombros:
A **–a)** 54 cm. **–b)** 55 cm. **–c)** 56 cm. **–d)** 57 cm. de largo total, **cerrar** en ambos lados cada 2 vtas:
–a) 2 veces 13 p.
–b) 2 veces 14 p.
–c) 2 veces 15 p.
–d) 2 veces 17 p.
A **–a)** 56 cm. **–b)** 57 cm. **–c)** 58 cm. **–d)** 59 cm. de largo total, **cerrar** los **–a)** 46 p. **–b)** 48 p. **–c)** 52 p. **–d)** 54 p. restantes del **escote.**

DELANTERO DERECHO
Con ag. nº 3 y col. petróleo 37, **montar –a)** 56 p. **–b)** 60 p. **–c)** 68 p. **–d)** 72 p.
Trab. a *p. relieve.*
A 8 cm. de largo total, **cerrar** en el extremo izquierdo cada 6 vtas: 5 veces 1 p. = **–a)** 51 p. **–b)** 55 p. **–c)** 63 p. **–d)** 67 p.
A 20 cm. de largo total, **aumentar** en el extremo izquierdo cada 4 vtas: 5 veces 1 p. = **–a)** 56 p. **–b)** 60 p. **–c)** 68 p. **–d)** 72 p.
A 26 cm. de largo total, **cerrar** los p.
Con ag. nº 3 1/2 y col. morado 88, **montar –a), –b), –c), –d)** 22 p. y continuar trab. a *p. jacquard* según gráfico A. Empezar y terminar con el p. indicado en el gráfico con la letra **–a)** A **–b)** B **–c)** C **–d)** D.
Cerrar los p.
Coser esta pieza a la pieza tejida a *p. relieve.*
NOTA: el extremo izquierdo (= la parte recta) va cosido a la parte superior de la pieza a *p. relieve.*

DELANTERO IZQUIERDO
Con ag. nº 3 y col. petróleo 37, **montar –a)** 56 p. **–b)** 60 p. **–c)** 68 p. **–d)** 72 p.
Trab. a *p. relieve.*
A 8 cm. de largo total, **cerrar** en el extremo derecho cada 6 vtas: 5 veces 1 p. = **–a)** 51 p. **–b)** 55 p. **–c)** 63 p. **–d)** 67 p.
A 20 cm. de largo total, **aumentar** en el extremo derecho cada 4 vtas: 5 veces 1 p. = **–a)** 56 p. **–b)** 60 p. **–c)** 68 p. **–d)** 72 p.
A 26 cm. de largo total, **cambiar** ag. nº 3 1/2 y con col. morado 88 continuar trab. a *p. jacquard* según gráfico B. Empezar y terminar con el p. indicado en el gráfico con la letra **–a)** A **–b)** B **–c)** C **–d)** D.
Sisa y escote:
Se forman al mismo tiempo:
A 37 cm. de largo total, **cerrar** para la **sisa** en el extremo derecho cada 2 vtas:
–a) 1 vez 3 p., 1 vez 2 p., 2 veces 1 p.
–b) 1 vez 3 p., 2 veces 2 p., 3 veces 1 p.
–c) 1 vez 3 p., 3 veces 2 p., 3 veces 1 p.
–d) 1 vez 3 p., 3 veces 2 p., 4 veces 1 p.
A los mismos 37 cm. de largo total, **cerrar** para el **escote** en el extremo izquierdo:
–a) cada 2 vtas: 23 veces 1 p.
–b) cada 2 vtas: 22 veces 1 p.
–c) cada 2 vtas: 26 veces 1 p.
–d) cada 2 vtas: 25 veces 1 p.
Hombro:
A **–a)** 54 cm. **–b)** 55 cm. **–c)** 56 cm. **–d)** 57 cm. de largo total, **cerrar** en el extremo derecho cada 2 vtas:
–a) 2 veces 13 p.
–b) 2 veces 14 p.
–c) 2 veces 15 p.
–d) 2 veces 17 p.

MANGAS
Con ag. nº 3 y col. petróleo 37, **montar –a)** 56 p. **–b)** 60 p. **–c)** 68 p. **–d)** 72 p.
Trab. 4 vtas a *p. elástico 1x1.*
Cambiar ag. nº 3 1/2 y con col. morado 88 trab. a *p. jacquard* según gráfico C. Empezar y terminar con el p. indicado en el gráfico con la letra **–a)** A **–b)** B **–c)** C **–d)** D.
A 17 cm. de largo total, **cambiar** ag. nº 3 y continuar trab. a *p. relieve.*
Aumentar en ambos lados cada 8 vtas: 15 veces 1 p.
Quedan **–a)** 86 p. **–b)** 90 p. **–c)** 98 p. **–d)** 102 p.
Sisa:
A 54 cm. de largo total, **cerrar** en ambos lados cada 2 vtas:
–a) 1 vez 3 p., 1 vez 2 p. = 76 p.
–b) 1 vez 3 p., 1 vez 2 p., 1 vez 1 p. = 78 p.
–c) 1 vez 3 p., 1 vez 2 p., 2 veces 1 p. = 84 p.
–d) 1 vez 3 p., 1 vez 2 p., 3 veces 1 p. = 86 p.
A **–a)** 56 cm. **–b)** 57 cm. **–c)** 58 cm. **–d)** 58 cm. de largo total, **cerrar** los p.
Trab. la otra manga igual.

CONFECCIÓN Y REMATE
Coser hombros.
Tira escote:
Con ag. nº 2 1/2 y col. morado 88, **recoger** alrededor del escote de un delantero **–a)** 68 p. **–b)** 72 p. **–c)** 76 p. **–d)** 80 p.; alrededor del escote de la espalda **–a)** 60 p. **–b)** 64 p. **–c)** 68 p. **–d)** 72 p.; alrededor del escote del otro delantero **–a)** 68 p. **–b)** 72 p. **–c)** 76 p. **–d)** 80 p. = en total **–a)** 196 p. **–b)** 208 p. **–c)** 220 p. **–d)** 232 p.
Trab. a *p. listado.*
Cerrar los p. en *tubular* (ver pág. p. básicos).
Coser los 2 delanteros por la parte a *p. jacquard*, **coser** lados y mangas, cruzar la tira del escote (= el extremo de la tira del escote delantero derecho por encima del extremo de la tira del escote delantero izquierdo).

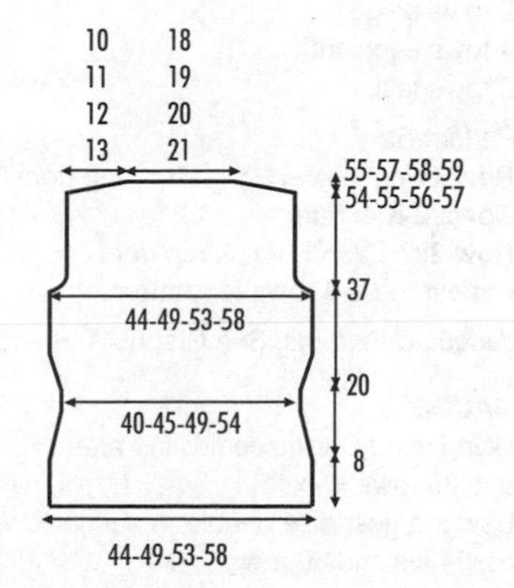

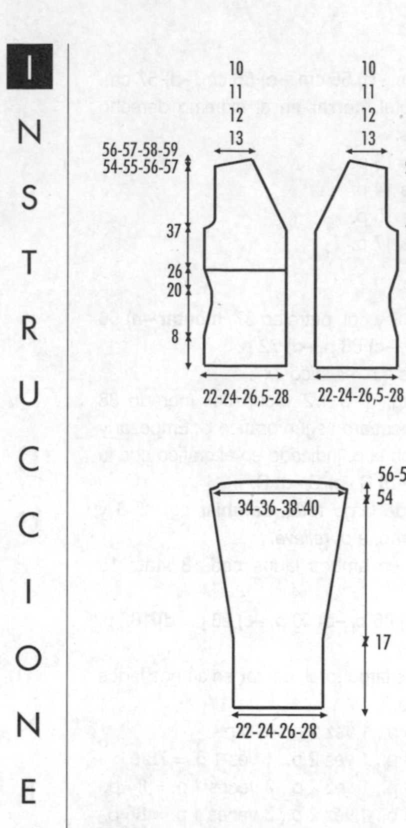

ENGLISH

SIZE: –a) 34 5/8" **–b)** 38 5/8" **–c)** 41 3/4" **–d)** 45 5/8": finished bust measurement.

MATERIALS

AUSTRAL: **–a)** 7 **–b)** 8 **–c)** 8 **–d)** 9 balls teal no. 37.

–a) –b) –c) & –d): 1 ball each of purple no. 88, eggplant no. 17, beige no. 18.

NEEDLES

Size 2, 3 & 4 (U.S.) /(2 1/2, 3 & 3 1/2 metric) **or size you need to use to obtain gauge listed below.**

STITCHES

See Basic Instructions for: *1x1 Ribbing*, *Jacquard Pattern St*.

Stripe Pattern: Work in *1x1 Ribbing*:
8 rows purple
2 rows teal
2 rows beige
2 rows purple
2 rows beige
4 rows eggplant
2 rows teal.

Pattern St:
Row 1: (right side) * K1, P3, *; rep from * to *.
Rows 2 & 4: Purl.
Row 3:: * P2, K1, P1, *; rep from * to *.
Repeat these 4 rows for pattern.

Jacquard Patterns: See Graphs A, B and C.

GAUGE

Using middle size needles in *Pattern St*: 25 sts and 36 rows = 4x4"
Using largest size needle in *Jacquard Pattern St*, 24 sts and 30 rows = 4x4".

BACK

Using teal with middle size needles, **cast on –a)** 112 sts **–b)** 124 sts **–c)** 136 sts **–d)** 148 sts. Work *Pattern St*.
When back measures 3 1/8", **–a) –b) –c) & –d): decrease** 1 st at each edge every 6 rows: 5 times:
[**–a)** 102 sts **–b)** 114 sts **–c)** 126 sts **–d)** 138 sts.
When back measures 7 7/8", **–a) –b) –c) & –d): increase** 1 st at each edge every 4 rows: 5 times:
[**–a)** 112 sts **–b)** 124 sts **–c)** 136 sts **–d)** 148 sts].

Armholes:
When back measures 14 1/2", **bind off** at each edge every 2 rows:
–a) 3 sts 1 time; 2 sts 1 time; 1 st 2 times: [98 sts]
–b) 3 sts 1 time; 2 sts 2 times; 1 st 3 times: [104 sts]
–c) 3 sts 1 time; 2 sts 3 times; 1 st 3 times: [112 sts]
–d) 3 sts 1 time; 2 sts 3 times; 1 st 4 times: [122 sts].

Shoulders:
When back measures **–a)** 21 1/4" **–b)** 21 5/8" **–c)** 22" **–d)** 22 1/2", bind off at each edge every 2 rows:
–a) 13 sts 2 times: [46 sts]
–b) 14 sts 2 times: [48 sts]
–c) 15 sts 2 times: [52 sts]
–d) 17 sts 2 times: [54 sts].

RIGHT FRONT

(Made in two pieces)
Lower piece: (worked horizontally)
Using teal with middle size needles, **cast on –a)** 56 sts **–b)** 60 sts **–c)** 68 sts **–d)** 72 sts.
Work *Pattern St*,
When front measures 3 1/8", **–a) –b) –c) & –d): decrease** 1 st at armhole edge every 6 rows: 5 times:
[**–a)** 51 sts **–b)** 55 sts **–c)** 63 sts **–d)** 67 sts.
When front measures 7 7/8", **–a) –b) –c) & –d): increase** 1 st at armhole edge every 4 rows: 5 times:
[**–a)** 56 sts **–b)** 60 sts **–c)** 68 sts **–d)** 72 sts].
When piece measures 10 1/4", **bind off** all sts.
Upper piece: (worked horizontally, attached vertically)
Using purple with largest size needles, **cast on –a) –b) –c) & –d):** 22 sts.
Beginning and ending with st marked **–a)** A **–b)** B **–c)** C **–d)** D, work *Jacquard Pattern St* following Graph A.
At end of graph, **bind off** all sts.
Sew long straight edge to upped edge of lower piece.

LEFT FRONT

Using teal with middle size needles, **cast on –a)** 56 sts **–b)** 60 sts **–c)** 68 sts **–d)** 72 sts.
Work *Pattern St*,
When front measures 3 1/8", **–a) –b) –c) & –d): decrease** 1 st at armhole edge every 6 rows: 5 times:
[**–a)** 51 sts **–b)** 55 sts **–c)** 63 sts **–d)** 67 sts.
When front measures 7 7/8", **–a) –b) –c) & –d): increase** 1 st at armhole edge every 4 rows: 5 times:
[**–a)** 56 sts **–b)** 60 sts **–c)** 68 sts **–d)** 72 sts].
When front measures 10 1/4", using purple with largest size needles, beginning and ending with st marked **–a)** A **–b)** B **–c)** C **–d)** D, work *Jacquard Pattern St* following Graph B.

Armhole and Neckline:
Worked at the same time when front measures 14 1/2"
For **armhole**: **bind off** at armhole edge every 2 rows:
–a) 3 sts 1 time; 2 sts 1 time; 1 st 2 times
–b) 3 sts 1 time; 2 sts 2 times; 1 st 3 times
–c) 3 sts 1 time; 2 sts 3 times; 1 st 3 times
–d) 3 sts 1 time; 2 sts 3 times; 1 st 4 times
For **neckline: decrease** 1 st at center front edge every 2 rows:
–a) 23 times
–b) 22 times
–c) 26 times
–d) 25 times

Shoulder:
When back measures **–a)** 21 1/4" **–b)** 21 5/8" **–c)** 22" **–d)** 22 1/2", bind off at each edge every 2 rows:
–a) 13 sts 2 times
–b) 14 sts 2 times
–c) 15 sts 2 times
–d) 17 sts 2 times.

SLEEVES

Using teal with middle size needles, **cast on –a)** 56 sts **–b)** 60 sts **–c)** 68 sts **–d)** 72 sts. Work *1x1 Ribbing* for 4 rows.
Using purple, change to largest size needles, and beginning and ending with st marked **–a)** A **–b)** B **–c)** C **–d)** D, work *Jacquard Pattern St* following Graph C.
When sleeve measures 6 3/4", change to middle size needles and work *Pattern St*, **–a) –b) –c) & –d): increasing** 1 st at each edge every 8 rows: 15 times:
[**–a)** 86 sts **–b)** 90 sts **–c)** 98 sts **–d)** 102 sts].

Armhole:
When sleeve measures 21 1/4", bind off at each edge every 2 rows:
–a) 3 sts 1 time; 2 sts 1 time: [76 sts]
–b) 3 sts 1 time; 2 sts 1 time; 1 st 1 time: [78 sts]
–c) 3 sts 1 time; 2 sts 1 time; 1 st 2 times: [84 sts]
–d) 3 sts 1 time; 2 sts 1 time; 1 st 3 times: [89 sts]
When sleeve measures **–a)** 22" **–b)** 22 1/2" **–c)** 22 7/8" **–d)** 23 1/4", **bind off** all rem sts.

FINISHING

Sew shoulder seams.
Using purple with smallest size needles, **pick up –a)** 68 sts **–b)** 72 sts **–c)** 76 sts **–d)** 80 sts along right front neck edge; **–a)** 60 sts **–b)** 64 sts **–c)** 68 sts **–d)** 72 sts around back neck edge; **–a)** 68 sts **–b)** 72 sts **–c)** 76 sts **–d)** 80 sts along right front neck edge:
[**–a)** 196 sts **–b)** 208 sts **–c)** 220 sts **–d)** 232 sts].
Work the 22 rows of *Stripe Pattern;* use Finished Edge Bind Off (see Basic Instructions).
Sew the *Jacquard Pattern* on left and right front together, crossing right front neck band over left front neck band as shown in photograph.
Sew side and sleeve seams.
Sew on buttons.

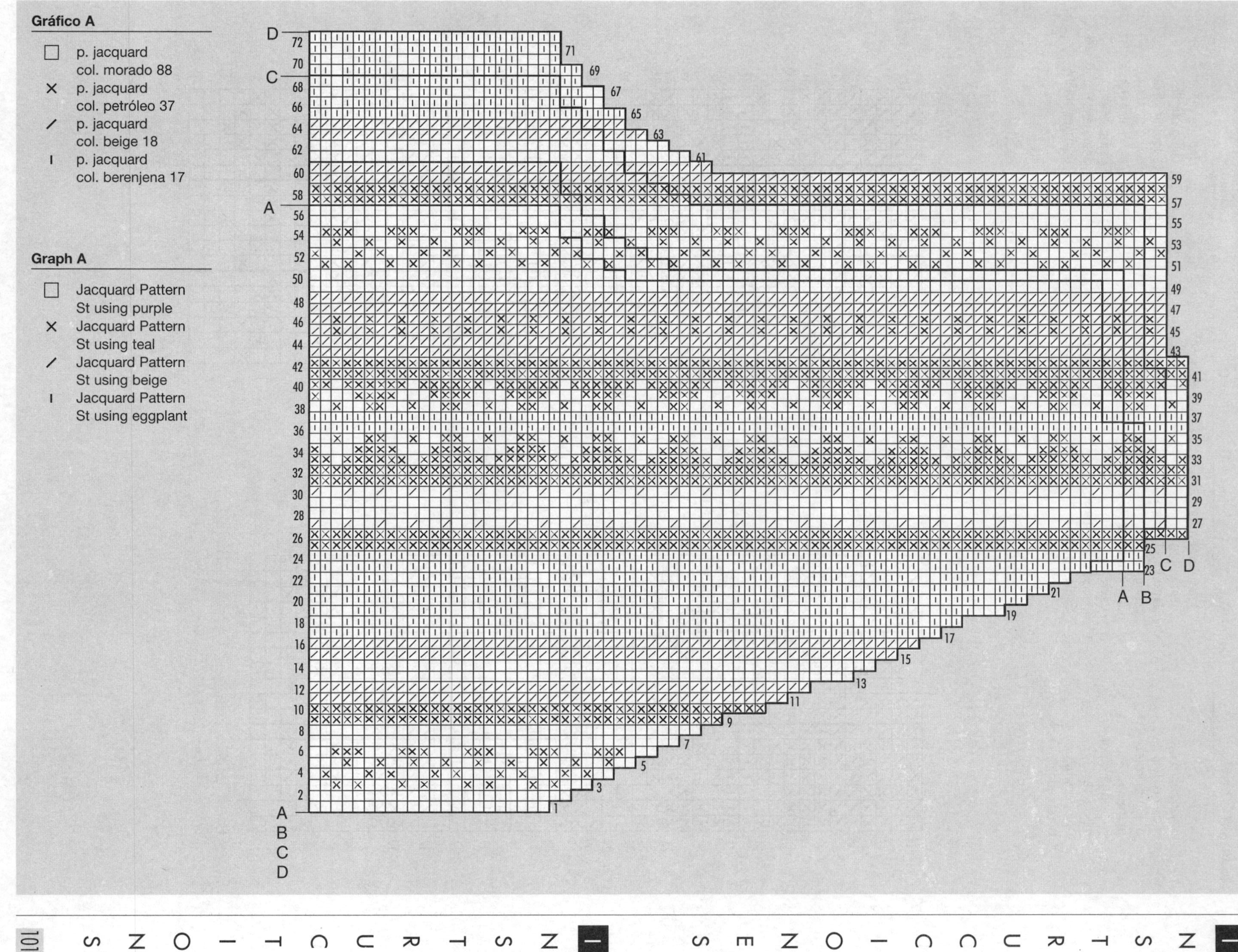
Gráfico A
p. jacquard col. morado 88
p. jacquard col. petróleo 37
p. jacquard col. beige 18
p. jacquard col. berenjena 17
Graph A
Jacquard Pattern St using purple
Jacquard Pattern St using teal
Jacquard Pattern St using beige
Jacquard Pattern St using eggplant
A
B
C
D

Gráfico B

R Repetir
□ p. jacquard col. morado 88
× p. jacquard col. petróleo 37
/ p. jacquard col. beige 18
I p. jacquard col. berenjena 17

Graph B

□ Jacquard Pattern St using purple
× Jacquard Pattern St using teal
/ Jacquard Pattern St using beige
I Jacquard Pattern St using eggplant

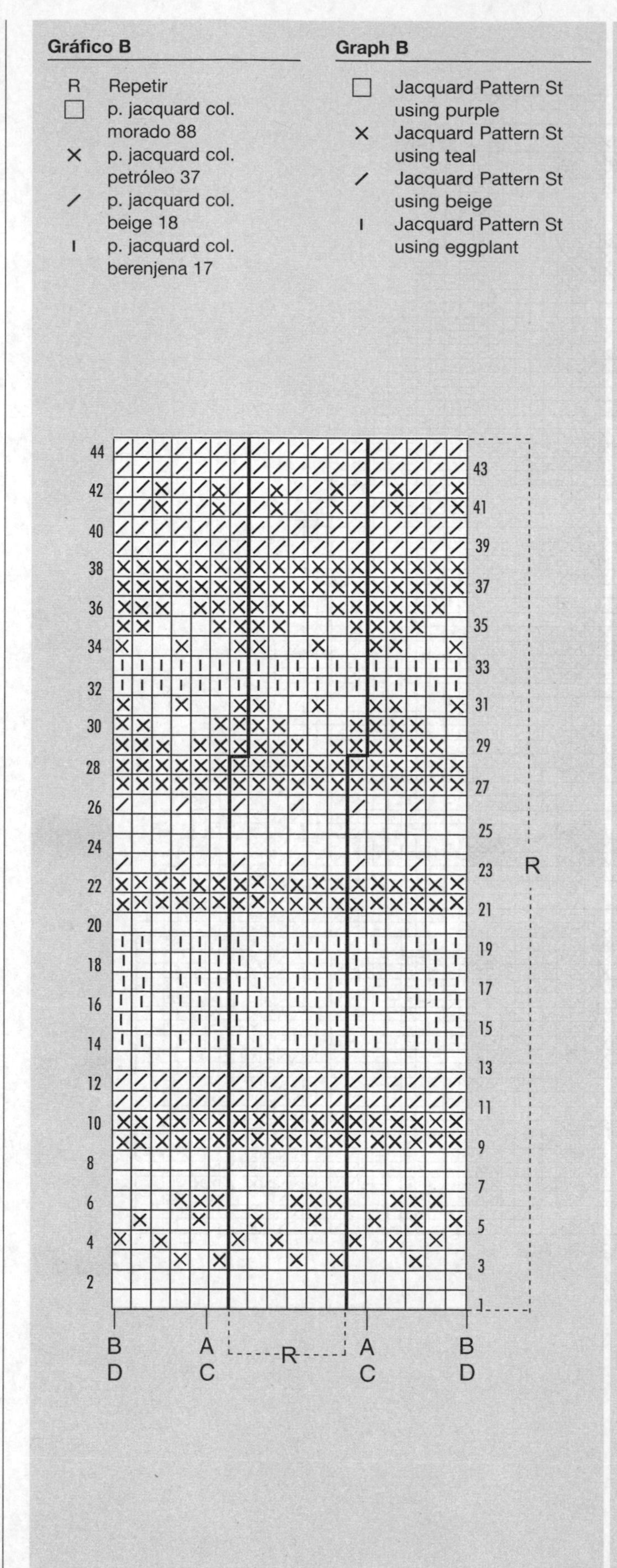

Gráfico C

R Repetir
□ p. jacquard col. morado 88
× p. jacquard col. petróleo 37
/ p. jacquard col. beige 18
I p. jacquard col. berenjena 17

Graph C

□ Jacquard Pattern St using purple
× Jacquard Pattern St using teal
/ Jacquard Pattern St using beige
I Jacquard Pattern St using eggplant

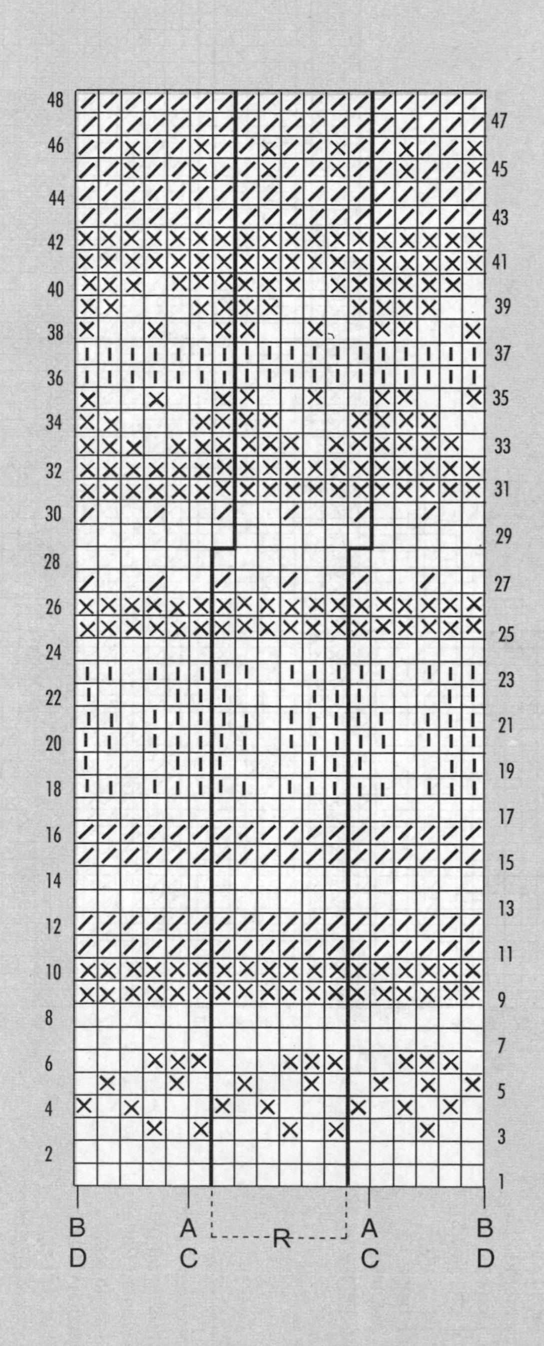

COCKTAIL / TECNO SOFT PRINT / AUSTRAL

pág. 23

ESPAÑOL

TALLAS: -a) 38/40 **-b)** 42/44 **-c)** 46/48 **-d)** 50/52

MATERIALES

COCKTAIL: col. granate 16: **-a)** y **-b)** 8 **-c)** y **-d)** 10 ovillos

TECNO SOFT PRINT: col. 5709: **-a)** y **-b)** 3 **-c)** y **-d)** 4 ovillos

AUSTRAL: col. granate 25: **-a)** y **-b)** 3 **-c)** y **-d)** 4 ovillos

Una cremallera

Agujas	Puntos empleados
Nº 3 1/2	*- P. elástico 1x1*
Nº 4	*- P: jersey*
Nº 4 1/2	*- P. bobo*

MUESTRA DEL PUNTO

Cocktail, *P. jersey*, ag. nº 3 1/2
10x10 cm. = 18 p. y 24 vtas
Tecno Soft + Austral, *P. jersey*, ag. nº 4
10x10 cm. = 17 p. y 26 vtas

ESPALDA

Con ag. nº 3 1/2 en Cocktail montar **-a)** 80 p. **-b)** 88 p. **-c)** 96 p. **-d)** 104 p. trab. 3 cm. a p. bobo y continuar a p. jersey.

A 4 cm. cerrar en ambos lados cada 6 vtas: 5 veces 1 p. = **-a)** 70 p. **-b)** 78 p. **-c)** 86 p. **-d)** 94 p. A 22 cm. de largo total aumentar en ambos lados cada 8 vtas: 5 veces 1 p. = **-a)** 80 p. **-b)** 88 p. **-c)** 96 p. **-d)** 104 p.

Sisas:

A 40 cm. cerrar en ambos lados cada 2 vtas:

-a) 1 vez 4 p., 1 vez 2 p., 2 veces 1 p. = 64 p.

-b) 1 vez 4 p., 1 vez 3 p., 1 vez 2 p., 1 vez 1p. = 68 p.

-c) 1 vez 5 p., 1 vez 3 p., 1 vez 2 p., 2 veces 1 p. = 72 p.

-d) 1 vez 5 p., 1 vez 4 p., 2 veces 2 p., 1 vez 1 p. = 76 p.

Hombros:

A **-a)** 57 cm. **-b)** 58 cm. **-c)** 59 cm. **-d)** 60 cm. de largo total cerrar en ambos lados cada 2 vtas:

-a) 2 veces 9 p.

-b) 2 veces 10 p.

-c) 2 veces 11 p.

-d) 2 veces 12 p.

A **-a)** 59 cm. **-b)** 60 cm. **-c)** 61 cm. **-d)** 62 cm. de largo total cerrar los **-a) -b) -c)** y **-d)** 28.p. restantes.

DELANTERO DERECHO

Con 2 hilos uno de Tecno Soft y uno de Austral, con ag. nº 4 montar **-a)** 38 p. **-b)** 42 p. **-c)** 45 p. **-d)** 49 p. trabajar 3 cm. a p. bobo y continuar a p. jersey derecho. (el delantero no se entalla).

Sisa:

A 40 cm. de largo total cerrar en el lado izquierdo cada 2 vtas:

-a) 1 vez 4 p., 1 vez 2 p., 2 veces 1 p. = 30 p.

-b) 1 vez 4 p., 1 vez 3 p., 1 vez 2 p., 1 vez 1p. = 32 p.

-c) 1 vez 5 p., 1 vez 3 p., 1 vez 2 p., 2 veces 1 p. = 33 p.

-d) 1 vez 5 p., 1 vez 4 p., 2 veces 2 p., 1 vez 1 p. = 35 p.

Escote:

A**-a)** 52 cm. **-b)** 53 cm. **-c)** 54 cm. **-d)** 55 cm. de largo total cerrar en el lado derecho cada 2 vtas: 1 vez 6 p., 1 vez 4 p., 3 veces 1 p. = **-a)** 17 p. **-b)** 19 p. **-c)** 20 p. **-d)** 22 p.

Hombro:

A **-a)** 57 cm. **-b)** 58 cm. **-c)** 59 cm. **-d)** 60 cm. de largo total cerrar en el lado izquierdo cada 2 vtas:

-a) 1 vez 9 p., 1 vez 8 p.

-b) 1 vez 10 p., 1 vez 9 p.

-c) 2 veces 10 p.

-d) 2 veces 11 p.

DELANTERO IZQUIERDO

Trabajar igual que el derecho pero a la inversa.

MANGAS

Con ag. nº 3 1/2 en Cocktail montar 44 p. trabajar 6 cm. a p. bobo y continuar a p. jersey. A 9 cm. aumentar en ambos lados **-a)** cada 10 vtas: 9 veces 1 p. = 62 p. **-b)** cada 8 vtas: 11 veces 1 p. = 66 p. **-c)** cada 6 vtas y 8 vtas alternativamente: 13 veces 1 p. = 70 p. **-d)** cada 6 vtas: 15 veces 1 p. = 74 p.

Sisa:

A 44 cm. de largo total cerrar en ambos lados cada 2 vtas:

-a) 3 veces 2 p., 7 veces 1 p., 6 veces 2 p. y 12 p.

-b) 3 veces 2 p., 7 veces 1 p., 7 veces 2 p. y 12 p.

-c) 3 veces 2 p., 7 veces 1 p., 8 veces 2 p. y 12 p.

-d) 3 veces 2 p., 7 veces 1 p., 9 veces 2 p. y 12 p.

Hacer la otra manga igual.

CONFECCIÓN Y REMATE

Hilvanar las piezas encaradas y planchar a vapor. Coser hombros.

Cuello: Con ag. nº 3 1/2 en Cocktail recoger alrededor del escote 70 p. trab. a p. jersey. A 5 cm. aum. 7 p. repartidos como sigue: 5 p. der., *1 aum. (trabajar 2 p. en un mismo p.), 9 p. der. *, repetir de * a * 6 veces, 1 aum., 4 p. derecho *1 aum. (trabajar 2 p. en un mismo p.), 10 p. der. *, repetir de * a * 6 veces, 1 aum., 5 p. derecho = 84 p. A 12 cm. de largo total cerrar todos los p. procurando que no queden tirantes. Con 2 hilos uno de Tecno Soft y uno de Austral, con ag. nº 3 1/2 montar 85 p. trab. a elástico 1/1. A 5 cm. cambiar ag. nº 4 1/2 y continuar a p. elástico 1x1. A 12 cm. cerrar todos los p. Situar esta pieza encarada sobre el cuello y unir a punto de lado. Coser sisas, lados y bajo de mangas a punto de lado. Coser la cremallera.

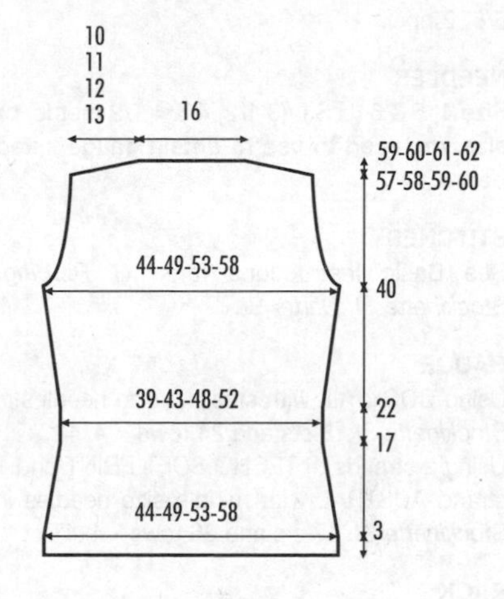

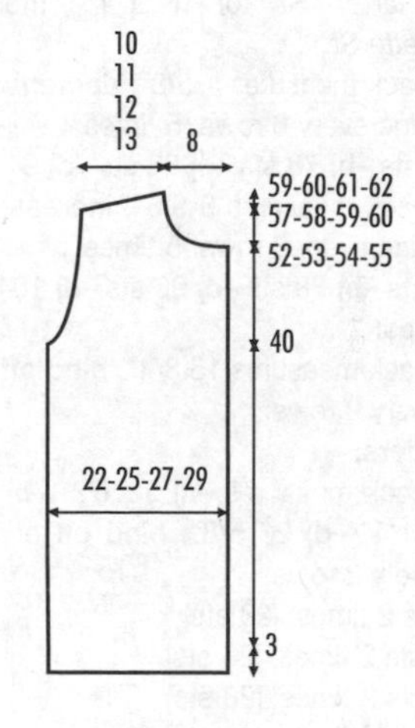

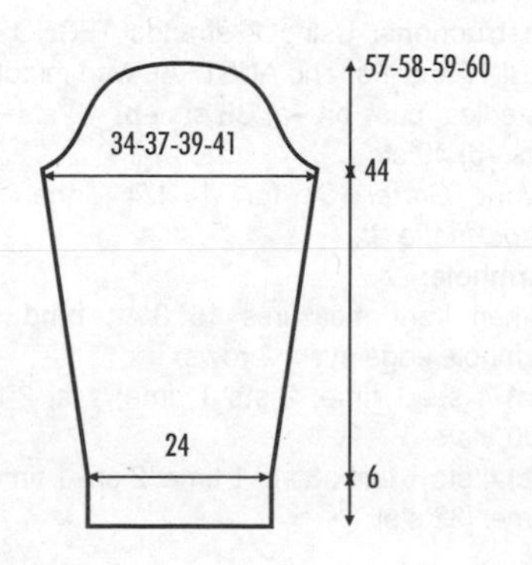

INSTRUCCIONES INSTRUCTIONS

ENGLISH

SIZE: –a) 34 5/8" **–b)** 38 5/8" **–c)** 41 3/4" **–d)** 45 5/8": finished bust measurement.

MATERIALS
COCKTAIL: **–a) & –b)** 7 **–c) & –d)** 10 balls garnet no. 16.
TECNO SOFT PRINT: **–a) & –b)** 3 **–c) & –d)** 4 balls color no. 5709.
AUSTRAL: **–a) & –b)** 3 **–c) & –d)** 4 balls garnet no. 25
One **–a)** 20 1/2" **–b)** 20 7/8" **–c)** 21 1/4" **–d)** 21 5/8" Zipper.

NEEDLES
Size 4, 5 & 6 (U.S.) /(3 1/2, 4 & 4 1/2 metric) **or size you need to use to obtain gauge listed below.**

STITCHES
See Basic Instructions for: *1x1 Ribbing*, *Stockinette St*, *Garter St*.

GAUGE
Using COCKTAIL with smallest size needles in *Stockinette St*:18 sts and 24 rows = 4x4"
Using 2 strands of TECNO SOFT PRINT and 1 strand AUSTRAL with middle size needles in *Stockinette St*: 17 sts and 26 rows - 4x4".

BACK
Using COCKTAIL with smallest size needles, **cast on –a)** 80 sts **–b)** 88 sts **–c)** 96 sts **–d)** 104 sts.
Work *Garter St* for 1 1/4", then work *Stockinette St*.
When back measures 1 5/8", **decrease** 1 st at each edge every 6 rows: 5 times:
[**–a)** 70 sts **–b)** 78 sts **–c)** 86 sts **–d)** 94 sts.]
When back measures 8 5/8", **increase** 1 st at each edge every 8 rows: 5 times:
–a) 80 sts **–b)** 88 sts **–c)** 96 sts **–d)** 104 sts].
Armholes:
When back measures 15 3/4", **bind off** at each edge every 2 rows:
-Shoulders:
When back measures **–a)** 22 1/2" **–b)** 22 7/8" **–c)** 23 1/4" **–d)** 23 5/8", **bind off** at armhole edge every 2 rows:
–a) 9 sts 2 times: [28 sts]
–b) 10 sts 2 times: [28 sts]
–c) 11 sts 2 times: [28 sts]
–d) 12 sts 2 times: [28 sts].

RIGHT FRONT
NOTE: Fronts do not have any side shaping, as on back.
Instructions: Using 2 strands TECNO SOFT PRINT and 1 strand AUSTRAL with middle size needles, **cast on –a)** 38 sts **–b)** 42 sts **–c)** 45 sts **–d)** 49 sts.
Work *Garter St* for 1 1/4"; then work *Stockinette St*.
Armhole:
When front measures 15 3/4", **bind off** at armhole edge every 2 rows:
–a) 4 sts 1 time; 2 sts 1 time; 1 st 2 times: [30 sts]
–b) 4 sts 1 time; 3 sts 1 time; 2 sts 1 time; 1 st time: [32 sts]
–c) 5 sts 1 time; 3 sts 1 time; 2 sts 1 time; 1 st 2 times: [33 sts]
–d) 5 sts 1 time; 4 sts 1 time; 2 sts 2 times; 1 st 1 time: [35 sts].
Neckline:
When front measures **–a)** 20 1/2" **–b)** 20 7/8" **–c)** 21 1/4" **–d)** 21 5/8", **–a) –b) –c) & –d): bind off** at center front edge every 2 rows: 6 sts 1 time; 4 sts 1 time; 1 st 3 times:
[**–a)** 17 sts **–b)** 19 sts **–c)** 20 sts **–d)** 22 sts.
Shoulder:
When front measures **–a)** 22 1/2" **–b)** 22 7/8" **–c)** 23 1/4" **–d)** 23 5/8", bind off at armhole edge every 2 rows:
–a) 9 sts 1 time: 8 sts 1 time
–b) 10 sts 1 time; 9 sts 1 time
–c) 10 sts 2 times
–d) 11 sts 2 times

LEFT FRONT
Work same as right front, reversing all shaping.

SLEEVES
Using COCKTAIL with smallest size needles, **–a) –b) –c) & –d): cast on** 44 sts.
Work *Garter St* for 2 3/8", then work *Stockinette St*.
When sleeve measures 3 1/2", increasing 1 st at each edge
–a) every 10 rows: 9 times: [62 sts]
–b) every 8 rows: 11 times: [66 sts]
–c) alternately every 6 and 8 rows: 13 times: 70 sts]
–d) every 6 rows: 15 times: [74 sts.
Armhole:
When sleeve measures 17 1/4", bind off at each edge every 2 rows:
–a) 2 sts 3 times; 1 st 7 times; 2 sts 6 times; bind off rem 12 sts
–b) 2 sts 3 times; 1 st 7 times; 2 sts 7 times; bind off rem 12 sts
–c) 2 sts 3 times; 1 st 7 times; 2 sts 8 times; bind off rem 12 sts
–d) 2 sts 3 times; 1 st 7 times; 2 sts 9 times; bind off rem 12 sts

FINISHING
Carefully block pieces on the wrong side, using steam only.
Sew shoulder seams.
Under collar:
(Instructions are the same for all sizes, and increase by knitting into the front loop then into the back loop of next st on LH needle.)
Using COCKTAIL with smallest size needles, **pick up** 70 sts around neck edge.
Work *Stockinette St* for 2", then **increase** on next right side row as follows:
1st inc: K5, * inc in next st; K9, *; rep from * to * 5 more times; inc in next st; K4: [77 sts]
Work 2", then increase on next right side row
2nd inc: K5, * inc in next st; K10, *; rep from * to * 5 more times; inc in next st; K5: [84sts]
When under collar measures 4 3/4", **bind off** in same tension as knitting.
Upper collar:
Using 2 strands TECNO SOFT PRINT and 1 strand AUSTRAL with smallest size needles, **cast on** 85 sts.
Work *1x1 Ribbing*.
When piece measures 2", change to largest size needle and continue in *1x1 Ribbing*.
When piece measures 4 3/4", **bind off.**
Pin upper collar over lower collar, then **sew** in place.
Sew in Zipper.
Sew side and sleeve seams.

LULU / MERINO 100 %

pág. 24

ESPAÑOL

TALLAS: –a) 38/40 **–b)** 42/44 **–c)** 46/48 **–d)** 50/52

MATERIALES
LULU: col. 6401: **–a)** 11 **–b)** 12 **–c)** 14 **–d)** 15 ovillos.
MERINO 100 %: col. marrón 21: **–a), –b), –c), –d)** 1 ovillo.

Agujas	Puntos empleados
Nº 8	- *P. elástico 1x1* - *P. jersey der.*
Nº 5	- *P. bobo* - *P. fantasía* (ver explicación).

P. fantasía:
1ª vta: por el derecho de la labor: 4 p. der., * 1 hebra, pasar 1 p. sin hacer a la aguja derecha, trab. 2 p. juntos al der. y pasar el p. sin hacer por encima del p. resultante de los 2 p. juntos, 1 hebra, 1 p. der. *, repetir de * a * y terminar la vta con 3 p. der.
2ª vta: por el revés de la labor: trab. los p. y hebras al rev.
Repetir estas 2 vtas.

MUESTRA DEL PUNTO
P. jersey der., LULU, ag. nº 8
10x10 cm. = 9 p. y 14 vtas.

ESPALDA
Con LULU y ag. nº 8, **montar –a)** 38 p. **–b)** 40 p. **–c)** 44 p. **–d)** 48 p.
Trab. 4 vtas a *p. elástico 1x1*.
Continuar trab. a *p. jersey der.*
A 10 cm. de largo total, **menguar** en ambos lados: 1 vez 1 p. = **–a)** 36 p. **–b)** 38 p. **–c)** 42 p. **–d)** 46 p.
A 18 cm. de largo total, **aumentar** en ambos lados cada 8 vtas: 2 veces 1 p. = **–a)** 40 p. **–b)** 42 p. **–c)** 46 p. **–d)** 50 p.
Sisas:
A 37 cm. de largo total, **cerrar** en ambos lados cada 2 vtas:

–a), –b), –c) 1 vez 2 p., 1 vez 1 p.
–d) 1 vez 3 p., 1 vez 1 p.
Quedan **–a)** 34 p. **–b)** 36 p. **–c)** 40 p. **–d)** 42 p.
Escote:
A **–a)** 49 cm. **–b)** 50 cm. **–c)** 51 cm. **–d)** 52 cm. de largo total, **cerrar** los **–a), –b)** 14 p. **–c), –d)** 16 p. centrales y continuar trab. cada lado por separado.
Hombro:
A **–a)** 54 cm. **–b)** 55 cm. **–c)** 56 cm. **–d)** 57 cm. de largo total, **cerrar** en el lado exterior cada 2 vtas:
–a) 2 veces 5 p.
–b) 1 vez 6 p., 1 vez 5 p.
–c) 2 veces 6 p.
–d) 1 vez 7 p., 1 vez 6 p.
Acabar el otro lado igual, pero a **la inversa.**

DELANTERO
Trab. como la espalda, excepto el escote.
Escote:
A 30 cm. de largo total, **dividir** la labor en dos partes iguales y continuar trab. cada lado por separado.
Menguar en el lado del escote cada 4 vtas:
–a), –b) 7 veces 1 p. **–c), –d)** 8 veces 1 p. de la siguiente manera:
en el lado izquierdo del escote (= al inicio de la vta por el derecho de la labor): trab. 1 p. der., 2 p. juntos al der.
en el lado derecho del escote (= al final de la vta por el derecho de la labor, cuando falten 3 p. para terminar): pasar 1 p. sin hacer a la aguja derecha, trab. 1 p. der. y pasar el p. sin hacer por encima, trab. 1 p. der.
Sisa:
A 37 cm. de largo total, **cerrar** en el extremo exterior cada 2 vtas:
–a), –b), –c) 1 vez 2 p., 1 vez 1 p.
–d) 1 vez 3 p., 1 vez 1 p.
Hombro:
A **–a)** 54 cm. **–b)** 55 cm. **–c)** 56 cm. **–d)** 57 cm. de largo total, **cerrar** en el lado exterior cada 2 vtas:
–a) 2 veces 5 p.
–b) 1 vez 6 p., 1 vez 5 p.
–c) 2 veces 6 p.
–d) 1 vez 7 p., 1 vez 6 p.
Acabar el otro lado igual, pero a **la inversa.**

MANGAS
Con LULU y ag. nº 8, **montar –a)** 20 p. **–b)** 22 p. **–c)** 24 p. **–d)** 26 p.
Trab. 4 vtas a *p. elástico 1x1.*
Continuar trab. a *p. jersey der.* y **aumentar** en ambos lados cada 12 vtas: 5 veces 1 p.
Quedan **–a)** 30 p. **–b)** 32 p. **–c)** 34 p. **–d)** 36 p.
Sisa:
A 55 cm. de largo total, **cerrar** en ambos lados cada 2 vtas:
–a) 1 vez 2 p., 1 vez 1 p.
–b) 1 vez 2 p., 2 veces 1 p.
–c) 1 vez 2 p., 3 veces 1 p.
–d) 1 vez 2 p., 4 veces 1 p.
A **–a)** 59 cm. **–b)** 60 cm. **–c)** 61 cm. **–d)** 62 cm. de largo total, **cerrar** los **–a), –b), –c), –d)** 24 p. restantes.
Trab. la otra manga igual.

CONFECCIÓN Y REMATE
Cuello:
Con 2 hilos MERINO 100 % col. marrón y ag. nº 5, **montar –a)** 115 p. **–b)** 127 p. **–c)** 139 p. **–d)** 151 p.
Trab. 2 vtas a *p. bobo* y continuar trab. a *p. fantasía.* **Cerrar** en ambos lados cada 2 vtas: 5 veces 1 p.
Cuando queden **–a)** 105 p. **–b)** 117 p. **–c)** 129 p. **–d)** 141 p., trab. 1 vta al der. por el derecho de la labor,1 vta a *p. elástico 1x1* y **cerrar** los p. a *p. tubular* (ver pág. p. básicos).
Coser hombros y cuello alrededor del escote, con los extremos del cuello en el centro del escote del delantero.
Coser lados y mangas.

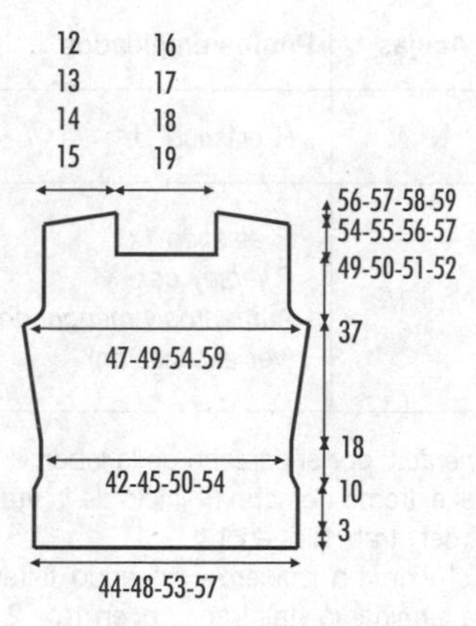

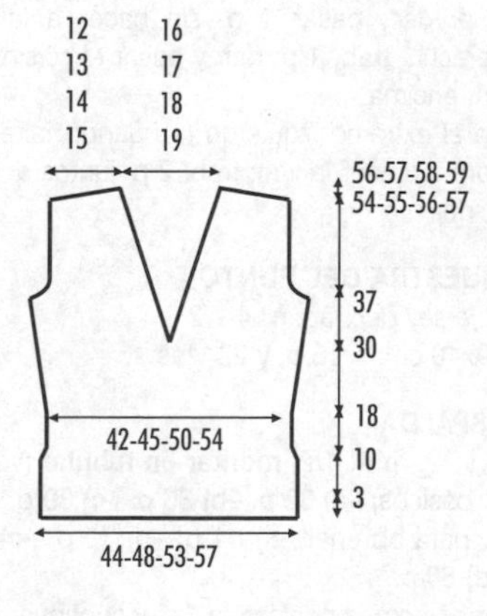

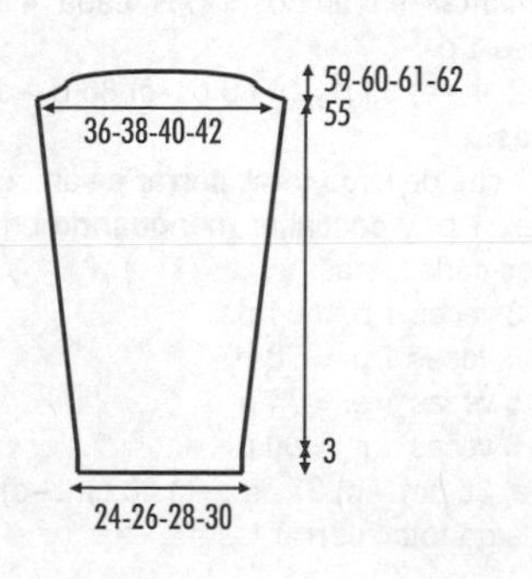

ENGLISH

SIZE: –a) 37" **–b)** 39" **–c)** 42 1/2" **–d)** 46 1/2": finished bust measurement

MATERIALS
LULU: **–a)** 11 **–b)** 12 **–c)** 14 **–d)** 15 balls color no. 6401.
MERINO 100%: **–a) –b) –c) & –d):** 1 ball chestnut no. 21.

NEEDLES
Size 7 & 11 (U.S.) /(5 & 8 metric) **or size you need to use to obtain gauge listed below.**

STITCHES
See Basic Instructions for: *1x1 Ribbing*, *Stockinette St*, *Garter St*.
Pattern St:
Row 1: (right side) K4, * YO, sl 1, K 2 tog, pass slipped st over knitted sts; YO, K1, *; rep from * to *; ending K3.
Row 2: (wrong side) Purl all sts and YOs.
Repeat these 2 rows for pattern.

GAUGE
Using LULU with larger needles in *Stockinette St:* 9 sts and 14 rows = 4x4"

BACK
Using LULU with larger needles, **cast on –a)** 38 sts **–b)** 40 sts **–c)** 44 sts **–d)** 48 sts.
Work *1x1 Ribbing* for 4 rows; then work *Stockinette St*.
When back measures 4", **decrease** 1 st at each edge:
[**–a)** 36 sts **–b)** 38 sts **–c)** 42 sts **–d)** 46 sts].
When back measures 7 1/8", **increase** 1 st at each edge every 8 rows: 2 times:
[**–a)** 40 sts **–b)** 42 sts **–c)** 46 sts **–d)** 50 sts].
Armholes:
When back measures 14 1/2", **bind off** at each edge every 2 rows
–a), –b) & –c) 2 sts 1 time; 1 st 1 time
–d) 3 sts 1 time; 1 st 1 time
[**–a)** 34 sts **–b)** 36 sts **–c)** 40 sts **–d)** 42 sts].
Neckline:
When back measures **–a)** 19 1/4" **–b)** 19 3/4" **–c)** 20 1/8" **–d)** 20 1/2", bind off center **–a) & –b)** 14 sts **–c) & –d)** 16 sts, and work each side separately.
Shoulders:
When back measures **–a)** 21 1/4" **–b)** 21 5/8" **–c)** 22" **–d)** 22 1/2", bind off at armhole edge every 2 rows:
–a) 5 sts 2 times
–b) 6 sts 1 time; 5 sts 1 time
–c) 6 sts 2 times
–d) 7 sts 1 time; 6 sts 1 time.

FRONT
NOTE: Decrease 1 st for neck shaping as follows:

At the beginning of right side rows, K1, K 2 tog.
At the end of right side rows, work to last 3 sts; sl 1, K1, PSSO, K1

Instructions:
Work same as back until front measures 11 3/4": **–a)** 40 sts **–b)** 42 sts **–c)** 46 sts **–d)** 50 sts.

Neckline:
Divide work in center, and working each side separately, **decrease** 1 st at neck edge as given in "NOTE" above, every 4 rows: **–a) & –b)** 7 times **–c) & –d)** 8 times)

AND AT THE SAME TIME:

Armholes:
When back measures 14 1/2", **bind off** at armhole edge every 2 rows
–a), –b) & –c) 2 sts 1 time; 1 st 1 time
–d) 3 sts 1 time; 1 st 1 time

Shoulders:
When front measures **–a)** 21 1/4" **–b)** 21 5/8" **–c)** 22" **–d)** 22 1/2", bind off at armhole edge every 2 rows:
–a) 5 sts 2 times
–b) 6 sts 1 time; 5 sts 1 time
–c) 6 sts 2 times
–d) 7 sts 1 time; 6 sts 1 time.

SLEEVES
Using LULU with larger needles, **cast on –a)** 20 sts **–b)** 22 sts **–c)** 24 sts **–d)** 26 sts.
Work *1x1 Ribbing* for 4 rows; then work *Stockinette St*, **–a) –b) –c) & –d):** increasing 1 st at each edge every 12 rows: 5 times:
[**–a)** 30 sts **–b)** 32 sts **–c)** 34 sts **–d)** 36 sts].

Armhole:
When sleeve measures 21 5/8", **bind off** at each edge every 2 rows:
–a) 2 sts 1 time; 1 st 1 time: [24 sts]
–b) 2 sts 1 time; 1 st 2 times: [24 sts]
–c) 2 sts 1 time; 1 st 3 times: [24 sts]
–d) 2 sts 1 time; 1 st 4 time: [24 sts].
When sleeve measures **–a)** 23 1/4" **–b)** 23 5/8" **–c)** 24" **–d)** 24 3/8", bind off all sts.

FINISHING

Collar:
Using 2 strands MERINO 100% with smaller needles, **cast on –a)** 115 **–b)** 127 **–c)** 139 **–d)** 151 sts.
Work 2 rows *Garter St*, then work *Pattern St*, decreasing 1 st at each edge every 2 rows: 5 times: [**–a)** 105 sts **–b)** 117 sts **–c)** 129 sts **–d)** 151 sts.]
On next right side row, knit all sts.
Next row (wrong side) work *1x1 Ribbing*.
Next row; use Finished Edge Bind Off (see Basic Instructions).
Sew shoulder seams, then **sew** collar around neckline, having ends of collar at center front.
Sew side and sleeve seams.

TUNDRA (Ver página 3 Puntos Básicos) (See page 3 Basic Stitches)

pág. 24

ESPAÑOL

TALLAS: –a) 38/40 **–b)** 42/44 **–c)** 46/48 **–d)** 50/52

MATERIALES
TUNDRA: col. 6701: **–a)** 3 **–b)** 3 **–c)** 4 **–d)** 4 ovillos.

Agujas	Puntos empleados
Nº 4	- *P. elástico 1x1*
Nº 4 1/2	- *P. elástico 1x1* - *P. jersey der.* - *Aumentos y menguados* (ver explicación)

Aumentos: por el derecho de la labor:
En el extremo derecho (= inicio de la vta): trab. 2 p. der., trab. 2 p. en 1 p.
En el extremo izquiero (= cuando falten 3 p. para terminar la vta): trab. 2 p. en 1 p., 2 p. der.

Menguados: por el derecho de la labor:
En el extremo derecho (= inicio de la vta): trab. 2 p. der., pasar 1 p. sin hacer a la aguja derecha, trab. 1 p. der. y pasar el p. sin hacer por encima.
En el extremo izquierdo (= cuando falten 4 p. para terminar la vta): trab. 2 p. juntos al der., 2 p. der.

MUESTRA DEL PUNTO
P. jersey der., ag. nº 4 1/2
10x10 cm. = 16 p. y 22 vtas.

ESPALDA
Con ag. nº 4 1/2, **montar en tubular** (ver pág. p. básicos) **–a)** 32 p. **–b)** 36 p. **–c)** 39 p. **–d)** 43 p. para obtener **–a)** 64 p. **–b)** 72 p. **–c)** 78 p. **–d)** 86 p.
Trab. 4 cm. a *p. elástico 1x1* y continuar trab. a *p. jersey der.*
Aumentar en ambos lados cada 4 vtas: 4 veces 1 p.
Quedan **–a)** 72 p. **–b)** 80 p. **–c)** 86 p. **–d)** 94 p.

Sisas:
A 18 cm. de largo total, **cerrar** en ambos lados 1 vez 1 p. y continuar **menguando** en ambos lados cada 2 vtas:
–a) 3 veces 1 p. = 64 p.
–b) 4 veces 1 p. = 70 p.
–c) 5 veces 1 p. = 74 p.
–d) 6 veces 1 p. = 80 p.
A **–a)** 36 cm. **–b)** 37 cm. **–c)** 38 cm. **–d)** 39 cm. de largo total, **cerrar** los p.

DELANTERO DERECHO
Con ag. nº 4 1/2, **montar –a)** 6 p. **–b)** 10 p. **–c)** 14 p. **–d)** 18 p.
Trab. a *p. jersey der.*
Aumentar en el extremo izquierdo cada 4 vtas: 4 veces 1 p. y **al mismo tiempo, aumentar** en el extremo derecho cada 2 vtas: 3 veces 6 p., 1 vez 8 p.
Quedan **–a)** 36 p. **–b)** 40 p. **–c)** 44 p. **–d)** 48 p.

Escote y sisa:
Se forman al mismo tiempo.

Escote:
A 15 cm. de largo total, continuar trab. los 5 p. del extremo derecho (= corresponden a la tapeta) de la siguiente manera:
En las vtas por el derecho de la labor: pasar 2 p. sin hacer al der. a la aguja derecha, trab. 1 p. rev., 1 p. der., 1 p. rev.
En las vtas por el revés de la labor, cuando falten 5 p. para terminar la vta: trab. 1 p. der., 1 p. rev., 1 p. der., 2 p. rev.
y **menguar** (= pasar 1 p. sin hacer a la aguja derecha, trab. 1 p. der. y pasar el p. sin hacer por encima) después de los 5 p. de la tapeta cada 4 vtas:
–a) 8 veces 1 p.
–b) 9 veces 1 p.
–c) 11 veces 1 p.
–d) 12 veces 1 p.

Sisa:
A los mismos 15 cm. de largo total, **cerrar** en el extremo izquierdo 1 vez 1 p. y continuar **menguando** en el extremo izquierdo cada 2 vtas:
–a) 3 veces 1 p.
–b) 4 veces 1 p.
–c) 5 veces 1 p.
–d) 6 veces 1 p.

Hombro:
A **–a)** 33 cm. **–b)** 34 cm. **–c)** 35 cm. **–d)** 36 cm. de largo total, **cerrar** al inicio de una vta por el revés de la labor, los primeros **–a)** 19 p. **–b)** 21 p. **–c)** 22 p. **–d)** 24 p.
Continuar trab. con los 5 p. de la tapeta hasta **–a)** 53 cm. **–b)** 55,5 cm. **–c)** 58 cm. **–d)** 61 cm. largo total. **Cerrar.**

DELANTERO IZQUIERDO
Con ag. nº 4 1/2, **montar –a)** 6 p. **–b)** 10 p. **–c)** 14 p. **–d)** 18 p.
Trab. a *p. jersey der.*
Aumentar en el extremo derecho cada 4 vtas: 4 veces 1 p. y **al mismo tiempo, aumentar** en el extremo izquierdo cada 2 vtas: 3 veces 6 p., 1 vez 8 p.
Quedan **–a)** 36 p. **–b)** 40 p. **–c)** 44 p. **–d)** 48 p.

Escote y sisa:
Se forman al mismo tiempo.

Escote:
A 15 cm. de largo total, continuar trab. los 5 p. del extremo izquierdo (= corresponden a la tapeta) de la siguiente manera:
En las vtas por el derecho de la labor, cuando falten 5 p. para terminar la vta: 1 p. rev., 1 p. der., 1 p. rev., pasar 2 p. sin hacer al der. a la aguja derecha.
En las vtas por el revés de la labor, al inicio de la vta la vta: trab. 2 p. rev., 1 p. der., 1 p. rev., 1 p. der.

y **menguar** (= trab. 2 p. juntos al der.) antes de los 5 p. de la tapeta cada 4 vtas:
–a) 8 veces 1 p.
–b) 9 veces 1 p.
–c) 11 veces 1 p.
–d) 12 veces 1 p.
Sisa:
A los mismos 15 cm. de largo total, **cerrar** en el extremo derecho 1 vez 1 p. y continuar **menguando** en el extremo derecho cada 2 vtas:
–a) 3 veces 1 p.
–b) 4 veces 1 p.
–c) 5 veces 1 p.
–d) 6 veces 1 p.
Hombro:
A **–a)** 33 cm. **–b)** 34 cm. **–c)** 35 cm. **–d)** 36 cm. de largo total, **cerrar** al inicio de una vta por el derecho de la labor, los primeros **–a)** 19 p. **–b)** 21 p. **–c)** 22 p. **–d)** 24 p.
Continuar trab. con los 5 p. de la tapeta hasta **–a)** 53 cm. **–b)** 55,5 cm. **–c)** 58 cm. **–d)** 61 cm. largo total. **Cerrar.**

MANGAS
Con ag. nº 4 1/2, **montar en tubular** (ver pág. p. básicos) **–a)** 22 p. **–b)** 24 p. **–c)** 26 p. **–d)** 27 p. para obtener **–a)** 44 p. **–b)** 48 p. **–c)** 52 p. **–d)** 54 p.
Trab. 3 cm. a *p. elástico 1x1* y continuar trab. a *p. jersey der.*
Aumentar en ambos lados cada 8 vtas: 2 veces 1 p. = **–a)** 48 p. **–b)** 52 p. **–c)** 56 p. **–d)** 58 p.
Sisa:
A 16 cm. de largo total, **menguar** en ambos lados cada 2 vtas:
–a) 15 veces 1 p.
–b) 16 veces 1 p.
–c) 17 veces 1 p.
–d) 18 veces 1 p.
A **–a)** 31 cm. **–b)** 32 cm. **–c)** 33 cm. **–d)** 34 cm. de largo total, **cerrar** los **–a)** 18 p. **–b)** 20 p. **–c)** 22 p. **–d)** 22 p. restantes.
Trab. la otra manga igual.

CONFECCIÓN Y REMATE
Tira delantero derecho:
Con ag. nº 4, **montar** 10 p.
Trab. a *p. elástico 1x1.*
A **–a)** 20 cm. **–b)** 22,5 cm. **–c)** 24,5 cm. **–d)** 27 cm. de largo total, **dejar los p. en espera.**
Con ag. nº 4, **recoger** en el extremo derecho del delantero (= la parte recta, indicado en el patrón con una línea discontinua) desde el inicio del escote hasta la parte de los aumentos **–a), –b), –c), –d)** 21 p.
Retomar los 10 p. dejados en espera y continuar trab. a *p. elástico 1x1* con todos los p. = 31 p.
Menguar en el centro cada 2 vtas: 8 veces 2 p. de la siguiente manera: al llegar a los 3 p. centrales, pasar 1 p. sin hacer a la aguja derecha, trab. 2 p. juntos al der. y pasar el p. sin hacer por encima del p. resultante de los 2 p. juntos. Quedan 15 p.
A **–a)** 96 cm. **–b)** 100 cm. **–c)** 104 cm. **–d)** 108 cm. de largo total, **cerrar** los p.
Trab. la tira del delantero izquierdo igual, pero hasta **–a)** 64 cm. **–b)** 68 cm. **–c)** 72 cm. **–d)** 76 cm. de largo total.
Coser hombros (= **–a)** 19 p. **–b)** 21 p. **–c)** 22 p. **–d)** 24 p. para cada hombro), las tiras de los delanteros alrededor del escote de la espalda, las tiras de los delanteros alrededor de los bajos de los delanteros, lados y mangas.
Para cerrar la chaqueta, pasar la tira del delantero derecho por el bajo de la espalda y anudar en el extremo derecho con la tira del delantero izquierdo (ver foto).

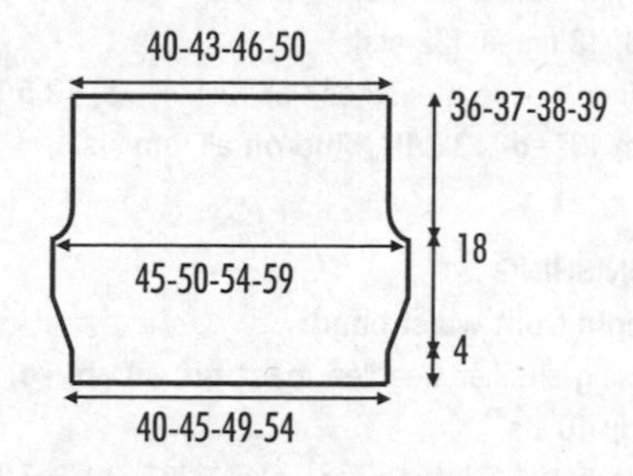

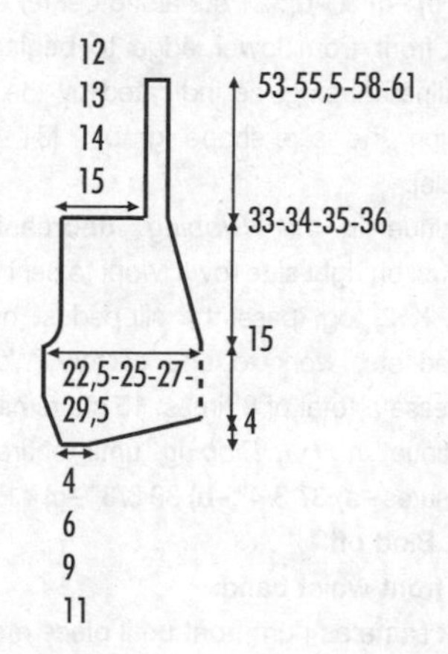

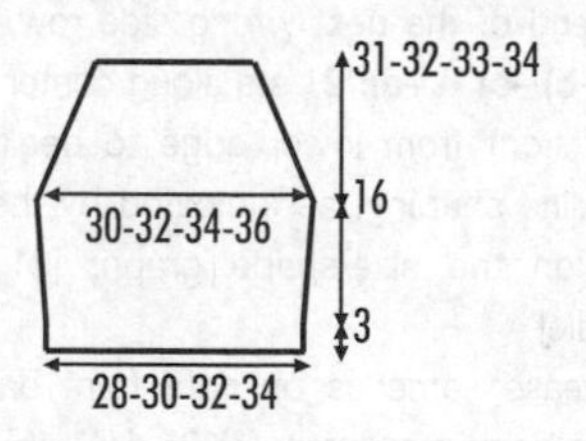

ENGLISH

SIZE: –a) 35 3/8" **–b)** 39 3/8" **–c)** 42 1/2" **–d)** 46 1/2": finished bust measurement.

MATERIALS
TUNDRA: **–a)** 3 **–b)** 3 **–c)** 4 **–d)** 4 balls color no. 6701.

NEEDLES
Size 5 & 6 (U.S.) /(4 & 4 1/2 metric) **or size you need to use to obtain gauge listed below.**

STITCHES
See Basic Instructions for: *1x1 Ribbing, Stockinette St,* In *Tubular Cast On.*
NOTE 1: Increase 1 st for shaping as follows:
At the beginning of right side rows: K2, knit into the front loop and then into the back loop of next st.
At the end of right side rows: work to last 3 sts; inc as before, K2.
NOTE 2: Decrease 1 st for shaping as follows:
At the beginning of right side rows, K2, sl 1, K1, PSSO.
At the end of right side rows, work to last 4 sts; K 2 tog, K2.

GAUGE
Using larger needles, in *Stockinette St*: 16 sts and 22 rows = 4x4"

BACK
Using larger needles in ***Tubular Cast On,*** begin with **–a)** 32 sts **–b)** 36 sts **–c)** 39 sts **–d)** 43 sts, to make **–a)** 64 sts **–b)** 72 sts**–c)** 78 sts **–d)** 86 sts.
Work *1x1 Ribbing* for 1 5/8"; then work *Stockinette St*, **increasing** 1 st at each edge as given in "NOTE 1" above, every 4 rows: 4 times:
[**–a)** 72 sts **–b)** 80 sts **–c)** 86 sts **–d)** 94 sts].
Armholes:
When back measures 7 1/8", **–a) –b) –c) & –d): bind off** at each edge 1 st, then **decrease** 1 st at each edge as given in "NOTE 2" above, every 2 rows:
–a) 3 times: [64 sts]
–b) 4 times: [70 sts]
–c) 5 times: [74 sts]
–d) 6 times: [80 sts]
When back measures **–a)** 14 1/8" **–b)** 14 1/2" **–c)** 15" **–d)** 15 3/8", **bind off** all sts.

RIGHT FRONT
NOTE: Work front band sts (and decreases) as follows: At the beginning of a right side row: slip 2 sts as if to knit them, P1, K1, P1: (to decrease, sl 1, K1, PSSO). At the end of wrong side rows, work to last 5 sts, K1, P1, K1, P2.
Instructions:
Using larger needles **cast on –a)** 6 sts **–b)** 10 sts **–c)** 14 sts **–d)** 18 sts.
Work *Stockinette St*, **increasing** 1 st at armhole edge as given in "NOTE 1" above, every 4 rows: 4 times: **AND AT THE SAME TIME: cast on** at the beginning of every right side row: 6 sts 3 times; 8 sts 1 time:
[**–a)** 36 sts **–b)** 40 sts **–c)** 44 sts **–d)** 48 sts].
Neckline and Armhole:
Worked at the same time when front measures 5 7/8".
Neckline:
Work the front band sts as given above, **decreasing** 1 st every 4 rows:

I N S T R U C C I O N E S

-a) 8 times
-b) 9 times
-c) 11 times
-d) 12 times.

AND AT THE SAME TIME:

Armhole: -a) -b) -c) & -d): bind off at armhole edge 1 st, then **decrease** 1 st at armhole edge as given in "NOTE 2" above, every 2 rows:
-a) 3 times
-b) 4 times
-c) 5 times
-d) 6 times

Shoulder:
When front measures **-a)** 13" **-b)** 13 3/8" **-c)** 13 3/4" **-d)** 14 1/8", bind off at the beginning of next wrong side row: **-a)** 19 sts **-b)** 21 sts **-c)** 22 sts **-d)** 24 sts.
Continue working the 5 front band sts in existing pattern until front measures **-a)** 20 7/8" **-b)** 21 7/8" **-c)** 22 7/8" **-d)** 24". **Bind off.**

LEFT FRONT

NOTE: Work front band sts (and decreases) as follows: At the end of a right side row: work to last 5 sts, P1, K1, P1 slip 2 sts. (To decrease, work to last 7 sts, K2 tog, then work the 5 front band sts.) On wrong side rows, P1, K1, P1, K1, work to end of row

Instructions:
Using larger needles **cast on -a)** 6 sts **-b)** 10 sts **-c)** 14 sts **-d)** 18 sts.
Work *Stockinette St*, **increasing** 1 st at armhole edge as given in "NOTE 1" above, every 4 rows: 4 times: **AND AT THE SAME TIME: cast on** at the end of every right side row: 6 sts 3 times; 8 sts 1 time:
[-a) 36 sts **-b)** 40 sts **-c)** 44 sts **-d)** 48 sts].

Neckline and Armhole:
Worked at the same time when front measures 5 7/8".

Neckline:
Work the front band sts as given above, **decreasing** 1 st every 4 rows:
-a) 8 times
-b) 9 times
-c) 11 times
-d) 12 times.

AND AT THE SAME TIME:

Armhole: -a) -b) -c) & -d): bind off at armhole edge 1 st, then **decrease** 1 st at armhole edge as given in "NOTE 2" above, every 2 rows:
-a) 3 times
-b) 4 times
-c) 5 times
-d) 6 times

Shoulder:
When front measures **-a)** 13" **-b)** 13 3/8" **-c)** 13 3/4" **-d)** 14 1/8", bind off at the beginning of next right side row: **-a)** 19 sts **-b)** 21 sts **-c)** 22 sts **-d)** 24 sts.
Continue working the 5 front band sts in existing pattern until front measures **-a)** 20 7/8" **-b)** 21 7/8" **-c)** 22 7/8" **-d)** 24". **Bind off.**

SLEEVES

Using larger needles in ***Tubular Cast On***, begin with **-a)** 22 sts **-b)** 24 sts **-c)** 26 sts **-d)** 27 sts; to make **-a)** 44 sts **-b)** 48 sts **-c)** 52 sts **-d)** 54 sts.
Work *1x1 Ribbing* for 1 1/4", then work *Stockinette St*, **-a) -b) -c) & -d): increasing** 1 st at each edge as given in "NOTE 1" above, every 8 rows: 2 times
[-a) 48 sts **-b)** 52 sts **-c)** 56 sts **-d)** 58 sts].

Armhole:
When sleeve measures 7 1/8", **decrease** 1 st at each edge as given in "NOTE 2" above, every 2 rows:
-a) 15 times: [18 sts]
-b) 16 times: [20 sts]
-c) 17 times: [22 sts]
-d) 18 times: [22 sts].
When sleeve measures **-a)** 12 1/4" **-b)** 12 5/8" **-c)** 13" **-d)** 13 3/8", **bind off** all rem sts.

FINISHING

Right front waist band:
Using smaller needles, **cast on -a) -b) -c) & -d):** 10 sts.
Work *1x1 Ribbing* for **-a)** 7 7/8" **-b)** 8 7/8" **-c)** 9 5/8" **-d)** 10 5/8".
At the end of the next right side row, pick up **-a) -b) -c) & -d):** 21 sts along center edge of right front from lower edge to beginning of neckline shaping, as indicated by the dotted line on the size/shape graph: [31 sts on needle].
Continue in *1x1 Ribbing*, **decreasing** as follows: on right side rows, work to center 3 sts; sl 1, K 2 tog, pass the slipped st over the knitted sts, work to end of row. Work this decrease a total of 8 times: 15 sts remain.
Continue in *1x1 Ribbing* until entire piece measures **-a)** 37 3/4" **-b)** 39 3/8" **-c)** 41" **-d)** 42 1/2". **Bind off.**

Left front waist band:
Work same as right front until piece measures **-a)** 7 7/8" **-b)** 8 7/8" **-c)** 9 5/8" **-d)** 10 5/8", At the end of the next wrong side row, pick up **-a) -b) -c) & -d):** 21 sts along center edge of right front from lower edge to beginning of neckline shaping, as indicated by the dotted line on the size/shape graph: [31 sts on needle].
Decrease same as on right front band, and when band measures **-a)** 25 1/4" **-b)** 26 3/4" **-c)** 28 3/8" **-d)** 29 7/8", **bind off.**
Sew shoulder seams over **-a)** 19 sts **-b)** 21 sts **-c)** 22 sts **-d)** 24 sts.
Sew ends of front band extensions together, then **sew** to back neck edge.
Sew upper edge of each front waist band to lower edge of each front.
Sew side and sleeve seams.
To wear garment, bring end of right front waist band around back to right side seam and tie in place with other band, as shown in photograph.

LULU

pág. 25

ESPAÑOL

TALLAS: -a) 38/40 **-b)** 42/44 **-c)** 46/48 **-d)** 50/52

MATERIALES
LULU: col. 6401: **-a)** 10 **-b** 11 **-c)** 12 **-d)** 12 ovillos.
1 alfiler color rojo de 15 cm. largo.

Agujas	Puntos empleados
Nº 12	- *P. fantasía* (ver gráfico A).

MUESTRA DEL PUNTO
P. fantasía, ag. nº 12
10x10 cm. = 8 p. y 12 vtas.

REALIZACIÓN
Se trab. en una pieza, empezando con la manga.
Montar -a) 23 p. **-b)** 24 p. **-c)** 26 p. **-d)** 27 p. Trab. a *p. fantasía* según gráfico A. Empezar y terminar con el p. indicado en el gráfico con la letra **-a)** A **-b)** B **-c)** C **-d)** D.
A 8 cm. de largo total, **aumentar** en ambos lados cada 6 vtas: 5 veces 1 p. Quedan **-a)** 33 p. **-b)** 34 p. **-c)** 36 p. **-d)** 37 p. Trab. los p. aumentados a *p. fantasía* teniendo en cuenta que se necesitan 8 p. para cada repetición.
A 45 cm. de largo total, **montar** al inicio de la vta por el derecho de la labor **-a), -b), -c), -d)** 24 p. y trab. los siguientes **-a)** 32 p. **-b)** 34 p. **-c)** 36 p. **-d)** 37 p. a *p. fantasía*.
Con otro ovillo, **montar** en la aguja que no tiene puntos **-a), -b), -c), -d)** 24 p. y trab. estos 24 p. a *p. fantasía*. **Cortar** el hilo del montaje de los 24 p.
Continuar trab. a *p. fantasía* con todos los p. = **-a)** 80 p. **-b)** 82 p. **-c)** 84 p. **-d)** 85 p.
A **-a)** 72 cm. **-b)** 74 cm. **-c)** 76 cm. **-d)** 78 cm. de largo total, al inicio de una vta por el revés de la labor, **cerrar** los primeros **-a)** 40 p. **-b)** 41 p. **-c)** 42 p. **-d)** 43 p. al der. y continuar trab. con los **-a)** 40 p. **-b)** 41 p. **-c)** 42 p. **-d)** 42 p. restantes a *p. fantasía*.
A **-a)** 162 cm. **-b)** 166 cm. **-c)** 170 cm. **-d)** 174 cm. de largo total, **cerrar** los p. al der.

CONFECCIÓN Y REMATE
Todas las costuras se realizan a *p. de lado* (ver pág. p. básicos).
Doblar la manga por la mitad y **coser** la manga.
A continuación, **coser** el lado izquierdo de la prenda. (= queda la manga formada y el lado izquierdo del delantero).
Abrochar con el alfiler (ver fotografía).

I N S T R U C T I O N S

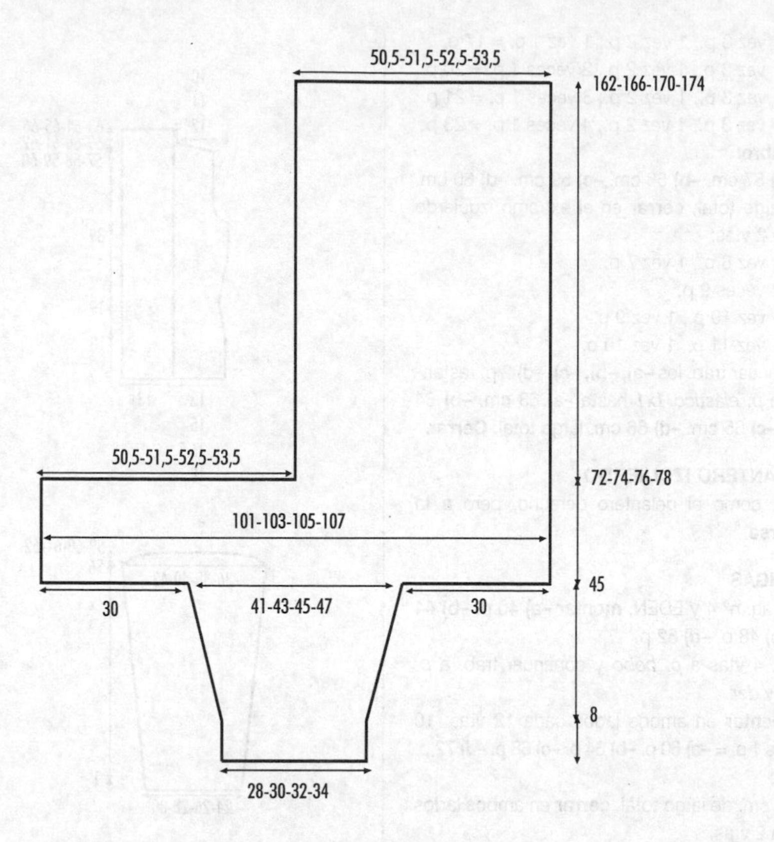

Gráfico A

En las vtas pares, trab. los p. al rev.

R Repetir
□ 1 p. der.
⊗ trab. 3 p. en 1 p. (= 1 p. der., 1 p. rev., 1 p. der.), dar la vuelta a la labor, trab. 3 p. rev., dar la vuelta a la labor, pasar 1 p. sin hacer a la aguja derecha, trab. 2 p. juntos al der. y pasar el p. sin hacer por encima del p. resultante de los 2 p. juntos.

Graph A

On alternate rows, purl all sts.

R Repeat
□ Knit
⊗ (K1, P1,K1) in designated st, turn and purl these 3 sts, turn, sl 1, K 2 tog, pass slipped st over the K 2 tog

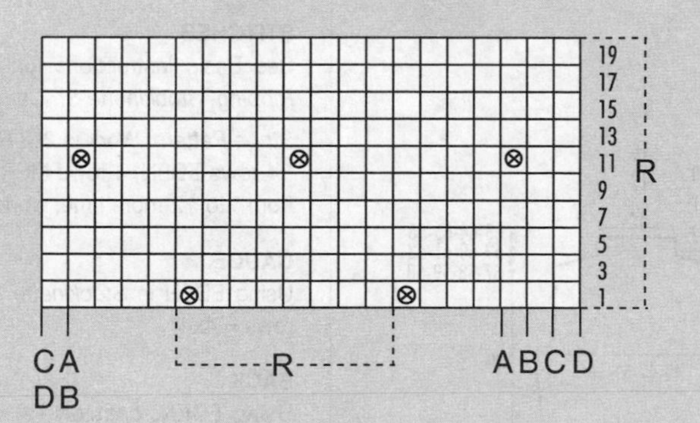

E NGLISH

SIZE: -a) small **-b)** medium **-c)** large **-d)** X large

MATERIALS
LULU: **-a)** 10 **-b)** 11 **-c)** 12 **-d)** 12 balls color no. 6401.
One tie-pin, 5 7/8" long.

NEEDLES
Size 17 (U.S.) /(12 metric) **or size you need to use to obtain gauge listed below.**

STITCHES
Pattern St: See Graph A

GAUGE
In *Pattern St*: 8 sts and 12 rows = 4x4"

INSTRUCTIONS
Made in one piece, beginning with left sleeve.
Cast on -a) 23 sts **-b)** 24 sts **-c)** 26 sts **-d)** 27 sts.
Beginning and ending with st marked **-a)** A **-b)** B **-c)** C **-d)** D, work *Pattern St* following graph A.
When piece measures 3 1/8", **increase** 1 st at each edge every 6 rows: 5 times:
-a) 33 sts **-b)** 24 sts **-c)** 36 sts **-d)** 37 sts.
When piece measures 17 3/4", **-a) -b) -c) & -d):** before beginning next wrong side row, **cast onto** same needle: **-a) -b) -c) & -d):** 24 sts. Purl these sts and the **-a)** 32 sts **-b)** 34 sts **-c)** 36 sts **-d)** 37 sts for a total of **-a)** 56 sts **-b)** 58 sts **-c)** 60 sts **-d)** 61 sts.
Using another ball of yarn with empty needle, **-a) -b) -c) & -d): cast on** 24 sts, then purl these sts for a total of **-a)** 80 sts **-b)** 82 sts **-c)** 84 sts **-d)** 85 sts. **Cut off** other ball of yarn. Continue to work *Pattern St*, working all increased sts into *Pattern St*.
When piece measures **-a)** 28 3/8" **-b)** 29 1/2" **-c)** 29 7/8" **-d)** 30 3/4", at the beginning of the next wrong side row, **bind off -a)** 40 sts **-b)** 41 sts **-c)** 42 sts **-d)** 43 sts, then continue in *Pattern St* on remaining **-a)** 40 sts **-b)** 41 sts **-c)** 42 sts **-d)** 42 sts.
When piece measures **-a)** 64 7/8" **-b)** 65 1/2" **-c)** 66 7/8" **-d)** 68 1/2", **bind off** all sts.

FINISHING
Fold left sleeve in center and **sew** underarm seam and side seam = the 24 cast on sts.
Fasten front with tie-pin, as shown in photograph.

EDEN / MERINO 100 %

pág. 26

E SPAÑOL

TALLAS: -a) 38/40 **-b)** 42/44 **-c)** 46/48 **-d)** 50/52

INSTRUCCIONES

INSTRUCTIONS

MATERIALES
EDEN: col. 6953: **–a)** 8 **–b)** 9 **–c)** 9 **–d)** 10 ovillos.
MERINO 100 %: col. 20: **–a) –b), –c), –d)** 2 ovillos.

Agujas	Puntos empleados
Nº 4	- *P. elástico 2x2* - *P. elástico 1x1* - *P. jersey der.* - *P. bobo* - *P. listado* (ver explicación)

P. listado: Trab. a *p. elástico 2x2:*
* 4 vtas con EDEN, 4 vtas con MERINO 100 % *, repetir de * a * 2 veces más, 4 vtas con EDEN.

MUESTRA DEL PUNTO
P. jersey der., EDEN, ag. nº 4
10x10 cm. = 17 p. y 24 vtas.

ESPALDA
Con EDEN y ag. nº 4, **montar –a)** 69 p. **–b)** 79 p. **–c)** 85 p. **–d)** 93 p.
Trab. 4 vtas a *p. bobo* y continuar trab. a *p. jersey der.*
A 10 cm. de largo total, **cerrar** en ambos lados cada 10 vtas: 2 veces 1 p. = **–a)** 65 p. **–b)** 75 p. **–c)** 81 p. **–d)** 89 p.
A 19 cm. de largo total, **aumentar** en ambos lados cada 10 vtas: 3 veces 1 p. = **–a)** 71 p. **–b)** 81 p. **–c)** 87 p. **–d)** 95 p.
Sisas:
A 39 cm. de largo total, **cerrar** en ambos lados cada 2 vtas:
–a) 1 vez 3 p., 1 vez 2 p., 1 vez 1 p. = 59 p.
–b) 1 vez 3 p., 1 vez 2 p., 2 veces 1 p. = 67 p.
–c) 1 vez 3 p., 1 vez 2 p., 3 veces 1 p. = 71 p.
–d) 1 vez 3 p., 1 vez 2 p., 4 veces 1 p. = 77 p.
Hombros:
A **–a)** 57 cm. **–b)** 58 cm. **–c)** 59 cm. **–d)** 60 cm. de largo total, **cerrar** en ambos lados cada 2 vtas:
–a) 1 vez 8 p., 1 vez 7 p.
–b) 2 veces 9 p.
–c) 1 vez 10 p., 1 vez 9 p.
–d) 1 vez 11 p., 1 vez 10 p.
Continuar trab. los **–a)** 29 p. **–b)** 31 p. **–c)** 33 p. **–d)** 35 p. del escote a *p. elástico 1x1* hasta **–a)** 63 cm. **–b)** 64 cm. **–c)** 65 cm. **–d)** 66 cm. largo total. **Cerrar.**

DELANTERO DERECHO
Con EDEN y ag. nº 4, **montar –a)** 22 p. **–b)** 26 p. **–c)** 28 p. **–d)** 31 p.
Trab. 4 vtas a *p. bobo* y continuar trab. a *p. jersey der.*
A 10 cm. de largo total, **cerrar** en el extremo izquierdo cada 10 vtas: 2 veces 1 p. = **–a)** 20 p. **–b)** 24 p. **–c)** 26 p. **–d)** 29 p.
A 19 cm. de largo total, **aumentar** en el extremo izquierdo cada 10 vtas: 3 veces 1 p. = **–a)** 23 p. **–b)** 27 p. **–c)** 29 p. **–d)** 32 p.
Sisa:
A 39 cm. de largo total, **cerrar** en el extremo izquierdo cada 2 vtas:
–a) 1 vez 3 p., 1 vez 2 p., 1 vez 1 p. = 17 p.
–b) 1 vez 3 p., 1 vez 2 p., 2 veces 1 p. = 20 p.
–c) 1 vez 3 p., 1 vez 2 p., 3 veces 1 p. = 21 p.
–d) 1 vez 3 p., 1 vez 2 p., 4 veces 1 p. = 23 p.
Hombro:
A **–a)** 57 cm. **–b)** 58 cm. **–c)** 59 cm. **–d)** 60 cm. de largo total, **cerrar** en el extremo izquierdo cada 2 vtas:
–a) 1 vez 8 p., 1 vez 7 p.
–b) 2 veces 9 p.
–c) 1 vez 10 p., 1 vez 9 p.
–d) 1 vez 11 p., 1 vez 10 p.
Continuar trab. los **–a), –b), –c), –d)** 2 p. restantes a *p. elástico 1x1* hasta **–a)** 63 cm. **–b)** 64 cm. **–c)** 65 cm. **–d)** 66 cm. largo total. **Cerrar.**

DELANTERO IZQUIERDO
Trab. como el delantero derecho, pero **a la inversa.**

MANGAS
Con ag. nº 4 y EDEN, **montar –a)** 40 p. **–b)** 44 p. **–c)** 48 p. **–d)** 52 p.
Trab. 4 vtas a *p. bobo* y continuar trab. a *p. jersey der.*
Aumentar en ambos lados cada 12 vtas: 10 veces 1 p. = **–a)** 60 p. **–b)** 64 p. **–c)** 68 p. **–d)** 72 p.
Sisa:
A 56 cm. de largo total, **cerrar** en ambos lados cada 2 vtas:
–a) 1 vez 3 p., 1 vez 2 p. = 50 p.
–b) 1 vez 3 p., 1 vez 2 p., 1 vez 1 p. = 52 p.
–c) 1 vez 3 p., 1 vez 2 p., 2 veces 1 p. = 54 p.
–d) 1 vez 3 p., 1 vez 2 p., 3 veces 1 p. = 56 p.
A **–a)** 59 cm. **–b)** 60 cm. **–c)** 61 cm. **–d)** 62 cm. de largo total, **cerrar** los p.
Trab. la otra manga igual.

CONFECCIÓN Y REMATE
Tiras delanteros:
Con ag. nº 4 y MERINO 100 %, **montar –a)** 144 p. **–b)** 148 p. **–c)** 152 p. **–d)** 156 p.
Trab. 3 cm. a *p. elástico 2x2.* Empezar y terminar con 3 p. der. y continuar trab. a *p. listado.*
A 13 cm. de largo total, **cerrar** los p.
Trab. otra tira igual.
Coser hombros, tiras a los delanteros (= con los 3 cm. a *p. elástico 2x2* MERINO 100 % en el extremo exterior, ver foto), lados y mangas.

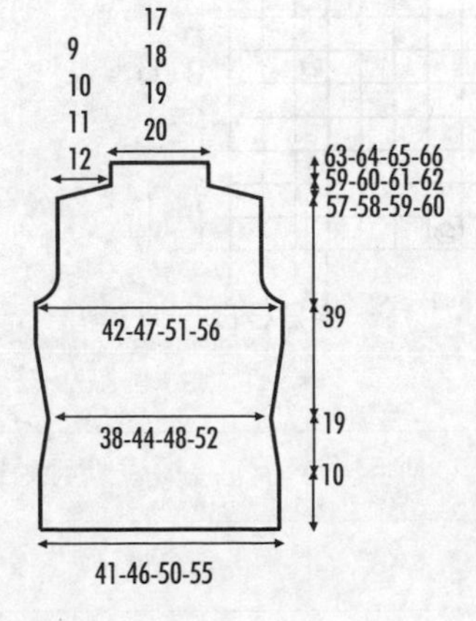

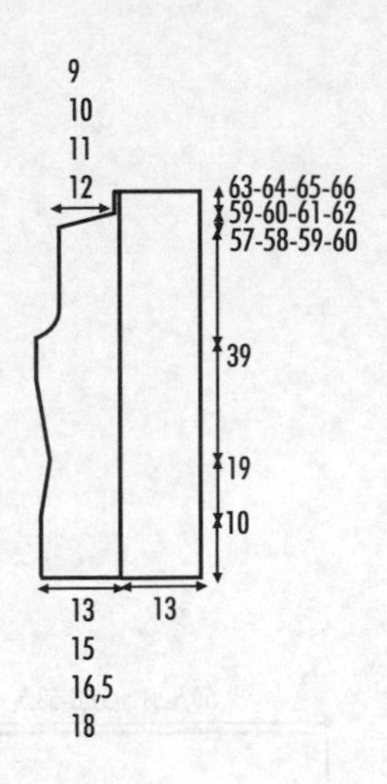

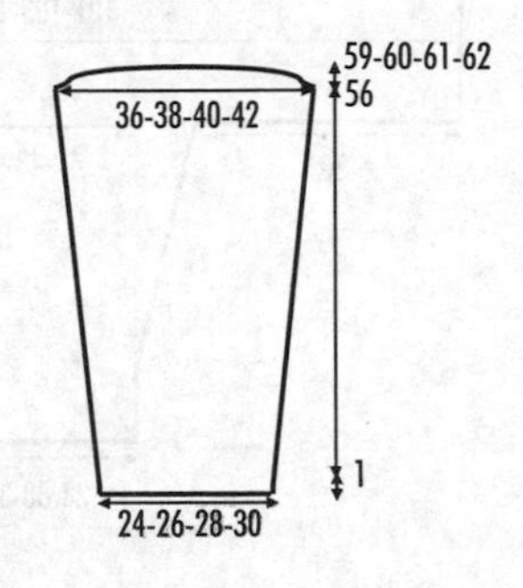

E NGLISH

SIZE: –a) 33" **–b)** 37" **–c)** 40 1/8" **–d)** 44 1/8": finished bust measurement.

MATERIALS
EDEN: **–a)** 8 **–b)** 9 **–c)** 9 **–d)** 10 balls color no. 6953.
MERINO 100%: **–a) –b) –c) & –d):** 2 balls rust no. 20.

NEEDLES
Size 5 (U.S.) /(4 metric) **or size you need to use to obtain gauge listed below.**

STITCHES
See Basic Instructions for: *2x2 Ribbing, 1x1 Ribbing, Stockinette St, Garter St.*
Stripe Pattern: Work in *2x2 Ribbing:*
* 4 rows EDEN, 4 rows MERINO 100 %, *; rep from * to * 2 more time; work 4 rows EDEN.

GAUGE
Using EDEN in *Stockinette St*: 17 sts and 24 rows = 4x4"

BACK
Using EDEN, **cast on –a)** 69 sts **–b)** 79 sts **–c)** 85 sts **–d)** 93 sts.
Work 4 rows *Garter St*, then work *Stockinette St*.
When back measures 4", **decrease** 1 st at each edge every 10 rows: 2 times:
[**–a)** 65 sts **–b)** 75 sts **–c)** 81 sts **–d)** 89 sts].

When back measures 7 1/2", **increase** 1 st at each edge every 10 rows: 3 times:
[-a) 71 sts -b) 81 sts -c) 87 sts -d) 95 sts.

Armholes:
When back measures 15 3/8", **bind off** at each edge every 2 rows:
-a) 3 sts 1 time; 2 sts 1 time; 1 st 1 time: [59 sts]
-b) 3 sts 1 time; 2 sts 1 time; 1 st 2 times: [67 sts]
-c) 3 sts 1 time; 2 sts 1 time; 1 st 3 times: [71 sts]
-d) 3 sts 1 time; 2 sts 1 time; 1 st 4 times: [77 sts].

Shoulders:
When back measures **-a)** 22 1/2" **-b)** 22 7/8" **-c)** 23 1/4" **-d)** 23 5/8", **bind off** at each edge every 2 rows:
-a) 8 sts 1 time; 7 sts 1 time: [29 sts]
-b) 9 sts 2 times: [31 sts]
-c) 10 sts 1 time; 9 sts 1 time: [33 sts]
-d) 11 sts 1 time; 10 sts 1 time: [35 sts].
Work rem sts in *1x1 Ribbing*.
When back measures **-a)** 24 3/4" **-b)** 25 1/4" **-c)** 25 5/8"' **-d)** 26 3/8", **bind off** all rem sts.

RIGHT FRONT
Using EDEN, **cast on -a)** 22 sts **-b)** 26 sts **-c)** 28 sts **-d)** 31 sts.
Work 4 rows *Garter St*, then work *Stockinette St*
When front measures 4", **decrease** 1 st at armhole edge every 10 rows: 2 times:
[-a) 20 sts -b) 24 sts -c) 26 sts -d) 29 sts].
When back measures 7 1/2", **increase** 1 st at armhole edge every 10 rows: 3 times:
[-a) 23 sts -b) 27 sts -c) 29 sts -d) 32 sts.

Armhole:
When front measures 15 3/8", **bind off** at armhole edge every 2 rows:
-a) 3 sts 1 time; 2 sts 1 time; 1 st 1 time: [17 sts]
-b) 3 sts 1 time; 2 sts 1 time; 1 st 2 times: [20 sts]
-c) 3 sts 1 time; 2 sts 1 time; 1 st 3 times: [21 sts]
-d) 3 sts 1 time; 2 sts 1 time; 1 st 4 times: [23 sts].

Shoulders:
When back measures **-a)** 22 1/2" **-b)** 22 7/8" **-c)** 23 1/4" **-d)** 23 5/8", **bind off** at armhole edge every 2 rows:
-a) 8 sts 1 time; 7 sts 1 time: [2 sts]
-b) 9 sts 2 times: [2 sts]
-c) 10 sts 1 time; 9 sts 1 time: [2 sts]
-d) 11 sts 1 time; 10 sts 1 time: [2 sts].
Work rem 2 sts in *1x1 Ribbing.*
When back measures **-a)** 24 3/4" **-b)** 25 1/4" **-c)** 25 5/8"' **-d)** 26 3/8", **bind off** all rem sts.

LEFT FRONT
Work same as right front, reversing all shaping.

SLEEVES
Using EDEN, **cast on -a)** 40 sts **-b)** 44 sts **-c)** 46 sts **-d)** 52 sts.
Work 4 rows *Garter St*, then work *Stockinette St*, **-a) -b) -c) & -d): increasing** 1 st at each edge every 12 rows: 10 times:
[-a) 60 sts -b) 64 sts -c) 68 sts -d) 72 sts.

Armhole:
When sleeve measures 22", **bind off** at each edge every 2 rows:
-a) 3 sts 1 time; 2 sts 1 time: [50 sts]
-b) 3 sts 1 time; 2 sts 1 time; 1 st 1 time: [52 sts]
-c) 3 sts 1 time; 2 sts 1 time; 1 st 2 times: [54 sts]
-d) 3 sts 1 time; 2 sts 1 time; 1 st 3 times: [56 sts].
When sleeve measures **-a)** 23 1/4" **-b)** 23 5/8" **-c)** 24" **-d)** 24 3/8", bind off all rem sts.

FINISHING
Front bands:
(make 2 identical pieces)
Using MERINO 100%, **cast on -a)** 144 sts **-b)** 148 sts **-c)** 152 sts **-d)** 156 sts.
Beginning and ending with K3 for all sizes, work *2x2 Ribbing* for 1 1/4", then work *Stripe Pattern.*
When band measures 5 1/8", **bind off.**
Sew shoulder seams.
Having the 1 1/4" of *2x2 Ribbing* at the center front edge as shown in photograph, **sew** on front bands.
Sew side and sleeve seams.

VENUS / VIP

(Ver página 3 Puntos Básicos)
(See page 3 Basic Stitches)

pág. 27

E SPAÑOL

TALLAS: -a) 38/40 **-b)** 42/44 **-c)** 46/48 **-d)** 50/52

MATERIALES
VENUS: col. 6807: **-a)** 9 **-b)** 10 **-c)** 11 **-d)** 12 ovillos.
VIP: col. 6807: **-a) -b), -c), -d)** 3 ovillos.
4 botones

Agujas	Puntos empleados
Nº 5 1/2	- *P. elástico 1x1* VENUS - *P. elástico 1x1 tubular* VENUS (ver explicación) - *P. elástico 1x1 semi-tubular delantero derecho y delantero izquierdo* VENUS (ver explicación)
Nº 5	- *P. jersey der.* VENUS
Nº 6	- *P. bobo* VIP.

P. elástico 1x1 tubular:
1ª vta: por el derecho de la labor: * 1 p. der., con el hilo delante de la labor, pasar 1 p. sin hacer al rev. a la aguja derecha, pasar el hilo por detrás de la labor *, repetir de * a *.
2ª vta: por el revés de la labor: * 1 p. der., con el hilo delante de la labor, pasar 1 p. sin hacer al rev. a la aguja derecha, pasar el hilo por detrás de la labor *, repetir de * a *.
Repetir estas 2 vtas.

P. elástico 1x1 semi-tubular delantero derecho:
Se trabaja sobre los primeros 9 p.
1ª, 3ª, 5ª, 7ª, 9ª vta: por el derecho de la labor: pasar 1 p. sin hacer a la aguja derecha insertando la aguja derecha como si se fuera a trab. al der., * 1 p. der., 1 p. rev. *, repetir de * a * 3 veces más.
2ª, 4ª, 6ª, 8ª vta: por el revés de la labor (cuando falten 9 p. para terminar la vta): * 1 p. der., con el hilo delante de la labor, pasar 1 p. sin hacer al rev. a la aguja derecha, pasar el hilo por detrás de la labor *, repetir de * a * 2 veces más, 1 p. der., con el hilo delante de la labor, pasar 1 p. sin hacer al rev. a la aguja derecha, 1 p. der.
10ª vta: por el revés de la labor (cuando falten 9 p. para terminar la vta): * 1 p. der., 1 p. rev. *, repetir de * a * 3 veces más, 1 p. der.
Repetir siempre estas 10 vtas.

P. elástico 1x1 semi-tubular delantero izquierdo:
Se trabaja sobre los últimos 9 p.
1ª, 3ª, 5ª, 7ª, 9ª vta: por el derecho de la labor: (cuando falten 9 p. para terminar la vta): * 1 p. rev., 1 p. der. *, repetir de * a * 3 veces más, pasar 1 p. sin hacer a la aguja derecha insertando la aguja derecha como si se fuera a trab. al der.
2ª, 4ª, 6ª, 8ª vta: por el revés de la labor (al inicio de la vta): * 1 p. der., con el hilo delante de la labor, pasar 1 p. sin hacer al rev. a la aguja derecha, pasar el hilo por detrás de la labor *, repetir de * a * 3 veces más, 1 p. der.
10ª vta: por el revés de la labor (al inicio de la vta): * 1 p. der., 1 p. rev. *, repetir de * a * 3 veces más, 1 p. der.
Repetir siempre estas 10 vtas.

MUESTRA DEL PUNTO
P. jersey der., VENUS, ag. nº 5
10x10 cm. = 16 p. y 24 vtas.
P. bobo, VIP, ag. nº 6
10x10 cm. = 12 p. y 20 vtas

ESPALDA
Con VENUS y ag. nº 5 1/2, **montar -a)** 74 p. **-b)** 82 p. **-c)** 88 p. **-d)** 96 p.
Trab. 6 vtas a *p. elástico 1x1 tubular.*
Cambiar ag. nº 5 y con VENUS continuar trab. a *p. jersey der.*
A 6 cm. de largo total, **menguar** en ambos lados cada 8 vtas: 5 veces 1 p. de la siguiente manera:
Por el derecho de la labor:
En el extremo derecho (= inicio de la vta): trab. 3 p. der., 2 p. juntos al rev.
En el extremo izquierdo (= cuando falten 5 p. para terminar la vta): trab. 2 p. juntos al rev., 3 p. der.
Quedan **-a)** 64 p. **-b)** 72 p. **-c)** 78 p. **-d)** 86 p.

INSTRUCCIONES INSTRUCTIONS

A 29 cm. de largo total, **aumentar** en ambos lados cada 12 vtas: 3 veces 1 p. de la siguiente manera:
Por el derecho de la labor:
En el extremo derecho (= inicio de la vta): trab. 3 p. der., trab. 2 p. en 1 p.
En el extremo izquierdo (= cuando falten 4 p. para terminar la vta): trab. 2 p. en 1 p., 3 p. der.
Quedan **-a)** 70 p. **-b)** 78 p. **-c)** 84 p. **-d)** 92 p.
Sisas:
A 47 cm. de largo total, **cerrar** en ambos lados cada 2 vtas:
-a) 2 veces 2 p., 2 veces 1 p. = 58 p.
-b) 3 veces 2 p., 2 veces 1 p. = 62 p.
-c) 3 veces 2 p., 2 veces 1 p. = 68 p.
-d) 4 veces 2 p., 2 veces 1 p. = 72 p.
Hombros:
A **-a)** 64 cm. **-b)** 65 cm. **-c)** 66 cm. **-d)** 67 cm. de largo total, **cerrar** en ambos lados cada 2 vtas:
-a) 2 veces 9 p.
-b) 1 vez 10 p., 1 vez 9 p.
-c) 1 vez 11 p., 1 vez 10 p.
-d) 2 veces 11 p.
A **-a)** 67 cm. **-b)** 68 cm. **-c)** 69 cm. **-d)** 70 cm. de largo total, **cerrar** los **-a)** 22 p. **-b)** 24 p. **-c)** 26 p. **-d)** 28 p. restantes del **escote.**

DELANTERO DERECHO
Con VENUS y ag. nº 5 1/2, **montar -a)** 43 p. **-b)** 47 p. **-c)** 51 p. **-d)** 55 p.
Trab. 6 vtas a *p. elástico 1x1 tubular.*
Cambiar ag. nº 5 y con VENUS continuar trab. de la siguiente manera:
Trab. **-a), -b), -c), -d)** 9 p. a *p. elástico 1x1 semi-tubular delantero derecho* (ver explicación) y **-a)** 34 p. **-b)** 38 p. **-c)** 42 p. **-d)** 46 p. a *p. jersey der.*
Ojales:
A partir de 3 cm. de largo total, hacer el primer ojal de la siguiente manera:
Por el derecho de la labor, al inicio de la vta, **cerrar** los p. nº 5 y nº 6.
Por el revés de la labor, **montar** 2 p. dónde se han cerrado en la vta anterior.
Hacer de esta manera 3 ojales más, cada 8 cm.
A 6 cm. de largo total, **menguar** en el extremo izquierdo cada 8 vtas: 5 veces 1 p. de la siguiente manera:
Por el derecho de la labor:
En el extremo izquierdo (= cuando falten 5 p. para terminar la vta): trab. 2 p. juntos al rev., 3 p. der.
Quedan **-a)** 38 p. **-b)** 42 p. **-c)** 46 p. **-d)** 50 p.
A 29 cm. de largo total, **aumentar** en el extremo izquierdo cada 12 vtas: 3 veces 1 p. de la siguiente manera:
Por el derecho de la labor:
En el extremo izquierdo (= cuando falten 4 p. para el final de la vta): trab. 2 p. en 1 p., trab. 3 p. der. Quedan **-a)** 41 p. **-b)** 45 p. **-c)** 49 p. **-d)** 53 p.
Escote:
A 35 cm. de largo total, **menguar** (= trab. 2 p. der., 2 p. juntos al rev.) en el extremo derecho:
-a) cada 4 vtas: 17 veces 1 p.
-b) cada 4 vtas: 18 veces 1 p.
-c) cada 2 vtas y cada 4 vtas alternativamente: 20 veces 1 p.
-d) cada 2 vtas y cada 4 vtas alternativamente: 21 veces 1 p.
AL MISMO TIEMPO:
Sisa:
A 47 cm. de largo total, **cerrar** en el extremo izquierdo cada 2 vtas:
-a) 2 veces 2 p., 2 veces 1 p.
-b) 3 veces 2 p., 2 veces 1 p.
-c) 3 veces 2 p., 2 veces 1 p.
-d) 4 veces 2 p., 2 veces 1 p.
Hombro:
A **-a)** 64 cm. **-b)** 65 cm. **-c)** 66 cm. **-d)** 67 cm. de largo total, **cerrar** en el extremo izquierdo cada 2 vtas:
-a) 2 veces 9 p.
-b) 1 vez 10 p., 1 vez 9 p.
-c) 1 vez 11 p., 1 vez 10 p.
-d) 2 veces 11 p.

DELANTERO IZQUIERDO
Con VENUS y ag. nº 5 1/2, **montar -a)** 43 p. **-b)** 47 p. **-c)** 51 p. **-d)** 55 p.
Trab. 6 vtas a *p. elástico 1x1 tubular.*
Cambiar ag. nº 5 y con VENUS continuar trab. de la siguiente manera: **-a)** 34 p. **-b)** 38 p. **-c)** 42 p. **-d)** 46 p. a *p. jersey der.* y los últimos **-a), -b), -c), -d)** 9 p. a *p. elástico 1x1 semi-tubular delantero izquierdo* (ver explicación).
A 6 cm. de largo total, **menguar** en el extremo derecho cada 8 vtas: 5 veces 1 p. de la siguiente manera:
Por el derecho de la labor:
En el extremo derecho (= inicio de la vta): trab. 3 p. der., 2 p. juntos al rev.
Quedan **-a)** 38 p. **-b)** 42 p. **-c)** 46 p. **-d)** 50 p.
A 29 cm. de largo total, **aumentar** en el extremo derecho cada 12 vtas: 3 veces 1 p. de la siguiente manera:
Por el derecho de la labor:
En el extremo derecho (= inicio de la vta): trab. 3 p. der., trab. 2 p. en 1 p.
Quedan **-a)** 41 p. **-b)** 45 p. **-c)** 49 p. **-d)** 53 p.
Escote:
A 35 cm. de largo total, **menguar** en el extremo izquierdo (= por el derecho de la labor, cuando falten 4 p. para terminar la vta: trab. 2 p. juntos al rev., 2 p. der.):
-a) cada 4 vtas: 17 veces 1 p.
-b) cada 4 vtas: 18 veces 1 p.
-c) cada 2 vtas y cada 4 vtas alternativamente: 20 veces 1 p.
-d) cada 2 vtas y cada 4 vtas alternativamente: 21 veces 1 p.
AL MISMO TIEMPO:
Sisa:
A 47 cm. de largo total, **cerrar** en el extremo derecho cada 2 vtas:
-a) 2 veces 2 p., 2 veces 1 p.
-b) 3 veces 2 p., 2 veces 1 p.
-c) 3 veces 2 p., 2 veces 1 p.
-d) 4 veces 2 p., 2 veces 1 p.
Hombro:
A **-a)** 64 cm. **-b)** 65 cm. **-c)** 66 cm. **-d)** 67 cm. de largo total, **cerrar** en el extremo derecho cada 2 vtas:
-a) 2 veces 9 p.
-b) 1 vez 10 p., 1 vez 9 p.
-c) 1 vez 11 p., 1 vez 10 p.
-d) 2 veces 11 p.

MANGAS
Con ag. nº 6 y VIP, **montar -a)** 26 p. **-b)** 28 p. **-c)** 32 p. **-d)** 34 p.
Trab. a *p. bobo.*
A 10 cm. de largo total, **cambiar** ag. nº 5 y con la calidad VENUS continuar trab. a *p. jersey der.* **Aumentar** 10 p. repartidos en la 1ª vta = **-a)** 36 p. **-b)** 38 p. **-c)** 42 p. **-d)** 44 p.
A 15 cm. de largo total, **aumentar** en ambos lados: (= por el derecho de la labor: en el extremo derecho = inicio de la vta: trab. 2 p. der., trab. 2 p. en 1 p. En el extremo izquierdo = cuando falten 3 p. para terminar la vta: trab. 2 p. en 1 p., 2 p. der.):
-a) cada 6 vtas y cada 8 vtas alternativamente: 9 veces 1 p. = 54 p.
-b) cada 6 vtas: 10 veces 1 p. = 58 p.
-c) cada 6 vtas y cada 8 vtas alternativamente: 9 veces 1 p. = 60 p.
-d) cada 6 vtas: 10 veces 1 p. = 64 p.
Sisa:
A 44 cm. de largo total, **cerrar** en ambos lados cada 2 vtas:
-a) 2 veces 2 p., 6 veces 1 p., 4 veces 2 p.
-b) 2 veces 2 p., 7 veces 1 p., 4 veces 2 p.
-c) 2 veces 2 p., 8 veces 1 p., 4 veces 2 p.
-d) 2 veces 2 p., 9 veces 1 p., 4 veces 2 p.
A **-a)** 55 cm. **-b)** 56 cm. **-c)** 57 cm. **-d)** 58 cm. de largo total, **cerrar** los **-a)** 18 p. **-b), -c)** 20 p. **-d)** 22 p. restantes.
Trab. la otra manga igual.

CONFECCIÓN Y REMATE
Cuello:
Con VIP y ag. nº 6, **montar -a), -b), -c), -d)** 26 p.
Trab. a *p. bobo* y **aumentar** en ambos lados cada 2 vtas:
-a) 11 veces 2 p., 4 veces 1 p. = 78 p.
-b) 11 veces 2 p., 5 veces 1 p. = 80 p.
-c) 11 veces 2 p., 6 veces 1 p. = 82 p.
-d) 11 veces 2 p., 7 veces 1 p. = 84 p.
A **-a)** 17 cm. **-b)** 18 cm. **-c)** 19 cm. **-d)** 20 cm. de largo total, **cerrar** los p. muy flojos.
Bolsillos:
Con VIP y ag. nº 6, **montar -a)** 14 p. **-b)** 18 p. **-c)** 20 p. **-d)** 22 p.
Trab. a *p. bobo.*
A 13 cm. de largo total, **cerrar** los p.
Trab. otro bolsillo igual.
Hilvanar las piezas encaradas y planchar a vapor.
Todas las costuras de realizan a *p. de lado* (ver pág. p. básicos).
Coser hombros.
Coser el cuello alrededor del escote, con el centro del cuello en medio del escote de la espalda y los extremos del cuello al inicio del escote de los delanteros.
Coser lados y mangas.
Coser un bolsillo en el centro de cada delantero (= SIN contar los 9 p. de la tapeta) y a 5 cm. desde el bajo.
Coser los botones en la tapeta del delantero izquierdo.

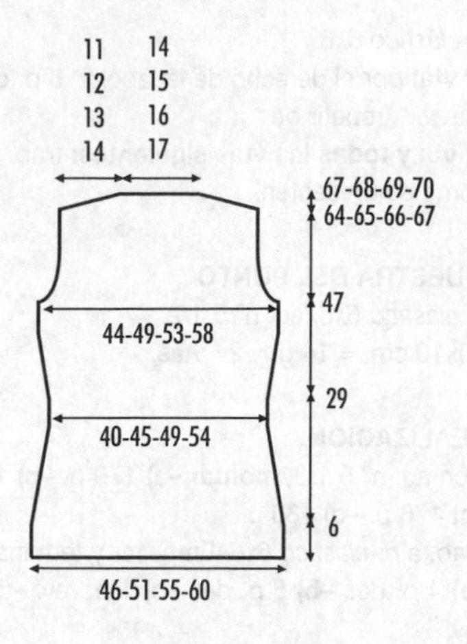

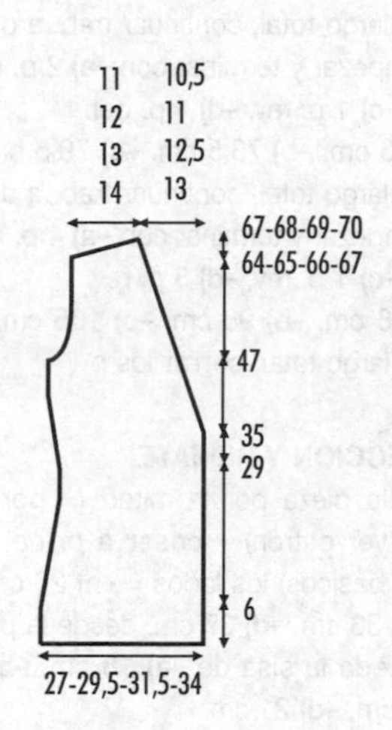

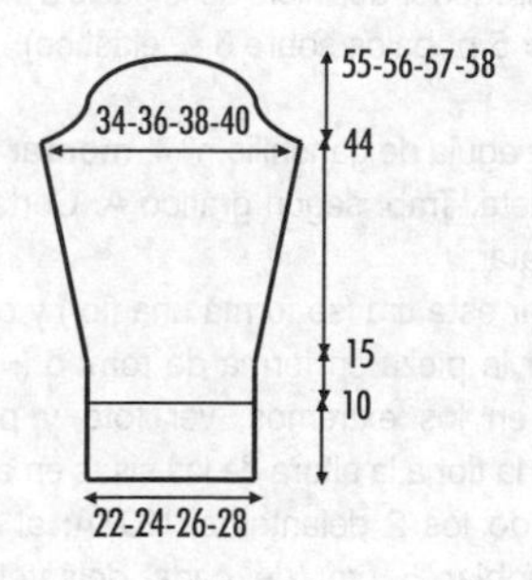

ENGLISH

SIZE: –a) 34 5/8" **–b)** 38 5/8" **–c)** 41 3/4" **–d)** 45 5/8" finished bust measurement.

MATERIALS

VENUS: **–a)** 9 **–b)** 10 **–c)** 11 **–d)** 12 balls color no. 6807.

VIP: **–a) –b) –c) & –d):** 3 balls color no. 6807.

Four buttons.

NEEDLES

Size 7, 8 & 9 (U.S.) /(5, 5 1/2, 6 metric) **or size you need to use to obtain gauge listed below.**

STITCHES

See Basic Instructions for: *1x1 Ribbing*, *Stockinette St*, *Garter St*.

1x1 Tubular Knitting:

Row 1: (right side) * with yarn in back, K1, with yarn in front, slip next st, *; rep from * to *.

Row 2: Same as Row 1.

Repeat these 2 rows.

NOTE 1: Decrease 1 st for shaping as follows:
At the beginning of right side row: K3, P 2 tog.
At the end of right side row: work to last 5 sts; P 2 tog, K3

NOTE 2: Increase 1 st for shaping as follows:
At beginning of right side row: K3, knit into the front loop and then into the back loop of next st.
At end of right side row: work to last 4 sts; increase as before; K3

GAUGE

Using VENUS with smallest size needle in *Stockinette St*: 16 sts and 24 rows = 4x4"

Using VIP with largest size needle in *Garter St*: 12 sts and 20 rows = 4x4"

BACK

Using VENUS with middle size needle, **cast on –a)** 74 sts **–b)** 82 sts **–c)** 88 sts **–d)** 96 sts. Work *1x1 Tubular Knitting* for 6 rows.

Change to smallest size needle and work *Stockinette St*.

When back measures 2 3/8", **decrease** 1 st at each edge as given in "NOTE 1" above, every 8 rows: 5 times:

–a) 64 sts **–b)** 72 sts **–c)** 78 sts **–d)** 86 sts.

When back measures 11 3/8", **increase** 1 st at each edge as given in "NOTE 2" above, every 12 rows: 3 times:

–a) 70 sts **–b)** 78 sts **–c)** 84 sts **–d)** 92 sts].

Armholes:

When back measures 18 1/2", **bind off** at each edge every 2 rows:

–a) 2 sts 2 times; 1 st 2 times: [58 sts]
–b) 2 sts 3 times; 1 st 2 times: [62 sts]
–c) 2 sts 3 times; 1 st 2 times: [68 sts]
–d) 2 sts 4 times; 1 st 2 times: [72 sts]

Shoulders:

When back measures **–a)** 25 1/4" **–b)** 25 5/8" **–c)** 26" **–d)** 26 3/8", **bind off** at each edge every 2 rows:

–a) 9 sts 2 times: [22 sts]
–b) 10 sts 1 time; 9 sts 1 time: [24 sts]
–c) 11 sts 1 time, 10 sts 1 time: [26 sts]
–d) 11 sts 2 times: [28 sts].

When back measures **–a)** 26 3/8" **–b)** 26 3/4" **–c)** 27 1/8" **–d)** 27 1/2", **bind off** all rem sts.

RIGHT FRONT

Front band sts: (Work over 9 sts at center front edge.)

Rows 1, 3, 5, 7, & 9: At the beginning of a right side row, Slip 1 st as if to knit it; (K1, P1) 4 times.

Rows 2, 4, 6 & 8: (wrong side) work to last 9 sts, * K1, with yarn in front, slip 1 st, *; rep from * to * 3 more times; K1.

Row 10: (wrong side: work to last 9 sts; * K1, P1, *; rep from * to * 3 more times; K1.

Instructions: Using VENUS with middle size needles, **cast on –a)** 43 sts **–b)** 47 sts **–c)** 51 sts **–d)** 55 sts.

Work *1x1 Tubular Knitting* for 6 rows.

Change to smallest size needle and work first 9 sts in front band as given above; work rem **–a)** 34 sts **–b)** 38 sts **–c)** 42 sts **–d)** 46 sts in *Stockinette St*.

Buttonholes:

When front measures 1 1/4", on next right side row bind off the 5th and 6th sts in front band. On reverse side row, cast on two sts over the bound off sts. As work progresses, make 3 more buttonholes, each 3 1/8" apart.

When front measures 2 3/8", **decrease** 1 st at armhole edge as given in "NOTE 1" above, every 8 rows: 5 times:

–a) 38 sts **–b)** 42 sts **–c)** 46 sts **–d)** 50 sts.

When front measures 11 3/8", **increase** 1 st at armhole edge as given in "NOTE 2" above, every 12 rows: 3 times:

–a) 41 sts **–b)** 45 sts **–c)** 49 sts **–d)** 53 sts].

Neckline:

NOTE: Decrease for neckline as follows: at the beginning of a right side row, K2, P 2 tog.

When front measures 13 3/4", **decrease** 1 st at center front edge as described above:

–a) every 4 rows: 17 times
–b) every 4 rows: 18 times
–c) alternately every 2 and 4 rows: 20 times
–d) alternately every 2 and 4 rows: 21 times

AND AT THE SAME TIME:

Armhole:

When front measures 18 1/2", **bind off** at armhole edge every 2 rows:

–a) 2 sts 2 times; 1 st 2 times
–b) 2 sts 3 times; 1 st 2 times
–c) 2 sts 3 times; 1 st 2 times
–d) 2 sts 4 times; 1 st 2 times]

Shoulder:

When front measures **–a)** 25 1/4" **–b)** 25 5/8" **–c)** 26" **–d)** 26 3/8", **bind off** at armhole edge every 2 rows:

–a) 9 sts 2 times
–b) 10 sts 1 time; 9 sts 1 time
–c) 11 sts 1 time; 10 sts 1 time
–d) 11 sts 2 times.

LEFT FRONT

Front band sts: (work over 9 sts at center front edge).

Rows 1, 3, 5, 7 & 9: (right side), Work to last 9 sts; * P1, K1, *; rep from * to * 3 more times, sl 1 as if to knit it.

Rows 2, 4, 6 & 8: At the beginning of a wrong side row; * K1, with yarn in front, slip 1 st, *; rep from * to * 3 more times; K1

Instructions: Using VENUS with middle size needles, **cast on –a)** 43 sts **–b)** 47 sts **–c)** 51 sts **–d)** 55 sts.

Work *1x1 Tubular Knitting* for 6 rows.

Change to smallest size needle and work first **–a)** 34 sts **–b)** 38 sts **–c)** 42 sts **–d)** 46 sts in *Stockinette St*; work rem 9 sts in front band as given above.

When front measures 2 3/8", **decrease** 1 st at armhole edge as given in "NOTE 1" above, every 8 rows: 5 times:

–a) 38 sts **–b)** 42 sts **–c)** 46 sts **–d)** 50 sts.

When front measures 11 3/8", **increase** 1 st at armhole edge as given in "NOTE 2" above, every 12 rows: 3 times:

–a) 41 sts **–b)** 45 sts **–c)** 49 sts **–d)** 53 sts].

Neckline:
NOTE: Decrease for neckline as follows: on a right side row, work to last 4 sts, P 2 tog, K2.
When front measures 13 3/4", **decrease** 1 st at center front edge as described above:
-a) every 4 rows: 17 times
-b) every 4 rows: 18 times
-c) alternately every 2 and 4 rows: 20 times
-d) alternately every 2 and 4 rows: 21 times
AND AT THE SAME TIME:
Armhole:
When front measures 18 1/2", **bind off** at armhole edge every 2 rows:
-a) 2 sts 2 times; 1 st 2 times
-b) 2 sts 3 times; 1 st 2 times
-c) 2 sts 3 times; 1 st 2 times
-d) 2 sts 4 times; 1 st 2 times]
Shoulder:
When front measures **-a)** 25 1/4" **-b)** 25 5/8" **-c)** 26" **-d)** 26 3/8", **bind off** at each edge every 2 rows:
-a) 9 sts 2 times
-b) 10 sts 1 time; 9 sts 1 time
-c) 11 sts 1 time; 10 sts 1 time
-d) 11 sts 2 times.

SLEEVES
Using VIP with largest size needles, **cast on -a)** 26 sts **-b)** 28 sts **-c)** 32 sts **-d)** 34 sts. Work *Garter St* for 4".
Using VENUS, change to smallest size needles and **increasing** 10 sts evenly on first row, work *Stockinette St* over **-a)** 36 sts **-b)** 38 sts **-c)** 42 sts **-d)** 44 sts.
When sleeve measures 5 7/8", **increase** 1 st at each edge as given in "NOTE 2" above:
-a) alternately every 6 and 8 rows: 9 times: [54 sts]
-b) every 6 rows: 10 times: [58 sts]
-c) alternately every 6 and 8 rows: 9 times: [60 sts]
-d) every 6 rows: 10 times: [64 sts].
Armhole:
When sleeve measures 17 1/4", **bind off** at each edge every 2 rows:
-a) 2 sts 2 times; 1 st 6 times; 2 sts 4 times: [18 sts]
-b) 2 sts 2 times; 1 st 7 times; 2 sts 4 times: [20 sts]
-c) 2 sts 2 times; 1 st 8 times; 2 sts 4 times: [20 sts]
-d) 2 sts 2 times; 1 st 9 times; 2 sts 4 times: [22 sts].
When sleeve measures **-a)** 21 5/8" **-b)** 22" **-c)** 22 1/2" **-d)** 22 7/8", **bind off** all rem sts.

FINISHING
Collar:
Using VIP with largest size needles, **cast on -a) -b) -c) & -d):** 26 sts.
Work *Garter St*, **casting on** at the end of every row:
-a) 2 sts 11 times; 1 st 4 times: [78 sts]
-b) 2 sts 11 times: 1 st 5 times:[80 sts]
-c) 2 sts 11 times: 1 st 6 times:[82 sts]
-d) 2 sts 11 times: 1 st 7 times:[84 sts].
When collar measures **-a)** 6 3/4" **-b)** 7 1/8" **-c)** 7 1/2" **-d)** 7 7/8", **bind off** all sts very loosely.
Pockets:
(make 2)
Using VIP with largest size needles, **cast on -a)** 14 sts **-b)** 18 sts **-c)** 20 sts **-d)** 22 sts.
Work *Garter St* for 5 1/8"; **bind off.**
Carefully block pieces on the wrong side, using steam only.
Sew shoulder seams.
Matching center of collar to center of back neckline, and ends o collat to beginning of neckline shaping, **sew** collar around neck edge.
Sew side and sleeve seams.
Sew buttons to left front, opposite buttonholes.
Sew each pocket to center of front, 2" from lower edge.

MODELO 44 FIL KATIA

VENUS

(Ver página 3 Puntos Básicos)
(See page 3 Basic Stitches)

pág. 28

ESPAÑOL

TALLAS: -a) 38/40 **-b)** 42/44 **-c)** 46/48 **-d)** 50/52

MATERIALES
VENUS: col. 6807: **-a)** 9 **-b)** 10 **-c)** 11 **-d)** 12 ovillos.

Agujas	Puntos empleados
Nº 5 1/2	- *P. elástico 6x6* (ver explicación). - *P. elástico 2x2*
Aguja de ganchillo	
Nº 4	- *P. de cadeneta* - *P. bajo* - *P. alto*

P. elástico 6x6:
1ª vta: por el derecho de la labor: * 6 p. der., 6 p. rev. *, repetir de * a *.
2ª vta y todas las vtas siguientes: trab. los p. como se presenten.

MUESTRA DEL PUNTO
P. elástico 6x6, ag. nº 5 1/2
10x10 cm. = 14 p. y 24 vtas.

REALIZACIÓN
Con ag. nº 5 1/2, **montar -a)** 170 p. **-b)** 174 p. **-c)** 176 p. **-d)** 180 p.
Trab. a *p. elástico 6x6.* Empezar y terminar con **-a)** 4 p. der. **-b)** 5 p. der. **-c)** 1 p. rev. **-d)** 3 p. rev.
A **-a)** 22 cm. **-a)** 24,5 cm. **-c)** 26,5 cm. **-d)** 29 cm. de largo total, continuar trab. a *p. elástico 2x2.* Empezar y terminar con **-a)** 2 p. rev. **-b)** 2 p. der. **-c)** 1 p. rev. **-d)** 1 p. der.
A **-a)** 66 cm. **-b)** 73,5 cm. **-c)** 79,5 cm. **-d)** 87 cm. de largo total, continuar trab. a *p. elástico 6x6.* Empezar y terminar con **-a)** 4 p. der. **-b)** 5 p. der. **-c)** 1 p. rev. **-d)** 3 p. rev.
A **-a)** 88 cm. **-b)** 98 cm. **-c)** 106 cm. **-d)** 116 cm. de largo total, **cerrar** los p.

CONFECCIÓN Y REMATE
Doblar la pieza por la mitad (= por la parta ancha, ver patrón) y **coser** a *p. de lado* (ver pág. p. básicos) los lados = **-a)** 26 cm. **-b)** 30 cm. **-c)** 33 cm. **-d)** 37 cm. desde la parte inferior. Queda la sisa de **-a)** 18 cm. **-b)** 19 cm. **-c)** 20 cm. **-d)** 21 cm.
Con la aguja de ganchillo nº 4, trab. 1 vta a *p. bajo* alrededor del inicio de la parte a *p. elástico 6x6.* (= 5 p. bajos sobre 6 p. elástico).
Flor:
Con la aguja de ganchillo nº 4, **montar** 50 p. de cadeneta. Trab. según gráfico A. Cortar el hilo y rematar.
Enrollar esta tira (se forma una flor) y coser.
Doblar la pieza en forma de rombo (= con las sisas en los extremos, ver foto y patrón) y **coser** la flor a la altura de las sisas en el centro, juntando los 2 delanteros. **NOTA:** al coser la flor, doblar 5 cm. de cada delantero hacia fuera. (ver foto).

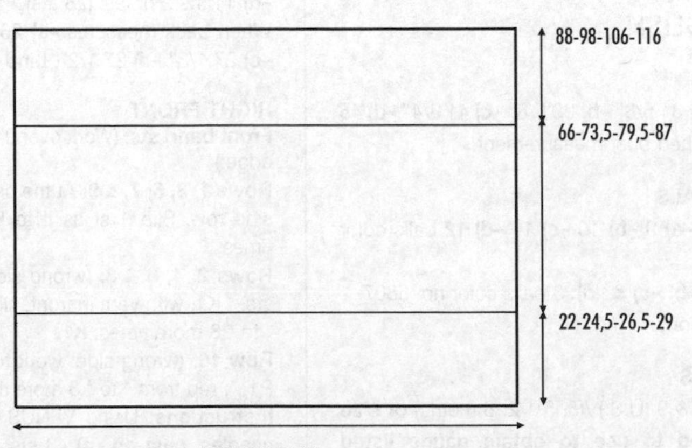

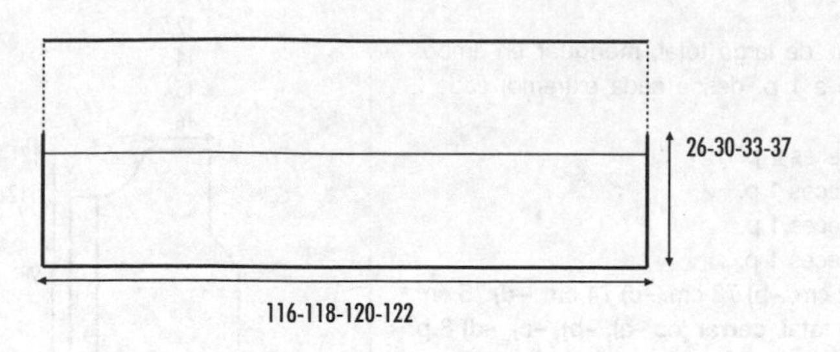

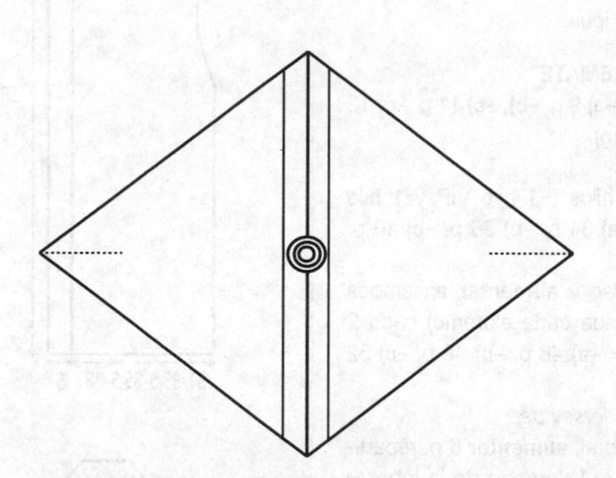

Gráfico A

R Repetir
o p. de cadeneta
| p. bajo
† p. alto

Graph A

R Repeat
o chain 1
| single crochet
† double crochet

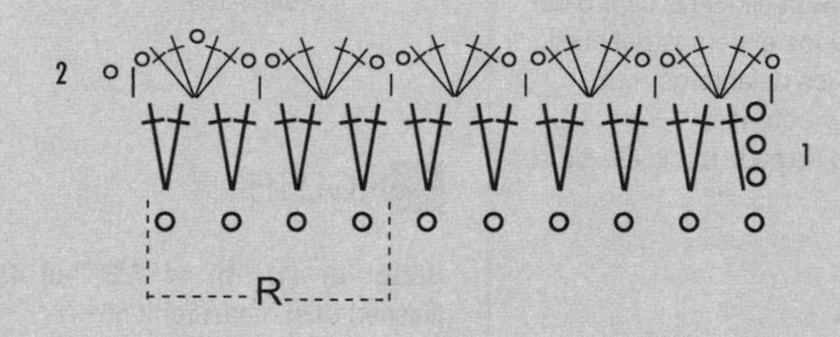

ENGLISH

SIZE: -a) 34 5/8" x 45 5/8" **-b)** 38 5/8" x 46 1/2" **-c)** 41 3/4" x 47 1/4" **-d)** 45 5/8" x 48".

MATERIALS

VENUS: **-a)** 9 **-b)** 10 **-c)** 11 **-d)** 12 balls color no. 6807.

KNITTING NEEDLES

Size 8 (U.S.) /(5 1/2 metric) **or size you need to use to obtain gauge listed below.**

CROCHET HOOK

Size F (U.S.) /(4 metric)

STITCHES

See Basic Instructions for: *2x2 Ribbing, Crochet Chain*, *Single Crochet*, *Double Crochet*.

6x6 Ribbing:

Row 1: * K6, P6, *; rep from * to *.

Row 2 and all following rows: Work sts as they appear.

Crochet Pattern: See Graph A

GAUGE

In *6x6 Ribbing:* 14 sts and 24 rows = 4x4"

INSTRUCTIONS

Cast on: -a) 170 sts **-b)** 174 sts **-c)** 176 sts **-d)** 180 sts.

Beginning and ending with **-a)** K4 **-b)** K6 **-c)** K7 **-d)** K3 work *6x6 Ribbing*.

When piece measures **-a)** 8 5/8" **-b)** 8 5/8" **-c)** 10 1/4" **-d)** 11 3/8", beginning and ending with **-a)** K2 **-b)** K2 **-c)** K3 **-d)** K3, work 2x2 Ribbing.

When piece measures **-a)** 26" **-b)** 28 7/8" **-c)** 31 1/4" **-d)** 43 1/4", beginning ending with **-a)** K4 **-b)** K6 **-c)** K7 **-d)** K3 work *6x6 Ribbing.*

When piece measures **-a)** 34 5/8" **-b)** 36 5/8" **-c)** 41 3/4" **-d)** 45 5/8", **bind off.**

FINISHING

Fold piece in center with cast on row and bind off row together.

Sew side edges together for **-a)** 10 1/4" **-b)** 11 3/4" **-c)** 13" **-d)** 14 1/2", leaving open **-a)** 7 1/8" **-b)** 7 1/2" **-c)** 7 7/8" **-d)** 8 1/4" on each half for armhole.

With crochet hook, work 1 row single crochet along cast on and bind off rows, using 5 sc over each group of 6 stitches of *6x6 Ribbing*.

Flower:

With crochet hook, **chain** 50. Work crochet pattern following Graph A. **Fasten off.**

Roll into a flower shape as shown in photograph, **sewing** base stitches together as flower shape is made.

Overlap sewn edges for 2", then **sew** flower through both "front" sections, as shown in photograph.

Fold top edge to outside to form collar.

VIP / DESEO

(Ver página 3 Puntos Básicos)
(See page 3 Basic Stitches)

pág. 29

ESPAÑOL

TALLAS: -a) 38/40 **-b)** 42/44 **-c)** 46/48 **-d)** 50/52

MATERIALES

VIP: col. 6807: **-a)** 19 **-b)** 20 **-c)** 22 **-d)** 23 ovillos.

DESEO: col. 17: **-a)** 8 **-b)** 9 **-c)** 9 **-d)** 10 ovillos.

3 botones grandes.

Agujas	Puntos empleados
Nº 9	*- P. jersey der.* *- P. bobo*

MUESTRA DEL PUNTO

P. jersey der., 2 hilos (= 1 hilo VIP y 1 hilo DESEO), ag. nº 9

10x10 cm. = 8 p. y 14 vtas.

ESPALDA

Con ag. nº 9 y 2 hilos (=1 hilo VIP y 1 hilo DESEO), **montar -a)** 45 p. **-b)** 49 p. **-c)** 53 p. **-d)** 55 p.

Trab. a *p. jersey der.*

A 58 cm. de largo total, **menguar** en ambos lados (= a 3 p. desde cada lado) cada 12 vtas: 3 veces 1 p. = **-a)** 39 p. **-b)** 43 p. **-c)** 47 p. **-d)** 49 p.

INSTRUCCIONES

Sisas:
A 98 cm. de largo total, **cerrar** en ambos lados 1 vez 1 p. y **menguar** en ambos lados (= a 3 p. desde cada lado) cada 2 vtas:
–a) 3 veces 1 p. = 31 p.
–b) 3 veces 1 p. = 35 p.
–c) 4 veces 1 p. = 37 p.
–d) 4 veces 1 p. = 39 p.
A **–a)** 121 cm. **–b)** 122 cm. **–c)** 123 cm. **–d)** 124 cm. de largo total, **cerrar** los p.

DELANTERO DERECHO
Con ag. nº 9 y 2 hilos (=1 hilo VIP y 1 hilo DESEO), **montar –a)** 28 p. **–b)** 30 p. **–c)** 32 p. **–d)** 34 p.
Trab. **–a), –b), –c), –d)** 5 p. a *p. bobo* y **–a)** 23 p. **–b)** 25 p. **–c)** 27 p. **–d)** 29 p. a *p. jersey der.*
NOTA: para que la tapeta quede recta, trab. cada 10 vtas 1 vta menos sobre los 5 p. de la tapeta. (= dejar en una vta por el revés de la labor, los 5 últimos p. sin trabajar, girar la labor, trab. **–a)** 23 p. **–b)** 25 p. **–c)** 27 p. **–d)** 29 p. al der. y en la siguiente vta por el revés de la labor, trab. todos los p.)
A 58 cm. de largo total, **menguar** en el extremo izquierdo (= a 3 p. desde el extremo) cada 12 vtas: 3 veces 1 p.
Ojales:
A **–a)** 78 cm. **–b)** 79 cm. **–c)** 80 cm. **–d)** 81 cm. de largo total, hacer al inicio de una vta por el derecho de la labor el primer ojal de la siguiente manera:
Trab. 1 p. der., trab. 2 p. juntos al der., 1 hebra, 2 p. der. Al final de la siguiente vta (= cuando falten 5 p. para terminar la vta): trab. 2 p. der., 1 p. der. en la hebra de la vta anterior, 2 p. der.
Hacer de esta manera 2 ojales más, cada 12 cm.
Sisa:
A 98 cm. de largo total, **cerrar** en el extremo izquierdo 1 vez 1 p. y **menguar** en el extremo izquierdo (= a 3 p. desde el extremo) cada 2 vtas:
–a) 3 veces 1 p.
–b) 3 veces 1 p.
–c) 4 veces 1 p.
–d) 4 veces 1 p.
Escote:
A **–a)** 112 cm. **–b)** 113 cm. **–c)** 114 cm. **–d)** 115 cm. de largo total, **cerrar** en el extremo derecho 1 vez 5 p. y continuar **cerrando** cada 2 vtas en el extremo derecho **–a), –b)** 1 vez 3 p., 4 veces 1 p. **–c)** 1 vez 3 p., 1 vez 2 p., 3 veces 1 p. **–d)** 1 vez 3 p., 1 vez 2 p., 4 veces 1 p.
Hombro:
A **–a)** 121 cm. **–b)** 122 cm. **–c)** 123 cm. **–d)** 124 cm. de largo total, **cerrar** los **–a)** 9 p. **–b), –c)** 11 p. **–d)** 12 p. restantes del hombro.

DELANTERO IZQUIERDO
Trab. como del delantero derecho, pero a **la inversa y sin ojales.**

MANGAS
Con ag. nº 9 y 2 hilos (=1 hilo VIP y 1 hilo DESEO), **montar –a)** 20 p. **–b)** 22 p. **–c)** 24 p. **–d)** 26 p.
Trab. a *p. jersey der.*
A 20 cm. de largo total, **aumentar** en ambos lados cada 6 vtas y cada 8 vtas alternativamente: 4 veces 1 p. = **–a)** 28 p. **–b)** 30 p. **–c)** 32 p. **–d)** 34 p.

Sisa:
A 55 cm. de largo total, **menguar** en ambos lados (= a 1 p. desde cada extremo) cada 2 vtas:
–a) 10 veces 1 p.
–b) 11 veces 1 p.
–c) 12 veces 1 p.
–d) 13 veces 1 p.
A **–a)** 72 cm. **–b)** 73 cm. **–c)** 74 cm. **–d)** 75 cm. de largo total, **cerrar** los **–a), –b), –c), –d)** 8 p. restantes.
Trab. la otra manga igual.

CONFECCIÓN Y REMATE
Coser hombros. (= **–a)** 9 p. **–b), –c)** 11 p. **–d)** 12 p. para cada hombro).
Cuello:
Con ag. nº 9 y 2 hilos (=1 hilo VIP y 1 hilo DESEO), **montar –a)** 34 p. **–b)** 36 p. **–c)** 40 p. **–d)** 42 p.
Trab. a *p. jersey der.* y **aumentar** en ambos lados (= a 2 p. desde cada extremo) cada 2 vtas: 6 veces 1 p. = **–a)** 46 p. **–b)** 48 p. **–c)** 52 p. **–d)** 54 p.
Continuar trab. a *p. jersey der.*
A 14 cm. de largo total, **aumentar** 6 p. repartidos en una vta por el derecho de la labor = **–a)** 52 p. **–b)** 54 p. **–c)** 58 p. **–d)** 60 p.
A 18 cm. de largo total, **aumentar** 8 p. repartidos en una vta por el derecho de la labor = **–a)** 60 p. **–b)** 62 p. **–c)** 66 p. **–d)** 68 p.
A 22 cm. de largo total, **aumentar** 8 p. repartidos en una vta por el derecho de la labor = **–a)** 68 p. **–b)** 70 p. **–c)** 74 p. **–d)** 76 p.
A 26 cm. de largo total, **cerrar** los p. muy flojos.
Coser el comienzo del cuello alrededor del escote, con el centro del cuello en el centro del escote de la espalda y los extremos del cuello al inicio del escote de los delanteros.
Coser lados, mangas y botones.
Doblar 10 cm. del bajo de cada manga hacia el exterior y **coser.**

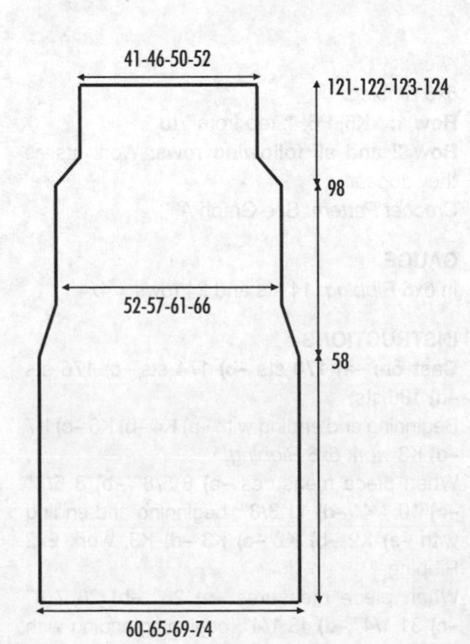

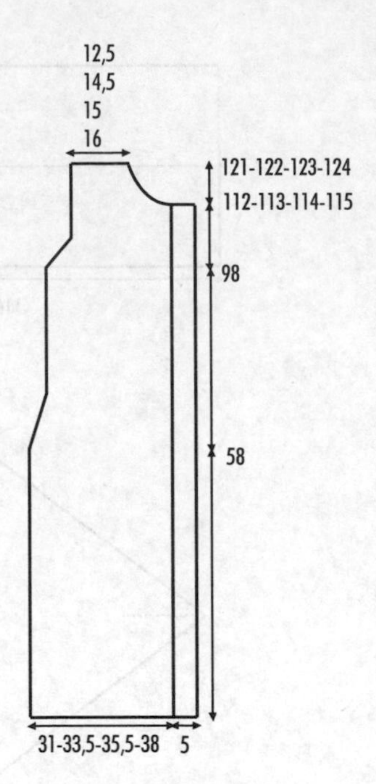

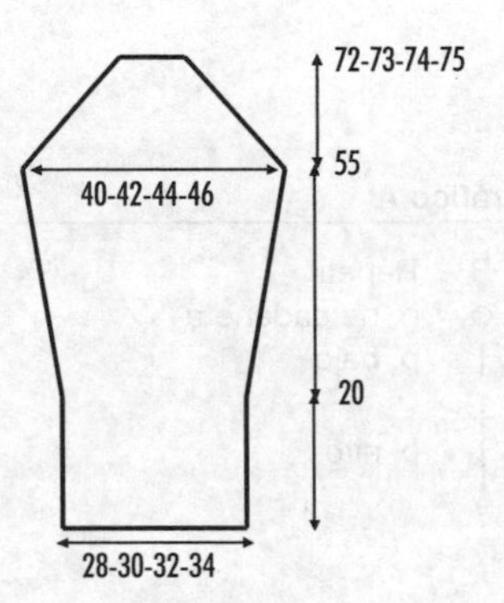

ENGLISH

SIZE: –a) 41" **–b)** 44 7/8" **–c)** 48" **–d)** 52": finished bust measurement.

MATERIALS
VIP: **–a)** 19 **–b)** 10 **–c)** 22 **–d)** 23 balls color no. 6807.
DESEO: **–a)** 8 **–b)** 9 **–c)** 9 **–d)** 10 balls color no. 17.
Three large buttons.

NEEDLES
Size 13 (U.S.) /(9 metric) **or size you need to use to obtain gauge listed below.**

STITCHES
See Basic Instructions for: *Garter St*, *Stockinette St*.
NOTE 1: Decrease 1 st for shaping as follows:
At the beginning of right side rows, K2, sl 1, K1, PSSO.
At the end of right side rows, work to last 4 sts; K 2 tog, K3
NOTE 2: Increase 1 st for shaping as follows:
At the beginning of right side rows: K2, increase in next st.
At the end of right side rows: work to last 3 sts; inc as before, K2.

GAUGE
Using 1 strand of each yarn held together in *Stockinette St*, 8 sts and 14 rows = 4x4"
NOTE: Entire coat is made using 1 strand of each yarn, held together.

BACK
Using 1 strand of each yarn, **cast on –a)** 45 sts **–b)** 49 sts **–c)** 53 sts **–d)** 55 sts.
Work *Stockinette St*.
When back measures 20 7/8", **decrease** 1 st at each edge as given in "NOTE 1" above, every 12 rows: 3 times:
[**–a)** 39 sts **–b)** 43 sts **–c)** 47 sts **–d)** 49 sts.
Armholes:
When back measures 38 5/8", **decrease** 1 st at each edge as given in "NOTE 1" above, every 2 rows:
–a) 4 times: [31 sts]
–b) 4 times: [35 sts]
–c) 5 times: [37 sts]
–d) 5 times: [39 sts]
When back measures **–a)** 47 5/8" **–b)** 48" **–c)** 48 1/2" **–d)** 48 3/4", **bind off** all rem sts.

RIGHT FRONT
Using 1 strand of each yarn, **cast on –a)** 28 sts **–b)** 30 sts **–c)** 32 sts **–d)** 34 sts.
–a) –b) –c) & –d): Work 5 sts *Garter St*; work rem **–a)** 23 sts **–b)** 25 sts **–c)** 27 sts **–d)** 29 sts in *Stockinette St*. **NOTE:** Every 10 rows, work 2 short rows over the five *Garter Sts*, to maintain an even tension with the *Stockinette St* rows: = on a right side row, K5, turn, slip 1 st, K4, turn.
When front measures 20 7/8", **decrease** 1 st at armhole edge as given in "NOTE 1" above, every 12 rows: 3 times:
[**–a)** 25 sts **–b)** 27 sts **–c)** 29 sts **–d)** 31 sts.
AND AT THE SAME TIME:
When front measures **–a)** 30 3/4" **–b)** 31 3/8" **–c)** 31 1/2" **–d)** 31 7/8", make a 1 st buttonhole as follows: at the beginning of next right side row, K1, K 2 tog, YO, K2, work to end of row. On reverse side row, work to last 5 sts, K2, knit into YO, K2. As work progresses, make two more buttonholes, each 4 3/4" apart.
Armhole:
When front measures 38 5/8", **decrease** 1 st at armhole edge as given in "NOTE 1 above, every 2 rows:
–a) 4 times: [21 sts]
–b) 4 times: [23 sts]
–c) 5 times: [24 sts]
–d) 5 times: [26 sts].
Neckline:
When front measures **–a)** 44 1/8" **–b)** 44 1/2" **–c)** 44 7/8" **–d)** 45 1/4", **–a) –b) –c) & –d): bind off** at center front edge every 2 rows:
–a) 5 sts 1 time; 3 sts 1 time; 1 st 4 times: [9 sts]
–b) 5 sts 1 time; 3 sts 1 time; 1 st 4 times: [11 sts]
–c) 5 sts 1 time; 3 sts 1 time; 2 sts 1 time; 1 st 3 times: [11 sts]
–d) 5 sts 1 time; 3 sts 1 time; 2 sts 1 time; 1 st 4 times: [12 sts].
Shoulder:
When front measures **–a)** 47 5/8" **–b)** 48" **–c)** 48 1/2" **–d)** 48 3/4", **bind off** all rem sts.

LEFT FRONT
Omitting buttonholes, work same as right front, reversing all shaping.

SLEEVES
Using 2 strands of yarn, **cast on –a)** 20 sts **–b)** 22 sts **–c)** 24 sts **–d)** 26 sts.
Work *Stockinette St*.
When sleeve measures 7 7/8", **increase** 1 st at each edge as given in "NOTE 2" above, alternately every 6 and 8 rows: 4 times:
[**–a)** 28 sts **–b)** 30 sts **–c)** 32 sts **–d)** 34 sts].
Armhole:
When sleeve measures 21 5/8", **decrease** 1 st at each edge as given in "NOTE 1" above, every 2 rows:
–a) 10 times: [8 sts]
–b) 11 times: [8 sts]
–c) 12 times: [8 sts]
–d) 13 times: [8 sts].
When sleeve measures **–a)** 28 3/8" **–b)** 28 3/4" **–c)** 29 1/2" **–d)** 29 1/2", bind **off** all rem sts.

FINISHING
Sew shoulder seams over **–a)** 9 sts **–b)** 11 sts **–c)** 11 sts **–d)** 12 sts.
Using 2 strands of yarn, **cast on –a)** 34 sts **–b)** 36 sts **–c)** 40 sts **–d)** 42 sts around neck edge.
Work *Stockinette St*, **increasing** 1 st at each edge as given in "NOTE 2" above, every 2 rows: 6 times:
[**–a)** 46 sts **–b)** 48 sts **–c)** 52 sts **–d)** 54 sts].
When collar measures 5 1/2", on next right side row, **increase** 6 sts evenly:
[**–a)** 52 sts **–b)** 54 sts **–c)** 58 sts **–d)** 60 sts].
When collar measures 7 1/8", on next right side row, **increase** 8 sts evenly:
[**–a)** 60 sts **–b)** 62 sts **–c)** 66sts **–d)** 68 sts].
When collar measures 8 5/8", on next right side row, **increase** 8 sts evenly:
[**–a)** 68 sts **–b)** 70 sts **–c)** 74 sts **–d)** 76 sts].
When collar measures 10 1/4", **bind off** very loosely.
Matching center of collar to center of back neckline, and ends of collar to front edges, sew collar around neck edge.
Sew side and sleeve seams, reversing beginning 4" of sleeve so that seam will not show when the 4" cuff is turned back, as shown in photograph.
Sew on buttons.

VENUS / ONIX
(Ver página 3 Puntos Básicos)
(See page 3 Basic Stitches)

pág. 29

ESPAÑOL

TALLAS: –a) 38/40 **–b)** 42/44 **–c)** 46/48 **–d)** 50/52

MATERIALES
VENUS: col. 6807: **–a)** 4 **–b, –c)** 5 **–d)** 6 ovillos.
ONIX: col. 7001: **–a), –b), –c), –d)** 2 ovillos.
5 corchetes.

Agujas	Puntos empleados
Nº 3 y nº 3 1/2	- *P. elástico 1x1*
Nº 4	- *P. jersey rev.* - *P. trenza* (ver gráfico A).

MUESTRA DEL PUNTO
P. jersey rev., VENUS, ag. nº 4
10x10 cm. = 16 p. y 24 vtas.

ESPALDA
Con ONIX y ag. nº 3 1/2, **montar –a)** 76 p. **–b)** 84 p. **–c)** 94 p. **–d)** 102 p.
Trab. 5 cm. a *p. elástico 1x1*.
Cambiar ag. nº 4 y con VENUS continuar trab. a *p. jersey rev.* **Menguar –a)** 14 p. **–b)** 16 p. **–c)** 18 p. **–d)** 20 p. repartidos en la 1ª vta. Quedan **–a)** 62 p. **–b)** 68 p. **–c)** 76 p. **–d)** 82 p.
A 8 cm. de largo total, **menguar** en ambos lados: 1 vez 1 p. = **–a)** 60 p. **–b)** 66 p. **–c)** 74 p. **–d)** 80 p.
A 14 cm. de largo total, **aumentar** en ambos lados cada 10 vtas: 2 veces 1 p. = **–a)** 64 p. **–b)** 70 p. **–c)** 78 p. **–d)** 84 p.
Sisas:
A 33 cm. de largo total, **cerrar** en ambos lados cada 2 vtas:
–a) 1 vez 5 p., 1 vez 4 p., 1 vez 3 p., 1 vez 2 p., 1 vez 1 p. = 34 p.
–b) 1 vez 5 p., 1 vez 4 p., 1 vez 3 p., 1 vez 2 p., 2 veces 1 p. = 40 p.
–c) 1 vez 5 p., 1 vez 4 p., 1 vez 3 p., 1 vez 2 p., 3 veces 1 p. = 44 p.
–d) 1 vez 5 p., 1 vez 4 p., 1 vez 3 p., 1 vez 2 p., 3 veces 1 p. = 50 p.
Escote:
A **–a)** 47 cm. **–b)** 48 cm. **–c)** 49 cm. **–d)** 50 cm. de largo total, **cerrar** los **–a)** 22 p. **–b)** 24 p. **–c)** 26 p. **–d)** 28 p. centrales y continuar trab. cada lado por separado.
Hombro:
A **–a)** 51 cm. **–b)** 52 cm. **–c)** 53 cm. **–d)** 54 cm. de largo total, **cerrar** los **–a)** 6 p. **–b)** 8 p. **–c)** 9 p. **–d)** 11 p. restantes del hombro.
Acabar el otro lado igual, pero a **la inversa.**

DELANTERO DERECHO
Con ONIX y ag. nº 3 1/2, **montar –a)** 36 p. **–b)** 40 p. **–c)** 46 p. **–d)** 50 p.
Trab. 5 cm. a *p. elástico 1x1*.
Cambiar ag. nº 4 y con VENUS continuar trab. a *p. jersey rev.* **Menguar –a)** 8 p. **–b)** 8 p. **–c)** 10 p. **–d)** 10 p. repartidos en la 1ª vta. Quedan **–a)** 28 p. **–b)** 32 p. **–c)** 36 p. **–d)** 40 p.
Continuar trab. con la siguiente distribución: por el derecho de la labor:
–a) 3 p. a *p. jersey rev.*, 15 p. a *p. trenza* según gráfico A, 10 p. a *p. jersey rev.*

-b) 3 p. a *p. jersey rev.*, 15 p. a *p. trenza* según gráfico A, 14 p. a *p. jersey rev.*
-c) 3 p. a *p. jersey rev.*, 15 p. a *p. trenza* según gráfico A, 18 p. a *p. jersey rev.*
-d) 3 p. a *p. jersey rev.*, 15 p. a *p. trenza* según gráfico A, 22 p. a *p. jersey rev.*
A 8 cm. de largo total, **menguar** en el extremo izquierdo: 1 vez 1 p. = -a) 27 p. -b) 31 p. -c) 35 p. -d) 39 p.
A 14 cm. de largo total, **aumentar** en el extremo izquierdo cada 10 vtas: 2 veces 1 p. = -a) 29 p. -b) 33 p. -c) 37 p. -d) 41 p.
A 33 cm. de largo total, continuar trab. todos los p. a *p. jersey rev.* y **al mismo tiempo, formar la sisa:**
A 33 cm. de largo total, **cerrar** en el extremo izquierdo cada 2 vtas:
-a) 1 vez 5 p., 1 vez 4 p., 1 vez 3 p., 1 vez 2 p., 1 vez 1 p. = 14 p.
-b) 1 vez 5 p., 1 vez 4 p., 1 vez 3 p., 1 vez 2 p., 2 veces 1 p. = 17 p.
-c) 1 vez 5 p., 1 vez 4 p., 1 vez 3 p., 1 vez 2 p., 3 veces 1 p. = 20 p.
-d) 1 vez 5 p., 1 vez 4 p., 1 vez 3 p., 1 vez 2 p., 3 veces 1 p. = 24 p.

Escote:
A -a) 39 cm. -b) 40 cm. -c) 41 cm. -d) 42 cm. de largo total, **cerrar** en el extremo derecho cada 2 vtas:
-a) 3 veces 2 p., 2 veces 1 p.
-b) 3 veces 2 p., 3 veces 1 p.
-c) 3 veces 2 p., 5 veces 1 p.
-d) 4 veces 2 p., 5 veces 1 p.

Hombro:
A -a) 51 cm. -b) 52 cm. -c) 53 cm. -d) 54 cm. de largo total, **cerrar** los -a) 6 p. -b) 8 p. -c) 9 p. -d) 11 p. restantes del hombro.

DELANTERO IZQUIERDO
Trab. como el delantero derecho, pero **a la inversa.**

CONFECCIÓN Y REMATE
Coser hombros.
Con ONIX y ag. nº 3, **recoger** alrededor de una sisa -a) 86 p. -b) 92 p. -c) 98 p. -d) 104 p.
Trab. 5 cm. a *p. elástico 1x1.* **Cerrar.**
Hacer lo mismo con la otra sisa.
Con ONIX y ag. nº 3, **recoger** alrededor del escote -a) 72 p. -b) 78 p. -c) 84 p. -d) 90 p.
Trab. 5 cm. a *p. elástico 1x1.* **Cerrar.**
Con ONIX y ag. nº 3, **recoger** a lo largo del delantero derecho -a) 73 p. -b) 81 p. -c) 89 p. -d) 97 p.
Trab. 5 cm. a *p. elástico 1x1.* **Cerrar.**
Hacer lo mismo con la tapeta del delantero izquierdo.
Coser lados y tiras de las sisas.
Coser los 5 corchetes repartidos por el interior a la tapeta del delantero derecho.

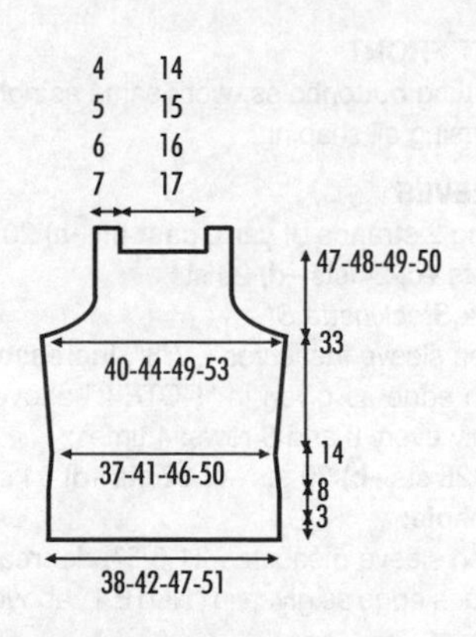

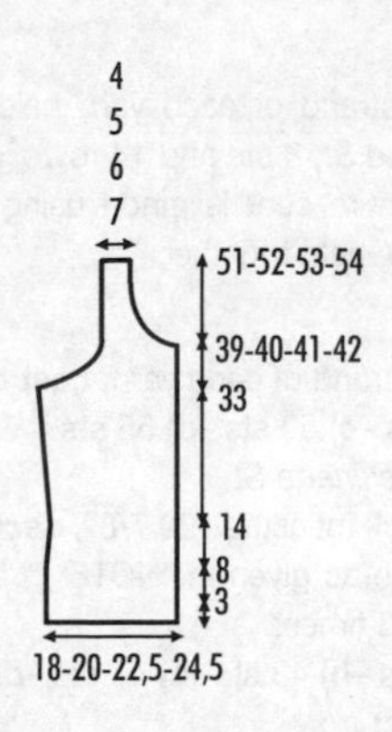

Gráfico A

En las vtas pares, trab. los p. como se presenten.

R Repetir
☐ p. der.
poner 3 p. en una aguja auxiliar detrás de la labor, trab. 3 p. der. y los 3 p. de la aguja auxiliar al der.
poner 3 p. en una aguja auxiliar delante de la labor, trab. 3 p. der. y los 3 p. de la aguja auxiliar al der.

Graph A

NOTE: On alternate rows, work sts as they appear.

R Repeat
☐ Knit
Slip 3 st to cable needle, hold in back; K3; K 3 from cable needle.
Slip 3 st to cable needle, hold in front; K3; K3 from cable needle.

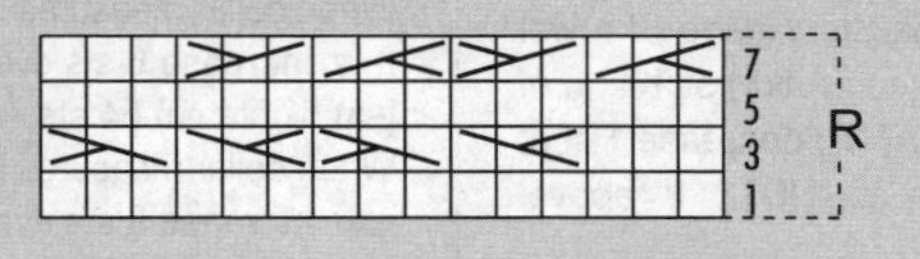

ENGLISH

SIZE: -a) 31 1/2" -b) 34 5/8" -c) 38 5/8" -d) 41 3/4": finished bust measurement.

MATERIALS
VENUS: -a) 4 -b) & -c) 5 -d) 6 balls rust no 6807
ONIX: -a) -b) -c) & -d): 2 balls beige no. 7001
Five hook and eye fasteners.

NEEDLES
Size 3, 4 & 5 (U.S.) /(3,3 1/2 & 4 metric) **or size you need to use to obtain gauge listed below.**

STITCHES
See Basic Instructions for: *1x1 Ribbing*, *Reverse Stockinette St*.
Cable Pattern: See Graph A

GAUGE
Using VENUS with largest needle in *Reverse Stockinette St*, 16 sts and 24 rows = 4x4"

BACK
Using ONIX with middle size needle, **cast on** -a) 76 sts -b) 84 sts -c) 94 sts -d) 102 sts.
Work *1x1 Ribbing* for 2".
Change to largest size needle and work *Reverse Stockinette St*, decreasing -a) 14 sts -b) 16 sts -c) 18 sts -d) 20 sts on the first row: [-a) 62 sts -b) 68 sts -c) 76 sts -d) 82 sts].
When back measures 3 1/8", **decrease** 1 st at each edge:
[-a) 60 sts -b) 66 sts -c) 74 sts -d) 80 sts].
When back measures 5 1/2", **increase** 1 st at each edge every 10 rows: 2 times:
[-a) 64 sts -b) 70 sts -c) 78 sts -d) 84 sts].
Armholes:
When back measures 13", **bind off** at each edge every 2 rows:
-a) 5 sts 1 time; 4 sts 1 time; 3 sts 1 time; 2 sts 1 time; 1 st 1 time: [34 sts]
-b) 5 sts 1 time; 4 sts 1 time; 3 sts 1 time; 2 sts 1 time; 1 st 2 times: [40 sts]
-c) 5 sts 1 time; 4 sts 1 time; 3 sts 1 time; 2 sts 1 time; 1 st 3 times: [44 sts]
-d) 5 sts 1 time; 4 sts 1 time; 3 sts 1 time; 2 sts 1 time; 1 st 3 times: [50 sts]
Neckline:
When back measures -a) 18 1/2" -b) 18 7/8" -c) 19 1/4" -d) 19 3/4", **bind off** center -a) 22 sts -b) 24 sts -c) 26 sts -d) 28 sts; then work each side separately.

Shoulder:
When back measures **–a)** 20 1/8" **–b)** 20 1/2" **–c)** 20 7/8" **–d)** 21 1/4", bind off at armhole edge rem **–a)** 6 sts **–b)** 8 sts **–c)** 9 sts **–d)** 11 sts.

RIGHT FRONT
Using ONIX with middle size needle, **cast on –a)** 36 sts **–b)** 40 sts **–c)** 46 sts **–d)** 50 sts.
Work *1x1 Ribbing* for 2".
Using VENUS with largest size needles, work 2 rows *Reverse Stockinette St*, **decreasing –a)** 8 sts **–b)** 8 sts **–c)** 10 sts **–d)** 10 sts evenly on first row for total of **–a)** 28 sts **–b)** 32 sts **–c)** 36 sts **–d)** 40 sts.
Next row (right side) set up pattern as follows:
–a) 3 *Stockinette St* sts; 15 sts *Cable Pattern* following Graph A; 10 *Reverse Stockinette St* sts.
–b) 3 *Stockinette St* sts; 15 sts *Cable Pattern* following Graph A; 14 *Reverse Stockinette St* sts.
–c) 3 *Stockinette St* sts; 15 sts *Cable Pattern* following Graph A; 18 *Reverse Stockinette St* sts.
–d) 3 *Stockinette St* sts; 15 sts *Cable Pattern* following Graph A; 22 *Reverse Stockinette St* sts.
When front measures 3 1/8", **–a) –b) –c) & –d): decrease** 1 st at armhole edge:
[**–a)** 27 sts **–b)** 31 sts **–c)** 35 sts **–d)** 39 sts].
When front measures 5 1/2", **increase** 1 st at armhole edge every 10 rows: 2 times:
[**–a)** 29 sts **–b)** 33 sts **–c)** 37 sts **–d)** 41 sts.]
Armhole:
When front measures 13", work all sts in *Reverse Stockinette St*, **AND AT THE SAME TIME: bind off** at armhole edge every 2 rows;
–a) 5 sts 1 time; 4 sts 1 time; 3 sts 1 time; 2 sts 1 time; 1 st 1 time: [14 sts]
–b) 5 sts 1 time; 4 sts 1 time; 3 sts 1 time; 2 sts 1 time; 1 st 2 times: [17 sts]
–c) 5 sts 1 time; 4 sts 1 time; 3 sts 1 time; 2 sts 1 time; 1 st 3 times: [20 sts]
–d) 5 sts 1 time; 4 sts 1 time; 3 sts 1 time; 2 sts 1 time; 1 st 3 times: [24 sts].
Neckline:
When front measures **–a)** 15 3/8" **–b)** 15 3/4" **–c)** 16 1/8" **–d)** 16 1/2", **bind off** at center front edge every 2 rows:
–a) 2 sts 3 times; 1 st 2 times: [6 sts]
–b) 2 sts 3 times; 1 st 3 times: [8 sts]
–c) 2 sts 3 times: 1 st 5 times: [9 sts]
–d) 2 sts 4 times; 1 st 5 times: [11 sts]
Shoulder:
When front measures **–a)** 20 1/8" **–b)** 20 1/2" **–c)** 20 7/8" **–d)** 21 1/4", **bind off** all rem sts.

LEFT FRONT
Work same as right front, reversing all shaping.

FINISHING
Sew shoulder seams.
For each armband, using ONIX with smallest size needles, **pick up –a)** 86 sts **–b)** 92 sts **–c)** 98 sts **–d)** 104 sts around armhole edge.
Work *1x1 Ribbing* for 2", **bind off.**
Using ONIX with smallest size needles, **pick up –a)** 72 sts **–b)** 78 sts **–c)** 84 st **–d)** 90 sts around neck edge.
Work *1x1 Ribbing* for 2"; **bind off.**
For each front band, using ONIX with smallest size needles, **pick up –a)** 73 sts **–b)** 81 sts **–c)** 89 sts **–d)** 97 sts along center front edge.
Work *1x1 Ribbing* for 2"; **bind off.**
Sew side seams.
Sew the five hook-and-eye fasteners, evenly spaced, to underside of front edges.

pág. 30

ESPAÑOL

TALLAS: –a) 38/40 **–b)** 42/44 **–c)** 46/48 **–d)** 50/52

MATERIALES
TUNDRA: col. 6700: **–a)** 4 **–b)** 5 **–c)** 5 **–d)** 6 ovillos.
TIBET: col. marrón 33: **–a)** 3 **–b)** 4 **–c)** 4**–d)** 4 ovillos.
4 botones.

Agujas	Puntos empleados
Nº 4	- *P. elástico 1x1*
Nº 4 1/2	- *P. elástico 1x1 delantero derecho, delantero izquierdo* (ver explicación) - *P. jersey der.* - *P. jacquard* (ver gráficos A, B y C)

P. elástico 1x1 delantero derecho:
1ª vta: por el derecho de la labor: pasar 1 p. sin hacer a la aguja derecha insertando la aguja derecha como si se fuera a trab. al der., * 1 p. rev., 1 p. der. *, repetir de * a * 1 vez más, 1 p. rev.
2ª vta: por el revés de la labor, cuando falten 6 p. para terminar la vta: * 1 p. der., 1 p. rev. *, repetir de * a * 2 veces más.
Repetir estas 2 vtas.
P. elástico 1x1 delantero izquierdo:
1ª vta: por el derecho de la labor: cuando falten 6 p. para terminar la vta: 1 p. rev., * 1 p. der., 1 p. rev. *, repetir de * a * 1 vez más, pasar 1 p. sin hacer a la aguja derecha insertando la aguja como si se fuera a trab. al der.
2ª vta: por el revés de la labor: trab. * 1 p. rev., 1 p. der. *, repetir de * a * 2 veces más.

MUESTRA DEL PUNTO
P. jacquard, TUNDRA y TIBET, ag. nº 4 1/2
10x10 cm. = 18 p. y 22 vtas.
P. jersey der., TUNDRA, ag. nº 4
10x10 cm. = 18 p. y 22 vtas.

ESPALDA
Con TUNDRA y ag. nº 4 1/2, **montar –a)** 80 p. **–b)** 88 p. **–c)** 96 p. **–d)** 104 p.
Trab. 4 vtas a *p. elástico 1x1.*
Continuar trab. a *p. jacquard* según gráfico A. Empezar y terminar con el p. indicado en el gráfico con la letra **–a)** A **–b)** B **–c)** C **–d)** D.
A 12 cm. de largo total, **cerrar** en ambos lados cada 6 vtas: 4 veces 1 p. Quedan **–a)** 72 p. **–b)** 80 p. **–c)** 88 p. **–d)** 96 p.
A 25 cm. de largo total, **aumentar** en ambos lados cada 10 vtas: 2 veces 1 p. Quedan **–a)** 76 p. **–b)** 84 p. **–c)** 92 p. **–d)** 100 p.
Sisas:
A 45 cm. de largo total, **cerrar** en ambos lados cada 2 vtas:
–a) 1 vez 3 p., 1 vez 2 p., 2 veces 1 p. = 62 p.
–b) 1 vez 3 p., 1 vez 2 p., 3 veces 1 p. = 68 p.
–c) 1 vez 3 p., 1 vez 2 p., 4 veces 1 p. = 74 p.
–d) 1 vez 3 p., 1 vez 2 p., 5 veces 1 p. = 80 p.
Hombros:
A **–a)** 63 cm. **–b)** 64 cm. **–c)** 65 cm. **–d)** 66 cm. totale lengte, **cerrar** en ambos lados cada 2 vtas:
–a) 1 vez 10 p., 1 vez 9 p.
–b) 1 vez 11 p., 1 vez 10 p.
–c) 1 vez 12 p., 1 vez 11 p.
–d) 1 vez 13 p., 1 vez 12 p.
A **–a)** 64 cm. **–b)** 65 cm. **–c)** 66 cm. **–d)** 67 cm. de largo total, trab. durante 3 vtas los **–a)** 24 p. **–b)** 26 p. **–c)** 28 p. **–d)** 30 p. centrales a *p. elástico 1x1* y **cerrar** a *p. tubular* (ver pág. p. básicos).

DELANTERO DERECHO
Con TUNDRA y ag. nº 4 1/2, **montar –a)** 46 p. **–b)** 50 p. **–c)** 54 p. **–d)** 58 p.
Trab. 4 vtas a *p. elástico 1x1.*
Continuar trab.: los 6 primeros p. de la vta a *p. elástico 1x1 delantero derecho,* **–a)** 40 p. **–b)** 44 p. **–c)** 48 p. **–d)** 52 p. a *p. jacquard* según gráfico B. Empezar y terminar con el p. indicado en el gráfico con la letra **–a)** A **–b)** B **–c)** C **–d)** D.
Ojales:
Trab. el primer ojal a 5 cm. de largo total de la siguiente manera:
En la vta por el derecho de la labor: trab. 5 p. a *p. elástico 1x1 delantero derecho,* 1 hebra, trab. 2 p. juntos al der.
En la siguiente vta por el revés de la labor (= cuando falten 7 p. para terminar la vta) trab.: 1 p. rev., 1 p. der. en la hebra de la vta anterior, * 1 p. rev., 1 p. der.*, repetir de * a * 1 vez más y terminar la vta con 1 p. rev.
Trab. cada 9 cm. 3 ojales más.
A 12 cm. de largo total, **cerrar** en el extremo izquierdo cada 6 vtas: 4 veces 1 p. Quedan **–a)** 42 p. **–b)** 46 p. **–c)** 50 p. **–d)** 54 p.
A 25 cm. de largo total, **aumentar** en el extremo izquierdo cada 10 vtas: 2 veces 1 p. Quedan **–a)** 44 p. **–b)** 48 p. **–c)** 52 p. **–d)** 56 p.
Solapa:
A 35 cm. de largo total, **aumentar** en el extremo derecho cada 6 vtas:
–a) 7 veces 1 p.
–b) 8 veces 1 p.
–c) 9 veces 1 p.
–d) 10 veces 1 p. de la siguiente manera:
Al inicio de la vta: trab. 6 p. a *p. elástico 1x1 delantero derecho,* trab. 2 p. en 1 p.

Sisa:
A 45 cm. de largo total, **cerrar** en el extremo izquierdo cada 2 vtas:
–a) 1 vez 3 p., 1 vez 2 p., 2 veces 1 p.
–b) 1 vez 3 p., 1 vez 2 p., 3 veces 1 p.
–c) 1 vez 3 p., 1 vez 2 p., 4 veces 1 p.
–d) 1 vez 3 p., 1 vez 2 p., 5 veces 1 p.
Hombro:
A **–a)** 63 cm. **–b)** 64 cm. **–c)** 65 cm. **–d)** 66 cm. totale lengte, **cerrar** en el extremo izquierdo cada 2 vtas:
–a) 1 vez 10 p., 1 vez 9 p.
–b) 1 vez 11 p., 1 vez 10 p.
–c) 1 vez 12 p., 1 vez 11 p.
–d) 1 vez 13 p., 1 vez 12 p.
A **–a)** 64 cm. **–b)** 65 cm. **–c)** 66 cm. **–d)** 67 cm. de largo total, trab. los primeros **–a)** 25 p. **–b)** 27 p. **–c)** 29 p. **–d)** 31 p. del extremo derecho durante 3 vtas a *p. elástico 1x1* y **cerrar** estos p. a *p. tubular* (ver pág. p. básicos).

DELANTERO IZQUIERDO
Trab. como el delantero derecho, pero **a la inversa** y sin ojales.
Trab. el p. jacquard según gráfico C. Empezar y terminar con el p. indicado en el gráfico con la letra **–a)** A **–b)** B **–c)** C **–d)** D.

MANGAS
Con TUNDRA y ag. nº 4, **montar –a)** 40 p. **–b)** 44 p. **–c)** 46 p. **–d)** 50 p.
Trab. 4 vtas a *p. elástico 1x1.*
Continuar trab. a *p. jersey der.*
Aumentar en ambos lados cada 12 vtas: 8 veces 1 p.
Quedan **–a)** 56 p. **–b)** 60 p. **–c)** 62 p. **–d)** 66 p.
Sisa:
A 54 cm. de largo total, **cerrar** en ambos lados cada 2 vtas:
–a) 1 vez 3 p., 1 vez 2 p., 1 vez 1 p. = 44 p.
–b) 1 vez 3 p., 1 vez 2 p., 2 veces 1 p. = 46 p.
–c) 1 vez 3 p., 1 vez 2 p., 3 veces 1 p. = 46 p.
–d) 1 vez 3 p., 1 vez 2 p., 4 veces 1 p. = 48 p.
A **–a)** 58 cm. **–b)** 59 cm. **–c)** 60 cm. **–d)** 61 cm. de largo total, **cerrar** los p.
Trab. la otra manga igual.

CONFECCIÓN Y REMATE
Coser hombros, lados y mangas.
Coser los botones en la tapeta del delantero izquierdo, enfrente de los ojales.

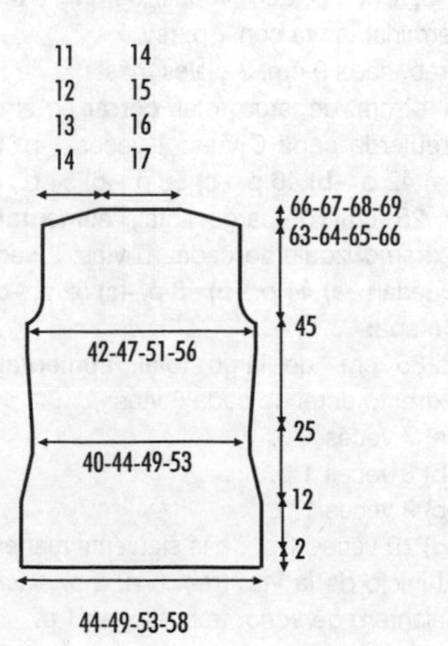

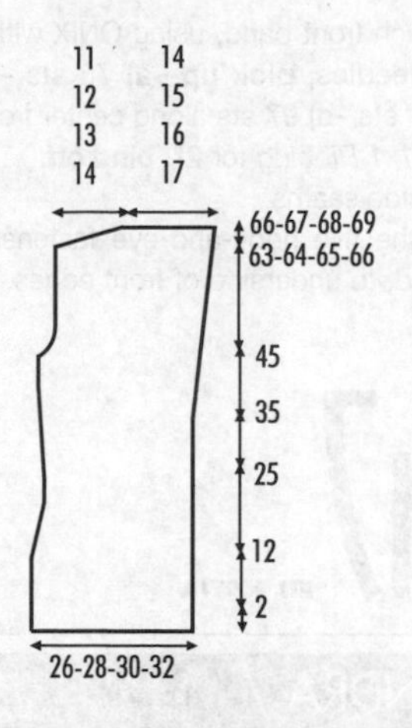

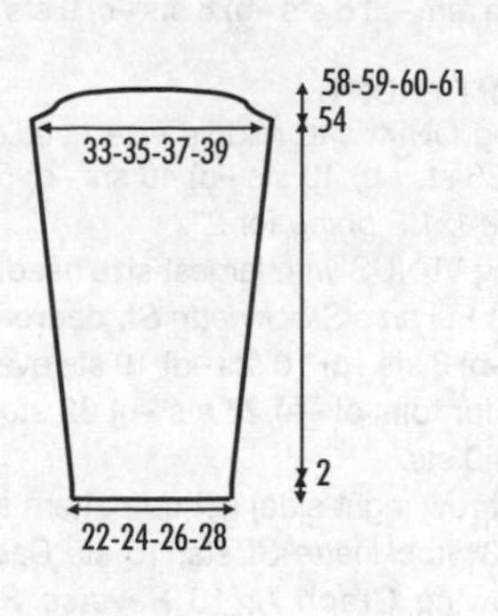

Gráfico A

R Repetir
□ p. jacquard TUNDRA col. 6700
✕ p. jacquard TIBET col. marrón 33

Graph A

R Repeat
□ Jacquard Pattern St using TUNDRA
✕ Jacquard Pattern St USING TIBET

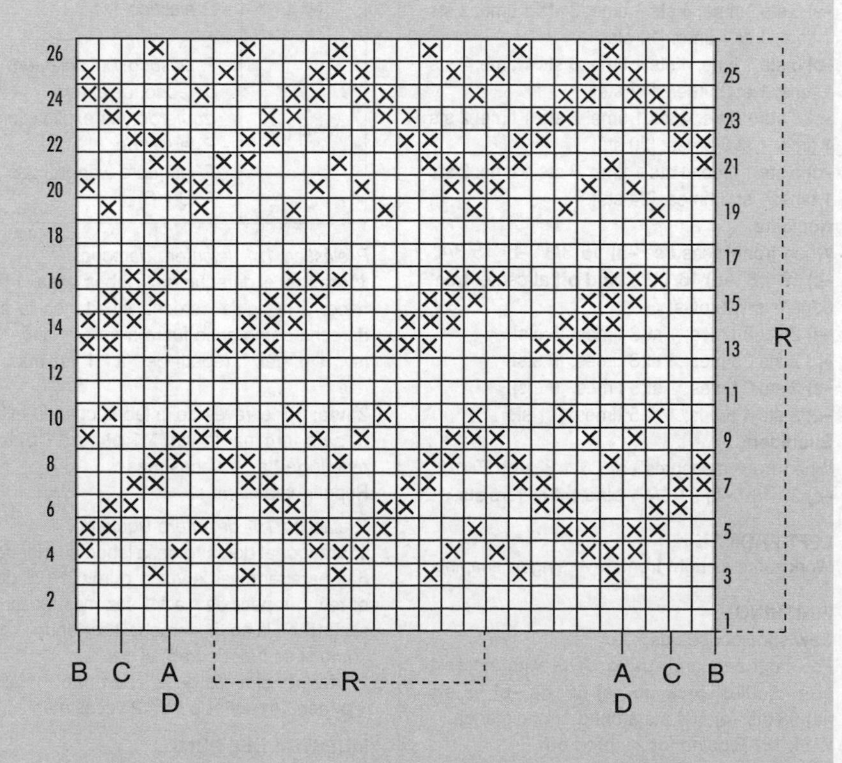

Gráfico B

R Repetir
☐ p. jacquard TUNDRA col. 6700
× p. jacquard TIBET col. marrón 33

Graph B

R Repeat
☐ Jacquard Pattern St using TUNDRA
× Jacquard Pattern St USING TIBET

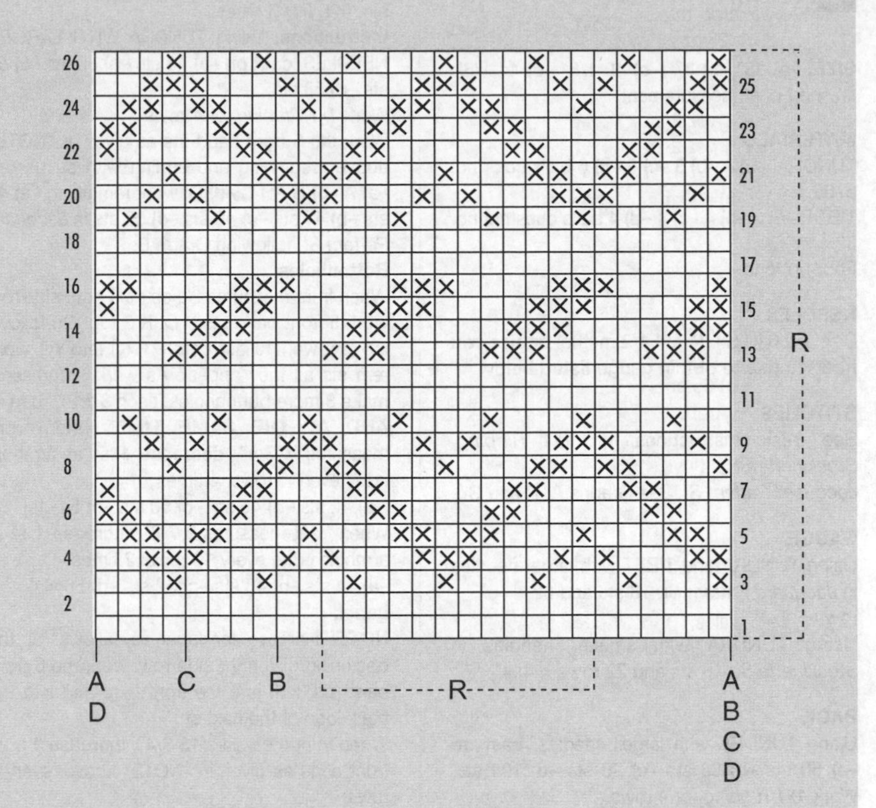

Gráfico C

R Repetir
☐ p. jacquard TUNDRA col. 6700
× p. jacquard TIBET col. marrón 33

Graph C

R Repeat
☐ Jacquard Pattern St using TUNDRA
× Jacquard Pattern St USING TIBET

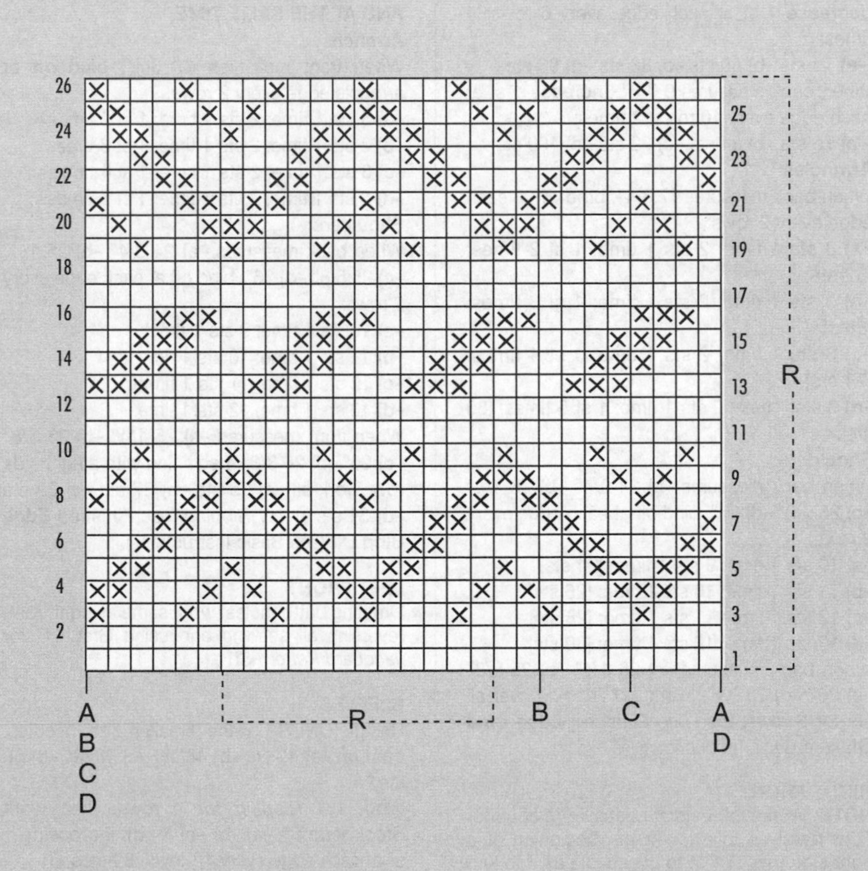

ENGLISH

SIZE: –a) 33" **–b)** 37" **–c)** 40 1/8" **–d)** 44 1/8": finished bust measurement.

MATERIALS
TUNDRA: **–a)** 4 **–b)** 5 **–c)** 5 **–d)** 6 balls color no. 6700.
TIBET: **–a)** 3 **–b)** 4 **–c)** 4 **–d)** 4 balls chestnut no. 33.
Four buttons.

NEEDLES
Size 5 & 6 (U.S.) /(4 & 4 1/2 metric) **or size you need to use to obtain gauge listed below.**

STITCHES
See Basic Instructions for: *1x1 Ribbing*, *Stockinette St*.
Jacquard Pattern St: See Graphs A, B and C.

GAUGE
Using TUNDRA and TIBET with larger needles in *Jacquard Pattern St*, 18 sts and 22 rows = 4x4"
Using TUNDRA with smaller needles in *Stockinette St*: 18 sts and 22 rows = 4x4"

BACK
Using TUNDRA with larger needles, **cast on –a)** 80 sts **–b)** 88 sts **–c)** 96 sts **–d)** 104 sts.
Work *1x1 Ribbing* for 4 rows.
Beginning and ending with st marked **–a)** A **–b)** B **–c) C –d)** D, work *Jacquard Pattern*, following Graph A.
When back measures 4 3/4", **–a) –b) –c) & –d): decrease** 1 st at each edge every 6 rows: 4 times:
[**–a)** 72 sts **–b)** 80 sts **–c)** 88 sts **–d)** 96 sts.
When back measures 9 7/8", **increase** 1 st at each edge every 10 rows: 2 times:
[**–a)** 76 sts **–b)** 84 sts **–c)** 92 sts **–d)** 100 sts.
Armholes:
When back measures 17 3/4", **bind off** at each edge every 2 rows:
–a) 3 sts 1 time; 2 sts 1 time; 1 st 2 times: [62 sts]
–b) 3 sts 1 time; 2 sts 1 time; 1 st 3 times: [68 sts]
–c) 3 sts 1 time; 2 sts 1 time; 1 st 4 times: [74 sts]
–d) 3 sts 1 time; 2 sts 1 time; 1 st 5 times: [80 sts].
Shoulders:
When back measures **–a)** 24 3/4" **–b)** 25 1/4" **–c)** 25 5/8" **–d)** 26", bind off at each edge every 2 rows:
–a) 10 sts 1 time; 9 sts 1 time: [24 sts]
–b) 11 sts 1 time; 10 sts 1 time: [26 sts]
–c) 12 sts 1 time; 11 sts 1 time: [28 sts]
–d) 13 sts 1 time; 12 sts 1 time: [30 sts]
When back measures **–a)** 25 1/4" **–b)** 25 5/8" **–c)** 26" **–d)** 26 3/8", work *1x1 Ribbing* over all sts for 3 rows: then use **Finished Edge Bind Off** (see Basic Instructions).

RIGHT FRONT
NOTE: Work first 6 sts at center front edge for front band as follows: At the beginning of a right side row, sl 1 st to LH needle as if to knit it; (P1, K1) twice, P1.
At the end of a wrong side row, work to last 6 sts; (K1, P1) 3 times.
Instructions: Using TUNDRA WITH LARGER NEEDLES, **cast on –a)** 46 sts **–b)** 50 sts **–c)** 54 sts **–d)** 58 sts.
Work *1x1 Ribbing* for 4 rows.
Work the 6 front band sts as given in "NOTE" above, beginning and ending with st marked **–a)** A **–b)** B **–c)** C **–d)** D, work remaining **–a)** 40 sts **–b)** 44 sts **–c)** 48 sts **–d)** 52 sts in *Jacquard Pattern St*, following Graph B.
Buttonholes:
When front measures 2", on next right side row work 5 front band sts, YO, K 2 tog. On following row, work to last 7 sts, P1, K1 into YO, work rem sts as they appear. As work progresses, make 3 more buttonholes, each 3 1/2" apart.
AND AT THE SAME TIME: when front measures 4 3/4", **decrease** 1 st at armhole edge every 6 rows: 4 times:
[**–a)** 42 sts **–b)** 46 sts **–c)** 50 sts **–d)** 54 sts].
When front measures 9 7/8", **increase** 1 st at armhole edge every 10 rows: 2 times:
–a) 44 sts **–b)** 48 sts **–c)** 52 sts **–d)** 56 sts].
Lapel:
NOTE: increase for lapel as follows: at the beginning of a right side row, work the 6 front band sts, knit into the front loop and into the back loop of the next st.
When front measures 13 3/4", **increase** 1 st at front edge as given in "NOTE" above, every 6 rows:
–a) 7 times
–b) 8 times
–c) 9 times
–d) 10 times
AND AT THE SAME TIME:
Armhole:
When front measures 17 3/4", **bind off** at armhole edge every 2 rows:
–a) 3 sts 1 time; 2 sts 1 time: 1 st 2 times
–b) 3 sts 1 time; 2 sts 1 time; 1 st 3 times
–c) 3 sts 1 time; 2 sts 1 time; 1 st 4 times
–d) 3 sts 1 time; 2 sts 1 time; 1 st 5 times.
Shoulders:
When back measures **–a)** 24 3/4" **–b)** 25 1/4" **–c)** 25 5/8" **–d)** 26", bind off at each edge every 2 rows:
–a) 10 sts 1 time; 9 sts 1 time]
–b) 11 sts 1 time; 10 sts 1 time
–c) 12 sts 1 time; 11 sts 1 time
–d) 13 sts 1 time; 12 sts 1 time.
When front measures **–a)** 25 1/4" **–b)** 25 5/8" **–c)** 26" **–d)** 26 3/8", beginning with a right side row, work all **–a)** 25 sts **–b)** 27 sts **–c)** 29 sts **–d)** 31 sts in *1x1 Ribbing*, use **Finished Edge Bind Off** (see Basic Instructions).

LEFT FRONT
Omitting buttonholes, work same as right front, reversing all shaping and using Graph C for *Jacquard Pattern St*.

SLEEVES
Using TUNDRA withe smaller size needles, **cast on –a)** 40 sts **–b)** 44 sts **–c)** 46 sts **–d)** 50 sts.
Work *1x1 Ribbing* for 4 rows, then work *Stockinette St*, **–a) –b) –c) & –d): increasing** 1 st at each edge every 12 rows: 8 times:
[**–a)** 56 sts **–b)** 60 sts **–c)** 62 sts **–d)** 66 sts].
Armhole:
When sleeve measures 21 1/4", bind off at each edge every 2 rows:
–a) 3 sts 1 time; 2 sts 1 time; 1 st 1 time: [44 sts]
–b) 3 sts 1 time; 2 sts 1 time; 1 st 2 times: [46 sts]
–c) 3 sts 1 time; 2 sts 1 time; 1 st 3 times: [46 sts]
–d) 3 sts 1 time; 2 sts 1 time; 1 st 3 times: [48 sts].
When sleeve measures **–a)** 22 7/8" **–b)** 23 1/4" **–c)** 23 5/8" **–d)** 24", bind off all rem sts.

FINISHING
Sew shoulder, side and sleeve seams.
Sew buttons to left front, opposite buttonholes.

TUNDRA (Ver página 3 Puntos Básicos) (See page 3 Basic Stitches)

pág. 31

ESPAÑOL

TALLAS: –a) 38/40 **–b)** 42/44 **–c)** 46/48 **–d)** 50/52

MATERIALES
TUNDRA: col. 6700: **–a)** 5 **–b** 5 **–c)** 6 **–d)** 6 ovillos.

Agujas	Puntos empleados
Nº 4	*- P. elástico 2x2*
Aguja de ganchillo	
Nº 2 de pasta	*- P. bajo*

MUESTRA DEL PUNTO
P. elástico 2x2, ag. nº 4
10x10 cm. = 18 p. y 23 vtas.

REALIZACIÓN
Empezar con la manga.
Con ag. nº 4, **montar –a)** 58 p. **–b)** 62 p. **–c)** 66 p. **–d)** 70 p.
Trab. a *p. elástico 2x2*. Empezar y terminar con **–a), –b), –c), –d)** 2 p. rev.
A 10 cm. de largo total, **aumentar** en ambos lados cada 6 vtas y cada 8 vtas alternativamente: 9 veces 1 p. Trab. los p. aumentados a *p. elástico 2x2*.
Quedan **–a)** 76 p. **–b)** 80 p. **–c)** 84 p. **–d)** 88 p.
A 42 cm. de largo total, **aumentar** en ambos lados cada 2 vtas: 4 veces 1 p. y a continuación en el extremo derecho (= inicio de la vta

por el derecho de la labor) **aumentar -a), -b), -c), -d)** 1 vez 12 p. y en el extremo izquierdo **aumentar -a), -b), -c), -d)** 1 vez 13 p.
Dejar los **-a)** 109 p. **-b)** 113 p. **-c)** 117 p. **-d)** 121 p. **en espera** después de una vta por el revés de la labor.
Con ag. nº 4, **montar -a), -b), -c), -d)** 40 p. Trab. a *p. elástico 2x2.* Empezar y terminar con 3 p. der.
A **-a)** 22 cm. **-b)** 24,5 cm. **-c)** 26,5 cm. **-d)** 29 cm. de largo total, en una vta por el derecho de la labor, trab.:
-a), -b), -c), -d) 40 p. a *p. elástico 2x2* empezar con 3 p. der. y terminar con 2 p. der., trab. los**-a)** 109 p. **-b)** 113 p. **-c)** 117 p. **-d)** 121 p. dejados en espera a *p. elástico 2x2,* empezar con **-a), -b), -c), -d)** 1 p. der. y terminar con **-a), -b), -c), -d)** 2 p. der. Quedan **-a)** 149 p. **-b)** 153 p. **-c)** 157 p. **-d)** 161 p.
Continuar trab. a *p. elástico 2x2* durante **-a)** 23 cm. **-b)** 25,5 cm. **-c)** 26,5 cm. **-d)** 29 cm.
Al inicio de la siguiente vta por el derecho de la labor, **cerrar** los primeros **-a), -b), -c), -d)** 94 p. y terminar la vta por el derecho de la labor.
Al final de la siguiente vta por el revés de la labor, **aumentar -a), -b), -c), -d)** 94 p.
Continuar trab. a *p. elástico 2x2* durante **-a)** 23 cm. **-b)** 25,5 cm. **-c)** 26,5 cm. **-d)** 29 cm. más.
A continuación, **dejar** los últimos **-a), -b), -c), -d)** 40 p. de una vta por el revés de la labor en espera y proseguir trab. con el resto de los p. **cerrando** al inicio de la vta por el derecho de la labor los primeros **-a), -b), -c), -d)** 12 p.
Cerrar al inicio de la siguiente vta por el revés de la labor, los primeros **-a), -b), -c), -d)** 13 p. Quedan **-a)** 84 p. **-b)** 88 p. **-c)** 92 p. **-d)** 96 p.
Cerrar en ambos lados cada 2 vtas: 4 veces 1 p. y después **cerrar** en ambos lados cada 6 vtas y cada 8 vtas alternativamente: 9 veces 1 p.
Trab. durante 10 cm. recto con los **-a)** 58 p. **-b)** 62 p. **-c)** 66 p. **-d)** 70 p. restantes y **cerrar.**
Recoger los **-a), -b), -c), -d)** 40 p. dejados en espera y trab. a *p. elástico 2x2* durante **-a)** 23 cm. **-b)** 25,5 cm. **-c)** 26,5 cm. **-d)** 29 cm. **Cerrar.**

CONFECCIÓN Y REMATE
NOTA: todas las costuras se realizan a *p. de lado* (ver pág. p. básicos).
Unir las 2 piezas de 40 p. (indicado en el patrón con la letra A).
Coser el bajo de la manga, hasta los p. aumentados y a continuación **coser** la parte superior de las piezas de 40 p. a la base de la chaqueta. (inidcado en el patrón con la letra B).
Remate de los delanteros:
Cortar 3 hilos de **-a)** 140 cm. **-b)** 142 cm. **-c)** 144 cm. **-d)** 146 cm. de largo cada uno.
Con la aguja de ganchillo nº 2, empezando por el extremo derecho del delantero, trab. 1 vta a *p. bajo* metiendo los 3 hilos por debajo. De esta manera queda un relleno dentro del *p. bajo.*
NOTA: para más comodidad, dejar unos 5 cm. de los hilos colgando en el extremo.
Trab. alrededor de las tapetas y escote a *p. bajo* = 4 *p. bajos* sobre los 2 p. der. y 6 *p. bajos* sobre los 2 p. rev. del *p. elástico 2x2.*
Cortar el hilo y rematar. (**NOTA:** cortar en los extremos lo que sobra de los 3 hilos del relleno y rematar).

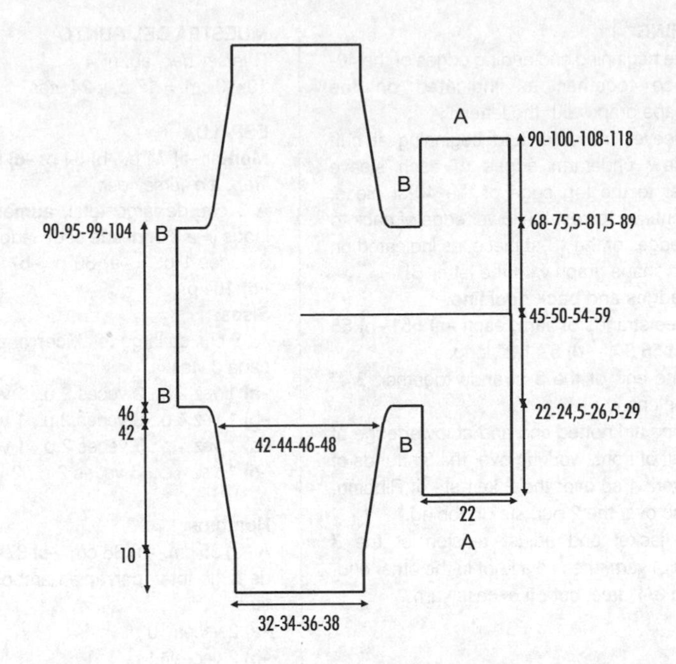

ENGLISH

SIZE: -a) 35 3/8" **-b)** 39 3/8" **-c)** 42 1/2" **-d)** 46 1/2": finished bust measurement.

MATERIALS
TUNDRA: **-a)** 5 **-b)** 5 **-c)** 6 **-d)** 6 balls color no. 6700.

KNITTING NEEDLES
Size 5 (U.S.) /(4 metric) **or size you need to use to obtain gauge listed below.**

CROCHET HOOK:
Size B (U.S.) /(2 plastic metric)

STITCHES
See Basic Instructions for: *2x2 Ribbing, Single Crochet*.

GAUGE
In *2x2 Ribbing*: 18 sts and 23 rows = 4x4"

INSTRUCTIONS
NOTE: Work all increased sts into *2x2 Ribbing* pattern.
Instructions: Except where noted, instructions are the same for all four sizes:
Beginning with one sleeve, **cast on: -a)** 58 sts **-b)** 62 sts **-c)** 66 sts **-d)** 70 sts.
Beginning and ending with: K2, work *2x2 Ribbing*,
When piece measures 4", **increase** 1 st at each edge alternately every 6 and 8 rows: 9 times:
[**-a)** 76 sts **-b)** 80 sts **-c)** 84 sts **-d)** 88 sts].
When piece measures 16 1/2", **increase** 1 st at each edge every 2 rows: 4 times:
[**-a)** 84 sts **-b)** 88 sts **-c)** 92 sts **-d)** 96 sts].
Before beginning next right side row, **cast on** 12 sts. Beginning with P1, work *2x2 Ribbing* over **-a)** 96 sts **-b)** 100 sts **-c)** 104 **-d)** 108 sts; at the end of the row, **cast on** and work into *1x1 Ribbing*: 13 sts. Total of **-a)** 109 sts **-b)** 113 sts **-c)** 115 sts **-d)** 119 sts.
Next row (wrong side) beginning/ending with: K2/P1, work *1x1 Ribbing* for 1 row. **Cut yarn** and slip all sts to holder.
Cast on -a) -b) -c) & -d): 40 sts. Beginning and ending with K3, work *2x2 Ribbing* until piece measures **-a)** 8 5/8" **-b)** 9 5/8" **-c)** 10 3/8" **-d)** 11 3/8"
On next right side row, work the 40 sts, slip sts from holder to empty needle and beginning/ending with P1/P2, continue in established *2x2 Ribbing* pattern.
[**-a)** 149 sts **-b)** 157 sts **-c)** 157 sts **-d)** 157 sts].
Next row: (wrong side), beginning/ending with K2/P3, work *2x2 Ribbing* over all stitches.
When piece measures **-a)** 17 3/4" **-b)** 19 3/4" **-c)** 21 1/4"" **-d)** 23 1/4" from where the 40 sts were cast on, at the beginning of the next right side row, **bind off** 94 sts for front opening, then work to end of row:
-a) 55 sts **-b)** 63 sts **-c)** 63 sts **-d)** 63 sts].
Next row: (wrong side) work all sts. On empty needle, with another ball of yarn, **cast on** 94 sts and continue in established *1x1 Ribbing* pattern to end of row.
When entire piece measures from where first sts were cast on for beginning of sleeve: **-a)** 35 3/8" **-b)** 37 3/8" **-c)** 39" **-d)** 41", on next wrong side row, work to last 40 sts, then slip them to holder.
Next row (right side): **bind off** 12 sts; work to end of row.
Next row (wrong side): **bind off** 13 sts; work to end of row:
[**-a)** 84 sts **-b)** 88 sts **-c)** 92 sts **-d)** 96 sts].
Decrease 1 st at each edge every 4 rows: 4 times; then **decrease** 1 st at each edge alternately every 6 and 8 rows: 9 times:
[**-a)** 58 sts **-b)** 62 sts **-c)** 66 sts **-d)** 70 sts].
Work even for 4", **bind off** all sts.
Slip the 40 sts from holder and work in established *2x2 Ribbing* pattern for **-a)** 8 5/8" **-b)** 9 5/8" **-c)** 10 3/8" **-d)** 11 3/8" - total length of 40 st piece should be **-a)** 35 3/8" **-b)** 39 3/8" **-c)** 42 1/2" **-d)** 46 1/2". **Bind off.**

FINISHING

Sew the beginning and ending edges of the 40-st piece together, as indicated on the size/shape graph with the letter A.

Fold sleeves in center and beginning at cuff end, **sew** underarm edges of each sleeve together to the top edge of the 40-st piece, then continue to **sew** the lower edge of back to upper edges of the 40-st piece, as indicated on the size/shape graph with the letter B.

Front edges and back neckline:

Cut three strands of yarn, each **–a)** 55" **–b)** 55 7/8" **–c)** 56 3/4" **–d)** 57 1/2" long.

Knot one end of the 3 strands together, 3/4" from the end.

Beginning at knotted end and at lower edge of right half of front, working over the 3 strands of yarn, work 4 sc over the 2 knit sts of Ribbing, and 6 sc over the 2 purl sts of ribbing.

Try on jacket and adjust tension of the 3 strands of yarn, then tie a knot in the other end. Leaving 3/4" free, cut off excess yarn.

EDEN

pág. 32

ESPAÑOL

TALLAS: –a) 38/40 **–b)** 42/44 **–c)** 46/48 **–d)** 50/52

MATERIALES

EDEN: col. 6958: **–a)** 8 **–b)** 9 **–c)** 10 **–d)** 11 ovillos.

1 hebilla col. lila de 3 cm. ancho.

Agujas	Puntos empleados
Nº 4	- *P. jersey der.* - *P. bobo* - *Aumentos y menguados* (ver explicación)

Aumentos: por el derecho de la labor:

En el extremo derecho (= inicio de la vta): trab. 3 p. der., trab. 2 p. der. en 1 p.

En el extremo izquierdo (= cuando falten 3 p. para terminar la vta): trab. 2 p. en 1 p., 3 p. der.

Menguados: por el derecho de la labor:

En el extremo derecho (= inicio de la vta): trab. 3 p. der., pasar 1 p. sin hacer a la aguja derecha, trab. 1 p. der. y pasar el p. sin hacer por encima.

En el extremo izquierdo (= cuando falten 5 p. para terminar la vta): trab. 2 p. juntos al der., 3 p. der.

MUESTRA DEL PUNTO

P. jersey der., ag. nº 4

10x10 cm. = 17 p. y 24 vtas.

ESPALDA

Montar –a) 74 p. **–b)** 84 p. **–c)** 90 p. **–d)** 98 p.

Trab. a *p. jersey der.*

A 5 cm. de largo total, **aumentar** en ambos lados (= a 3 p. desde cada lado): cada 10 vtas: 3 veces 1 p. = **–a)** 80 p. **–b)** 90 p. **–c)** 96 p. **–d)** 104 p.

Sisas:

A 19 cm. de largo total, **cerrar** en ambos lados cada 2 vtas:

–a) 1 vez 4 p., 2 veces 2 p., 1 vez 1 p. = 62 p.

–b) 1 vez 4 p., 3 veces 2 p., 1 vez 1 p. = 68 p.

–c) 1 vez 4 p., 3 veces 2 p., 1 vez 1 p. = 74 p.

–d) 1 vez 4 p., 3 veces 2 p., 2 veces 1 p. = 80 p.

Hombros:

A **–a)** 35 cm. **–b)** 36 cm. **–c)** 37 cm. **–d)** 38 cm. de largo total, **cerrar** en ambos lados cada 2 vtas:

–a) 2 veces 10 p.

–b) 2 veces 11 p.

–c) 2 veces 12 p.

–d) 2 veces 13 p.

A **–a)** 38 cm. **–b)** 39 cm. **–c)** 40 cm. **–d)** 41 cm. de largo total, **cerrar** los **–a)** 22 p. **–b)** 24 p. **–c)** 26 p. **–d)** 28 p. restantes del **escote.**

DELANTERO DERECHO

Montar –a) 37 p. **–b)** 41 p. **–c)** 45 p. **–d)** 49 p.

Trab. 4 vtas a *p. jersey der.*

A continuación, **menguar** en el extremo derecho (= a 3 p. desde el extremo):

–a) cada 6 vtas y cada 8 vtas alternativamente: 11 veces 1 p.

–b) cada 6 vtas y cada 8 vtas alternativamente: 11 veces 1 p.

–c) cada 6 vtas: 13 veces 1 p.

–d) cada 6 vtas: 14 veces 1 p.

AL MISMO TIEMPO, a 5 cm. de largo total, **aumentar** en el extremo izquierdo (= a 3 p. desde el extremo): cada 10 vtas: 3 veces 1 p.

Sisa:

A 19 cm. de largo total, **cerrar** en el extremo izquierdo cada 2 vtas:

–a) 1 vez 4 p., 2 veces 2 p., 1 vez 1 p.

–b) 1 vez 4 p., 3 veces 2 p., 1 vez 1 p.

–c) 1 vez 4 p., 3 veces 2 p., 1 vez 1 p.

–d) 1 vez 4 p., 3 veces 2 p., 2 veces 1 p.

Hombro:

A **–a)** 35 cm. **–b)** 36 cm. **–c)** 37 cm. **–d)** 38 cm. de largo total, **cerrar** en el extremo izquierdo cada 2 vtas:

–a) 2 veces 10 p.

–b) 2 veces 11 p.

–c) 2 veces 12 p.

–d) 2 veces 13 p.

DELANTERO IZQUIERDO

Trab. como el delantero derecho, pero **a la inversa.**

MANGAS

Montar –a) 80 p. **–b)** 84 p. **–c)** 86 p. **–d)** 90 p.

Trab. a *p. jersey der.*

A 4 cm. de largo total, **menguar** 12 p. repartidos en una vta por el derecho de la labor = **–a)** 68 p. **–b)** 72 p. **–c)** 74 p. **–d)** 78 p.

A 8 cm. de largo total, **menguar** 12 p. repartidos en una vta por el derecho de la labor = **–a)** 56 p. **–b)** 60 p. **–c)** 62 p. **–d)** 66 p.

A 12 cm. de largo total, **menguar** 12 p. repartidos en una vta por el derecho de la labor = **–a)** 44 p. **–b)** 48 p. **–c)** 50 p. **–d)** 54 p.

A 18 cm. de largo total, **aumentar** en ambos lados (= a 3 p. desde cada lado) cada 4 vtas y cada 6 vtas alternativamente: 9 veces 1 p. = **–a)** 62 p. **–b)** 66 p. **–c)** 68 p. **–d)** 72 p.

Sisa:

A 40 cm. de largo total, **cerrar** en ambos lados cada 2 vtas:

–a) 3 veces 2 p., 7 veces 1 p., 7 veces 2 p.

–b) 3 veces 2 p., 8 veces 1 p., 7 veces 2 p.

–c) 3 veces 2 p., 9 veces 1 p., 7 veces 2 p.

–d) 3 veces 2 p., 10 veces 1 p., 7 veces 2 p.

A **–a)** 55 cm. **–b)** 56 cm. **–c)** 57 cm. **–d)** 58 cm. de largo total, **cerrar** los **–a)** 8 p. **–b)** 10 p. **–c)** 10 p. **–d)** 12 p. restantes.

Trab. la otra manga igual.

CONFECCIÓN Y REMATE

Tira de abrochar con hebilla:

Montar 10 p.

Trab. a *p. bobo.*

A **–a)** 95 cm. **–b)** 105 cm. **–c)** 115 cm. **–d)** 125 cm. de largo total, **cerrar** los p.

Cuello:

Montar –a) 44 p. **–b)** 48 p. **–c)** 52 p. **–d)** 54 p.

Trab. a *p. bobo.*

A 22 cm. de largo total, trab. durante **–a)** 40 cm. **–b)** 44 cm. **–c)** 46 cm. **–d)** 50 cm. (= medir por el lado de los 6 p. que no se trab.) a **vtas cortadas** de la siguiente manera:

* en una vta por el derecho de la labor, NO trab. los últimos 6 p.; dar la vta a la labor y trab. **–a)** 38 p. **–b)** 42 p. **–c)** 46 p. **–d)** 48 p. al der.; dar la vta a la labor y trab. **–a)** 44 p. **–b)** 48 p. **–c)** 52 p. **–d)** 54 p. al der., trab. 3 vtas más a *p.bobo* con todos los p. *, repetir de * a *.

A **–a)** 62 cm. **–b)** 66 cm. **–c)** 68 cm. **–d)** 72 cm. de largo total, trab. durante 22 cm. más a *p. bobo* con todos los p.

A **–a)** 84 cm. **–b)** 88 cm. **–c)** 90 cm. **–d)** 94 cm. de largo total, **cerrar** los p.

Hilvanar las piezas encaradas y planchar a vapor.

Todas las costuras de realizan a *p. de lado* (ver pág. p. básicos).

Coser hombros.

Coser el cuellio alrededor del escote, con el centro del cuello en medio del escote de la espalda y los extremos del cuello al inicio de los delanteros.

Aplicar las mangas (= con el centro de la parte superior de la manga a la costura del hombro) y **coser** lados y mangas.

Coser la hebilla en un extremo de la tira, **coser** este extremo al bajo del delantero izquierdo, seguidamente **coser** la tira al bajo de la espalda y bajo del delantero derecho. Dejar el trozo de tira que sobra en el delantero derecho para abrochar con la hebilla.

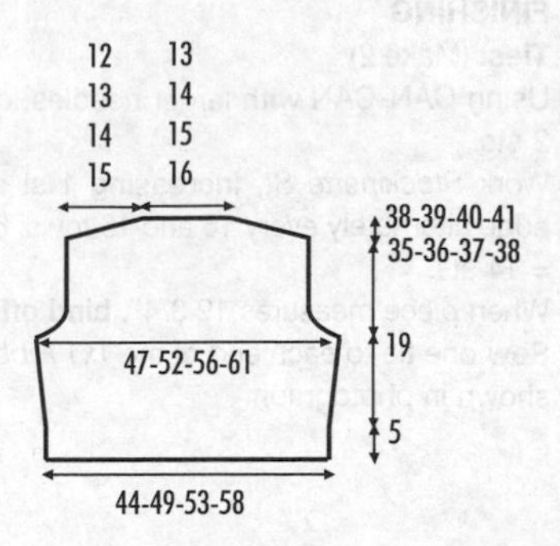

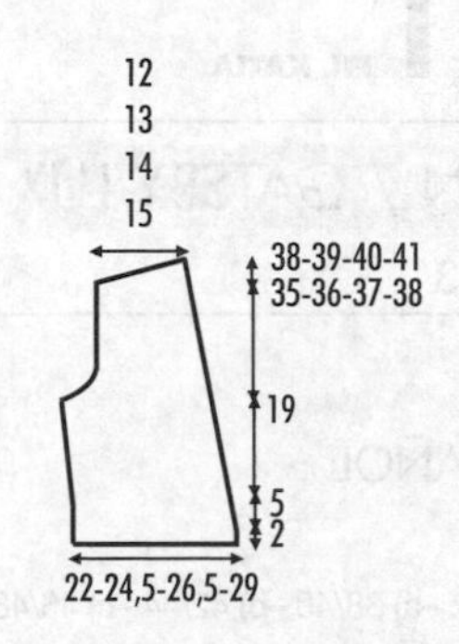

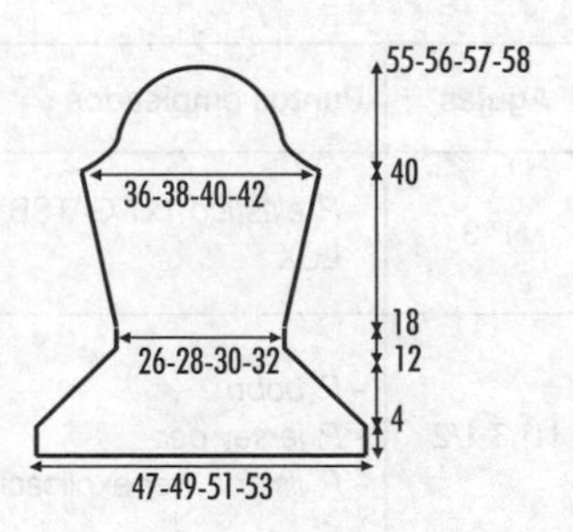

ENGLISH

SIZE: -a) 37" **-b)** 41" **-c)** 44 1/8" **-d)** 48": finished bust measurement.

MATERIALS

EDEN: **-a)** 8 **-b)** 9 **-c)** 10 **-d)** 11 balls color no. 6958.

One 1 1/4" wide buckle.

NEEDLES

Size 5 (U.S.) /(4 metric) **or size you need to use to obtain gauge listed below.**

STITCHES

See Basic Instructions for: *Stockinette St*. *Garter St*.

NOTE 1: Increase 1 st for shaping as follows:
At the beginning of right side rows: K3, increase in next st.
At the end of right side rows: work to last 4 sts; inc in next st, K3.

NOTE 2: Decrease 1 st for shaping as follows:
At the beginning of right side rows, K3, sl 1, K1, PSSO.
At the end of right side rows, work to last 5 sts; K 2 tog, K3

GAUGE

In *Stockinette St*, 17 sts and 24 rows = 4x4"

BACK

Cast on -a) 74 sts **-b)** 84 sts **-c)** 90 sts **-d)** 98 sts.
Work *Stockinette St*
When back measures 2", **increase**1 st at each edge as given in "NOTE 1" above, every 10 rows: 3 times:
[**-a)** 80 sts **-b)** 90 sts **-c)** 96 sts **-d)** 104 sts.

Armholes:
When back measures 7 1/2", **bind off** at each edge every 2 rows:
-a) 4 sts 1 time; 2 sts 2 times; 1 st 1 time: [62 sts]
-b) 4 sts 1 time; 2 sts 3 times; 1 st 1 time: [68 sts]
-c) 4 sts 1 time; 2 sts 3 times; 1 st 1 time: [74 sts]
-d) 4 sts 1 time; 2 sts 3 times; 1 st 2 times: [80 sts]

Shoulders:
When back measures **-a)** 13 3/4" **-b)** 14 1/8" **-c)** 14 1/2" **-d)** 15", bind off at each edge every 2 rows:
-a) 10 sts 2 times: [22 sts]
-b) 11 sts 2 times: [24 sts]
-c) 12 sts 2 times: [26 sts]
-d) 13 sts 2 times: [28 sts].
When back measures **-a)** 15" **-b)** 15 3/8" **-c)** 15 3/4" **-d)** 16 1/8", **bind off** all rem sts.

RIGHT FRONT

Cast on -a) 37 sts **-b)** 41 sts **-c)** 45 sts **-d)** 49 sts.
Work *Stockinette St* for 4 rows.
Continuing in *Stockinette St* and increasing as given below, for neckline shaping **decrease** 1 st at center front edge (beginning of right side rows); as given in "NOTE 2" above:
-a) alternately every 6 and 8 rows: 11 times
-b) alternately every 6 and 8 rows: 11 times
-c) every 6 rows: 13 times
-d) every 6 rows: 14 times.

AND AT THE SAME TIME:
When front measures 2", **-a) -b) -c) & -d): increase** 1 st at armhole edge as given in "NOTE 1" above, every 10 rows: 3 times.

Armhole:
When front measures 7 1/2", **bind off** at armhole edge every 2 rows:
-a) 4 sts 1 time; 2 sts 2 times; 1 st 1 time
-b) 4 sts 1 time; 2 sts 3 times; 1 st 1 time
-c) 4 sts 1 time; 2 sts 3 times; 1 st 1 time
-d) 4 sts 1 time; 2 sts 3 times; 1 st 2 times.

Shoulder:
When front measures **-a)** 13 3/4" **-b)** 14 1/8" **-c)** 14 1/2" **-d)** 15", **bind off** at armhole edge every 2 rows:
-a) 10 sts 2 times
-b) 11 sts 2 times
-c) 12 sts 2 times
-d) 13 sts 2 times.

LEFT FRONT

Work same as right front, reversing all shaping.

SLEEVES

Cast on -a) 80 sts **-b)** 84 sts **-c)** 86 sts **-d)** 90 sts.
Work *Stockinette St*.
When sleeve measures 1 5/8", on next right side row **decrease** 12 sts evenly:
[**-a)** 68 sts **-b)** 72 sts **-c)** 74 sts **-d)** 78 sts].
When sleeve measures 3 1/8", on next right side row **decrease** 12 sts evenly:
-a) 56 sts **-b)** 60 sts **-c)** 62 sts **-d)** 66 sts].
When sleeve measures 4 3/4", on next right side row **decrease** 12 sts evenly:
[**-a)** 44 sts **-b)** 48 sts **-c)** 50 sts **-d)** 54 sts].
When sleeve measures 7 1/8", **-a) -b) -c) & -d): increase** 1 st at each edge as given in "NOTE 1" above, alternately every 4 and 6 rows: 9 times:
[**-a)** 62 sts **-b)** 66 sts **-c)** 68 sts **-d)** 72 sts].

Armhole:
When sleeve measures 15 3/4", **bind off** at each edge every 2 rows:
-a) 2 sts 3 times; 1 st 7 times; 2 sts 7 times: [8 sts]
-b) 2 sts 3 times; 1 st 8 times; 2 sts 7 times: [10 sts]
-c) 2 sts 3 times; 1 st 9 times; 2 sts 7 times: [10 sts]
-d) 2 sts 3 times; 1 st 10 times; 2 sts 7 times: [12 sts].
When sleeve measures **-a)** 21 5/8" **-b)** 22" **-c)** 22 1/2" **-d)** 22 7/8", **bind off** all rem sts.

FINISHING

Collar: NOTE: Mark right side of work.
Cast on -a) 44 sts **-b)** 48 sts **-c)** 52 sts **-d)** 54 sts.
Work *Garter St*.
When collar measures 8 5/8", on next right side row begin short rows as follows:
Row 1: Knit **-a)** 38 sts **-b)** 42 sts **-c)** 46 sts **-d)** 48 sts; 6 sts remain on LH needle, turn.
Row 2: Sl 1, knit to end of row: **-a)** 44 sts **-b)** 48 sts **-c)** 52 sts **-d)** 54 sts.
Rows 3, 4, 5, & 6: Work all sts
Repeat these 6 rows until the edge at the end of right side rows (shorter edge) measures **-a)** 24 3/8" **-b)** 25 1/4" **-c)** 26 3/4" **-d)** 28 3/8".
Work all rows over **-a)** 44 sts **-b)** 48 sts **-c)** 52 sts **-d)** 54 sts until shorter edge measures **-a)** 33" **-b)** 34 5/8" **-c)** 35 3/8" **-d)** 37". **Bind off.**

Front belt:
Cast on 10 sts.
Work *Garter St* for **-a)** 37 3/8" **-b)** 41 3/8" **-c)** 45 1/4" **-d)** 49 1/4"; **bind off.**
Carefully block pieces on the wrong side, using steam only.
Sew shoulder seams.

Matching center of short edge of collar to center of back neck edge, and ends of collar to beginning of front neckline shaping **sew** collar around entire neck edge.
Matching center of sleeve with shoulder seam, **sew** in top of sleeve, then **sew** underarm seam.
Sew side seams.
Sew one end of belt to center of buckle, then **sew** buckle to lower corner of left front, then continue to **sew** one edge of belt around lower edge of left front, back, and right front, leaving the belt end loose to fasten through the buckle, as shown in photograph.

CAN-CAN / MERINO 100 %

pág. 32

ESPAÑOL

TALLAS: –a) 38-40 **–b)** 42-44 **–c)** 46-48 **–d)** 50-52

MATERIALES
CAN-CAN: col. rojo/burdeos 5905: **–a)** 7 **–b)** 8 **–c)** 9 **–d)** 10 ovillos.
MERINO 100%: col. rubí 24: **–a), –b) –c), –d)** 1 ovillo.

Agujas	Puntos empleados
Nº 3 1/2, Nº 5 1/2	- *P. jersey der.* - *P. elástico 1x1.*

MUESTRA DEL PUNTO
CAN-CAN a *p. jersey der.*, ag. nº 5 1/2.
10x10 cm. = 20 p. y 22 vtas.
MERINO 100% a *p. elástico 1x1*, ag. nº 3 1/2.
10x10 cm. = 25 p. y 35 vtas.

REALIZACIÓN
Con ag. nº 5 1/2 en CAN-CAN **montar –a)** 60 **–b)** 64 **–c)** 68 **–d)** 72 p.
Trab. **–a)** 85 cm. **–b)** 89 cm. **–c)** 93 cm. **–d)** 98 cm. a *p. jersey der.* y **cerrar**.
Con ag. nº 3 1/2 en MERINO 100% **recoger** todos los p. de un lado de la parte más larga, trab. 24 vtas a *p. elástico 1x1* **aumentando** o **menguando** según sea necesario repartidos en la primera vta hasta obtener un total de: **–a)** 212 **–b)** 222 **–c)** 232 **–d)** 245 p. **cerrar.**

CONFECCIÓN Y REMATE
Tiras: Con ag. nº 5 1/2 en CAN-CAN **montar** 2 p.
Trab. a *p. jersey der.* **aumentando** en ambos lados cada 14 vtas y 16 vtas alternativamente: 6 veces 1 p.= 14 p.
A 50 cm. de largo total, **cerrar** todos los p.
Hacer otra tira igual.
Coser cada tira en cada extremo del *p. elástico 1x1*.

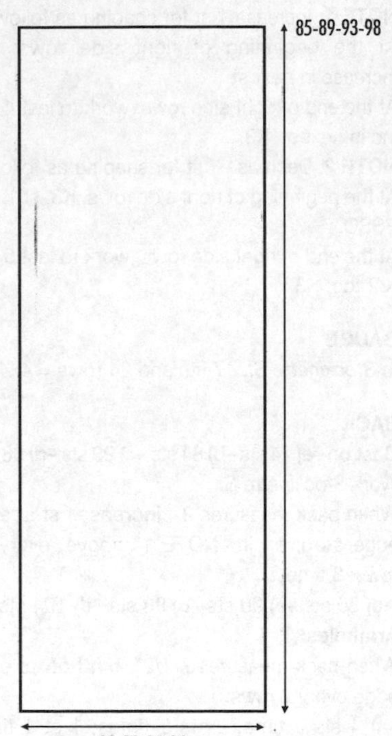

ENGLISH

SIZE: –a) 11 3/4" x 33 1/2" **–b)** 12 5/8" x 35" **–c)** 13 3/8" x 36 5/8" **–d)** 14 1/8" x 38 5/8".

MATERIALS
CAN-CAN: **–a)** 7 **–b)** 8**–c)** 9 **–d)** 10 balls red/burgundy no. 5905.
MERINO 100%: **–a) –b) –c) & –d):** 1 ball ruby no. 24.

NEEDLES
Size 4 & 8 (U.S.) /(3 1/2 & 5 1/2 metric) **or size you need to use to obtain gauge listed below.**

STITCHES
See Basic Instructions for: *Stockinette St*, *1x1 Ribbing*.

GAUGE
Using CAN-CAN with larger needles in *Stockinette St*: 20 sts and 22 rows = 4x4"
Using MERINO 100% with smaller needles, in *1x1 Ribbing*: 25 sts and 35 rows= 4x4"

INSTRUCTIONS
Using CAN-CAN with larger needles, **cast on –a)** 60 sts **–b)** 64 sts **–c)** 68 sts **–d)** 72 sts.
Work *Stockinette St* for **–a)** 33 1/2" **–b)** 35" **–c)** 36 5/8" **–d)** 38 5/8": **bind off.**
Using MERINO 100% with smaller needles, **pick up** one stitch in every row along one long edge. Working in *1x1 Ribbing*, on first row increase or decrease until you have a total of **–a)** 212 sts **–b)** 222 sts **–c)** 232 sts **–d)** 245 sts.
Work a total of 24 rows *1x1 Ribbing*: **bind off.**

FINISHING
Ties: (Make 2)
Using CAN-CAN with larger needles, **cast on** 2 sts.
Work *Stockinette St*, **increasing** 1 st at each edge alternately every 16 and 16 rows: 6 times: = 14 sts.
When piece measures 19 3/4", **bind off.**
Sew one tie to each end of the *1x1 Ribbing*, as shown in photograph.

EDEN / GATSBY LUX

pág. 33

ESPAÑOL

TALLAS: –a) 38/40 **–b)** 42/44 **–c)** 46/48 **–d)** 50/52

MATERIALES
EDEN: col. 6954: **–a)** 7 **–b** 8 **–c)** 10 **–d)** 11 ovillos.
GATSBY LUX: col. 3802: **–a)** 2 **–b)** 2 **–c)** 3 **–d)** 3 ovillos.

Agujas	Puntos empleados
Nº 3	- *P. elástico 1x1* GATSBY LUX
Nº 3 1/2	- *P. bobo* - *P. jersey der.* - *P. listado* (ver explicación)

P. listado: trab. a *p. jersey der.*:
* 14 vtas EDEN, 4 vtas GATSBY LUX *, repetir de * a *.

MUESTRA DEL PUNTO
P. listado, ag. nº 3 1/2
10x10 cm. = 19 p. y 32 vtas.

ESPALDA
Con ag. nº 3 1/2 y EDEN, **montar –a)** 78 p. **–b)** 88 p. **–c)** 96 p. **–d)** 104 p.
Trab. 4 vtas a *p. bobo* y continuar trab. a *p. listado*.
A 10 cm. de largo total, **cerrar** en ambos lados cada 10 vtas: 2 veces 1 p. = **–a)** 74 p. **–b)** 84 p. **–c)** 92 p. **–d)** 100 p.
A 18 cm. de largo total, **aumentar** en ambos lados cada 10 vtas: 4 veces 1 p. = **–a)** 82 p. **–b)** 92 p. **–c)** 100 p. **–d)** 108 p.
Sisas:
A 37 cm. de largo total, **cerrar** en ambos lados cada 2 vtas:

–a) 1 vez 3 p., 1 vez 2 p., 1 vez 1 p. = 70 p.
–b) 1 vez 3 p., 1 vez 2 p., 2 veces 1 p. = 78 p.
–c) 1 vez 3 p., 1 vez 2 p., 3 veces 1 p. = 84 p.
–d) 1 vez 3 p., 1 vez 2 p., 4 veces 1 p. = 90 p.
Hombros:
A **–a)** 55 cm. **–b)** 56 cm. **–c)** 57 cm. **–d)** 58 cm. de largo total, **cerrar** en ambos lados cada 2 vtas:
–a) 2 veces 10 p.
–b) 1 vez 12 p., 1 vez 11 p.
–c) 1 vez 13 p., 1 vez 12 p.
–d) 1 vez 14 p., 1 vez 13 p.
A **–a)** 57 cm. **–b)** 58 cm. **–c)** 59 cm. **–d)** 60 cm. de largo total, **cerrar** los **–a)** 30 p. **–b)** 32 p. **–c)** 34 p. **–d)** 36 p. restantes del **escote.**

DELANTERO
Trab. como la espalda, hasta 35 cm. de largo total.
Escote:
A 35 cm. de largo total, **dividir** la labor en dos partes iguales (= **–a)** 41 p. **–b)** 46 p. **–c)** 50 p. **–d)** 54 p. para cada lado) y continuar trab. cada lado por separado.
Cerrar cada 4 vtas en el lado del escote:
–a) 15 veces 1 p.
–b) 16 veces 1 p.
–c) 17 veces 1 p.
–d) 18 veces 1 p.
Sisa:
AL MISMO TIEMPO, a 37 cm. de largo total, **cerrar** en el extremo exterior cada 2 vtas:
–a) 1 vez 3 p., 1 vez 2 p., 1 vez 1 p.
–b) 1 vez 3 p., 1 vez 2 p., 2 veces 1 p.
–c) 1 vez 3 p., 1 vez 2 p., 3 veces 1 p.
–d) 1 vez 3 p., 1 vez 2 p., 4 veces 1 p.
Hombro:
A **–a)** 55 cm. **–b)** 56 cm. **–c)** 57 cm. **–d)** 58 cm. de largo total, **cerrar** en el extremo exterior cada 2 vtas:
–a) 2 veces 10 p.
–b) 1 vez 12 p., 1 vez 11 p.
–c) 1 vez 13 p., 1 vez 12 p.
–d) 1 vez 14 p., 1 vez 13 p.
Acabar el otro lado igual, pero **a la inversa.**

MANGAS
Con ag. nº 3 1/2 y EDEN, **montar –a)** 40 p. **–b)** 44 p. **–c)** 48 p. **–d)** 52 p.
Trab. 4 vtas a *p. bobo* y continuar trab. a *p. listado.*
Aumentar en ambos lados cada 14 vtas: 11 veces 1 p. = **–a)** 62 p. **–b)** 66 p. **–c)** 70 p. **–d)** 74 p.
Sisa:
A 56 cm. de largo total, **cerrar** en ambos lados cada 2 vtas:
–a) 1 vez 3 p., 1 vez 2 p.
–b) 1 vez 3 p., 1 vez 2 p., 1 vez 1 p.
–c) 1 vez 3 p., 1 vez 2 p., 2 veces 1 p.
–d) 1 vez 3 p., 1 vez 2 p., 3 veces 1 p.
A **–a)** 58 cm. **–b)** 59 cm. **–c)** 60 cm. **–d)** 61 cm. de largo total, **cerrar** los **–a)** 52 p. **–b)** 54 p. **–c)** 56 p. **–d)** 58 p. restantes.
Trab. la otra manga igual.

CONFECCIÓN Y REMATE
Coser el hombro derecho.
Con ag. nº 3 y GATSBY LUX, **recoger** por el lado derecho del escote del delantero **–a)** 62 p. **–b)** 64 p. **–c)** 66 p. **–d)** 68 p.; **recoger** el p. central del delantero y **marcar** este p.; **recoger** por el lado izquierdo del escote del delantero **–a)** 62 p. **–b)** 64 p. **–c)** 66 p. **–d)** 68 p.; **recoger** alrededor del escote de la espalda **–a)** 40 p. **–b)** 44 p. **–c)** 48 p. **–d)** 52 p. = en total **–a)** 165 p. **–b)** 173 p. **–c)** 181 p. **–d)** 189 p.
Trab. a *p. elástico 1x1.*
NOTA: para formar el pico: menguar (= trab. 2 p. juntos al rev.) en todas las vtas **antes** y **después** del p. central marcado.
Después de haber trabajado 4 vtas, **cerrar** el p. central del delantero y 11 cm. a cada lado del p. central. Continuar trab. a *p. elástico 1x1* durante 12 vtas más con los p. restantes y **cerrar.**
Coser el otro hombro.
Aplicar mangas (= con el centro de la parte superior de la manga a la costura del hombro) y **coser** mangas y lados.

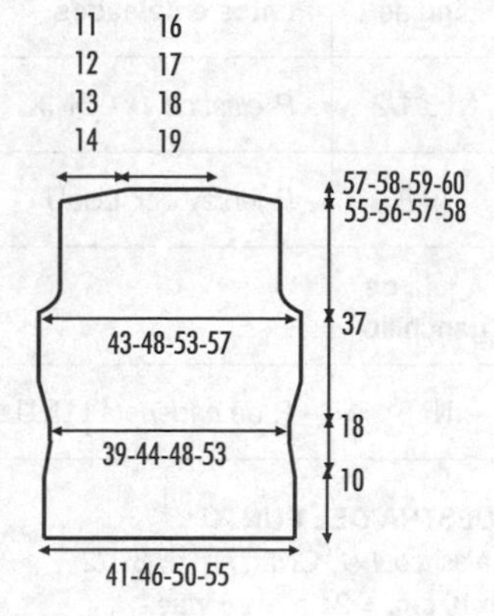

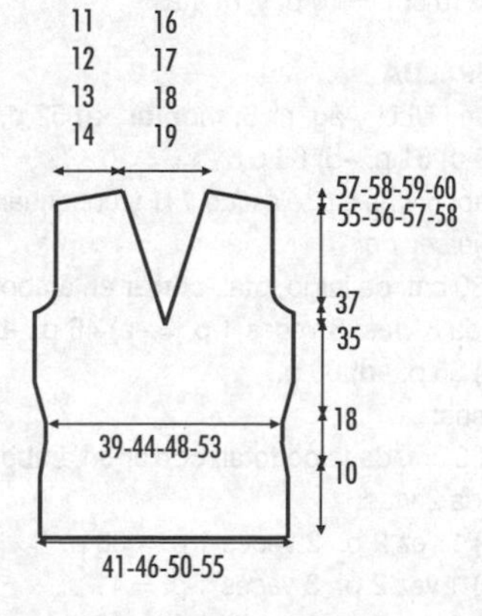

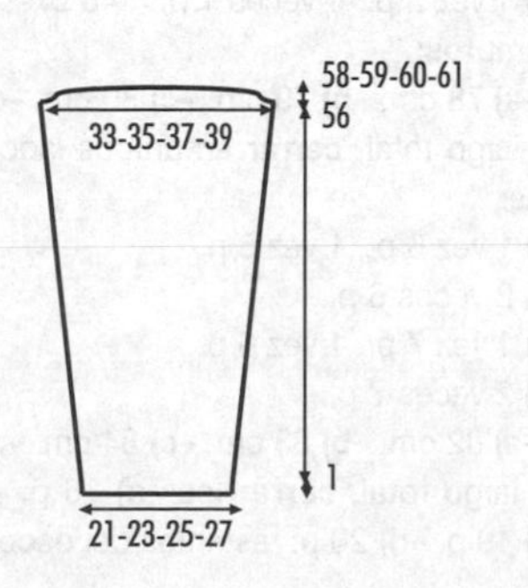

ENGLISH

SIZE: –a) 33 7/8" **–b)** 37 3/4" **–c)** 41 3/4" **–d)** 44 7/8": finished bust measurement

MATERIALS
EDEN: **–a)** 7 **–b)** 8 **–c)** 10 **–d)** 11 balls color no. 6954.
GATSBY LUX; **–a)** 2 **–b)** 2 **–c)** 3 **–d)** 3 balls color no. 3802.

NEEDLES
Size (U.S.) /(3 & 3 1/2 metric) **or size you need to use to obtain gauge listed below.**

STITCHES
See Basic Instructions for: *1x1 Ribbing*, *Garter St*, *Stockinette St*

Stripe Pattern: Work in *Stockinette St*:
* 14 rows EDEN, 4 rows GATSBY LUX, *; rep from * to *.

GAUGE
Using larger needles in *Stripe Pattern*: 19 sts and 32 rows = 4x4"

BACK
Using EDEN with larger needles, **cast on –a)** 78 sts **–b)** 88 sts **–c)** 96 sts **–d)** 104 sts.
Work 4 rows *Garter St*, then work *Stripe Pattern.*
When back measures 4", **decrease** 1 st at each edge every 10 rows: 2 times:
[**–a)** 74 sts **–b)** 84 sts **–c)** 92 sts **–d)** 100 sts].
When back measures 7 1/8", **increase** 1 st at each edge every 10 rows: 4 times:
[**–a)** 82 sts **–b)** 92 sts **–c)** 100 sts **–d)** 108 sts].
Armholes:
When back measures 14 1/2", **bind off** at each edge every 2 rows
–a) 3 sts 1 time; 2 sts 1 time; 1 st 1 time: [70 sts]
–b) 3 sts 1 time; 2 sts 1 time; 1 st 2 times: [78 sts]
–c) 3 sts 1 time; 2 sts 1 time; 1 st 3 times: [84 sts]
–d) 3 sts 1 time; 2 sts 1 time; 1 st 4 times: [90 sts]
Shoulders:
When back measures **–a)** 21 5/8" **–b)** 22" **–c)** 22 1/2" **–d)** 22 7/8", **bind off** at each edge every 2 rows:
–a) 10 sts 2 times: [30 sts]
–b) 12 sts 1 time; 11 sts 1 time: [32 sts]
–c) 13 sts 1 time; 12 sts 1 time: [34 sts]
–d) 14 sts 1 time; 13 sts 1 time: [36 sts].
When back measures **–a)** 22 1/2" **–b)** 22 7/8" **–c)** 23 1/4" **–d)** 23 5/8", bind off all rem sts.

FRONT
Work same as back until front measures 13 3/4".
Neckline:
Divide work in center and working each side separately, **decreasing** 1 st at neck edge every 4 rows:
–a) 15 times
–b) 16 times
–c) 17 times
–d) 18 times.

AND AT THE SAME TIME:

Armhole:

When front measures 14 1/2" bind off at armhole edge every 2 rows:

–a) 3 sts 1 time; 2 sts 1 time; 1 st 1 time
–b) 3 sts 1 time; 2 sts 1 time; 1 st 2 times
–c) 3 sts 1 time; 2 sts 1 time; 1 st 3 times
–d) 3 sts 1 time; 2 sts 1 time; 1 st 4 times.

Shoulders:

When back measures **–a)** 21 5/8" **–b)** 22" **–c)** 22 1/2" **–d)** 22 7/8", **bind off** at each edge every 2 rows:

–a) 10 sts 2 times
–b) 12 sts 1 time; 11 sts 1 time
–c) 13 sts 1 time; 12 sts 1 time
–d) 14 sts 1 time; 13 sts 1 time.

SLEEVES

Using EDEN with larger needles, **cast on –a)** 40 sts **–b)** 44 sts **–c)** 48 sts **–d)** 52 sts.

Work 4 rows *Garter St*, then work *Stripe Pattern*, **–a) –b) –c) & –d): increasing** 1 st at each edge every 14 rows: 11 times:
[**–a)** 62 sts **–b)** 66 sts **–c)** 70 sts **–d)** 74 sts].

Armhole:

When sleeve measures 22", **bind off** at each edge every 2 rows:

–a) 3 sts 1 time; 2 sts 1 time: [52 sts]
–b) 3 sts 1 time; 2 sts 1 time; 1 st 1 time: [54 sts]
–c) 3 sts 1 time; 2 sts 1 time; 1 st 2 times: [56 sts]
–d) 3 sts 1 time; 2 sts 1 time; 1 st 3 times: [58 sts].

When sleeve measures **–a)** 22 7/8" **–b)** 23 1/4" **–c)** 23 5/8" **–d)** 24", **bind off** all rem sts.

FINISHING

Sew right shoulder seam.

Using GATSBY LUX, **pick up –a)** 62 sts **–b)** 64 sts **–c)** 66 sts **–d)** 68 sts along left front neck edge; **pick up** 1 st at center front and mark this stitch; **pick up –a)** 62 sts **–b)** 64 sts **–c)** 66 sts **–d)** 68 sts along left front neck edge; **pick up –a)** 40 sts **–b)** 44 sts **–c)** 48 sts **–d)** 52 sts around back neck edge: total of **–a)** 165 sts **–b)** 173 sts **–c)** 181 sts **–d)** 189 sts.

First row (wrong side) Beginning with P1, work *1x1 Ribbing* to two sts before marked st, P 2 tog, purl marked st, P 2 tog, beginning with K1, continue with *1x1 Ribbing*, ending with P1.

Following rows: Work in established *1x1 Ribbing* to two sts before marked st, P 2 tog, work marked st as it appears, P 2 tog, work in established *1x1 Ribbing* to end of row.

Work 3 more rows, then **bind off** stitches that are 4 3/8" before marked st, **bind off** marked st, **bind off** next sts for 4 3/8".

Work even on remaining stitches for 11 more rows; **bind off.**

Sew other shoulder seam.

Matching center of sleeve with shoulder seam, sew in top of sleeve, then sew underarm seams and side seams.

LULU / ONIX

pág. 34

ESPAÑOL

TALLAS: –a) 38/40 **–b)** 42/44 **–c)** 46/48 **–d)** 50/52

MATERIALES

LULU: col. 6404: **–a)** 16 **–b)** 18 **–c)** 19 **–d)** 21 ovillos.

ONIX: col. 7007: **–a), –b), –c), –d)** 2 ovillos.

Agujas	Puntos empleados
Nº 3 1/2	- *P. elástico 1x1* ONIX
Nº 8	- *P. jersey der.* LULU
Aguja de ganchillo	
Nº 5	- *P. de cadeneta* LULU

MUESTRA DEL PUNTO

P. elástico 1x1, ONIX, ag. nº 3 1/2
10x10 cm. = 24 p. y 28 vtas.
P. jersey der., LULU, ag. nº 8
10x10 cm. = 10 p. y 14 vtas

ESPALDA

Con LULU y ag. nº 8, **montar –a)** 52 p. **–b)** 57 p. **–c)** 61 p. **–d)** 66 p.

Trab. 6 vtas a *p. elástico 1x1* y continuar trab. a *p. jersey der.*

A 30 cm. de largo total, **cerrar** en ambos lados cada 8 vtas: 3 veces 1 p. = **–a)** 46 p. **–b)** 51 p. **–c)** 55 p. **–d)** 60 p.

Sisas:

A 60 cm. de largo total, **cerrar** en ambos lados cada 2 vtas:

–a) 1 vez 2 p., 2 veces 1 p. = 38 p.
–b) 1 vez 2 p., 3 veces 1 p. = 41 p.
–c) 1 vez 2 p., 3 veces 1 p. = 45 p.
–d) 1 vez 2 p., 4 veces 1 p. = 48 p.

Hombros:

A **–a)** 78 cm. **–b)** 79 cm. **–c)** 80 cm. **–d)** 81 cm. de largo total, **cerrar** en ambos lados cada 2 vtas:

–a) 1 vez 6 p., 1 vez 5 p.
–b) 2 veces 6 p.
–c) 1 vez 7 p., 1 vez 6 p.
–d) 2 veces 7 p.

A **–a)** 82 cm. **–b)** 83 cm. **–c)** 84 cm. **–d)** 85 cm. de largo total, **cerrar** los **–a)** 16 p. **–b)** 17 p. **–c)** 19 p. **–d)** 20 p. restantes del **escote.**

DELANTERO DERECHO

Con LULU y ag. nº 8, **montar –a)** 24 p. **–b)** 26 p. **–c)** 28 p. **–d)** 31 p.

Trab. 6 vtas a *p. elástico 1x1* y continuar trab. a *p. jersey der.*

A 30 cm. de largo total, **cerrar** en el extremo izquierdo cada 8 vtas: 3 veces 1 p. = **–a)** 21 p. **–b)** 23 p. **–c)** 25 p. **–d)** 28 p.

Sisa:

A 60 cm. de largo total, **cerrar** en el extremo izquierdo cada 2 vtas:

–a) 1 vez 2 p., 2 veces 1 p.
–b) 1 vez 2 p., 3 veces 1 p.
–c) 1 vez 2 p., 3 veces 1 p.
–d) 1 vez 2 p., 4 veces 1 p.

Escote:

A 70 cm. de largo total, **cerrar** en el extremo derecho cada 2 vtas:

–a), –b) 2 veces 2 p., 2 veces 1 p.
–c) 2 veces 2 p., 3 veces 1 p.
–d) 2 veces 2 p., 4 veces 1 p.

Hombro:

A **–a)** 78 cm. **–b)** 79 cm. **–c)** 80 cm. **–d)** 81 cm. de largo total, **cerrar** en el extremo izquierdo cada 2 vtas:

–a) 1 vez 6 p., 1 vez 5 p.
–b) 2 veces 6 p.
–c) 1 vez 7 p., 1 vez 6 p.
–d) 2 veces 7 p.

DELANTERO IZQUIERDO

Trab. como el delantero derecho, pero **a la inversa.**

MANGAS

Con ag. nº 3 1/2 y ONIX, **montar –a)** 54 p. **–b)** 60 p. **–c)** 66 p. **–d)** 70 p.

Trab. a *p. elástico 1x1.*

A 6 cm. de largo total, **cambiar** ag. nº 8 y con la calidad LULU continuar trab. a *p. jersey der.*

Menguar –a) 32 p. **–b)** 36 p. **–c)** 40 p. **–d)** 42 p. en la 1ª vta. Quedan **–a)** 22 p. **–b)** 24 p. **–c)** 26 p. **–d)** 28 p.

Aumentar en ambos lados cada 8 vtas: 7 veces 1 p.

Quedan **–a)** 36 p. **–b)** 38 p. **–c)** 40 p. **–d)** 42 p.

Sisa:

A 55 cm. de largo total, **cerrar** en ambos lados cada 2 vtas:

–a) 1 vez 2 p., 1 vez 1 p.
–b) 1 vez 2 p., 2 veces 1 p.
–c) 1 vez 2 p., 2 veces 1 p.
–d) 1 vez 2 p., 3 veces 1 p.

A **–a)** 59 cm. **–b)** 60 cm. **–c)** 61 cm. **–d)** 62 cm. de largo total, **cerrar** los **–a)** 30 p. **–b)** 30 p. **–c)** 32 p. **–d)** 32 p. restantes.

Trab. la otra manga igual.

CONFECCIÓN Y REMATE

Coser hombros.

Con ONIX y ag. nº 3 1/2, **recoger** para la tapeta del delantero derecho, desde el bajo hasta el inicio del escote: 110 p.

Trab. 4 cm. a *p. elástico 1x1.* **Cerrar.**

Trab. la tapeta del delantero izquierdo igual.

Cuello:

Con ONIX y ag. nº 3 1/2, **recoger** alrededor del escote de un delantero **–a)** 40 p. **–b)** 42 p. **–c)** 48 p. **–d)** 50 p.; alrededor del escote de la espalda **–a)** 25 p. **–b)** 27 p. **–c)** 31 p. **–d)** 35 p.;

alrededor del escote del otro delantero **-a)** 40 p. **-b)** 42 p. **-c)** 48 p. **-d)** 50 p. = en total **-a)** 105 p. **-b)** 111 p. **-c)** 127 p. **-d)** 135 p.
Trab. 4 vtas a *p. elástico 1x1.* Empezar y terminar con 1 p. der.
A continuación, **aumentar** 16 p. sobre los p. del escote de la espalda. Quedan **-a)** 121 p. **-b)** 127 p. **-c)** 143 p. **-d)** 151 p. Continuar trab. a *p. elástico 1x1.*
A 16 cm. de largo total, **cerrar** los p.
Coser lados y mangas.
Con la aguja de ganchillo nº 5 y LULU, trab. 2 tiras de 40 *p. de cadeneta* cada una.
Coser una tira a la tapeta de cada delantero, a 48 cm. de largo total. Anudar.

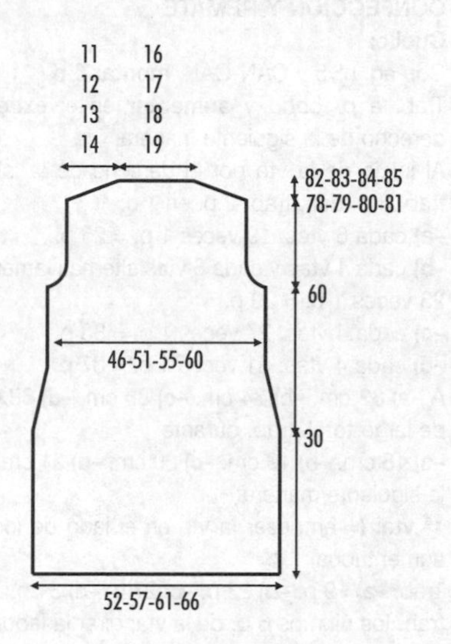

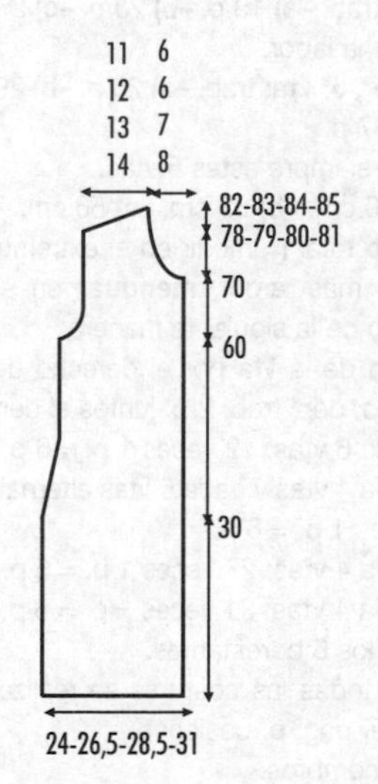

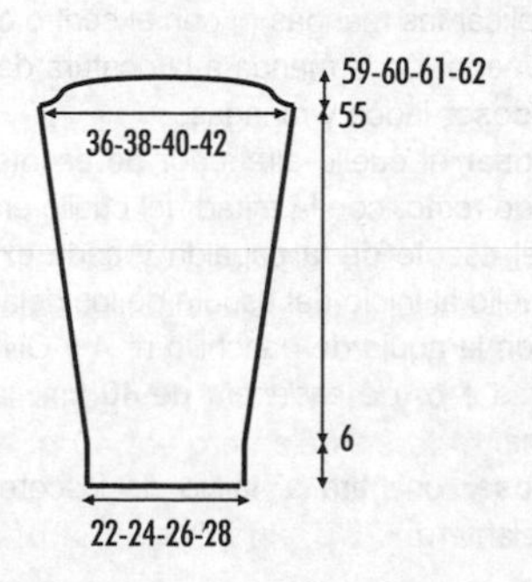

ENGLISH

SIZE: -a) 36 1/4" **-b)** 40 1/8" **-c)** 43 1/4" **-d)** 47 1/4": finished bust measurement.

MATERIALS
LULU: **-a)** 16 **-b)** 18 **-c)** 19 **-d)** 21 balls color no. 6404.
ONIX: **-a) -b) -c) & -d):** 2 balls color no. 7007.

KNITTING NEEDLES
Size 4 & 11 (U.S.) /(3 1/2 & 8 metric) **or size you need to use to obtain gauge listed below.**

CROCHET HOOK
Size H (U.S.) /(5 metric)

STITCHES
See Basic Instructions for: *1x1 Ribbing, Stockinette St, Crochet Chain.*

GAUGE
Using ONIX with smaller needles in *1x1 Ribbing*, 24 sts and 28 rows = 4x4"
Using LULU with larger needles in *Stockinette St*: 10 sts and 14 rows = 4x4"

BACK
Using LULU with larger needles, **cast on -a)** 52 sts **-b)** 57 sts **-c)** 61 sts **-d)** 66 sts.
Work *1x1 Ribbing* for 6 rows, then work *Stockinette St*.
When back measures 11 3/4", **decrease** 1 st at each edge every 8 rows: 3 times:
[-a) 46 sts -b) 51 sts -c) 55 sts -d) 60 sts].
Armholes:
When back measures 23 5/8", **bind off** at each edge every 2 rows:
-a) 2 sts 1 time; 1 st 2 times: [38 sts]
-b) 2 sts 1 time; 1 st 3 times: [41 sts]
-c) 2 sts 1 time; 1 st 3 times: [45 sts]
-d) 2 sts 1 time; 1 st 4 times: [48 sts]
Shoulders:
When back measures **-a)** 30 3/4" **-b)** 31 3/8" **-c)** 31 1/2" **-d)** 31 7/8", **bind off** at each edge every 2 rows:
-a) 6 sts 1 time; 5 sts 1 time: [16 sts]
-b) 6 sts 2 times; [17 sts]
-c) 7 sts 1 time; 6 sts 1 time: [19 sts]
-d) 7 sts 2 times; [20 sts].
When back measures **-a)** 32 1/4" **-b)** 32 5/8" **-c)** 33" **-d)** 33 1/2", **bind off** all rem sts.

RIGHT FRONT
Using LULU with larger needles, **cast on -a)** 24 sts **-b)** 26 sts **-c)** 28 sts **-d)** 31 sts.
Work *1x1 Ribbing* for 6 rows; then work *Stockinette St*.
When back front 11 3/4", **decrease** 1 st at armhole edge every 8 rows: 3 times:
[-a) 21 sts -b) 23 sts -c) 25 sts -d) 28 sts].
Armholes:
When front measures 23 5/8", **bind off** at armhole edge every 2 rows:
-a) 2 sts 1 time; 1 st 2 times: [17 sts]
-b) 2 sts 1 time; 1 st 3 times: [18 sts]
-c) 2 sts 1 time; 1 st 3 times: [20 sts]
-d) 2 sts 1 time; 1 st 4 times: [22 sts]
Neckline:
When front measures 27 1/2", **bind off** at center front edge every 2 rows:
-a) 2 sts 2 times; 1 st 2 times
-b) 2 sts 2 times; 1 st 2 times
-c) 2 sts 2 times; 1 st 3 times
-d) 2 sts 2 times; 1 st 4 times
AND AT THE SAME TIME:
Shoulders:
When front measures **-a)** 30 3/4" **-b)** 31 3/8" **-c)** 31 1/2" **-d)** 31 7/8", **bind off** at armhole edge every 2 rows:
-a) 6 sts 1 time; 5 sts 1 time
-b) 6 sts 2 times
-c) 7 sts 1 time; 6 sts 1 time
-d) 7 sts 2 times.

LEFT FRONT
Work same as right front, reversing all shaping.

SLEEVES
Using ONIX with smaller needles, **cast on -a)** 54 sts **-b)** 60 sts **-c)** 66 sts **-d)** 70 sts. Work *1x1 Ribbing* for 2 3/8".
Using LULU with larger needles, work *Stockinette St*, **decreasing -a)** 32 sts **-b)** 36 sts **-c)** 40 sts **-d)** 42 sts evenly on the first row to **-a)** 22 sts **-b)** 24 sts **-c)** 26 sts **-d)** 28 sts.
Begin **increasing** 1 st at each edge every 8 rows: 7 times:
[-a) 36 sts -b) 38 sts -c) 40 sts -d) 42 sts].
Armhole:
When sleeve measures 21 5/8", **bind off** at each edge every 2 rows:
-a) 2 sts 1 time; 1 st 1 time: [30 sts]
-b) 2 sts 1 time; 1 st 2 times: [30 sts]
-c) 2 sts 1 time; 1 st 2 times: [32 sts]
-d) 2 sts 1 time; 1 st 3 times: [32 sts]
When sleeve measures **-a)** 23 1/4" **-b)** 23 5/8" **-c)** 24" **-d)** 24 3/8", bind off all rem sts.

FINISHING
Front bands: For each front band, using ONIX with smaller needles, **pick up** 110 sts between lower edge and beginning of neckline shaping. Work *1x1 Ribbing* for 1 5/8"; **bind off.**
Sew shoulder seams.
Collar: Using ONIX with smaller needles, **pick up -a)** 40 sts **-b)** 42 sts **-c)** 48 sts **-d)** 50 sts along right front neck edge; **-a)** 25 sts **-b)** 27 sts **-c)** 31 sts **-d)** 35 sts around back neck edge; **-a)** 40 sts **-b)** 42 sts **-c)** 48 sts **-d)** 50 sts along left front neck edge: [total of **-a)** 105 sts **-b)** 111 sts **-c)** 127 sts **-d)** 135 sts].
Beginning and ending with K1, work *1x1 Ribbing* for 4 rows.
On next row **increase** 16 sts evenly over back neck edge: [-a) 121 -b) 127 -c) 143 -d) 151 sts].
Continue in *1x1 Ribbing* until collar measures 6 1/4"; **bind off.**
Sew side and sleeve seams.
Using LULU with crochet hook, make two chains, each 15 3/4" long.
Sew one chain to each front, 18 7/8" from lower edge, as shown in photograph.

MODELO 53

FIL KATIA

ONIX / CAN-CAN

pág. 35

ESPAÑOL

TALLAS: -a) 38/40 **-b)** 42/44 **-c)** 46/48 **-d)** 50/52

MATERIALES

ONIX: col. 7007: **-a)** 7 **-b** 8 **-c)** 9 **-d)** 10 ovillos.
CAN-CAN: col. 5908: **-a), -b)** 4 **-c), -d)** 5 ovillos.

Agujas	Puntos empleados
Nº 5	- *P. bobo* - *P. jersey der.*
Aguja de ganchillo	
Nº 4 de pasta	- *P. de cadeneta*

MUESTRA DEL PUNTO

P. jersey der., ONIX, ag. nº 5
10x10 cm. = 18 p. y 20 vtas.
P. bobo, CAN-CAN, ag. nº 5
10x10 cm. = 16 p. y 38 vtas.

ESPALDA

Con ag. nº 5 y ONIX, **montar -a)** 80 p. **-b)** 88 p. **-c)** 96 p. **-d)** 104 p.
Trab. 4 cm. a *p. bobo.*
Continuar trab. a *p. jersey der.*
Sisas:
A 34 cm. de largo total, **cerrar** en ambos lados cada 2 vtas:
-a) 1 vez 4 p., 1 vez 2 p., 2 veces 1 p. = 64 p.
-b) 1 vez 4 p., 1 vez 2 p., 3 veces 1 p. = 70 p.
-c) 1 vez 4 p., 1 vez 2 p., 4 veces 1 p. = 76 p.
-d) 1 vez 4 p., 1 vez 2 p., 5 veces 1 p. = 82 p.
Hombros:
A **-a)** 51 cm. **-b)** 52 cm. **-c)** 53 cm. **-d)** 54 cm. de largo total, **cerrar** en ambos lados cada 2 vtas:
-a) 2 veces 9 p.
-b) 2 veces 10 p.
-c) 2 veces 11 p.
-d) 2 veces 12 p.
A **-a)** 54 cm. **-b)** 55 cm. **-c)** 56 cm. **-d)** 57 cm. de largo total, **cerrar** los **-a)** 28 p. **-b)** 30 p. **-c)** 32 p. **-d)** 34 p. restantes del **escote.**

DELANTERO DERECHO

Con ag. nº 5 y ONIX, **montar -a)** 44 p. **-b)** 48 p. **-c)** 52 p. **-d)** 56 p.
Trab. 4 cm. a *p. bobo.*
Continuar trab. a *p. jersey der.*, excepto los 3 p. del extremo derecho (= corresponden a la tapeta). Trab. estos 3 p. de la siguiente manera:
En las vtas por el revés de la labor, cuando falten 3 p. para terminar la vta:: pasar 2 p. sin hacer al rev. a la aguja derecha, trab. 1 p. rev.
En las vtas por el derecho de la labor, trab. los primeros 3 p. de la vta al der.
NOTA: para evitar que la tapeta quede demasiado tirante, trab. cada 10 vtas en una vta por el revés de la labor, los últimos 3 p. al rev.
Escote:
A 24 cm. de largo total, **cerrar** en el extremo derecho:
-a) cada 2 vtas y cada 4 vtas alternativamente: 18 veces 1 p.
-b) cada 2 vtas y cada 4 vtas alternativamente: 19 veces 1 p.
-c) cada 2 vtas y cada 4 vtas alternativamente: 20 veces 1 p.
-d) cada 2 vtas y cada 4 vtas alternativamente: 21 veces 1 p.
Sisa:
Al mismo tiempo:
A 34 cm. de largo total, **cerrar** en el extremo izquierdo cada 2 vtas:
-a) 1 vez 4 p., 1 vez 2 p., 2 veces 1 p.
-b) 1 vez 4 p., 1 vez 2 p., 3 veces 1 p.
-c) 1 vez 4 p., 1 vez 2 p., 4 veces 1 p.
-d) 1 vez 4 p., 1 vez 2 p., 5 veces 1 p.
Hombro:
A **-a)** 51 cm. **-b)** 52 cm. **-c)** 53 cm. **-d)** 54 cm. de largo total, **cerrar** en el extremo izquierdo cada 2 vtas:
-a) 2 veces 9 p.
-b) 2 veces 10 p.
-c) 2 veces 11 p.
-d) 2 veces 12 p.

DELANTERO IZQUIERDO

Trab. como el delantero derecho, pero **a la inversa**.
Tejer los 3 p. de la tapeta de la siguiente manera:
En las vtas por el revés de la labor = al inicio de la vta: trab. 1 p. rev., pasar 2 p. sin hacer al rev. a la aguja derecha.
En las vtas por el derecho de la labor: trab. los últimos 3 p. al der.
NOTA: para evitar que la tapeta quede demasiado tirante, trab. cada 10 vtas en una vta por el revés de la labor, los primeros 3 p. al rev.

MANGAS

Con ag. nº 5 y CAN-CAN, **montar -a)** 38 p. **-b)** 42 p. **-c)** 44 p. **-d)** 48 p.
Trab. 10 cm. a *p. bobo.*
Cambiar la calidad por ONIX y continuar trab. a *p. jersey der.*, **aumentar** 6 p. repatidos en la 1ª vta. Quedan **-a)** 44 p. **-b)** 48 p. **-c)** 50 p. **-d)** 54 p.
Aumentar en ambos lados:
-a) cada 8 vtas: 8 veces 1 p. = 60 p.
-b) cada 8 vtas: 8 veces 1 p. = 64 p.
-c) cada 6 vtas y cada 8 vtas alternativamente: 9 veces 1 p. = 68 p.
-d) cada 6 vtas y cada 8 vtas alternativamente: 9 veces 1 p. = 72 p.
Sisa:
A 46 cm. de largo total, **cerrar** en ambos lados cada 2 vtas:
-a) 2 veces 2 p., 8 veces 1 p., 4 veces 2 p., 1 vez 4 p.
-b) 2 veces 2 p., 9 veces 1 p., 4 veces 2 p., 1 vez 4 p.
-c) 2 veces 2 p., 10 veces 1 p., 4 veces 2 p., 1 vez 4 p.
-d) 2 veces 2 p., 11 veces 1 p., 4 veces 2 p., 1 vez 4 p.
A **-a)** 62 cm. **-b)** 63 cm. **-c)** 64 cm. **-d)** 65 cm. de largo total, **cerrar** los **-a)** 12 p. **-b)** 14 p. **-c)** 16 p. **-d)** 18 p. restantes.
Trab. la otra manga igual.

CONFECCIÓN Y REMATE

Cuello:
Con ag. nº 5 y CAN-CAN, **montar** 6 p.
Trab. a *p. bobo* y **aumentar** en el extremo derecho de la siguiente manera:
Al inicio de la vta por el derecho de la labor, trab. 3 p. der., trab. 2 p. en 1 p.
-a) cada 6 vtas: 19 veces 1 p. = 25 p.
-b) cada 4 vtas y cada 6 vtas alternativamente: 23 veces 1 p. = 29 p.
-c) cada 4 vtas: 27 veces 1 p. = 33 p.
-d) cada 4 vtas: 31 veces 1 p. = 37 p.
A **-a)** 32 cm. **-b)** 34 cm. **-c)** 36 cm. **-d)** 38 cm. de largo total, trab. durante
-a) 18 cm. **-b)** 19 cm. **-c)** 20 cm. **-d)** 21 cm. de la siguiente manera:
1ª vta: (= empezar la vta en el lado de los p. aumentados):
Trab. **-a)** 19 p. **-b)** 23 p. **-c)** 27 p. **-d)** 31 p.; **NO** trab. los últimos 6 p. de la vta; girar la labor;
2ª vta: trab. **-a)** 19 p. **-b)** 23 p. **-c)** 27 p. **-d)** 31 p.; girar la labor;
3ª, 4ª, 5ª, 6ª vta: trab. **-a)** 25 p. **-b)** 29 p. **-c)** 33 p. **-d)** 37 p.
Repetir siempre estas 6 vtas.
A **-a)** 50 cm. **-b)** 53 cm. **-c)** 56 cm. **-d)** 59 cm. de largo total (= medir en el extremo derecho, el lado más largo), **menguar** en el extremo derecho de la siguiente manera:
Al inicio de la vta por el derecho de la labor: trab. 3 p. der., trab. 2 p. juntos al der.
-a) cada 6 vtas: 19 veces 1 p. = 6 p.
-b) cada 4 vtas y cada 6 vtas alternativamente: 23 veces 1 p. = 6 p.
-c) cada 4 vtas: 27 veces 1 p. = 6 p.
-d) cada 4 vtas: 31 veces 1 p. = 6 p.
Cerrar los 6 p. restantes.
NOTA: todas las costuras se realizan a *p. de lado* (ver pág. p. básicos).
Coser hombros.
Aplicar las mangas (= con el centro de la parte superior de la manga a la costura del hombro) y **coser** lados y mangas.
Coser el cuello alrededor de escote = por el lado recto, con la mitad del cuello en el centro del escote de la espalda y cada extremo del cuello al inicio del escote de los delanteros.
Con la aguja de ganchillo nº 4 y ONIX, trab. 2 tiras a *p. de cadeneta* de 40 cm. largo cada una.
Coser una tira al inicio del escote de cada delantero.

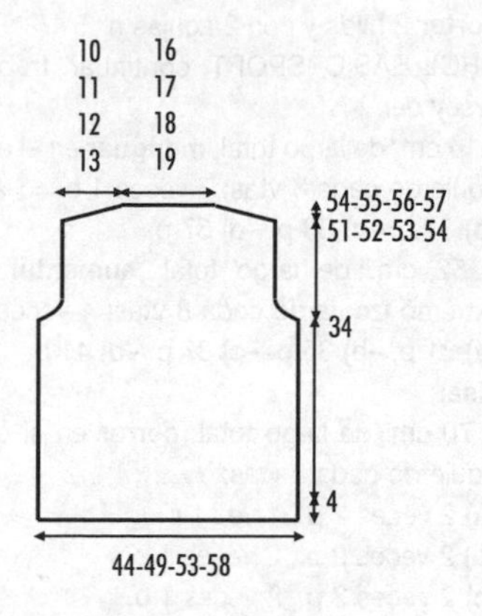

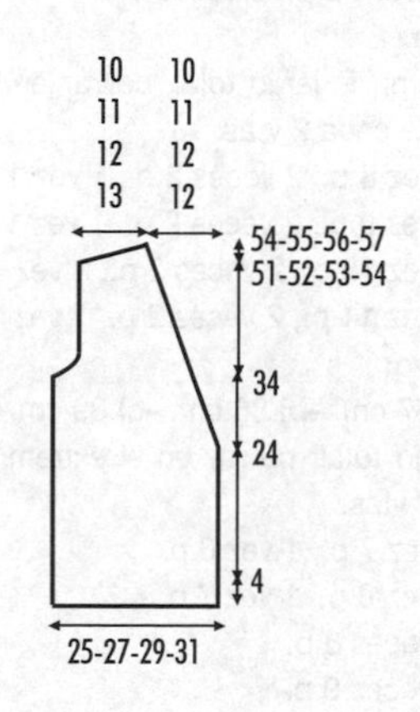

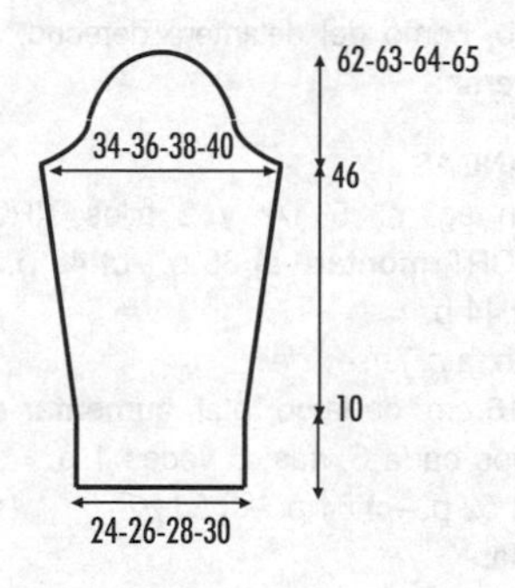

ENGLISH

SIZE: –a) 34 5/8" **–b)** 38 5/8" **–c)** 41 3/4" **–d)** 45 5/8": finished bust measurement.

MATERIALS

ONIX: **–a)** 7 **–b)** 8 **–c)** 9 **–d)** 10 balls color no. 7007.

CAN-CAN: **–a) & –b)** 4 **–c) & –d)** 5 balls color no. 5908.

KNITTING NEEDLES

Size 7 (U.S.) /(5 metric) **or size you need to use to obtain gauge listed below.**

CROCHET HOOK

Size F (U.S.) /(4 plastic metric)

STITCHES

See Basic Instructions for: *Garter St*, *Stockinette St*, *Crochet Chain*

GAUGE

Using ONIX in *Stockinette St*, 18 sts and 20 rows = 4x4"Using CAN-CAN in *Garter St*: 16 sts and 38 rows = 4x4"

BACK

Using ONIX, **cast on –a)** 80 sts **–b)** 88 sts **–c)** 96 sts **–d)** 104 sts.

Work *Garter St* for 1 5/8", then work *Stockinette St*.

Armholes:

When back measures 13 3/8", **bind off** at each edge every 2 rows:

–a) 4 sts 1 time; 2 sts 1 time; 1 st 2 times: [64 sts]

–b) 4 sts 1 time; 2 sts 1 time; 1 st 3 times: [70 sts]

–c) 4 sts 1 time; 2 sts 1 time; 1 st 4 times: [76 sts]

–d) 4 sts 1 time; 2 sts 1 time; 1 st 5 times: [82 sts].

Shoulders:

When back measures **–a)** 20 1/8" **–b)** 20 1/2" **–c)** 20 7/8" **–d)** 21 1/4", bind off at each edge every 2 rows:

–a) 9 sts 2 times: [28 sts]

–b) 10 sts 2 times: [30 sts]

–c) 11 sts 2 times: [32 sts]

–d) 12 sts 2 times: [34 sts.

When back measures **–a)** 21 1/4" **–b)** 21 5/8" **–c)** 22" **–d)** 26 3/8", **bind off** all rem sts.

RIGHT FRONT

NOTE: Work the 3 front band sts as follows:

Rows 1, 3, 5, 7, & 9: At the beginning of right side rows, K3.

Rows 2, 4, 6, & 8: (wrong side); Work to last 3 sts, slip 2 sts as if to purl them, P1.

Row 10: Work to last 3 sts; P3.

Instructions: Using ONIX, **cast on –a)** 44 sts **–b)** 48 sts **–c)** 52 sts **–d)** 56 sts.

Work *Garter St* for 1 5/8".

Beginning on next right side row, work first 3 sts for front band as given in "NOTE" above, work rem sts in *Stockinette St*

Neckline:

When front measures 9 1/2", **decrease** 1 st at center front edge:

–a) alternately every 2 and 4 rows: 18 times

–b) alternately every 2 and 4 rows: 19 times

–c) every 2 rows: 20 times

–d) alternately every 2 and 4 rows: 21 times.

AND AT THE SAME TIME:

Armhole:

When front measures 13 3/8", **bind off** at armhole edge every 2 rows:

When front measures **–a) –b) –c) –d)** bind off

–a) 4 sts 1 time; 2 sts 1 time; 1 st 2 times

–b) 4 sts 1 time; 2 sts 1 time; 1 st 3 times

–c) 4 sts 1 time; 2 sts 1 time; 1 st 4 times

–d) 4 sts 1 time; 2 sts 1 time; 1 st 5 times

Shoulder:

When front measures **–a)** 20 1/8" **–b)** 20 1/2" **–c)** 20 7/8" **–d)** 21 1/4", **bind off** at armhole edge every 2 rows:

–a) 9 sts 2 times

–b) 10 sts 2 times

–c) 11 sts 2 times

–d) 12 sts 2 times.

LEFT FRONT

Work same as right front, reversing all shaping and working front band as follows:

Rows 1, 3, 5, 7 & 9: (right side) Work to last 3 sts, K3.

Rows 2, 4, 6, & 8: (wrong side, slip 2 sts as if to purl them, P1.

Row 10: (wrong side) Purl all sts.

SLEEVES

Using CAN-CAN, **cast on –a)** 38 sts **–b)** 42 sts **–c)** 44 sts **–d)** 48 sts.

Work *Garter St* for 4".

Increasing 6 sts evenly on first row, [**–a)** 44 sts **–b)** 48 sts **–c)** 50 sts **–d)** 54 sts], change to ONIX and work *Stockinette St*, **increasing** 1 st at each edge:

–a) every 8 rows: 8 times: [60 sts]

–b) every 8 rows: 8 times: [64 sts]

–c) alternately every 6 and 8 rows: 9 times: [68 sts]

–d) alternately every 6 and 8 rows: 9 times: [72 sts]

Armhole:

When sleeve measures 18 1/4", **bind off** at each edge every 2 rows:

–a) 2 sts 2 time; 1 st 8 times; 2 sts 4 times; 4 sts 1 time: [12 sts]

–b) 2 sts 2 time; 1 st 9 times; 2 sts 4 times; 4 sts 1 time: [14 sts]

–c) 2 sts 2 time; 1 st 10 times; 2 sts 4 times; 4 sts 1 time: [16 sts]

–d) 2 sts 2 time; 1 st 11 times; 2 sts 4 times; 4 sts 1 time: [18 sts].

When sleeve measures **–a)** 24 3/8" **–b)** 24 3/4" **–c)** 25 1/4" **–d)** 25 5/8", **bind off** all rem sts.

FINISHING

Collar:

NOTE: Increase 1 st as follows: at the beginning of a right side row. K3, work 2 sts in next st, knit to end of row.

NOTE 2: Decrease 1 st as follows: at the beginning of a right side row, K2, K 2 tog, knit to end of row.

Instructions: Using CAN-CAN, **–a) –b) –c) & –d): cast on** 6 sts. Mark 1st row as right side of work.

Work *Garter St*, **increasing** 1 st as given in "NOTE 1" above:

–a) every 6 rows: 19 times: [12 sts]

–b) alternately every 4 and 6 rows: 13 times: [39 sts]

–c) every 4 rows: 27 times: [37 sts]

–d) every 4 rows: 31 times: [37 sts].

When collar measures **–a)** 12 5/8" **–b)** 13 3/8" **–c)** 14 1/8" **–d)** 15", work short rows as follows:

Row 1: (right side) **–a)** K19 **–b)** K23 **–c)** K27 **–d)** K31: [6 sts left unworked], turn.

Row 2: (wrong side) **–a)** K19 **–b)** K23 **–c)** K27 **–d)** K31

Rows 3, 4, 5 & 6: Knit all stitches.

Repeat these 6 rows until longer edge of collar measures **–a)** 19 3/4" **–b)** 20 7/8" **–c)** 25 5/8" **–d)** 23 1/4".

Begin decreasing 1 st at the beginning of right side rows as given in "NOTE 2" above:
–a) every 6 rows: 19 times: [6 sts]
–b) alternately every 4 and 6 rows: 13 times: [6 sts]
–c) every 4 rows: 27 times: [6 sts]
–d) every 4 rows: 31 times: [6 sts].
–a) –b) –c) & –d): Work 6 rows even, **bind off.**
Sew shoulder seams.
On shorter edge of collar, match center of collar to center of back neck edge, and ends of collar to beginning of neckline shaping, then **sew** collar to neck edges.
Matching center of sleeve with shoulder seam, **sew** in top of sleeve, then sew underarm and side seams.
Using ONIX with crochet hook, make two chains, each 15 3/4" long. Sew each chain to beginning of front neckline shaping, as shown in photograph.

TIROL-BASIC SPORT / CAN-CAN

pág. 36

ESPAÑOL

TALLAS: –a) 38/40 **–b)** 42/44 **–c)** 46/48 **–d)** 50/52

MATERIALES

TIROL-BASIC SPORT: col. 8: **–a)** 15 **–b)** 17 **–c)** 18 **–d)** 20 ovillos.
NOTA: el nº de ovillos de la calidad TIROL-BASIC SPORT se ha calculado con ovillos de 50 grs.
CAN-CAN: col. 5914: **–a)** 8 **–b)** 8 **–c)** 9 **–d)** 9 ovillos.
1 cierre de gancho grande forrado.

Agujas	Puntos empleados
Nº 4	- *P. bobo* CAN-CAN
Nº 5 1/2, nº 10	- *P. jersey der.* TIROL-BASIC SPORT - *Menguados y aumentos laterales* (ver explicación)

Menguados laterales: por el derecho de la labor:
En el extremo derecho (= al inicio de la vta): trab. 2 p. der., 2 p. juntos al der.
En el extremo izquierdo (= cuando falten 4 p. para terminar la vta): pasar 1 p. sin hacer a la aguja derecha, trab. 1 p. der. y pasar el p. sin hacer por encima, 2 p. der.

Aumentos laterales: por el derecho de la labor:
En el extremo derecho (= al inicio de la vta): trab. 2 p. der., poner la hebra que une el último p. con el siguiente p. en la aguja izquierda y trab. al der.
En el extremo izquierdo (= cuando falten 2 p. para terminar la vta): poner la hebra que une el último p. con el siguiente p. en la aguja izquierda y trab. al der., trab. 2 p. der.

MUESTRA DEL PUNTO

P. jersey der., 2 hilos TIROL-BASIC, ag. nº 5 1/2
10x10 cm. = 14 p. y 17 vtas.
P. bobo, CAN-CAN, ag. nº 4
10x10 cm. = 16 p. y 32 vtas
NOTA: Las medidas están tomadas después de planchar la muestra.

ESPALDA

Con ag. nº 10 y 4 hilos TIROL-BASIC SPORT, **montar –a)** 33 p. **–b)** 37 p. **–c)** 39 p. **–d)** 43 p.
Con una aguja nº 5 1/2 y 4 hilos TIROL-BASIC SPORT, trab.: * 1 p. der., con la aguja derecha levantar los 4 hilos que se encuentran debajo del p. de la aguja izquierda, poner estos 4 hilos en la aguja izquierda y trab. 1 p. der. *, repetir de * a * sobre todos los p. Quedan **–a)** 64 p. **–b)** 72 p. **–c)** 76 p. **–d)** 84 p.
Cortar 2 hilos y con 2 agujas nº 5 1/2 y 2 hilos TIROL-BASIC SPORT continuar trab. a *p. jersey der.*
A 14 cm. de largo total, **menguar** en ambos lados cada 8 vtas: 7 veces 1 p. = **–a)** 50 p. **–b)** 58 p. **–c)** 62 p. **–d)** 70 p.
A 52 cm. de largo total, **aumentar** en ambos lados cada 8 vtas: 4 veces 1 p. = **–a)** 58 p. **–b)** 66 p. **–c)** 70 p. **–d)** 78 p.
Sisas:
A 70 cm. de largo total, **cerrar** en ambos lados cada 2 vtas:
–a) 2 veces 2 p., 1 vez 1 p. = 48 p.
–b) 2 veces 2 p., 2 veces 1 p. = 54 p.
–c) 2 veces 2 p., 2 veces 1 p. = 58 p.
–d) 2 veces 2 p., 3 veces 1 p. = 64 p.
Hombros:
A **–a)** 87 cm. **–b)** 88 cm. **–c)** 89 cm. **–d)** 90 cm. de largo total, **cerrar** en ambos lados cada 2 vtas:
–a) 1 vez 7 p., 1 vez 6 p.
–b) 1 vez 8 p., 1 vez 7 p.
–c) 2 veces 8 p.
–d) 2 veces 9 p.
A **–a)** 91 cm. **–b)** 92 cm. **–c)** 93 cm. **–d)** 94 cm. de largo total, **cerrar** los **–a)** 22 p. **–b)** 24 p. **–c)** 26 p. **–d)** 28 p. restantes del **escote.**

DELANTERO DERECHO

Con ag. nº 10 y 4 hilos TIROL-BASIC SPORT, **montar –a)** 18 p. **–b)** 20 p. **–c)** 21 p. **–d)** 23 p.
Con una aguja nº 5 1/2 y 4 hilos TIROL-BASIC SPORT, trab.: * 1 p. der., con la aguja derecha levantar los 4 hilos que se encuentran debajo del p. de la aguja izquierda, poner estos 4 hilos en la aguja izquierda y trab. 1 p. der. *, repetir de * a * sobre todos los p. Quedan **–a)** 34 p. **–b)** 38 p. **–c)** 40 p. **–d)** 44 p.
Cortar 2 hilos y con 2 agujas nº 5 1/2 y 2 hilos TIROL-BASIC SPORT continuar trab. a *p. jersey der.*
A 14 cm. de largo total, **menguar** en el extremo izquierdo cada 8 vtas: 7 veces 1 p. = **–a)** 27 p. **–b)** 31 p. **–c)** 33 p. **–d)** 37 p.
A 52 cm. de largo total, **aumentar** en el extremo izquierdo cada 8 vtas: 4 veces 1 p. = **–a)** 31 p. **–b)** 35 p. **–c)** 37 p. **–d)** 41 p.
Sisa:
A 70 cm. de largo total, **cerrar** en el extremo izquierdo cada 2 vtas:
–a) 2 veces 2 p., 1 vez 1 p.
–b) 2 veces 2 p., 2 veces 1 p.
–c) 2 veces 2 p., 2 veces 1 p.
–d) 2 veces 2 p., 3 veces 1 p.
Escote:
A 82 cm. de largo total, **cerrar** en el extremo derecho cada 2 vtas:
–a) 1 vez 8 p., 2 veces 2 p., 1 vez 1 p.
–b) 1 vez 9 p., 2 veces 2 p., 1 vez 1 p.
–c) 1 vez 10 p., 2 veces 2 p., 1 vez 1 p.
–d) 1 vez 11 p., 2 veces 2 p., 1 vez 1 p.
Hombro:
A **–a)** 87 cm. **–b)** 88 cm. **–c)** 89 cm. **–d)** 90 cm. de largo total, **cerrar** en el extremo izquierdo cada 2 vtas:
–a) 1 vez 7 p., 1 vez 6 p.
–b) 1 vez 8 p., 1 vez 7 p.
–c) 2 veces 8 p.
–d) 2 veces 9 p.

DELANTERO IZQUIERDO

Trab. como del delantero derecho, pero a **la inversa.**

MANGAS

Con ag. nº 5 1/2 y 2 hilos TIROL-BASIC SPORT, **montar –a)** 36 p. **–b)** 40 p. **–c)** 42 p. **–d)** 44 p.
Trab. a *p. jersey der.*
A 16 cm. de largo total, **aumentar** en ambos lados cada 6 vtas: 6 veces 1 p. = **–a)** 48 p. **–b)** 52 p. **–c)** 54 p. **–d)** 56 p.
Sisa:
A 44 cm. de largo total, **cerrar** en ambos lados cada 2 vtas:
–a) 2 veces 2 p., 6 veces 1 p., 3 veces 3 p. = 10 p.
–b) 2 veces 2 p., 7 veces 1 p., 3 veces 3 p. = 12 p.
–c) 2 veces 2 p., 8 veces 1 p., 3 veces 3 p. = 12 p.
–d) 2 veces 2 p., 9 veces 1 p., 3 veces 3 p. = 12 p.
A **–a)** 58 cm. **–b)** 59 cm. **–c)** 60 cm. **–d)** 61 cm. de largo total, **cerrar** los **–a)** 10 p. **–b), –c), –d)** 12 p. restantes.
Trab. la otra manga igual.

CONFECCIÓN Y REMATE

Tiras puños:
Con ag. nº 4 y la calidad CAN-CAN, **montar –a)** 40 p. **–b)** 44 p. **–c)** 48 p. **–d)** 50 p.
Trab. a *p. bobo.*
A 12 cm. de largo total, **cerrar** los p. flojos.
Trab. otra tira igual.

Tiras delanteros:

NOTA: ES MUY IMPORTANTE trab. las 2 tiras al mismo tiempo e ir poniendo una señal cada 30 vtas.

Con ag. nº 4 y la calidad CAN-CAN, **montar –a), –b), –c), –d)** 20 p. Trab. a *p. bobo.*

A 78 cm. de largo total, **cerrar** los p. flojos.

Cuello:

Con ag. nº 4 y CAN-CAN, **montar –a), –b), –c), –d)** 40 p.

Trab. a *p. bobo.*

A **–a)** 56 cm. **–b)** 60 cm. **–c)** 64 cm. **–d)** 68 cm. de largo total, trab. durante 1 vta 2 p. juntos. Quedan 20 p. Trab. 4 vtas más a *p. bobo* y trab. durante la siguiente vta 2 p. juntos. Quedan 10 p. Trab. 4 vtas más a *p. bobo* y trab. durante la siguiente vta 2 p. juntos. Quedan 5 p. Trab. 4 vtas más a *p. bobo* y **cerrar** los p. flojos.

Hilvanar las piezas de la calidad TIROL-BASIC SPORT encaradas y planchar con vapor.

NOTA: Toda la chaqueta se cose a *p. de lado* (ver pág. p. básicos). Al coser las piezas CAN-CAN, NO coser a todo el grosor de la lana TIROL-BASIC SPORT, abrir la lana y sacar 1 hilo.

Aplicar una tira CAN-CAN del puño (= derecho con derecho) y coser por el derecho de la labor a 3 cm. desde el inicio de la manga. Pasar la tira hacia el interior del inicio de la manga y coser al inicio de la manga.

Hacer lo mismo con la otra tira CAN-CAN del puño.

Aplicar las tiras de los delanteros de la misma manera, es decir, coser por el derecho de la labor a 3 cm. desde la tapeta, pasar la tira hacia el interior y coser a la tapeta. **NOTA:** estirar un poco la tira, para que quede bien recta y llegue desde el bajo hasta el inicio del escote y al mismo tiempo, comprobar que las señales de cada 30 vtas queden en el mismo sitio de cada delantero.

Coser los hombros.

Aplicar el cuello, poner en el cuello una señal a **–a)** 28 cm. **–b)** 30 cm. **–c** 32 cm. **–d)** 34 cm. (= medir en la parte recta del cuello), poner la señal del cuello en el centro del escote de la espalda y hacer llegar el extremo recto del cuello al extremo del delantero izquierdo, pasando por encima de la tira del delantero. Hacer lo mismo con el otro extremo del cuello. La parte de los menguados del cuello queda colgando. **Coser** muy apretado por el revés de la labor, doblar el cuello hacia dentro y **coser** a la costura que se ha formado anteriormente.

Aplicar las mangas (= con el centro de la parte superior de la manga a la costura del hombro) y **coser** mangas y lados.

Coser el gancho del cierre justo al final del extremo del cuello que cuelga y la otra pieza del cierre en el otro extremo del cuello, a 10 cm. desde el extremo y a 13 cm. desde la parte superior del cuello.

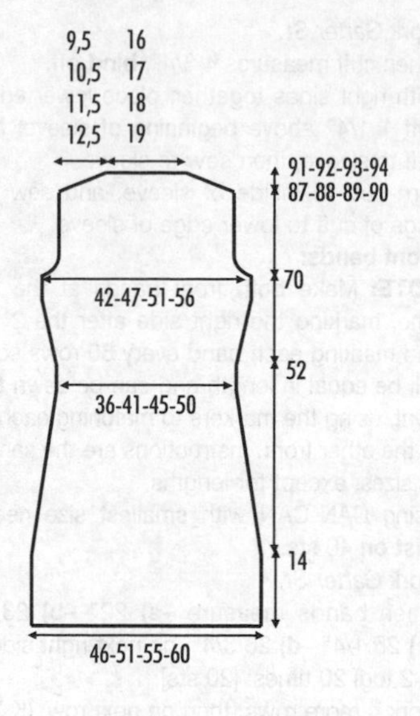

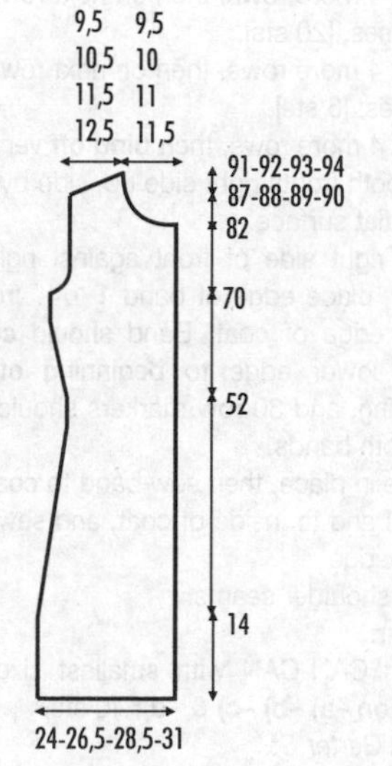

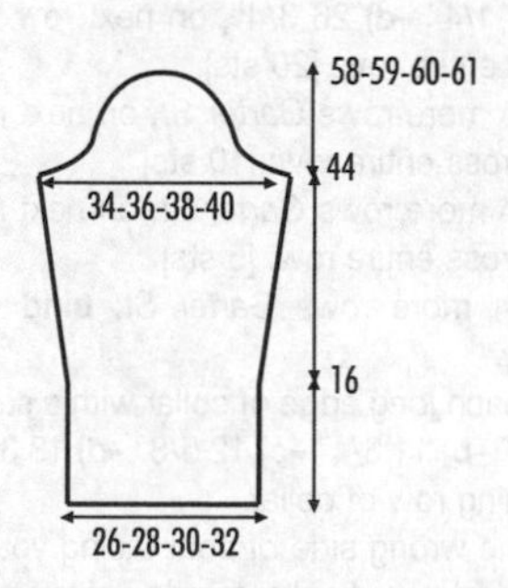

ENGLISH

SIZE: –a) 33" **–b)** 37" **–c)** 40 1/8" **–d)** 44 1/8": finished bust measurement.

MATERIALS

TIROL-BASIC SPORT: **–a)** 15 **–b)** 17 **–c)** 18 **–d)** 20 50 gram balls dark brown no. 8.

CAN-CAN: **–a)** 8 **–b)** 8 **–c)** 9 **–d)** 9 balls dark brown no.5914.

One large hook and eye fastener

NEEDLES

Size 5, 7 & 15 (U.S.) /(4, 5 1/2 & 10 metric) **or size you need to use to obtain gauge listed below.**

STITCHES

See Basic Instructions for: *Garter St, Stockinette St.*

NOTE 1: Decrease 1 st for shaping as follows: At the beginning of right side rows, K2, K 2 tog. At the end of right side rows, work to last 4 sts; sl 1, K1, PSSO, K2

NOTE 2: Increase 1 st for shaping as follows: At the beginning of right side rows: K2, with tip of LH needle pick up strand of yarn between last worked st on RH needle and next st on LH needle, knit into back lp to inc 1 st.

At the end of right side rows: work to last 2 sts; inc as before, K2.

GAUGE

Using 2 strands TIROL-BASIC SPORT with middle size needles in *Stockinette St*: 14 sts and 17 rows = 4x4", after blocking.

Using CAN-CAN with smallest size needles in *Garter St:* 16 sts and 32 rows = 4x4".

BACK

Using 4 strands of TIROL-BASIC SPORT with largest size needles, **cast on –a)** 33 sts **–b)** 37 sts **–c)** 39 sts **–d)** 43 sts.

Using 4 strands of yarn with middle size needles, work as follows: * K1, insert tip of RH needle into 4 strands of yarn between RH needle and next st on LH needle and make a knit stitch, *; rep from * to * last 2 sts, K 2: [**–a)** 64 sts **–b)** 72 sts **–c)** 76 sts **–d)** 84 sts.]

Cut off 2 strands of yarn and continue working *Stockinette St* with 2 strands of yarn.

When back measures 5 1/2", **decrease** 1 st at each edge as given in "NOTE 1" above, every 8 rows: 7 times:

[**–a)** 50 sts **–b)** 58 sts **–c)** 62 sts **–d)** 70 sts.

When back measures 20 1/2", **increase** 1 st at each edge as given in "NOTE 2" above, every 8 rows: 4 times:

[**–a)** 58 sts **–b)** 66 sts **–c)** 70 sts **–d)** 78 sts].

Armholes:

When back measures 27 1/2", **bind off** at each edge every 2 rows:

–a) 2 sts 2 times; 1 st 1 time: [48 sts]
–b) 2 sts 2 times; 1 st 2 times: [54 sts]
–c) 2 sts 2 times; 1 st 2 times: [58 sts]
–d) 2 sts 2 times; 1 st 3 times: [64 sts]

Shoulders:

When back measures **–a)** 43 1/4" **–b)** 34 5/8" **–c)** 35" **–d)** 35 3/8", **bind off** at each edge every 2 rows:

–a) 7 sts 1 time; 6 sts 1 time: [22 sts]
–b) 8 sts 1 time; 7 sts 1 time: [24 sts]
–c) 8 sts 2 times: [26 sts]
–d) 9 sts 2 times: [28 sts].

When back measures **–a)** 35 3/4" **–b)** 36 1/4" **–c)** 36 5/8" **–d)** 37" **bind off** all rem sts.

RIGHT FRONT

Using 4 strands of TIROL-BASIC SPORT with largest size needles, **cast on –a)** 18 sts **–b)** 20 sts **–c)** 21 sts **–d)** 22 sts.

Using 4 strands of yarn with middle size needles, work as follows: * K1, insert tip of RH needle into the 4 strands of yarn between RH

needle and next st on LH needle and make a knit stitch, *; rep from * to * to last 2 sts; K2 [**-a)** 34 sts **-b)** 38 sts **-c)** 40 sts **-d)** 44 sts.
Cut off 2 strands of yarn and continue working *Stockinette St* with 2 strands of yarn.
When back measures 5 1/2", **decrease** 1 st at armhole edge as given in "NOTE 1" above, every 8 rows: 7 times:
[**-a)** 27 sts **-b)** 31 sts **-c)** 33 sts **-d)** 37 sts.
When back measures 20 1/2", **increase** 1 st at armhole edge as given in "NOTE 2" above, every 8 rows: 4 times:
[**-a)** 31 sts **-b)** 35 sts **-c)** 37 sts **-d)** 41 sts].
Armholes:
When back measures 27 1/2", **bind off** at each edge every 2 rows:
-a) 2 sts 2 times; 1 st 1 time: [26 sts]
-b) 2 sts 2 times; 1 st 2 times: [29 sts]
-c) 2 sts 2 times; 1 st 2 times: [31 sts]
-d) 2 sts 2 times; 1 st 3 times: [34 sts]
Neckline:
When front measures 32 1/4", **bind off** at center front edge every 2 rows:
-a) 8 sts 1 time; 2 sts 2 time; 1 st 1 time
-b) 9 sts 1 time; 2 sts 2 time; 1 st 1 time
-c) 10 sts 1 time; 2 sts 2 time; 1 st 1 time
-d) 11 sts 1 time; 2 sts 2 time; 1 st 1 time
Shoulder:
When front measures **-a)** 43 1/4" **-b)** 34 5/8" **-c)** 35" **-d)** 35 3/8", **bind off** at armhole edge every 2 rows:
-a) 7 sts 1 time; 6 sts 1 time
-b) 8 sts 1 time; 7 sts 1 time
-c) 8 sts 2 times
-d) 9 sts 2 times.

LEFT FRONT
Work same as right front, reversing all shaping.

SLEEVES
Using 2 strands TIROL-BASIC SPORT with middle size needles, **cast on -a)** 36 sts **-b)** 40 sts **-c)** 42 sts **-d)** 44 sts.
Work *Stockinette St*.
When sleeve measures 6 1/4", **-a) -b) -c) & -d): increase** 1 st at each edge as given in "NOTE 2" above, every 6 rows: 6 times:
[**-a)** 48 sts **-b)** 52 sts **-c)** 54 sts **-d)** 56 sts].
Armhole:
When sleeve measures 17 1/4", **bind off** at each edge every 2 rows;
-a) 2 sts 2 time; 1 st 6 times; 3 sts 3 times: [10 sts]
-b) 2 sts 2 time; 1 st 7 times; 3 sts 3 times: [12 sts]
-c) 2 sts 2 time; 1 st 8 times; 3 sts 3 times: [12 sts]
-d) 2 sts 2 time; 1 st 9 times; 3 sts 3 times: [12 sts]
When sleeve measures **-a)** 22 7/8" **-b)** 23 1/4" **-c)** 23 5/8" **-d)** 24", **bind off** all rem sts.

FINISHING
Carefully block all pieces using TIROL-BASIC SPORT on the wrong side, using steam only.
NOTE: Use sewing thread to baste CAN-CAN pieces to coat. Unravel a strand of TIROL-BASIC SPORT and use one of the three strands to sew CAN-CAN pieces to coat.
Cuffs: (make two)
Using CAN-CAN with smallest size needles, **cast on -a)** 40 sts **-b)** 44 sts **-c)** 48 sts **-d)** 50 sts.
Work *Garter St*.
When cuff measures 4 3/4", **bind off.**
With right sides together, place lower edge of cuff 1 1/4" above beginning of sleeve, **baste** cuff to sleeve, then **sew** to sleeve.
Turn cuff to inside of sleeve, and sew other edge of cuff to lower edge of sleeve
Front bands:
NOTE: Make both front bands at the same time, marking the right side after the 2nd row, and marking each band every 30 rows so they will be equal in length and can be sewn to the front, using the markers to matching each front to the other front. Instructions are the same for all sizes, except for lengths.
Using CAN-CAN with smallest size needles, **cast on** 40 sts.
Work *Garter St*.
When bands measure **-a)** 22" **-b)** 23 5/8" **-c)** 25 1/4" **-d)** 26 3/4", on next right side row (K 2 tog) 20 times: [20 sts].
Work 4 more rows, then on next row, (K 2 tog) 10 times: [20 sts],
Work 4 more rows, then on next row, (K 2 tog) 5 times: [5 sts].
Work 4 more rows, then **bind off** very loosely.
Lay both fronts right side up, side by side on a firm, flat surface.
With right side of front against right side of band, place edge of band 1 1/4" from center front edge of coat. Band should cover front from lower edge to beginning of neckline shaping, and 30 row markers should be equal on both bands.
Baste in place, then sew band to coat.
Turn band to inside of coat, and sew to center front edge.
Sew shoulder seams.
Collar:
Using CAN-CAN with smallest size needles, **cast on -a) -b) -c) & -d):** 40 sts.
Work *Garter St*.
When collar measures **-a)** 22" **-b)** 23 5/8" **-c)** 25 1/4" **-d)** 26 3/4", on next row, K 2 tog across entire row: [20 sts].
Work 4 more rows *Garter St*, on next row, K 2 tog across entire row: [10 sts]
Work 4 more rows *Garter St*, on next row, K 2 tog across entire row: [5 sts].
Work 4 more rows *Garter St*; **bind off** very loosely.
Mark each long edge of collar with a safety pin, **-a)** 11" **-b)** 11 3/4" **-c)** 12 5/8" **-d)** 13 3/8" from beginning row of collar.
With the wrong side of coat facing you, match beginning row of collar to edge of left front, and matching safety pin to center of back neck, baste collar to neck edge. Match other end of collar so that the beginning rows of decreasing match the edge of right front, leave decreased rows loose. Baste collar to neck edge then **sew** collar to neck edge, Turn collar to outside and **sew** to right side of coat, closing beginning end of collar. **Sew** edges and end of decreased rows together
Matching center of sleeve with shoulder seam, **sew** in top of sleeve, then **sew** underarm seam.
Sew side seams.
Sew hook part of fastener to loose end of collar, then sew eye part of fastener to inside of right front neck, 5 1/8" from center front edge.

ONIX / NORDIC

pág. 37

ESPAÑOL

MEDIDAS: 50 cm. x 170 cm.

MATERIALES
ONIX: col. marrón 7003: 7 ovillos.
NORDIC: col. marrón 9: 3 ovillos.

Agujas	Puntos empleados
Nº 4, Nº 8	- *P. jersey der.* - *P. bobo* - *P. elástico 1x1.* - *P. fantasía* (ver explicación).

***P. fantasía*:**
1ª vta (derecho de la labor): trab. al derecho.
2ª vta: pasar 2 p. sin hacer a la ag. derecha, * 1 p. der., 4 hebras * repetir de * a * en toda la vta y terminar con 2 p. der.
3ª vta: pasar 2 p. sin hacer a la ag. derecha, * 6 p. cruzados hacia la derecha (= pasar 6 p. sin hacer a la ag. derecha, soltando las 4 hebras de cada p., volver a pasar estos 6 p. a la ag. izquierda, pasar los 3 últimos p. por encima de los 3 primeros y dejarlos sobre la ag. izquierda, trab. estos 6 p. al derecho) * repetir de * a * en toda la vta y terminar con 2 p. der.
4ª vta, 5ª vta y 6ª vta: trab. al derecho.

MUESTRA DEL PUNTO
ONIX a *p. jersey der.*, ag. nº 4.
10x10 cm. = 22 p. y 29 vtas.
NORDIC a *p. fantasía*, ag. nº 8.
10x10 cm. = 7 p. y 12 vtas.

REALIZACIÓN
Con ag. nº 8 en NORDIC **montar** 34 p.
Trab. 2 vtas a *p. bobo* y continuar trab. a *p. fantasía*.
Al terminar el *p. fantasía* en la siguiente vta (= derecho de la labor) cambiar a ag. nº 4 en ONIX y continuar trab. a *p. jersey der*. excepto los 5 primeros p. y los 5 últimos p. de las vtas que se trab. **siempre** a *p. elástico 1x1*, **montando** en la primera vta entre cada p. alternativamente 23 veces 2 p., 10 veces 3 p. = 110 p.
A 162 cm. de largo total, por el derecho de la labor cambiar a ag. nº 8 en NORDIC, trab. 2 vtas a *p. bobo* **menguando** repartidos en la primera vta del derecho de la labor alternativamente 23 veces 3 p. juntos der., 10 veces 4 p. juntos der. = 34 p.
Continuar trab. a *p. fantasía* y **cerrar**.

CONFECCIÓN Y REMATE
Flecos: Con NORDIC cortar 76 hilos de 50 cm. de largo.

Hacer 38 flecos de 2 hilos cada fleco (ver pág. p. básicos) y poner repartidos a 1 cm. de distancia entre fleco y fleco, 19 flecos en cada extremo del echarpe.

E NGLISH

SIZE: 19 3/4" x 66 3/4"

MATERIALS
ONIX: 7 balls chestnut no. 7003.
NORDIC: 3 balls chestnut no. 9.

NEEDLES
Size 5 & 11 (U.S.) /(4 & 8 metric) **or size you need to use to obtain gauge listed below.**

STITCHES
See Basic Instructions for: *Stockinette St*, *Garter St*, *1x1 Ribbing*.

Pattern St:
Row 1: (right side) Knit.
Row 2: Slip 2 sts to RH needle, *K1, YO 4 times, *; rep from * to * to last 2 sts, slip 2 sts.
Row 3: Slip 2 sts to RH needle, * dropping all yarn overs, slip 6 sts to RH needle, insert tip of LH needle into the first 3 loops that were put onto RH needle, holding all loops firmly so they do not twist, drop all loops from RH needle, insert tip of RH needle into the 3 loose loops, slip all 6 loops onto LH needle, knit these 6 loops, *; rep from * to * to last 2 sts; K2.
Rows 4, 5, & 6: Knit.

GAUGE
Using ONIX with smaller needles in *Stockinette St*: 22 sts and 29 rows = 4x4"
Using NORDIC with larger needles in *Pattern St:* 7 sts and 12 rows = 4x4"

INSTRUCTIONS
Using NORDIC, with larger needles, **cast on:** 34 sts.
Work 2 rows *Garter St*, then work the six rows of *Pattern St.*
Next row (right side), using ONIX with smaller needles, **increase** as follows:
K1, * (K1, P1, K1 in next st) twice; (K1, P1, K1, P1) in next st, *; rep from * to * 4 more times; (K1, P1, K1 in next st) 3 times; * (K1, P1, K1, P1) in next st; (K1, P1, K1 in next st) twice, *; rep from * to * 4 more times: = 110 sts.
Next row: (wrong side) (K1, P1) twice, K1, purl to last 5 sts, (K1, P1) twice, K1.
Next row: (right side) maintaining first and last 5 sts in established *1x1 Ribbing*, beginning with a knit row, work rem sts in *Stockinette St*
When shawl measures 63 3/4", on next right side row, **decrease** as follows:
K1, * (K 3 tog) twice, K 4 tog, *; rep from * to * 4 more times; (K 3 tog) 3 times; * K 4 tog, (K 3 tog) twice, *; rep from * to * 4 more times: = 34 sts
Using NORDIC with larger needles, knit 3 rows.
Work the 6 rows of *Pattern St*: **bind off.**

FINISHING
Fringe: (see Basic Instructions).
Using NORDIC, cut 76 strands, each 19 3/4" long.
Use 2 strands for each group.
Insert 19 groups in each end of shawl, then knot alternate strands as shown on graph.

INGENUA

pág. 38

E SPAÑOL

TALLA ÚNICA

MATERIALES
INGENUA: col. crudo 3: 6 ovillos.

Horquilla	Puntos empleados
Nº 5	- *P. ondulado* (ver explicación y gráfico A, el p. de corazón es de 2 p. bajos)
Aguja de ganchillo	
Nº 1,50 mm	- *P. de cadeneta* (= corresponde al p. ondulado)
Nº 2 1/2	- *P. de anillas* (ver explicación) - *P. fantasía* (ver explicación y gráfico B)

P. de anillas:
Trab. * 1 p. bajo. 3 p. de cadeneta *, repetir de * a * y terminar con 1 p. bajo.

P. fantasía:
trab. 2 p. altos sin cerrar, * saltar 3 p. de cadeneta, trab. en el siguiente p. de cadeneta 2 p. altos y cerrar juntos con los otros 2 p. altos, trab. 3 p. de cadeneta y trab. en el mismo p. de cadeneta 2 p. altos sin cerrar *, repetir de * a * y terminar con saltar 3 p. de cadeneta, trab. en el siguiente p. de cadeneta 2 p. altos y cerrar juntos con los otros 2 p. altos.

MUESTRA DEL PUNTO
P. fantasía, ag. de ganchillo nº 2 1/2
10x10 cm. = 17 p. y 6 vtas.
NOTA: es imprescindible hacer un patrón, para poder ir comprobando la labor. El *p. ondulado* queda en el centro de la espalda y en el centro de cada delantero.

ESPALDA
Con la horquilla nº 5 y la aguja de ganchillo nº 1,50 mm., trab. una tira de 48 anillas. Trab. el *p. ondulado* (ver gráfico A) de la siguiente manera: Empezar con 4 anillas cogidas juntas, [1 p. de cadeneta, *coger 1 anilla, 1 p. de cadeneta*, repetir de * a * 7 veces más, coger 8 anillas juntas], repetir de [a] y terminar con 4 anillas juntas.
En el otro lado de la tira, trab.: * coger 1 anilla, 1 p. de cadeneta*, repetir de * a * 3 veces más, [coger 8 anillas juntas, 1 p. de cadeneta, *coger 1 anilla, 1 p. de cadeneta*, repetir de * a * 7 veces más] repetir de [a] y terminar con coger 8 anillas juntas, 1 p. de cadeneta, *coger 1 anilla, 1 p. de cadeneta*, repetir de * a * 3 veces más.
A continuación, con la aguja de ganchillo nº 2 1/2, trab. en un lado de la tira durante 1 vtaa *p. de anillas* con el p. bajo en la separación del p. de cadeneta entre las anillas. Quedan en total 27 anillas.
Encima de las anillas trab. 9 vtas a *p. fantasía* según gráfico B. **NOTA:** empezar a trabajar con la 1ª vta del gráfico B, la vta inferior correponde a las 27 anillas sobre las cuales se trab. el *p. fantasía.*
Cortar el hilo y rematar.
Trab. igual en el otro lado de la tira.

DELANTERO DERECHO
Trab. como la espalda, pero terminar con 4 vtas a *p. fantasía* a cada lado de la tira en vez de 9 vtas.

DELANTERO IZQUIERDO
Trab. como el delantero derecho.

MANGAS
Con ag. de ganchillo nº 2 1/2, **montar** 48 p. de cadeneta.
Insertar la aguja de ganchillo en el 4º p. de cadeneta desde la aguja de ganchillo y trab. a *p. fantasía.* Quedan 11 motivos.
Aumentar (= trab. medio motivo más del *p. fantasía* en cada lado) cada 4 vtas: 6 veces 1/2 motivo = 17 motivos.
A 54 cm. de largo total, **cortar** el hilo y rematar.
Trab. la otra manga igual.

CONFECCIÓN Y REMATE
Hilvanar las piezas encaradas y planchar a vapor.
Coser los delanteros a la espalda, con 10 cm. para cada hombro.
Aplicar las mangas (= con la mitad de la parte superior de la manga a la costura del hombro y los extremos a 19 cm. desde la costura del hombro) y coser mangas y lados.
Dar un repaso de plancha a las costuras.
Con la aguja de ganchillo nº 2 1/2 trab. 2 tiras de 50 p. de cadeneta cada una. Coser una tira a cada delantero, a 19 cm. desde la parte superior. Anudar.

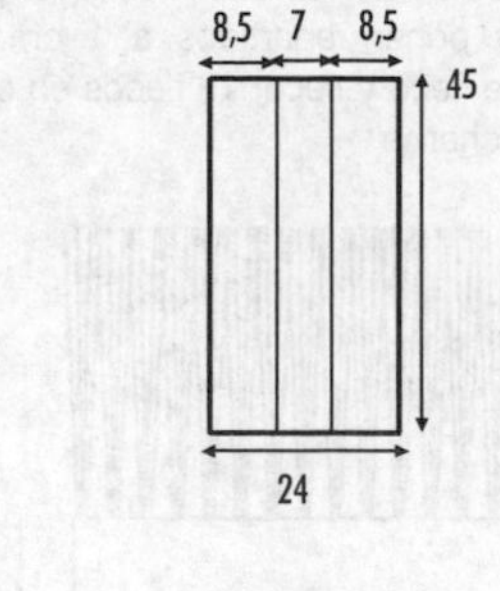

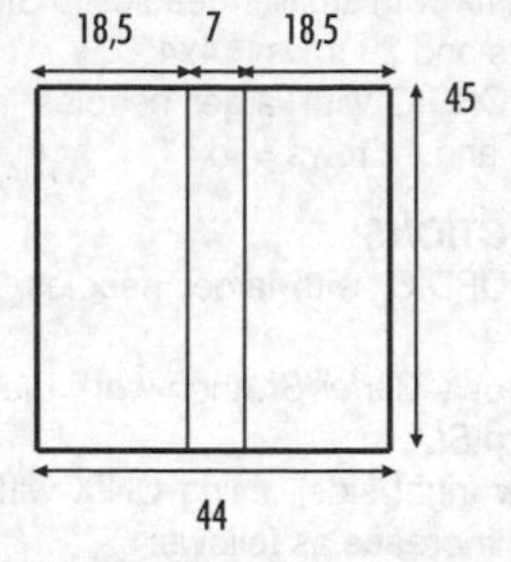

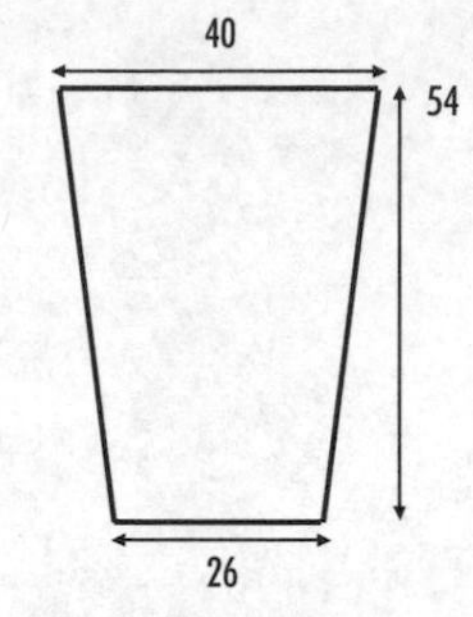

Gráfico A

× p. bajo
o p. de cadeneta
0 1 anilla

Graph A

× Single crochet
o Chain 1
0 Crochet Bean St

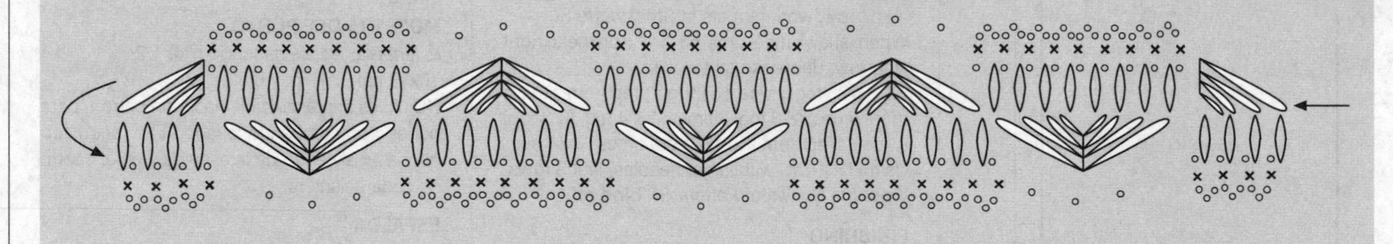

Gráfico B

R Repetir
o p. de cadeneta
∩ anilla de base
 2 p. altos sin cerrar, saltar la base indicada, 2 p. altos y cerrar juntos con los 2 p. altos anteriores.
 2 p. altos cerrados juntos.

Graph B

R Repeat
o chain 1
∩ ch-3 loops on last row of Graph A
 Bean St
holding back last loop, work 2 sc in designated st (3 loops on hook); holding back last loop, work 2 more sc in next designated st (5 loops on hook, YO hook and draw through all loops.

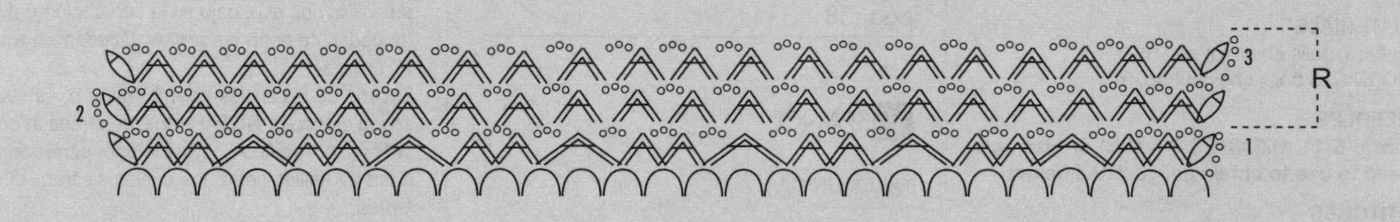

ENGLISH

SIZE: one size

MATERIALS
INGENUA: 6 balls natural no. 3.

HAIRPIN LACE LOOM
Size 3" (U.S.) /(5 metric)

CROCHET HOOKS
Size B & C (U.S.) /(1.50 mm. & 2 1/2 metric) **or size you need to use to obtain gauge listed below.**

STITCHES
See Basic Instructions for: *Crochet Chain*, *Single Crochet*, *Double Crochet*

Crochet Bean St:
Holding back last loop, work 2 dc in same st, YO hook and draw through all 3 loops.

Crochet Pattern St:
Holding back last loop, work 2 dc in designated st (3 lps on hook), * skip 3 chains, holding back last loop, work 2 dc in same ch as before (5 lps on hook), YO hook and draw though all lps on hook, ch 3, holding back last loop, work 2 dc in next designated st *; rep from * to *, ending with skip 3 chs, ch 3, holding back last loop, work 2 dc in next ch, YO hook and draw through all loops.

GAUGE
Using larger hook in *Crochet Pattern St:* 17 sts and 6 rows = 4x4"

BACK
Using smaller crochet hook, work a strip of hairpin lace, 48 loops long; **fasten off**.
Following Graph A, work one outside edge as follows: pick up 4 loops on hook, * (ch 1, work Bean St into next loop) 8 times; pick up 8 loops on hook, *; rep from * to * last 4 loops, end with pick up 4 loops on hook, ch 1, turn.
Next row, *sc in ch 1, ch 3, *; rep from * to * 26 more times: 27 ch-3 loops; turn.
Using larger hook and beginning with row 1, work Graph B until you have completed 9 rows.
Fasten off and weave in all ends.
For other outside edge of hairpin lace strip, slip st in first loop, ch 3, dc in same loop, ch 1 (work *Bean St* in next loop, ch 1) 3 times; * ch 2, pick up 8 loops on hook, ch 2, (ch 1, work *Bean St* in next loop) 8 times, *; rep from * to * to last 4 loops, end with (ch 1, work *Bean St* in next loop) 4 times, turn.
Next row, *sc in ch 1, ch 3, *; rep from * to * 26 more times: 27 ch-3 loops; turn.
Using larger hook and beginning with row 1, work Graph B until you have completed 9 rows.
Fasten off and weave in all ends.

RIGHT FRONT
Work same as back ending with only 4 rows of Graph B.

LEFT FRONT
Work same as right front

SLEEVES
Using larger crochet hook, **chain** 48.
Insert hook in 4th sts from hook and work *Crochet Pattern St:* [11 motifs].
Continue in this pattern st, increasing 1/2 motif at each edge every 4 rows: 6 times: [17 motifs].
When sleeve measures 21 1/4", **fasten off** and weave in all ends.

FINISHING
Carefully block pieces on the wrong side, using steam only.
Sew shoulder seams for 4"
Matching center of sleeve with shoulder seam, **sew** in top of sleeve for 7 1/2" from shoulder seam, then **sew** underarm seam.
Carefully block seams on the wrong side, using steam only.
With larger hook, make two chains, each 19 3/4" long.
Sew one chain to each front 7 1/2" from top edge, knotting other end of chain.

FIL KATIA

ONIX / CAN-CAN

pág. 39

ESPAÑOL

TALLAS: -a) 38/40 **-b)** 42/44 **-c)** 46/48 **-d)** 50/52

MATERIALES
ONIX: col. 7005: **-a)** 9 **-b** 10 **-c)** 11 **-d)** 12 ovillos.
CAN-CAN: col. 5904: **-a), -b)** 2 **-c), -d)** 3 ovillos.
5 cierres de gancho grandes forrados.

Agujas	Puntos empleados
Nº 4 1/2	- *P. bobo* CAN-CAN - *P. jersey der.* ONIX - *P. listado* (ver explicación)

P. listado:
2 vtas a *p. jersey der.* ONIX
2 vtas a *p. bobo* CAN-CAN
2 vtas *p. jersey der.* ONIX
2 vtas a *p. bobo* CAN-CAN
2 vtas *p. jersey der.* ONIX
2 vtas a *p. bobo* CAN-CAN

MUESTRA DEL PUNTO
P. jersey der., ONIX, ag. nº 4 1/2
10x10 cm. = 18 p. y 22 vtas.

ESPALDA
Con ag. nº 4 1/2 y ONIX, **montar -a)** 78 p. **-b)** 86 p. **-c)** 94 p. **-d)** 102 p.
Trab. 8 vtas a *p. listado* y continuar trab. a *p. jersey der.* con ONIX.
A 10 cm. de largo total, **menguar** en ambos lados (= a 2 p. desde cada lado): cada 8 vtas: 3 veces 1 p. = **-a)** 72 p. **-b)** 80 p. **-c)** 88 p. **-d)** 96 p.
Sisas:
A 35 cm. de largo total, **cerrar** en ambos lados cada 2 vtas:
-a) 1 vez 2 p., 2 veces 1 p. = 64 p.
-b) 1 vez 2 p., 3 veces 1 p. = 70 p.
-c) 1 vez 2 p., 4 veces 1 p. = 76 p.
-d) 1 vez 2 p., 5 veces 1 p. = 82 p.
A **-a)** 56 cm. **-b)** 57 cm. **-c)** 58 cm. **-d)** 59 cm. de largo total, **cerrar** los p.

DELANTERO DERECHO
Con ag. nº 4 1/2 y ONIX, **montar -a)** 39 p. **-b)** 43 p. **-c)** 47 p. **-d)** 51 p.
Trab. 8 vtas a *p. listado* y continuar trab. a *p. jersey der.* con ONIX.
A 10 cm. de largo total, **menguar** en el extremo izquierdo (= a 2 p. desde el extremo): cada 8 vtas: 3 veces 1 p. = **-a)** 36 p. **-b)** 40 p. **-c)** 44 p. **-d)** 48 p.
Sisa:
A 35 cm. de largo total, **cerrar** en el extremo izquierdo cada 2 vtas:
-a) 1 vez 2 p., 2 veces 1 p. = 32 p.
-b) 1 vez 2 p., 3 veces 1 p. = 35 p.
-c) 1 vez 2 p., 4 veces 1 p. = 38 p.
-d) 1 vez 2 p., 5 veces 1 p. = 41 p.
Escote:
A 48 cm. de largo total, **cerrar** en el extremo derecho cada 2 vtas:
-a) 1 vez 7 p., 1 vez 2 p., 3 veces 1 p.
-b) 1 vez 8 p., 1 vez 2 p., 3 veces 1 p.
-c) 1 vez 9 p., 1 vez 2 p., 3 veces 1 p.
-d) 1 vez 10 p., 1 vez 2 p., 3 veces 1 p.
Hombro:
A **-a)** 56 cm. **-b)** 57 cm. **-c)** 58 cm. **-d)** 59 cm. de largo total, **cerrar** los **-a)** 20 p. **-b)** 22 p. **-c)** 24 p. **-d)** 26 p. restantes del hombro.

DELANTERO IZQUIERDO
Trab. como el delantero derecho, pero **a la inversa**.

MANGAS
Con ag. nº 4 1/2 y ONIX, **montar -a)** 40 p. **-b)** 44 p. **-c)** 46 p. **-d)** 50 p.
Trab. 12 vtas a *p. listado* y continuar trab. a *p. jersey der.* con ONIX.
A 8 cm. de largo total, **aumentar** en ambos lados cada 6 vtas y cada 8 vtas alternativamente: 9 veces 1 p. = **-a)** 58 p. **-b)** 62 p. **-c)** 64 p. **-d)** 68 p.
Sisa:
A 43 cm. de largo total, **cerrar** en ambos lados cada 2 vtas:

INSTRUCTIONS

–a) 19 veces 1 p.
–b) 20 veces 1 p.
–c) 21 veces 1 p.
–d) 22 veces 1 p.
A –a) 60 cm. –b) 61 cm. –c) 62 cm. –d) 63 cm. de largo total, **cerrar** los –a) 20 p. –b) 22 p. –c) 22 p. –d) 24 p. restantes.
Trab. la otra manga igual.

CONFECCIÓN Y REMATE
Coser hombros. (= –a) 20 p. –b) 22 p. –c) 24 p. –d) 26 p. para cada hombro).
Tiras delanteros:
Con ag. nº 4 1/2 y ONIX, **recoger** 80 p. alrededor del delantero derecho. (= desde el bajo hasta el escote). Trab. 10 vtas a *p. listado* y **cerrar.**
Hacer lo mismo con el delantero izquierdo.
Tira escote:
Con ag. nº 4 1/2 y ONIX, **recoger** alrededor del escote –a) 60 p. –b) 64 p. –c) 68 p. –d) 72 p. Trab. 12 vtas a *p. listado* y **cerrar** los p. con ONIX.
Coser lados y mangas.
Coser los cierres (= los ganchos en el delantero derecho y las otras partes de los cierres en el delantero izquierdo) por el interior a las tapetas: el primer cierre al comienzo del escote y los demás cada 8 cm.

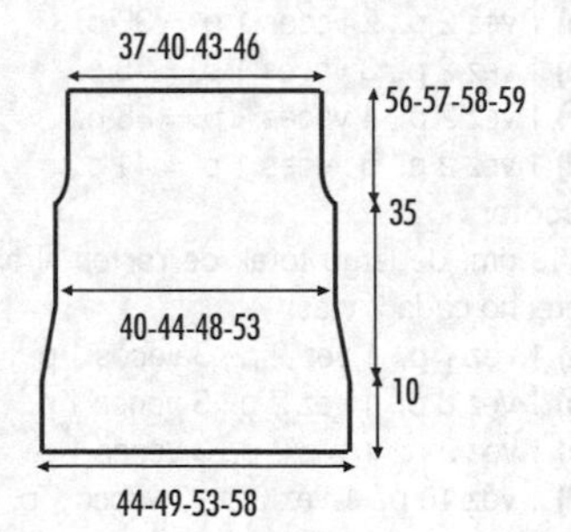

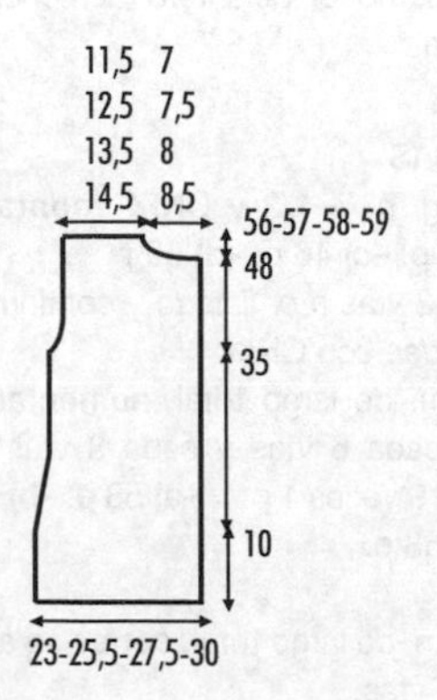

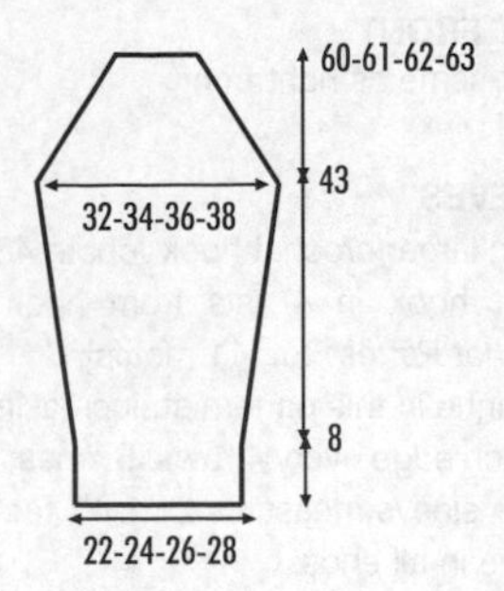

ENGLISH

SIZE: –a) 31 1/2" **–b)** 34 5/8" **–c)** 37 3/4" **–d)** 41 3/4": finished bust measurement.

MATERIALS
ONIX: **–a)** 9 **–b)** 10 **–c)** 11 **–d)** 12 balls color no. 7005.
CAN-CAN: **–a) & –b)** 2 **–c) & –d)** 3 balls color no. 5904.
Five large hook and eye fasteners.

NEEDLES
Size 6 (U.S.) /(4 1/2 metric) **or size you need to use to obtain gauge listed below.**

STITCHES
See Basic Instructions for: *Garter St*, *Stockinette St*.
Stripe Pattern:
* 2 rows *Stockinette St* using ONIX; 2 rows *Garter St* using CAN-CAN, *; rep from * to * as given in instructions.
NOTE: Decrease 1 st for shaping as follows:
At the beginning of right side rows, K2, sl 1, K1, PSSO.
At the end of right side rows, work to last 4 sts; K 2 tog, K2.

GAUGE
Using ONIX in *Stockinette St*: 18 sts and 22 rows = 4x4"

BACK
Using ONIX, **cast on –a)** 78 sts **–b)** 86 sts **–c)** 94 sts **–d)** 102 sts.
Work a total of 8 rows *Stripe Pattern*; then using ONIX only, work *Stockinette St*.
When back measures 4" decrease 1 st at each edge as given in "NOTE" above, every 8 rows: 3 times:
[**–a)** 72 sts **–b)** 80 sts **–c)** 88 sts **–d)** 96 sts.
Armholes:
When back measures 13 3/4", **bind off** at each edge every 2 rows:
–a) 2 sts 1 time; 1 st 2 times: [64 sts]
–b) 2 sts 1 time; 1 st 3 times: [70 sts]
–c) 2 sts 1 time; 1 st 4 times: [76 sts]
–d) 2 sts 1 time; 1 st 5 times: [82 sts].
When back measures **–a)** 22" **–b)** 22 1/2" **–c)** 22 7/8" **–d)** 23 1/4", **bind off.**

RIGHT FRONT
Using ONIX, **cast on –a)** 39 sts **–b)** 43 sts **–c)** 47 sts **–d)** 51 sts,
Work a total of 8 rows *Stripe Pattern*; then using ONIX only, work *Stockinette St*
When front measures 4"decrease 1 st at armhole edge as given in "NOTE" above, every 8 rows: 3 times:
[**–a)** 36 sts **–b)** 40 sts **–c)** 44 sts **–d)** 48 sts.
Armholes:
When back measures 13 3/4", **bind off** at each edge every 2 rows:
–a) 2 sts 1 time; 1 st 2 times: [32 sts]
–b) 2 sts 1 time; 1 st 3 times: [35 sts]
–c) 2 sts 1 time; 1 st 4 times: [38 sts]
–d) 2 sts 1 time; 1 st 5 times: [41 sts].
Neckline:
When front measures 18 7/8", **bind off** at center front edge every 2 rows:
–a) 7 sts 1 time; 2 sts 1 time; 1 st 3 times: [20 sts]
–b) 8 sts 1 time; 2 sts 1 time; 1 st 3 times: [22 sts]
–c) 9 sts 1 time; 2 sts 1 time; 1 st 3 times: [24 sts]
–d) 10 sts 1 time; 2 sts 1 time; 1 st 3 times: [26 sts].
When front measures **–a)** 22" **–b)** 22 1/2" **–c)** 22 7/8" **–d)** 23 1/4", **bind off** all rem sts.

LEFT FRONT
Work same as right front, reversing all shaping.

SLEEVES
Using ONIX, **ast on –a)** 40 sts **–b)** 44 sts **–c)** 46 sts **–d)** 50 sts.
Work *Stripe Pattern* for a total of 12 rows; then using ONIX only, work *Stockinette St*. When sleeve measures 3 1/8", **–a) –b) –c) & –d): increase** 1 st at each edge as given in "NOTE 2" above, alternately every 6 and 8 rows: 9 times:
[**–a)** 58 sts **–b)** 62 sts **–c)** 64 sts **–d)** 68 sts].
Armhole:
When sleeve measures 16 7/8", **decrease** 1 st at each edge as given in "NOTE 1" above, every 2 rows:
–a) 19 times: [20 sts]
–b) 20 times: [22 sts]
–c) 21 times: [22 sts]
–d) 22 times: [24 sts].
When sleeve measures **–a)** 23 5/8" **–b)** 24" **–c)** 24 3/8" **–d)** 24 3/4", **bind off** all rem sts.

FINISHING
Front bands:
For each front, **pick up –a) –b) –c) & –d):** 80 sts.
Work a total of 10 rows *Stripe Pattern*; **bind off.**
Sew shoulder seams for **–a)** 20 sts **–b)** 22 sts **–c)** 24 sts **–d)** 26 sts.
Using ONIX, **pick up –a)** 60 sts **–b)** 64 sts **–c)** 68 sts **–d)** 72 sts around neck edge.
Work a total of 12 rows *Stripe Pattern*; using ONIX, **bind off.**
Sew side and sleeve seams.
Sew hooks on the inside edge of the right front, with the first one at the beginning of neckline shaping, and spacing the other 4 hooks, 3 1/8" apart.
Sew eye fasteners on the inside of left front edge, opposite the hooks.

Nuestro agradecimiento a:

ACCESSORIZE
C/ Valencia, 262
08008 Barcelona

CALCEDONIA
Tel. 93 264 90 00

CASAS
Tel. 93 736 28 62

THE FREDERIC HOMS
Tel. 93 488 30 60

DESIGUAL
Tel. 93 488 30 60

FREYA
C/ Verdi, 17
08012 Barcelona

RIP CURL
Tel. 93 488 30 60

MAMBO
Tel. 93 488 30 60

Estilistas: *Elisabet Llonch y Montse Ferrer.* **Responsable Edición:** *Montse Ferrer.* **Colaboradores:** *Yolanda Benassai, Miriam Dow, Anna Font, Victoria Gómez, Marina Van den Bogaart.* **Fotógrafo:** *Leandre Escorsell.* **Estilistas Fotografía:** *Cuca Mateos.* **Creación Gráfica y Fotomecánica:** *Disseny Nova Forma, S.L.* **Fotocomposición:** *Pícsel Traç.* **Impresión:** *Altair Quebecor, S.A.* **Edita y Realiza:** *Fil Katia, S.A. - Av. Catalunya, s/n. - 08296 Castellbell i el Vilar (Barcelona) España Tel. 93 834 02 01 - Fax 93 834 03 12 - E-mail: info@katia.es - Web: http://w.w.w.Katia.es.* **Distribución en Kioscos:** *Coedis, S.A.* **Depósito Legal:** *TO- 109-1998.* **P.V.P. para Canarias, Ceuta y Melilla:** *4,50 Euros IVA y transportes incluidos.*

35 A - MERINO 100 % -
35 B - DIANA -

36 - AUSTRAL -

37 - AUSTRAL -

38 - COCKTAIL + TECNO SOFT PRINT + AUSTRAL -

39 - LULU + MERINO 100 % -

40 - TUNDRA -

41 - LULU -

42 - EDEN + MERINO 100 % -

43 - VENUS + VIP -

44 - VENUS -

45 - VIP + DESEO -

46 - VENUS + ONIX -

47 - TUNDRA + TIBET -

48 - TUNDRA -

49 - EDEN -

50 - CAN CAN + MERINO 100 % -

51 - EDEN + GATSBY LUX -

52 - LULU + ONIX -

53 - ONIX + CAN CAN -

54 - TIROL / BASIC SPORT + CAN CAN -

55 - ONIX + NORDIC -

56 - INGENUA -